Liebe Leserinnen und Leser,

das im Roman beschriebene ›Upskirting‹, also heimlich unter den Rock fotografieren, ist jetzt endlich strafbar (§ 184 k StGB). Das war bis vor Kurzem anders. Noch als ich am Roman schrieb, empörten sich junge Frauen bei mir, weil man ihnen mit dem Handy unter den Rock fotografiert hatte. Laut Aussage der Polizei sei das zwar eine Unverschämtheit gewesen, aber nicht strafbar. Jetzt kann dieses Vorgehen mit einer Strafe von bis zu zwei Jahren geahndet werden.

Ihr

Klaus-Peter Wolf

Klaus-Peter Wolf, 1954 in Gelsenkirchen geboren, lebt gemeinsam mit seiner Frau, der Kinderbuchautorin Bettina Göschl, als freier Schriftsteller in der ostfriesischen Stadt Norden, in derselben Straße wie seine berühmte Kommissarin Ann Kathrin Klaasen.
Seine Bücher wurden mit zahlreichen Preisen ausgezeichnet, in 26 Sprachen übersetzt, und über dreizehn Millionen mal verkauft. Mehr als 60 seiner Drehbücher wurden verfilmt, darunter viele für »Tatort« und »Polizeiruf 110«. Der Autor ist Mitglied im PEN-Zentrum Deutschland. Für seinen Roman »Ostfriesenhölle« (Februar 2020) erhielt Spiegel-Bestseller-Autor Klaus-Peter Wolf den Media Control Award für das meist verkaufte Buch im ersten Halbjahr 2020.
Mehrere Bände der Serie mit Ann Kathrin Klaasen wurden bereits prominent fürs ZDF verfilmt, weitere werden folgen. Sie finden und begeistern ein Millionenpublikum.

Weitere Informationen auf www.fischerverlage.de. und auf der Website des Autors: www.klauspeterwolf.de

KLAUS-PETER WOLF

Ostfriesen
ZORN

Kriminalroman

Der neue Fall
für Ann Kathrin Klaasen

FISCHER Taschenbuch

Aus Verantwortung für die Umwelt hat sich der S. Fischer Verlag
zu einer nachhaltigen Buchproduktion verpflichtet. Der bewusste Umgang
mit unseren Ressourcen, der Schutz unseres Klimas und der Natur
gehören zu unseren obersten Unternehmenszielen.

Gemeinsam mit unseren Partnern und Lieferanten setzen wir uns für eine
klimaneutrale Buchproduktion ein, die den Erwerb von Klimazertifikaten
zur Kompensation des CO_2-Ausstoßes einschließt.

Weitere Informationen finden Sie unter:
www.klimaneutralerverlag.de

3. Auflage: September 2021

Originalausgabe
Erschienen bei FISCHER Taschenbuch
Frankfurt am Main, Februar 2021

© 2021 S. Fischer Verlag GmbH,
Hedderichstr. 114, D-60596 Frankfurt am Main

Satz: Dörlemann Satz, Lemförde
Druck und Bindung: CPI books GmbH, Leck
Printed in Germany
ISBN 978-3-596-70008-0

»Weil wir uns ständig beobachtet und bewertet fühlen,
laufen wir völlig verkrampft durchs Leben. Sind nicht
wir selbst, sondern wer wir in den Augen anderer
sein sollten. Deshalb riskieren wir nichts mehr.
Mir stinkt das.«

Hauptkommissarin Ann Kathrin Klaasen,
Kripo Aurich, Mordkommission

»Wir sind uns sehr ähnlich, Frau Klaasen.«

Dr. Bernhard Sommerfeldt, Serienkiller

»Man muss die Schuld auch mal bei anderen suchen.«

Hauptkommissar Rupert,
Kripo Aurich, Mordkommission

Der Mörder war barfuß. Er lag im Dünengras und sah belustigt bei den Dreharbeiten zu. Die Frau, die er noch heute Nacht töten würde, stand lächelnd vor einer Kamera. Wenn das kein Zeichen war …

Judith Rakers wurde überall erkannt. Schließlich kam sie als Tagesschausprecherin und Moderatorin abends in fast alle Wohnzimmer. Sie war freundlich und hatte heute schon für gut ein Dutzend Selfies posiert. Auch Astrid Thoben wurde jetzt von einigen Touristen für eine Berühmtheit gehalten, vielleicht, weil sie dachten, ein Mensch, der mit solchem Aufwand in Szene gesetzt wurde, müsse einfach bekannt sein.

Astrid gab das erste Interview ihres Lebens und fühlte sich wohl dabei. Sie hatte nicht damit gerechnet, von Judith Rakers angesprochen zu werden. Überhaupt war an diesem Tag vieles ganz anders verlaufen, als sie vermutet hatte. Eigentlich wollte sie die Insel mit dem Rad erkunden. Und zwar allein!

Jetzt stand sie am Flinthörn. Zwei Kameramänner und ein ganzes Filmteam wuselten um sie herum.

»Die sind gar nicht da«, hatte Judith zu ihr gesagt und sie dabei so selbstverständlich angeguckt, als seien die beiden tatsächlich alleine miteinander. Schon nach wenigen Augenblicken sprach Astrid ungezwungen und kümmerte sich nicht mehr um die Kameras.

Sie unterhielten sich jetzt wie zwei Frauen, die sich gerade kennengelernt hatten und neugierig aufeinander waren. Der Nordwestwind blies heftig in ein Lichtsegel, das von zwei jungen Männern kaum gehalten werden konnte. Judiths und Astrids Haare flatterten.

Für einige Touristen war es der Höhepunkt ihres Urlaubs, die Dreharbeiten beobachten zu können. Die beiden Frauen vor dieser zauberhaften Kulisse waren eine Augenweide und animierten so manchen Familienpapi, Fotos zu machen, auf denen nicht nur Möwen oder Sonnenuntergänge zu sehen waren.

Inge Schmelzin, die seit fünfzehn Jahren immer wieder auf Langeoog Urlaub machte, zeigte auf Astrid und erklärte ihrer sechzehnjährigen Tochter Annika: »Das ist eine ganz bekannte Schauspielerin. Ich komm bloß gerade nicht auf ihren Namen. Die hab ich schon im letzten Jahr auf der Insel gesehen. Die kauft auch bei *Remmers* morgens ihre Brötchen ein.«

Annika Schmelzin gab ihrer Mutter sofort recht, hatte dabei aber diesen typischen spöttischen Ausdruck im Gesicht: »Ja, Mama, ich hab die bei *Vier Beaufort* getroffen. Die hat diesen lässigen Hoodie mit einer Muschel drauf bekommen. Weißt du, das Teil, das Papa zu teuer war.«

Inge Schmelzin machte eine abfällige Handbewegung: »Hoodie! Wenn ich das schon höre! Das heißt Kapuzenpullover. Ich kann diese Inflation der englischen Ausdrücke nicht ab.«

Die beiden bemerkten nicht, dass jemand hinter ihnen im Gras lag und sich weder wirklich für die Dreharbeiten interessierte noch für den gigantischen Meerblick. Er knipste nicht Judith im Gespräch mit Astrid, sondern er hielt sein Handy tiefer, so dass er unter Inges und Annikas Röcke fotografieren konnte.

Die zwei liefen weiter vor. Sie wollten nicht nur zuschauen, sondern auch zuhören. Ein Tontechniker hielt die Angel mit dem Mikro zu tief, so dass es von oben ins Bild rutschte. Die Szene musste wiederholt werden.

Niemand beachtete Marco Zielinski. Er sah sich die Aufnahmen auf seinem Display an. Er war noch nicht ganz zufrieden. Das Bild vom Po der Tochter gefiel ihm besonders gut. Sie trug einen ganz normalen weißen Slip. Vermutlich billige Kaufhausware. Eine Hälfte war fast vollständig in ihre Arschritze gerutscht. Das fand er viel geiler als ständig diese öden Stringtangas.

Bei der Mutter konnte er auf dem Bild kaum etwas erkennen. Ihr Minirock war eine Spur zu lang, und der Winkel stimmte nicht. Er hatte nur ihre rechte Kniekehle erwischt und einen Teil vom Oberschenkel. Der Rest lag im Schatten.

Zielinksi versuchte sein Glück erneut. Mutter und Tochter an einem Tag abzuschießen, das war schon ein ganz besonderes Glück. Dafür riskierte er gerne mehr als sonst.

Hier war es schwierig zu fliehen. Man konnte viel zu weit gucken. Sie standen praktisch auf der höchsten Erhebung im Südwesten der Insel. Egal wohin er abhauen würde, sie könnten ihn lange sehen und mit ihren Fahrrädern verfolgen.

Überhaupt war Flucht auf einer autofreien Insel für jeden eine sportliche Herausforderung, dachte er.

Er war schon mal in einem Kaufhaus in Siegburg die hochfahrende Rolltreppe abwärtsgelaufen, um sich zu retten. Rolltreppen waren lange Zeit sein Lieblingsjagdrevier gewesen. Rolltreppen und S-Bahnen. Besonders im Sommer.

Jetzt hatte er die ostfriesischen Inseln für sich entdeckt. Er liebte den Wind hier, wenn er den Frauen in die Kleider und unter die Röcke fuhr.

»Was meinen Sie damit, dieser Ort hat eine ganz besondere Magie?«, hakte Judith Rakers nach.

Astrid Thoben zuckte mit den Schultern, als hätte sie keine Ahnung. »Das kann man nicht erklären. Das muss man fühlen! Hier, so nah am Meer, mit der Sonne auf der Haut und der salzigen Luft, da fühle ich mich frei. Irgendwie ganz. Als sei ich ein Puzzlespiel aus vielen kleinen Teilen, das sich am Meer ganz von alleine wieder zusammensetzt.«

Judith lächelte. »Das haben Sie aber schön gesagt.«

Sie sah sich nach weiteren Gesprächspartnerinnen um. Inge und Annika Schmelzin gerieten in ihr Blickfeld, doch Inge winkte sofort ab. Sie hatte Angst, kein Wort herauszubekommen. Ihre Tochter dagegen hätte nur zu gern mitgemacht.

Annika schob ihre Mutter vorwärts: »Komm, sei kein Frosch, Mama! Vielleicht werden wir entdeckt!«, strahlte sie.

Frau Schmelzin sprang zurück, um wieder hinter ihre Tochter zu gelangen, fast als wolle sie sich hinter ihr verstecken.

»Wir beißen nicht«, versprach Judith, aber auch damit konnte sie Inges Einstellung nicht verändern. Aus Angst, sich von ihrer Tochter überreden zu lassen, trat sie noch weiter zurück. Sie wollte in keine Situation geraten, der sie nicht gewachsen war.

Für Marco Zielinksi war jetzt alles perfekt. So wie Inge Schmelzin nun stand, konnte er mühelos unter ihren Rock fotografieren. Der Wind machte sich geradezu zu seinem Komplizen.

Inge und Annika Schmelzin waren nur Beifang für ihn. Eigentlich war er gekommen, um Astrid Thoben *abzuschießen*, wie er es nannte. Er hatte Zeit. Die Dinge entwickelten sich gut.

Die Mutter zog ihre Tochter weg. »Komm. Papa hat im *Treibgut* einen Tisch reserviert. Es wird Zeit!«

»Aber Mama«, protestierte Annika, »doch erst um achtzehn Uhr! Mach doch jetzt nicht so'n Stress!«

Er musste ihnen nicht folgen. Er wusste, wo sie wohnten. Vom *Treibgut* aus hatten sie es nicht weit bis zu ihrem Hotel *Flörke*.

Er interessierte sich sehr für diese Astrid. Welch ein Tag!

Das Filmteam packte schon zusammen, und sie trugen ihr Equipment runter zu ihren Fahrrädern, die sie am Flinthörndeich geparkt hatten. Er blieb ganz ruhig liegen und sah ihnen zu. So wie er diese Astrid einschätzte, würde sie sich sowieso vom Filmteam absetzen und wieder die Einsamkeit suchen.

Es amüsierte ihn, wieder mal recht behalten zu haben. Er kannte sich aus mit Menschen.

Judith Rakers fuhr voran. Sie nahm den kürzesten Weg in die Stadt zurück, durch den Inselwald, wo heute Schrebergärten standen. Hier hatte man begonnen, einen großen Militärflughafen zu bauen, und die Marinekommandantur in Wilhelmshaven hatte vorgeschlagen, durch eine Bewaldung die militärischen Anlagen auf Langeoog zu tarnen. Alles war mehrfach bombardiert worden, und nach Kriegsende entstanden dort die Schrebergärten. Die geborstenen Pflaster der Landebahn wurden heute von Radfahrern als Abkürzung zum Flinthörn benutzt.

Die Kamera- und Tonleute schoben ihre Bollerwagen lieber, um ihre wertvollen Geräte keiner Gefahr auszusetzen. Judith dagegen sauste lachend auf ihrem Rad bergab und verschwand im Grün.

Astrid Thoben blieb noch eine Weile bei ihrem Rad stehen und sah sich die Gegend an. Dann entschied sie sich für die entgegengesetzte Richtung.

Als sie aufs Rad stieg, landete Marco ein, zwei Schnappschüsse, die ihn aber nicht zufriedenstellten.

Sie fuhr gar nicht weit. Schon vor der *Ostfriesischen Tee-*

stube an der Hafendeichstraße stellte sie ihr Rad ab. Draußen vor dem Café waren noch ein paar Liegestühle mit Blickrichtung zum Meer frei. Einen davon suchte sie sich aus, bestellte ein Mineralwasser, einen Kaffee und ein Stück selbst gemachten Kuchen. Sie verschränkte die Arme hinter dem Kopf. Sie sah glücklich aus.

Sie streckte die Beine weit von sich. Ihre Sandalen fielen fast wie von selbst von ihren Füßen. Sie spreizte die Zehen und gähnte.

Ihr Wickelrock öffnete sich vorne. Sie wäre nicht auf die Idee gekommen, dass sie damit zum Highlight des Tages für den schüchtern wirkenden jungen Mann wurde, der dort scheinbar etwas unentschlossen herumstand und seine E-Mails checkte.

Sie hatte ihn durchaus zur Kenntnis genommen. Ja, vielleicht verspürte sie sogar ein bisschen Mitleid mit ihm. Er hatte etwas Verlorenes an sich. Sie stellte sich vor, dass seine Freundin ihn schon mehrfach draufgesetzt hatte. Vielleicht hatte sie einen anderen.

Am liebsten hätte sie ihm zugerufen: »Junge, die kommt sowieso nicht mehr!« Aber sie wollte gern allein sein.

Astrid hatte alles, was sie brauchte. Vor ihr lag das Meer. Der Wind kühlte sie, die Sonne wärmte sie, und ein ausgesprochen freundlicher Kellner servierte den Kuchen und machte wortlos klar, dass dieser Kuchen nicht einfach selbst gemacht und gut war. Nein, er war etwas ganz Besonderes.

Marco Zielinski hatte Durst, und der Kuchen reizte ihn auch. Aber jetzt, da er seine Beute gemacht hatte, wollte er die Bilder zu gern ins Netz stellen. Ihre Gruppe wuchs, und er war einer der Stars. Die Mutter-und-Tochter-Bilder würden in der Szene eine Berühmtheit aus ihm machen.

Er nannte sich nur M.

Lehrerinnen brachten hundert Punkte. Verhasste Lehrerinnen wie Astrid Thoben fünfhundert. Lehrerinnen, die praktisch nur Hosen trugen, erschwerten nicht nur den Abschuss, sondern verdoppelten damit auch die Punktzahl, und er hatte sie tatsächlich erwischt! Eine von den Frauen mit der höchsten Punktzahl. Lehrerin. Gehasst. Hosenträgerin.

Obwohl er Durst hatte, stieg er wieder auf sein Rad und fuhr weiter. Ein Glücksgefühl durchflutete ihn. So muss es sich für einen Mittelstürmer anfühlen, ein Tor bei der WM zu schießen, dachte er.

Er radelte durch bis zur Barkhausenstraße. Sein Mund und sein Hals waren inzwischen so trocken, als hätte er Sand geschluckt. Er setzte sich an einen Tisch vor der Eisdiele *Venezia* und bestellte einen großen Erdbeerbecher.

Auf einer Insel kann man sich schlecht aus dem Weg gehen, da trifft man sich immer wieder. Judith Rakers wurde vor der Eisdiele um ein Selfie gebeten. Sie stand mit dem Kameramann bei einem stämmigen Pferd und erklärte ihm, woran sie erkenne, dass es sich um einen Friesen handle. Sie deutete auf die langen Haare am Fesselgelenk. Dabei schleckte sie an ihrem Eis und war sofort bereit, noch ein Selfie mit einer Dame zu machen, die behauptete: »Wenn Sie die Nachrichten vorlesen, ist alles nur noch halb so schlimm, Frau Rakers.«

Judith beachtete Marco Zielinski nicht. Sie besprach nach dem letzten Selfie mit dem Kameramann eine Einstellung, die sie für ihre *Inselreportage* gern morgen drehen wollte.

Zwischen achtzehn und einundzwanzig Uhr, wenn alle essen gehen, ist es am Strand besonders einsam, dachte Astrid. Nach dem Stück Kuchen würde sie nichts mehr zu Abend essen, sondern genau diese Situation ausnutzen. Sie wollte zum Flinthörn zurückfahren und sich in die Dünen setzen. Ja, es war verboten, aber sie hatte vor, sehr vorsichtig zu sein, nichts zu beschädigen, einfach nur ganz still da zu sitzen, die Einsamkeit zu genießen und aufs Meer zu schauen. Das war die beste Meditation für sie.

Dann würde sie diesen seltsamen Tag an sich vorüberziehen lassen. Wenn das Interview mit Judith Rakers wirklich im Fernsehen gezeigt wird, dachte sie, werden viele meiner Schüler es sehen.

In letzter Zeit hatte es in der Schule viel Stress für sie gegeben. Erst mit Schülern, dann mit Eltern und schließlich – das war besonders schrecklich für sie – mit Kollegen. Das Wort *Mobbing* gebrauchte sie in privaten Gesprächen immer öfter.

Sie wollte aus dieser Opferrolle raus. Dabei half der Urlaub auf Langeoog. Das Meer war immer ihr Verbündeter gewesen. Beim Fahrradfahren pustete der Wind ihr das Gehirn frei. Ja, genauso fühlte es sich für sie an.

Als sie gegen zwanzig Uhr dreißig wieder am Flinthörn war und einen einsamen Platz in den Dünen aufsuchte, bemerkte sie nicht, dass ihr jemand folgte.

»Manchmal fühle ich mich hier in der Schule wie ein Wild, das gejagt wird«, hatte sie bei der letzten Lehrerkonferenz gesagt und sofort bitter bereut, sich so sehr geöffnet zu haben. Damit bot sie nur noch mehr Angriffsfläche.

Sie wollte jetzt aus diesem Gedankenkarussell sofort wieder aussteigen. Sie hoffte, das Meer könne ihr dabei behilflich sein. Dieses beständige Rauschen hatte etwas ungeheuer Beruhigendes.

Astrid hörte ein Geräusch hinter sich. Sie rechnete damit, einen Vogel zu sehen, eine Möwe oder eine Dohle. Vielleicht einen Hasen. Deshalb drehte sie sich nicht schnell um, sondern ganz langsam. Sie wollte das Tier nicht erschrecken.

Sie sah den Mann, der ihr eine Stahlschlinge um den Hals legte und dabei lächelte, als sei es eine Perlenkette, die er ihr zum Geschenk machen wollte.

Sie hätte sich so gern gewehrt, und ihr Verstand hatte viele Ideen, wohin sie schlagen sollte. Ja, er hatte verwundbare Stellen – die Augen, der Kehlkopf ... Aber sie konnte sich nicht bewegen. Sie war nicht mal in der Lage, den Arm zu heben.

Sie versuchte, ihm in die Augen zu sehen. Niemand kann so etwas tun, wenn man ihm in die Augen sieht, dachte sie.

In seinem Blick lag keine Wut. Nichts Böses. Er strahlte sie glücklich an.

Seit Peter Müller als kleiner Junge aus dem Ruhrgebiet den ersten Sonnenaufgang an der Nordsee erlebt hatte, war er süchtig danach. Seine Oma, die leider viel zu früh verstorben war, hatte ihn morgens in der Frühstückspension geweckt, in der sie so gern übernachtete. Nur widerwillig war er aufgestanden. Er musste fünf, höchstens sechs Jahre alt gewesen sein. Sie hatte ihm beim Anziehen geholfen und ihn dann auf den Arm genommen.

Ihm war kalt, er hatte sich an ihren Hals geklammert. Nichts konnte damals in seiner Vorstellung so schön sein, dass es sich dafür lohnte, morgens das warme Bett zu verlassen. Ja, abends länger aufzubleiben, das wäre kein Ding gewesen, aber dieses frühe Aufstehen morgens fand er überhaupt nicht gut.

Sie wohnten in Norddeich, nicht weit vom Deich entfernt. Er hatte die Aufregung und Vorfreude seiner Omi gespürt. Irgendwie war das damals kribbelnd für ihn gewesen. Sie gingen auf den Deich zu, das Gras war feucht von der Nacht, die Luft nebelschwanger. Der scharfe Wind ließ einen Tropfen an seiner Nase fast gefrieren. Doch dann, als sie auf der Deichkrone waren, traf ihn die sich ständig verändernde monströse Schönheit schockartig.

Zunächst waren sie eine Weile so stehen geblieben, aneinander festgeklammert, die Wangen gegeneinandergedrückt, und hatten nur Richtung Osten geschaut.

»Im Osten«, hatte seine Oma gesagt, »geht die Sonne auf. Im Westen geht sie unter. Darum spricht man auch vom Morgen- und vom Abendland.«

Er hatte diese Worte nie vergessen. Es war noch heute für ihn, als sei darin die gesamte Weltformel enthalten. Musste man mehr wissen, um zu verstehen, worum es ging?

Jedes freie Wochenende, jeden Urlaub, wenn es irgendwie möglich war, hatte er seitdem am Meer verbracht. Am liebsten an der Nordsee.

Er zählte sich zu den *Norddeichverrückten* und wenn er nicht einmal im Jahr für ein paar Tage eine ostfriesische Insel besuchen konnte, dann war irgendetwas schiefgelaufen für ihn. Gerade jetzt, in dieser schweren Zeit, war er froh, auf Langeoog zu sein.

Corinna schlief noch. Sie war eine gute Frau. Sie hatte einen besseren Mann verdient als ihren Ex. Er hoffte, dass er dieser gute Mann für sie sein könnte. Er war bereit, sich für sie Mühe zu geben.

Corinna hatte eine Menge mitgemacht mit ihrem jähzornigen, saufenden, gewalttätigen Ehemann. Peter wunderte sich, dass sie überhaupt noch in der Lage war, sich auf eine neue Liebe einzulassen. Oder war es nur ihre Angst vorm Alleinsein?

Er hatte ihr versprochen, ihre Tochter Rahel anzunehmen wie sein eigenes Kind. Ihm war es leicht gefallen, denn Rahel war ein pflegeleichtes Kind. Sie liebte Musik, Einhörner und Popcorn im Kino.

Leider log sie furchtbar viel. Es hatte fast immer mit ihrem leiblichen Vater zu tun. Sie liebte diesen Arsch. Sie hätte so gerne einen tollen Papa gehabt und deswegen schrieb sie ihm geradezu Supermaneigenschaften zu. Wenn sie über ihn redete, wurde er jedes Mal zu einem strahlenden Helden, auch wenn er sie wieder mal nicht, wie versprochen, abgeholt hatte –, was Corinna und er eigentlich gut fanden. Sie hätten den Kontakt gerne einschlafen lassen.

So erzählte sie von den tollen Erlebnissen, die sie beim letzten Mal mit ihrem Papa gehabt hatte. Neuerdings entschuldigte sie sein Zuspätkommen oder Wegbleiben damit, dass er ein Agent und in geheimer Mission dabei sei, die Welt zu retten. Das dürfe aber keiner wissen. Ein guter Grund, um ein Kind mal an einem Wochenende zu versetzen, dachte Peter. Am Anfang hatte er geglaubt, dass der Vater ihr diesen Mist erzählte, aber so war es gar nicht. Sie erfand die Geschichten selber.

»Andere«, hatte Corinna gesagt, »bauen sich das Haus, das sie sich wünschen, aus Lego oder schneidern ihrer Puppe ein Röckchen. Rahel bastelt sich halt den Papa zusammen, wie sie ihn gerne hätte.«

Ein bisschen tat es Peter weh, denn er wäre doch so gerne dieser Vater für sie gewesen. Heute wollte er ihr den Sonnenaufgang zeigen. Vielleicht, so hoffte er, wird das für sie so ein eindrückliches Erlebnis wie für mich damals mit meiner Omi. Das hat uns beide wirklich zusammengeschweißt. Seitdem waren wir ein Herz und eine Seele. Wir hatten ein gemeinsames

Geheimnis. Wir wussten etwas über den Sonnenaufgang am Meer. Dieser Morgen hatte sie beide verändert.

»Psst, ganz leise, Rahel. Wir lassen die Mama schlafen. Komm, wir fahren zusammen ans Meer. Ich muss dir etwas zeigen.«

Sie rieb sich die Augen und verzog den Mund.

Er hatte schon einen Tee für sie gekocht, aber sie wollte keinen Tee, sondern lieber einen Saft. Er wusste, dass Corinna es nicht gut fand, wenn Rahel morgens auf nüchternen Magen Saft trank, aber er hatte nicht vor, diesen schönen Morgen mit solch erzieherischem Kleinkram zu belasten.

»Wir müssen uns warm anziehen«, raunte er. »Um die Zeit kann es noch ziemlich kühl sein, auch wenn es heute ein ganz heißer Tag wird.«

Corinna tat, als ob sie schlafen würde. Sie hatte mitbekommen, dass er aufgestanden war. Immer, wenn er versuchte, besonders leise zu sein, stieß er gegen etwas oder warf etwas um. Sie fand das süß. Sie wollte ihm den Spaß nicht nehmen. Sie freute sich, dass er sich so gut um Rahel kümmerte. Sie drückte ihren Kopf ins Kissen. Der Teeduft zog bis zu ihr hin. Sie hätte gerne etwas von dem Pfefferminztee genommen. Sie würde sich, sobald die beiden weg waren, eine Tasse holen und sich damit wieder ins Bett verkriechen. Sie hatte einen spannenden Roman bei sich. Was gab es Schöneres, als morgens im Bett zu lesen, mit dem Wissen, dass Mann und Kind Spaß miteinander hatten?

Bestimmt würden sie Brötchen mitbringen. Die Kleine mochte die *Süße Lale* so gerne. Dieses Quarkhefegebäck gab es nur hier. Corinna hätte Rahel am liebsten zuckerfrei aufwachsen lassen. Sie hatte sehr klare Vorstellungen von gesunder Ernährung. Aber diese Chance hatte ihr Ex genutzt. Vielleicht hatte Rahel ihr Herz an ihn geknüpft, weil sie bei ihm jede Menge süßes Zeug, Bonbons und Schokolade bekam.

Corinnas Ex kümmerten Erziehungsregeln einen Scheiß. Er hielt sich an nichts, suchte immer nur den eigenen Vorteil. Sie wollte Peter nicht zu sehr benachteiligen. Er kämpfte so sehr um Rahels Liebe. Wenn hier Chancengleichheit gelten sollte, dann musste auch er ihr ab und zu süße Wünsche erfüllen. So ein Lale-Brötchen gehörte einfach dazu.

»Man kann im Leben«, hatte Peter gesagt, »nicht immer nur konsequent sein. Man muss auch leben.«

Manchmal sagte er kluge Sachen. Sie waren vielleicht nicht immer richtig, aber es sprach viel Liebe aus seiner Art zu denken. Seitdem sie mit ihm zusammen war, wusste sie erst, mit welchen Idioten sie vorher das Bett geteilt hatte. Einen davon hatte sie sogar geheiratet.

Er hatte es nach der Scheidung sogar so gedeichselt, dass sie Unterhalt an ihn zahlen musste, nicht umgekehrt, weil sie als Anwältin mehr Geld verdiente als er.

Der Sonnenaufgang hatte eine gigantische Wirkung auf Rahel. Sie strahlte glücklich. Sie konnte in den schwarz und rot leuchtenden Wolken, die um den Glutball herum zu immer neuen Formen verliefen, Tiere und Gestalten sehen.

Er hielt sie auf dem Arm, so wie seine Oma ihn gehalten hatte. Sie zitterte vor Aufregung oder weil der Wind so heftig blies. Sie war restlos begeistert. Sie sah einen Wolf, einen Löwen und dann ihren Vater.

»Guck mal, guck mal, Peter, genau wie mein Papa!«

Er sah nichts dergleichen, nicht mal die Umrisse eines menschlichen Gesichts. Rahel winkte ihrem Vater zu: »Da ist er, Peter, da ist er! Guck mal, der Papa! Hallo, hallo, Papa!«

Peter wusste nicht wohin mit seiner Enttäuschung. Er ließ

Rahel langsam herunter, setzte sie im Sand ab. Sie war ganz auf die Wolken konzentriert und winkte immer noch ihrem Vater, ja, sie lief ihm entgegen.

Er setzte sich in den Sand. Ihm war zum Heulen zumute. Selbst die Schönheit dieses grandiosen Sonnenaufgangs konnte ihn nicht trösten. Solange dieser Arsch in ihrer Phantasie so groß ist, dachte er, kann ich einfach nichts gegen ihn ausrichten.

Er kam sich vor wie ein Verlierer.

Rahel lief hoch in die Dünen, als könnte sie dort dem Sonnenaufgang noch näher sein. Er wehrte ab. Gegen den Wind rief er hinter ihr her: »Du weißt doch, dass man die Dünen nicht betreten darf! Die sind wichtig für den Küstenschutz!«

Sie hielt sich mit den Fingern im hohen Gras fest, zog sich daran hoch und krabbelte in die Dünen, wobei sie einen Fasan aufscheuchte.

Am Ende, dachte er, wird sie Sonnenaufgänge am Meer genauso lieben wie ich. Aber sie wird dabei nicht an mich denken, sondern daran, dass sie das Gesicht ihres Papas in den Wolken gesehen hat, während ich Idiot sie nur daran gehindert habe, in den Dünen zu spielen.

Am liebsten hätte er jetzt einen großen Schnaps getrunken. Ja, schon vor dem Frühstück. Und das war eigentlich gar nicht seine Art.

Hier im Gefängnis war Dr. Bernhard Sommerfeldt zum Frühaufsteher geworden. Meist saß er schon um vier Uhr morgens am Tisch und las oder schrieb. Er wusch sich vorher und machte sich zurecht. Gerade im Gefängnis wollte er darauf achten, nicht zu verlottern. Ein korrektes, höfliches Auftreten war ihm wichtig. Und geradezu penible Sauberkeit.

Allerdings hatte er sich, seit er im Gefängnis einsaß, nicht mehr rasiert. Ein langer Zottelbart umrahmte sein Gesicht.

Aufrecht saß er am Tisch. Jeder, der ihm begegnete, spürte, dass er ein stolzer Mann war. Ungebrochen auch jetzt. Der berühmte Serienkiller, dessen Romantrilogie mehr als 1,2 Millionen Mal in deutscher Sprache verkauft und in acht Sprachen übersetzt worden war, wusste, dass er nie wieder in die Freiheit entlassen werden würde. Trotzdem genoss er seinen Ruhm. Die Verfilmung von Teil 1, *Totenstille im Watt,* war bereits geplant.

Schon zweimal hatte ein Filmproduzent ihn besucht. Er hatte sich Filmproduzenten als dicke, Zigarren rauchende Menschen vorgestellt, doch derjenige, der dann vor ihm gesessen hatte, war ein dünner, langhaariger und nichtrauchender Veganer.

Wenn Sommerfeldt in seinen Büchern las, hatte er manchmal Mühe, sich vorzustellen, dass sie wirklich von ihm handelten. Er musste es sich immer wieder sagen: »Das bin ich, das habe ich geschrieben, deshalb sitze ich jetzt im Gefängnis. Ich habe all diese Morde begangen.«

Wenn er schrieb, und das tat er auch jetzt im Gefängnis in Lingen sehr gerne, dann wurde er zu Hans Fallada, dessen Romane er immer geliebt hatte. Als Hans Fallada litt er an der Welt, er konnte die Weltprobleme zwar nicht lösen, aber sie doch erzählerisch bannen. Wenn er schrieb, taten seine Figuren auch nicht unbedingt, was er wollte. Sie führten ein Eigenleben. Jetzt im Gefängnis musste er dazu kommen, Fiktionales aufzuschreiben. Musste Dinge erfinden. Vorher hatte er einfach nur das erzählt, was wirklich geschehen war. Deshalb hielt er sich gar nicht wirklich für einen Schriftsteller. Er war doch eher einer, der einfach dokumentierte, was los war. Und er erzählte davon, wovon er am meisten Ahnung hatte: von seinem eigenen Leben, seinen eigenen Ängsten und wie es zu all diesen Morden gekommen war.

Hier im Gefängnis ging es ihm eigentlich gar nicht schlecht. Das Essen war in Ordnung, die Bibliothek ganz gut sortiert, auch wenn sie nicht wirklich seinen Ansprüchen genügte. Gern besorgten sie ihm aber Bücher, die er unbedingt haben wollte. Er arbeitete mit in der Bibliothek. Er galt als zuverlässig, und er leitete die Schreibwerkstatt.

Es war immer noch jemand dabei, ein Pastor, ein Psychologe, ein Sozialarbeiter – das wechselte. Sie wollten ihn wahrscheinlich nicht mit den anderen Gefangenen alleine lassen. Er grinste bei dem Gedanken. Hatten sie Angst, er könnte aus verurteilten Straftätern Komplizen machen, die ihm später, wenn sie ihre Haftstrafen abgesessen hatten, zur Flucht verhelfen oder seinen Rachefeldzug beenden würden?

In Wahrheit war alles viel harmloser. Sie lasen sich gegenseitig Texte vor und arbeiteten daran. Einer, den er besonders gern hatte, begriff jetzt erst, dass ihm durch seinen Drogenkonsum praktisch zwanzig Jahre seines Lebens fehlten. Zwanzig wichtige Jahre. Er versuchte, sie sich jetzt zu erfinden, weil eine wirkliche Erinnerung nicht aufkommen wollte.

Ein anderer, der wegen drei nachgewiesener Vergewaltigungen saß und versucht hatte, bei einem begleiteten Freigang seine Mutter mit einer Kuchengabel zu erstechen, schrieb an einem Liebesroman. Die Sprache war holprig, die Kapitel trieften oft vor Kitsch, fand Sommerfeldt. Trotzdem rührte es ihn, dass einer, der nie wirklich Liebe erfahren hatte, nun versuchte, davon zu erzählen.

Als Leiter der Schreibwerkstatt genoss Dr. Sommerfeldt

gewisse Privilegien, und zwei Geschichten seiner Teilnehmer waren sogar schon gedruckt worden. Er hatte als internationaler Bestsellerautor natürlich einige Kontakte zu Verlagen und Zeitschriften. Geschichten wurden gedruckt, nur weil er sie empfahl oder sie in seiner Literarischen Werkstatt entstanden waren. Er fühlte sich geschmeichelt und erlebte an den Gefangenen, deren Werke gedruckt worden waren, was das für ihr Selbstbewusstsein bedeutete.

Sie, die gewöhnt waren, ihren Namen höchstens auf Mahnungen oder Urteilen zu lesen, hatten plötzlich Leser und bekamen Leserbriefe. Keiner allerdings so viele wie er. Neunzig Prozent der Post, die ihn erreichte, kam von Frauen. Sie hatten alle seine Trilogie gelesen. Einige schickten ihm Fotos, andere Gedichte. Viele versprachen, für ihn zu beten.

Gestern war ein merkwürdiger Brief angekommen. Er nahm ihn noch einmal zur Hand. Der Absender K. Ernte, Sophienstraße 2, 30159 Hannover. Ein Zeitungsartikel aus der *Hannoverschen Neuen Presse* von Petra Rückerl war beigelegt. Die Überschrift: **Dr. Bernhard Sommerfeldt – Vom Serienkiller zum Popstar.** – *Die Überlegung, ob der Literaturpreis an einen Schwerverbrecher verliehen werden kann, spaltet die Gemüter …*

Der Artikel war ganz spannend zu lesen. Ein paar Worte waren unterstrichen. An dem Zeitungsartikel klebte ein weißer Abreißzettel, nicht größer als eine Zigarettenschachtel. Darauf stand: *Du willst der größte Serienkiller aller Zeiten sein? Du bist nicht mal ein Weichei, du bist eine Muschi! Kannst keine Frauen töten, weil sie dich noch immer beherrschen!*

Dr. Bernhard Sommerfeldt hatte viele verstörende Briefe im Gefängnis bekommen. Nicht alle, die ihm schrieben, waren vollends zurechnungsfähig. Ein berühmter Schriftsteller im

Gefängnis, das triggerte bei vielen die merkwürdigsten Gefühle und löste seltsame Verhaltensweisen aus. Aber dieser von einem Block abgerissene Zettel, mit krakeliger Schrift bekritzelt, ließ Sommerfeldt frösteln. Es las sich für ihn wie eine Ankündigung.

Rahel hatte so etwas noch nie gesehen. Da waren ganz viele Möwen und pickten an etwas herum. Es sah aus wie ein Kleidersack, den jemand dorthin geworfen hatte.

Rahel wusste, dass Möwen manchmal auf ihren Raubzügen Müll plünderten. Man musste ganz vorsichtig sein und ließ am besten nichts draußen stehen. Das hatte die Mutter ihr so eingeschärft.

Es war eine Handvoll Möwen, vielleicht sogar mehr. In der Luft schwebten auch noch welche, und im Gras saßen schwarze Dohlen. Rahel wusste, dass diese Vögel Dohlen hießen, denn sie hatte sie Raben genannt und war von Peter korrigiert worden. »Raben«, hatte er gesagt, »sind größer. Das da sind Dohlen. Sehr intelligente Tiere.«

Dann entdeckte Rahel den Fuß, der aus dem Kleidersack herausragte, und allmählich begriff sie, dass dort ein Mensch lag. Es war eine Frau. Das da waren Haare und Blut. Viel Blut!

Sie lief zum Rand der Dünen und winkte Peter. Er hockte im Sand und starrte den Sonnenaufgang an, als hätte er zum letzten Mal in seinem Leben diese Gelegenheit.

»Peter«, rief sie, »Peter!«

Er hörte sie nicht. Vielleicht war er zu sehr in Gedanken versunken, oder der Wind stand so ungünstig, dass er ihre Worte in die falsche Richtung trug. Sie stampfte mit den Füßen auf. Sie hatte Angst abzurutschen. Der Rand der Düne gab nach. Hier ging es ein paar Meter nach unten.

Sie zog sich zurück und suchte einen besseren Übergang zum Strand. Hinter ihr stoben Möwenfedern hoch. Die Tiere stritten sich um ein besonders schönes Stück.

Rahel setzte sich und rutschte die Düne hinunter bis ganz nach unten. Sie rannte zu Peter. Schon von weitem erkannte sie, dass er sauer war. Sie hatte etwas falsch gemacht, ganz klar. Sie wusste nicht, wie sie ihm sagen sollte, was sie da oben gesehen hatte. Sie war schrecklich aufgeregt. Ihr Herz klopfte so sehr, dass sie es hören konnte.

»Na«, fragte Peter, und sein Ton hatte einen bitteren Beigeschmack, »hast du deinem Papa gewunken?«

Rahel schüttelte den Kopf. »Da oben liegt eine Frau.«

»Kann ja sein«, sagte Peter. »Verboten ist es trotzdem. Auch nicht alle Erwachsenen halten sich an Regeln. Heutzutage macht ja jeder, was er will.«

»Nein«, wehrte Rahel ab, »die sonnt sich da nicht! Die liegt da so. Der geht es nicht gut.«

»Wie, der geht es nicht gut? Hat sie dich weggeschickt?«

Rahel schüttelte den Kopf. »Nein. Die Möwen picken an ihr rum.«

Klar, dachte Peter Müller, das ist wieder eine von ihren Geschichten. Erst sieht sie ihren Papa als Wolke am Himmel und jetzt eine Frauenleiche in den Dünen, an der Möwen herumpicken. Er fragte sich, wie das Kind auf solche Dinge kam. Er ging zwar oft mit ihr ins Kino, achtete aber darauf, dass es familien-, ja kinderfreundliche Filme waren. Heutzutage geschahen ja schon in Zeichentrickfilmen gruselige Sachen. Fernsehen ließen sie Rahel nur in ganz kleinen Dosierungen.

Aber was geschah, wenn sie bei ihrem Vater war, darauf hatte er natürlich keinen Einfluss. Dem traute er zu, mit der Kleinen den *Weißen Hai* zu gucken, nur um sie trösten zu können, wenn sie dann Angst bekam. Wahrscheinlich zischte er dabei noch ein paar Bierchen, und sie bekam eine Cola.

»Wirklich«, zeterte Rahel, »wirklich, Peter! Da oben ist was ganz Schlimmes passiert.« Sie fasste Peters rechten Arm und zog ihn.

Wenn da echt etwas ist, dachte er, dann hast du jetzt die Chance, zum real existierenden Helden für die Kleine zu werden, der irgendein Problem löst. Aber wenn nicht, dann machst du dich nur zum Deppen. Ihrem Papa wäre das bestimmt nicht passiert.

Er sah in die Richtung, in die Rahel ihn ziehen wollte. Dort waren tatsächlich erstaunlich viele Möwen in der Luft, und sie machten einen ziemlichen Lärm.

»Sollen wir uns nicht«, fragte er, »den Sonnenaufgang angucken? Bald wird sie das Meer ganz verlassen. Guck mal, es sieht jetzt schon aus, als würde das Wasser kochen. Früher dachten die Menschen, dass da immer eine neue Sonne aufgeht. Sie wussten ja nicht, dass die Erde rund ist.«

»Komm«, bettelte Rahel und zerrte an ihm. »Komm, ich lüg nicht.« Als er sich immer noch nicht bewegte, schrie sie ihn an: »Ich will zurück zu Mama!«

Er blieb im Sand sitzen. Er wollte sich diesen Sonnenaufgang nicht verderben lassen, und er war immer noch sauer. Am liebsten hätte er Corinnas Ex so richtig verhauen. Aber einerseits kam ihm das primitiv vor, andererseits war er sich nicht sicher, zu wem die beiden am Ende halten würden. Gut, bei Corinna war er sich schon sicher. Und bei Rahel im Grunde auch. Die würde aufseiten ihres Vaters stehen.

»Komm!«, bettelte Rahel. »Komm! Ich lüg nicht!« Als er sich immer noch nicht bewegte, schrie sie ihn an: »Ich will zurück zu Mama!«

Peter gab nach. »Okay. Wir kaufen Brötchen und machen uns ein leckeres Frühstück.«

Er stand auf und nahm sie auf den Arm. Irgendwie würde er das hier schon wieder hinkriegen. »Wir wollen doch«, sagte er, »gemeinsam einen schönen Tag haben.«

Rahel versuchte, sich zu befreien. Sie wollte nicht getragen werden, obwohl es sonst ihre Lieblingsbeschäftigung war. Jetzt wollte sie selbst gehen. Nein, nicht mal seine Hand nahm sie. Stattdessen funkelte sie ihn böse an: »Mein Papa«, sagte sie, »der wäre hochgelaufen und hätte der Frau geholfen. Der ist nicht so ein Schisser wie du.«

Wenn ich jetzt gehe, dachte Peter, ist es eine Niederlage. Warum gewann der nicht anwesende Vater jeden Kampf, fragte er sich. Warum?

»Okay«, sagte er zu Rahel, »schauen wir nach. Und dann gehen wir Brötchen holen und machen ganz leise Frühstück, bevor wir Mama wecken.«

»Sie ist nicht deine Mama«, antwortete Rahel, »sie ist meine Mama.«

Es gab Tage, da konnte er einfach nichts richtig machen. Und als sie sich der Stelle näherten, wusste er, dass aus dem schönen, gemeinsamen Frühstück heute auch nichts mehr werden würde.

Frank Weller wurde von Vogelgezwitscher geweckt. Gestern Abend hatten Ann Kathrin und er noch lange auf der Terrasse am Feuer gesessen. Irgendwann war sie aufgestanden und ins Bett gegangen. Er wollte noch seinen Kriminalroman zu Ende lesen. Er war auf den letzten fünfzig Seiten und ahnte, wer der Täter war. Es fuchste ihn immer, wenn die Polizisten im Roman den Täter schneller fanden als er.

Er hatte sich so hingesetzt, dass er im Licht des Feuers lesen konnte. Irgendwann war er eingeschlafen. Der Roman lag neben ihm auf den Terrassenfliesen. Das Feuer war erloschen, die Glut erkaltet und zu weißer Asche geworden.

Er wollte Rühreier mit Krabben machen und so eine solide Grundlage für den Tag schaffen. Er musste feststellen, dass die Nacht im Sessel wohl doch nicht so bequem gewesen war. Sein rechtes Knie schmerzte, der Nacken und die Schulter.

Er wusste immer noch nicht, wer der Mörder war, oder er hatte es wieder vergessen.

Frank hatte das erste Ei aufgeschlagen, da spielte sein Handy *Piraten Ahoi!* Es lag noch auf der Terrasse. Um die Zeit, dachte er, das kann nur Ärger bedeuten.

Er lief barfuß raus, stieß sich den Zeh an einem Stuhlbein und stöhnte, als er sich meldete. Marion Wolters aus der Einsatzzentrale war dran: »Moin, Frank. Tut mir leid, aber auf Langeoog ist in den Dünen eine weibliche Leiche gefunden worden.«

»Die erste Fähre«, sagte Weller, »geht um sechs Uhr fünfundvierzig ab Bensersiel, wenn mich nicht alles täuscht. Für die ist es aber schon sehr knapp. Oder bekommen wir einen Hubschrauber?«

»Ich habe«, antwortete Marion Wolters, »schon mit den *Inselfliegern* telefoniert. Die Fähre ist für euch jetzt sicherer. Wir haben Morgennebel, da starten die nicht. Kann sich in ein, zwei Stunden wieder auflösen, aber so lange wollen wir nicht warten. Ich spreche mit dem Kapitän. Ich kenne ihn gut. Er kann die Abfahrt der Fähre bestimmt ein bisschen hinauszögern ... Aber übertreib es nicht, Frank!«

»Wissen wir etwas über die Tote?«

»Nein, nur dass sie in den Dünen liegt.«

»Herzinfarkt? Möglicher Selbstmord?«, wollte Weller wissen.

»Ich habe mit der Bürgermeisterin telefoniert. Die ist sofort hin. Außerdem die Freiwillige Feuerwehr. Sie wollen verhindern, dass irgendwelche Touristen ... Also, Heike hat gesagt, der Kopf sei praktisch abgeschnitten.«

Weller stöhnte. Er sah auf das Ei in der Pfanne und die drei Eier, die noch danebenlagen. »Wir sind praktisch schon unterwegs«, behauptete er und wollte ins Schlafzimmer, um Ann Kathrin zu wecken. Doch die stand schon im Türrahmen.

Wenn sie morgens so strubbelig, unausgeschlafen, im zerknautschten T-Shirt noch fast orientierungslos durch die Wohnung lief, fand Weller sie zum Knutschen schön. Alles Gestylte, künstlich Hergestellte war ihm zuwider. Er liebte sie so, mit ungeputzten Zähnen, nicht geduscht und noch mit Schlaf in den Augen.

Auf der Fähre bekamen sie dann den ersten Kaffee, eine Brezel und eine Knackwurst. Ann Kathrin sah Weller beim Essen zu und wärmte ihre Hände an der Kaffeetasse. Sie konnte jetzt nichts essen. Außerdem machte sie gerade eine Diät, bei der sie auf die Essenszeiten achten musste, und eigentlich war es für sie jetzt noch zu früh.

»Vielleicht«, orakelte sie, »gehen wir später ins Café Leiß. Die haben so schöne heiße Baguettes.«

Weller hatte da seine Zweifel. »Ich bin mir nicht sicher, ob wir dazu kommen werden, Ann.« Er hatte so eine Ahnung, als würde dies ein langer Tag mit wenig Pausen werden. Beim letzten Besuch auf Langeoog hatte er mit Ann Kathrin zusammen im Café Leiß Milchreistorte auf Pflaumenmus gegessen. Er dachte gern an diesen Gaumenorgasmus zurück, während er in seine Butterbrezel biss und sich fragte, ob sein Magen um diese Zeit schon eine Knackwurst mit Senf vertragen würde.

Ann Kathrin blickte aus dem Fenster auf die Nebelschwaden, die über die Nordsee zogen. Für sie, die noch ein bisschen verträumt war, hatte Nebel über dem Meer geradezu etwas Märchenhaftes. Als Kind hatte sie geglaubt, dass fremde Wesen sich im Schutz des Nebels näherten. War Nebel ein Versteck für Geister, Gespenster und Dämonen?

Ann Kathrin und Weller sahen eine Gruppe Kriminaltechniker. Sie wirkten wie ein verschworener Kreis von Morgenmuffeln, die der Welt niemals verzeihen würden, dass sie um diese Zeit nicht mehr in ihren Betten liegen durften, sondern ihrer Arbeit nachgehen mussten.

»Auf deren miese Energie habe ich gerade keinen Bock«, flüsterte Ann Kathrin. Weller stimmte ihr sofort zu.

Ihr Kollege Rupert nannte diese Mitarbeiter gern *Leichenfledderer*. Ann Kathrin ließ ihm das nicht durchgehen und verteidigte die »wertvolle Arbeit der Kollegen« jedes Mal. Doch sie hatte ein feines Gespür für Menschen, die nicht gut drauf waren, alles negativ sahen und sich so zu Zynikern entwickelten. Sie mied solche Leute immer mehr. Sie hatten ihr im Leben einfach nicht gutgetan.

Sie hatte Jahre in der Mordkommission verbracht, war mit so viel Schrecklichem konfrontiert worden, so vielen dunklen Mächten ausgesetzt gewesen, dass sie zunehmend das Licht suchte. Etwas Positives. Vielleicht sammelte sie deshalb Bilderbücher. Manchmal, wenn sie mit ihnen ins Bett ging und beim

Betrachten der altbekannten Geschichten einschlief, kam es ihr vor, als würde sie die Bilderbücher wie einen Schutzschild gegen diese Welt benutzen. Dann wieder wie ein Seil, an dem sie sich aus dem mörderischen Sumpf herauszog.

Weller saß so, dass er die Treppe, die zum Oberdeck führte, beobachten konnte. Erstaunt registrierte er, wer da gerade hochging. Er riss Ann Kathrin aus ihren Gedanken: »Was glaubst du, Ann, wer hier mit an Bord ist?«

»Frank, bitte! Hast du je gesehen, dass ich Kreuzworträtsel löse?«

Er beantwortete seine Frage selbst: »Holger Bloem.«

Ann Kathrin setzte sich anders hin und drehte sich so, dass sie ebenfalls die Treppe sehen konnte. Allerdings war Holger schon verschwunden.

»Das ist doch kein Zufall«, sagte Weller. Er mochte es nicht, wenn die Presse vor der Polizei vor Ort war.

Ann Kathrin und den Journalisten Holger Bloem verband ein Vertrauensverhältnis. Später hätte sie ihn bestimmt auch informiert. Aber im Moment wussten sie ja selbst noch nichts.

Sie stand auf und lief zum Oberdeck.

Holger Bloem stand mit seiner Kamera an der Reling und machte Aufnahmen.

»Du fotografierst den Nebel?«, fragte Ann Kathrin von hinten.

Er drehte sich zu ihr um und schien erstaunt. »Moin, Ann.« Er hielt ihr das Display seiner Kamera hin. »Schau mal.«

In der Tat hatte er ganz zauberhafte, mystische Bilder geschossen.

»Was machst du um diese Zeit hier?«, fragte er.

»Das wollte ich dich eigentlich fragen, Holger.«

Er lächelte. »Judith Rakers ist mit einem Filmteam auf der

Insel. Sie machen eine Inselreportage. Ich will einen Tag dabei sein und dann fürs *Ostfriesland Magazin* darüber berichten.«

Ann Kathrin war erleichtert. »Du weißt also noch gar nichts?«

»Was soll ich denn wissen?«

Sie musste nichts sagen. Er ahnte es schon. »Es ist ein Verbrechen geschehen?«

Ann Kathrin zuckte nur mit den Schultern. Da Holger wusste, dass sie von der Mordkommission war, folgerte er: »Und ich glaube nicht, dass du wegen eines Fahrraddiebstahls um diese Zeit eine Fähre besteigst. Dafür haben die doch auf Langeoog eine Inselpolizistin.«

Sie gab ihm recht: »Stimmt.«

Annika Schmelzin war froh, dass sie aus dem Alter heraus war, in dem sie die Urlaube im Schlafzimmer ihrer Eltern verbringen musste beziehungsweise mit ihnen in einer Ferienwohnung. Dort war sie doch sehr unter Kontrolle.

Jetzt, hier, im Hotel Flörke, hatte sie ein eigenes Zimmer. Ein Doppelzimmer zur Einzelbenutzung. Zwar auf demselben Flur, aber immerhin. Sie konnte nachts so lange fernsehen, wie sie wollte, und da der WLAN-Empfang sehr gut war, störte es auch niemanden, wenn sie mit ihren Freundinnen chattete. Wenn Papa zu sehr schnarchte, kam ihre Mutter sogar rüber und schlief bei ihr.

Ihre Freundinnen waren alle mit ihren Eltern in Urlaub gefahren. Beim nächsten Mal, das hatten sie sich geschworen, würden sie alleine fahren, ohne Erwachsene.

Ihre Freundin Franziska war mit ihrer Mutter und ihrer

Oma zusammen auf Mallorca. Aber nicht da, wo was los war, sondern die kannten ganz einsame Ecken und wenn Franziska die Wahrheit sagte, dann war das Wetter auf Mallorca lange nicht so schön wie auf Langeoog.

Franziska musste ständig irgendwelche Wanderungen durch eine Berglandschaft machen, die sie absolut langweilig und öde fand. Dazu noch mit Gepäck auf dem Rücken. Sie hatte »so was von die Schnauze voll«.

Kerstin hatte es besser getroffen. Sie machte mit ihren Eltern immer Urlaub in Großstädten. London. Paris. Berlin. Rom. Sie blieben immer nur ein paar Tage, besichtigten Museen und irgendwelche Bauwerke. Aber Discos gab es in Großstädten immer, und dort tobte das Leben, wie Kerstin schrieb. Das einzig Blöde am Großstadturlaub sei nur, dass man ständig die Erwachsenen im Schlepptau hätte. Zusammen mit ihren Freundinnen wäre so eine Städtetour bestimmt der Knaller, schwärmte sie.

»Hier auf Langeoog ist es zwar schön, aber überhaupt nichts los«, klagte Annika. »Das Spannendste hier sind die Eissorten im *Café Venezia*. Gestern habe ich Schoko-Chili und Blutorange gegessen.«

Sekunden später sah alles ganz anders aus. Franziska hatte auf Instagram angeblich eine Meldung über einen Mord auf Langeoog gesehen. Annika hielt das zunächst für einen Scherz. Franzi war für ihre makabren Späße bekannt. Sie hatte sich mal in der Schule damit entschuldigt, dass ihr Bruder gestorben sei. Das Problem war nur, sie war ein Einzelkind.

Doch dann fand Annika das Foto auf Instagram unter dem Hashtag #Langeoog.

Auf dem Foto war keine Leiche zu erkennen, sondern da waren nur Menschen, von hinten fotografiert. Sie standen im

Kreis, einer gestikulierte herum. Jemand versuchte, ein rotweißes Absperrband auszurollen. Es flatterte im Wind wie eine Luftschlange.

Aber anhand des Fotos konnte Annika den Ort sofort lokalisieren. Das war ganz klar in den Dünen am Flinthörn. Nicht weit entfernt von der Stelle, wo Judith Rakers die Filmreportage gedreht hatte.

So schnell war Annika schon lange nicht mehr in ihre Klamotten geschlüpft. Sie traf keine besonders kluge Auswahl, sie griff sich einfach, was herumlag. Schon war sie im Flur. Sie bewegte sich ganz leise an der Tür ihrer Eltern vorbei. Sie atmete nicht mal, denn sie wusste, dass ihre Mutter einen sehr leichten Schlaf hatte. Sie war praktisch immer nur in Lauerstellung.

Zum Glück hatten sie sich direkt nach der Ankunft Fahrräder mit Elektroantrieb ausgeliehen. Die Straßen waren noch menschenleer. Sie sah im Bereich der Barkhausenstraße nur zwei andere Radfahrer. Doch je näher sie dem Naturschutzgebiet Flinthörn kam, umso mehr hektische Menschen sah sie. Zum Glück scheuchten die nicht die Watt- und Wasservögel auf. Sie betraten nicht die Brutgebiete, sondern begaben sich in die Dünen am Flinthörn-Strand.

Annika ließ ihr Fahrrad unten bei den anderen stehen. Kaum jemand hatte sich noch Mühe gegeben, sein Rad abzuschließen oder ordentlich abzustellen. Einige Räder waren umgekippt. Annika rannte hoch in die Dünen. Mindestens fünfzig, sechzig Personen waren schon da. Einen Moment überlegte Annika, ob sie ihre Eltern informieren sollte. Dann entschied sie sich, es nicht zu tun. Endlich war mal was los, endlich passierte mal was. Und sie war dabei. Erst das Interview mit Judith Rakers und jetzt das hier. Einerseits war ihr mulmig zumute, andererseits keimte so etwas wie Abenteuerlust in ihr auf.

Die Bürgermeisterin Heike Horn koordinierte den Aufbau eines Zeltes, um die Leiche vor Vögeln zu schützen. Sie schimpfte mit Leuten, die Fotos machten: »So etwas gehört sich einfach nicht!«

Annika schaffte es, sich durchzudrängeln. Sie sah das Gesicht der Toten, und obwohl alles voller Blut war und die Möwen ihr die Lippe zerfetzt hatten, wusste Annika sofort, wer das war. Diese Frau war noch vor wenigen Stunden von Judith Rakers interviewt worden.

Annika kreischte und krampfte ihre Hände zusammen. Aber sie merkte es nicht. Erst als ihr ein Feuerwehrmann eine Ohrfeige verpasste, kam sie zur Besinnung. Der Schlag war wie ein Weckruf. Sie bedankte sich sogar bei dem Mann dafür. Sie hatte das Gefühl, dass er es gut mit ihr meinte.

»Geh nach Hause, Mädchen«, sagte er, »du hast hier nichts verloren.«

»Doch«, sagte Annika, »doch. Ich weiß, wer das ist.«

»So? Kennst du die Frau? Wie heißt sie denn?«

»Keine Ahnung«, sagte Annika. Dann wurde sie ohnmächtig.

»Das hat uns gerade noch gefehlt«, sagte der Feuerwehrmann, während sich neben ihm ein Rentner aus Dinslaken, der seit zwanzig Jahren immer wieder Urlaub auf Langeoog machte, übergab.

Handys waren im Gefängnis sehr begehrt, aber natürlich verboten. Wenn es gelang, etwas in den Knast hineinzuschmuggeln, wurde das zunächst den Gefangenen angeboten, die über Macht, Einfluss oder viel Geld verfügten. Oft gehörte das zusammen.

Bernhard Sommerfeldt, der hier von den meisten noch *Doc* genannt wurde, galt geradezu als märchenhaft reich. Er hatte zwar verfügt, dass das meiste Geld seiner Bestseller gespendet wurde, trotzdem eilte ihm der Ruf voraus, verglichen mit ihm seien Bundestagsabgeordnete oder Minister praktisch Hartz-IV-Empfänger.

Drogen oder Waffen kaufte er nie. Aber er verfügte über das neueste iPhone. Da seine Zelle außerhalb des normalen Trakts lag, weil man ihn als hochgefährlichen Mann von den anderen Gefangenen so gut wie möglich fernhalten wollte, lag sie nicht mehr in der Reichweite der Störsender, mit denen man in der Anstalt versuchte, den Gefangenen einen Zugriff auf die Pornoseiten im Netz schwer zu machen.

Sommerfeldt ging davon aus, dass sie ihm in seinem Fall das Handy sogar bewusst zugespielt hatten. Es wäre ja nicht das erste Mal gewesen. Wahrscheinlich wurde es überwacht, und durch ständiges Auslesen seiner Aktivitäten wollten sie Namen seiner Helfershelfer herausfinden oder einen erneuten Fluchtversuch im Vorfeld verhindern.

Doch was er tat, war harmlos. Ab und zu googelte er seinen Namen und las durchaus mit Autorenstolz Besprechungen seiner Romane.

Oliver Schwambach hatte in der Saarbrücker Zeitung einen klugen Artikel veröffentlicht, den Sommerfeldt fast auswendig konnte. Von ihm fühlte er sich verstanden.

Bei diesem Holger Bloem wusste er nicht so genau, wo er dran war. Ihm gefiel, dass Bloem seine Bücher immer als *Literarisches Werk* bezeichnete.

Sommerfeldts alte E-Mail-Adresse funktionierte immer noch. Es gab im Internet mehrere Seiten, in denen sich Fanclubs um seine Freilassung bemühten und Unterschriften sammelten. Für viele draußen war er ein Held, für andere ein eiskalter Killer.

Er wusste selbst nicht genau, wer er war. Möglicherweise beides.

Er las in Hans Falladas dickem Roman *Wer einmal aus dem Blechnapf frisst*. Er hatte das Buch schon vier-, fünfmal gelesen. Manchmal blätterte er auch nur darin, schlug wahllos Stellen auf und fand sich irgendwie wieder. Hier im Gefängnis fühlte er sich Fallada näher denn je.

Er versteckte das schmale Handy zwischen seinen Büchern. Ab und zu gab es Zellenkontrollen, aber die Justizvollzugsbeamten diskutierten mit ihm lieber über die Romane, als sie durchzublättern und zu durchsuchen, denn bei ihm war nie etwas gefunden worden. Keine Waffen, keine Drogen. Er galt als vorbildlicher Gefangener, ja, war fast in den Stand eines Mitarbeiters erhoben worden.

Eine junge Justizvollzugsbeamtin, die schrecklichen Mundgeruch hatte und leider keinen Freund, der sich getraut hätte, es ihr zu sagen, schrieb selbst und suchte Tipps bei Sommerfeldt. So manchen Dialog in ihrem Manuskript war er schon mit ihr durchgegangen. Inzwischen hatte sie verstanden, dass jede Person in ihrem Roman eine eigene Sprache brauchte und nicht einfach sprechen durfte wie sie selbst.

Sie hieß Tanja Bottmer und träumte davon, die neue Patricia Highsmith zu werden.

Sommerfeldt las ihren Text. Er war besser als die erste Fassung, aber immer noch viel zu unentschlossen, viel zu unkonzentriert.

Er legte das Manuskript beiseite und blickte, um sich abzulenken, auf sein Handy. Er wollte die Morgenzeitungen checken. Eine E-Mail ploppte auf. Was er dann sah, ließ ihn zusammenzucken. Eine Frau in den Dünen, offensichtlich mit einer Garrotte getötet. Oder ein Stümper hatte versucht, sie mit einem Schwert zu köpfen.

Unter dem Bild stand der Satz: *Es ist ganz einfach.*

Er schaltete das Handy sofort aus und versteckte es wieder zwischen seinen Büchern, ganz so, als wolle er mit der Sache nichts zu tun haben. Ja, er schämte sich fast, als hätte er etwas Schlimmes getan, fühlte sich schuldig.

Oder machte sich da jemand einen Spaß mit ihm? War das ein Bild aus irgendeinem Hollywoodstreifen? Waren die in der Lage, so echte Bilder zu produzieren?

Die KTU-ler in ihren weißen Ganzkörperkondomen wirkten zwischen den aufgebrachten Touristen, die um die Leiche herumstanden, wie Marsmenschen, die gerade gelandet waren.

Für Ann Kathrin war klar, dass die Spurensicherung hier im Grunde kaum noch etwas finden konnte. Alles war zertrampelt. Es gab hier jetzt DNA- und Fußspuren von mindestens fünfzig Personen. Einige rauchten und traten ihre Kippen im Dünensand aus. Auch wenn sie von Angestellten des Tourismusservice darauf hingewiesen wurden, dass so etwas nun wahrlich nicht ging, und sie die Menschen zum Verlassen der Dünen aufforderten, hatten die Spuren an diesem Tatort jede Beweiskraft verloren.

Die ersten Touristen kamen den Ermahnungen nach und verließen den Tatort. Natürlich nicht, ohne vorher noch ein paar Fotos zu machen. Wahrscheinlich, dachte Ann Kathrin, sind auf Facebook und Instagram jetzt mehr beweissichernde Aufnahmen, als wir sie noch machen können.

Weller kümmerte sich um Annika Schmelzin. Sie war blass, wirkte schwer verstört und erschüttert. Weller sah ihr nicht in die Augen, sondern auf den Busen. So kannte Ann Kathrin ihren Mann gar nicht. Es war ihr richtig unangenehm zu sehen, wie Weller den Oberkörper des Mädchens anstarrte.

Ann Kathrin stand so, dass sie Annika nur von hinten sah. Ihrem Mann konnte sie direkt ins Gesicht schauen. Mit zwei Schritten war Ann bei ihm. »Gibst du jetzt hier den Rupert oder was?« Ann Kathrin zeigte auf ihren eigenen Busen. »Ihre Augen sind nicht hier, sondern«, sie deutete an, wo beim Menschen die Augen sind, »da.«

Weller nickte.

Annika drehte sich zu ihr um. Jetzt sah Ann Kathrin, warum Weller so geglotzt hatte. Auf Annikas blauem T-Shirt stand groß mit weißer Schrift: *Nicht alles in Norddeutschland ist flach.*

Holger Bloem hatte sich entschieden, Weller und Ann Kathrin zu begleiten. Er war mit dem Filmteam ohnehin erst ab elf Uhr verabredet. Er unterdrückte den Impuls, Fotos zu machen. Wahrscheinlich lag es an den vielen Menschen, die den Moment mit ihren Handys festhalten wollten. Er fand es der Leiche gegenüber respektvoll, einfach einen Moment zu schweigen und innezuhalten. Er hatte seine *Canon* um den Hals hängen.

»Sie kennen die Tote also?«, fragte Weller.

»Ja, nicht wirklich. Sie wurde gestern von Judith Rakers interviewt. Meine Mutter kennt sie besser, die hat mir gesagt, das ist eine berühmte Schauspielerin. Ich hab sie auch getroffen, bei *Vier Beaufort*.«

»Haben Sie das T-Shirt von dort?«, fragte Weller.

Ann Kathrin warf ihm einen tadelnden Blick zu. Was sollte

das? Doch dann begriff sie: Weller versuchte, das Mädchen ein bisschen runterzuholen. Sie war jünger als seine Töchter. Vielleicht konnte er mit ihr ganz gut umgehen. Er wollte nicht nur über den Fall sprechen, sondern sie in ein Gespräch verwickeln, um dann langsam mehr zu erfahren.

»Eine berühmte Schauspielerin? Aus dem Fernsehen? Theater? Kino?«

Annika zuckte mit den Schultern und verzog den Mund.

Holger Bloem stand nicht weit von den beiden weg. Er warf ein: »Wir könnten Judith Rakers fragen. Wenn sie die Frau interviewt hat, dann wird sie ja wohl wissen, wer das ist …«

Weller mochte es nicht, wenn sich jemand in ein Zeugengespräch einmischte, aber er musste Holger natürlich recht geben.

»Wo ist deine Mutter denn jetzt?«

»Bei Flörke. Mit meinem Papa. Die wissen noch von nichts.«

Mit einem Blick erkundigte Weller sich bei Ann Kathrin, ob es o.k. wäre, wenn er mit Annika diesen Tatort verlassen würde. Sie nickte nicht einmal, trotzdem wusste Weller, dass sie einverstanden war. Holger Bloem registrierte genau, wie die zwei sich verstanden. Wahrscheinlich redeten sie nur, damit jeder mal die Stimme des anderen hörte. Nötig war es kaum.

Bloem machte Fotos von Ann Kathrin: *Die Kommissarin wütend bei den Ermittlungen …*

Marco Zielinski traute sich nicht so nah ran wie die anderen. Er hatte Angst, dass jemand auf ihn zeigen würde: *Der da ist es, der hat ihr unter den Rock fotografiert!*

Niemand hatte es bemerkt, niemand hatte ihn beobachtet. Trotzdem breitete sich diese Angst in ihm aus.

Er hatte die Bilder längst hochgeladen und fürchtete, wenn er den Vorgang rückgängig machen würde, könnte das nur noch mehr Aufmerksamkeit auf ihn lenken. Einfach stillhalten und hoffen, dass keiner etwas merkt, dachte er. Ja, vielleicht war das in diesem Fall wirklich die bessere Taktik.

Die Tote da oben in den Dünen war ganz klar Astrid Thoben. Die verhasste Lehrerin. Sie abzuschießen, sie vorzuführen, der Lächerlichkeit preiszugeben, das war das eine. Aber ihr den Kopf abzuschneiden, etwas ganz anderes.

In der Gruppe nannte er sich nur M. Niemand machte so etwas unter seinem Klarnamen. Er hoffte, seine Spuren ausreichend verwischt zu haben. Aber er hatte ihren E-Mail-Account geknackt und so herausgefunden, dass sie, die in der Schule immer nur in Jeans und Hosenanzügen auftauchte, im Urlaub gerne Röcke trug. Nur im Urlaub. Das war ihre Freizeitkleidung. In der Schule schlüpfe sie aus rein professionellen Gründen in ihre Hose, wie ein Ritter in seine Rüstung. Ja, genau so hatte sie es einer Freundin mitgeteilt.

Er hörte, was die Leute erzählten, die zu ihren Fahrrädern zurückgingen. Einer hatte aufgeregt gesagt, der Kopf sei abgeschnitten. Eine junge Frau behauptete aber vehement, der Kopf sei noch dran. Nicht mal darin waren sie sich einig. Nur eines war klar: Die Frau war tot.

Wenn ich jetzt zur Polizei gehe und ihnen sage, dass ich weiß, wer sie ist, dann mache ich mich verdächtig. Sie werden mich als Erstes verhören, und alles fliegt auf. All die Fotos, das Punktesammeln, einfach alles. Nein, er musste schweigen. Es war sogar falsch, jetzt hier zu sein. Allein durch die Nähe machte er sich verdächtig, fürchtete er.

Musste er den anderen Bescheid sagen? War er das der Community schuldig?

Ein Gedanke ließ ihn erschaudern. War einer von ihnen der Mörder? Wer hasste diese Frau so sehr? Ein ehemaliger Schüler?

Marco Zielinski hatte ein blödes Gefühl dabei, jetzt die Punkte zu kassieren, aber sie waren ihm bereits gutgeschrieben worden.

Gab es überhaupt noch einen richtigen Schritt? Konnte er irgendetwas machen, das jetzt in Ordnung war? War es klug, die Insel sofort zu verlassen und so zu tun, als hätte er von dem Mord nichts mitgekriegt? War das glaubhaft?

Aber er musste nicht wissen, wer dort ermordet worden war. Nein, so weit ging es nicht. Es würde der Polizei schwerfallen, zwischen ihm und der Leiche eine Verbindung herzustellen. Es sei denn, sie fanden die geheime Seite im Netz.

Jetzt, da alle Touristen den Tatort verlassen hatten und nur noch die miesgelaunten Kriminaltechniker und Ann Kathrin Klaasen sich hier oben in den Dünen befanden, war die Leiche mit einer Plastikplane abgedeckt worden.

Ann Kathrin reckte sich, als sei sie gerade erst aufgestanden. Sie blickte zum Meer und genoss für einen kurzen Moment die Stille. Sie versuchte, alle Stimmen auszublenden. Autolärm gab es hier sowieso nicht. Und dann waren da nur noch die Möwen und das beständige Rauschen der Wellen.

Es war nicht wirklich still. Sie konnte sogar hören, woher der Wind kam. Und irgendwo flatterte eine Fahne. Es war halt die Stille, die ein Morgen am Meer bot, wenn die Geräusche der Naturgewalten nicht vom menschlichen Lärm zerfetzt wurden.

Sie hielt das Gesicht in den Wind, spürte das Flattern ihrer Haare an den Ohren. Ganz nah bei ihr lag die Tote. Was war hier geschehen? Ann Kathrin schloss die Augen. Den Verletzungen nach zu urteilen, musste der Täter eine Stahlschlinge benutzt haben. Aber er hatte die Frau damit nicht einfach erwürgt, sondern immer fester zugezogen und ihr dabei fast den Kopf vom Hals getrennt. Sie musste längst tot gewesen sein, und er hatte immer weiter an seiner Schlinge gezerrt.

So etwas nannte man *Übertötung*. Das machten Menschen in äußerster Wut. Oder völlig Wahnsinnige, wenn sie dem Opfer noch über den Tod hinaus Schaden zufügen wollten.

Das Ganze war sicherlich nicht zufällig geschehen. Kein Streit unter Liebenden, keine Handlung im Affekt. Nein, wer immer das war, der ist schon mit dem Plan hierhingekommen, dachte Ann Kathrin. Er musste das Mordwerkzeug bei sich geführt haben. Er hatte nicht einfach irgendein Stahlseil benutzt, dann hätte er sich selbst die Finger dabei abgeschnitten. Auf jeden Fall wären seine Verletzungen heftig gewesen. Er musste eine Stahlschlinge mit Griffen dran benutzt haben.

War er der Frau schon nach Langeoog gefolgt? Hatten sie sich hier erst kennengelernt? Warum hatte er nicht versucht, die Leiche im Sand zu vergraben? Es wäre hier ein Leichtes gewesen. Dann wäre sein Opfer nicht so schnell gefunden worden. Stattdessen hatte er sie den Raubvögeln zum Fraß hingelegt.

War das ein bewusster Akt? Auch eine Art Erniedrigung oder Bestrafung?

Das Geräusch der Wellen war jetzt so heftig, dass Ann Kathrin das Gefühl hatte, gleich könnten die Wellen ihre Füße

erreichen. Dabei war sie in Wirklichkeit noch gut hundertfünf-
zig Meter von den ersten Ausläufern der Wellen entfernt. Die
Worte eines KTU-lers rissen sie aus ihren Gedanken.

»Hoffentlich hat die Kleine sich keine Blasenentzündung
geholt.«

Ann Kathrin fuhr herum und funkelte ihn an. »Nur weil
diese Frau tot ist, verliert sie nicht ihre Menschenwürde! Was
soll dieses Geschwätz?! Stellen Sie sich vor, das wäre Ihre Frau
oder Ihre Mutter! Wie würden Sie sich fühlen, wenn dann
einer so über sie redete? Wir haben ein Opfer respektvoll zu
behandeln, wie einen lebenden Menschen!«

Er zuckte zurück, als hätte er Angst, eine Ohrfeige zu bekommen. Er hatte ein birnenförmiges Gesicht, eine schmale
Stirn und dicke Hamsterbacken. Er erinnerte Ann Kathrin an
den Chefredakteur einer Tageszeitung, mit dem sie mehrfach
wegen seiner undifferenzierten Berichterstattung aneinandergeraten war.

Sie kannte den Vornamen des Kriminaltechnikers. Er
hieß Helmut. Er galt als Spezialist für forensische Biologie,
DNA-Analysen und Bodenuntersuchungen. An seinen Nachnamen konnte sie sich nicht erinnern. Aber sie wollte ihn
in dieser Situation nicht mit Vornamen anreden und auch
auf keinen Fall duzen. Sie brauchte jetzt die dienstliche Distanz.

Offensichtlich hatte er ein Problem mit starken Frauen. Er
schaffte es nicht, ihr in die Augen zu gucken, sondern sah ins
Dünengras, als würde er etwas suchen.

»Ich meine ja bloß«, stammelte er und wirkte, als sei er
keine zwölf Jahre alt, würde aber im Körper eines übergewich-
tigen erwachsenen Mannes stecken.

»Ich meine ja bloß«, äffte Ann Kathrin ihn nach.

Er sah sich nach den anderen um. Es war ihm klar, dass er hier eine schwache Nummer ablieferte. Er wollte noch etwas sagen, bekam aber aus Respekt vor Ann Kathrin und aus Angst vor ihrer Reaktion kein Wort mehr heraus.

Sein Kollege stieß ihn an: »Na los, Helmut. Sie muss es ja nicht erst im Bericht lesen.«

Helmut sagte immer noch nichts, sondern forderte seinen Kollegen mit Blicken auf, er solle doch nun das Wort ergreifen. Ann Kathrin sah sich das nicht länger an. Sie entfernte die Plastikabdeckung von der Leiche. Sie musste mal eine schöne Frau gewesen sein, Anfang vierzig, schätzte Ann Kathrin. Sie trug einen Wickelrock.

Frauen haben immer irgendetwas mit, dachte Ann Kathrin. Eine Handtasche, einen Beutel, irgendetwas. Keine Frau geht doch einfach so, ohne alles, spazieren.

Der Wind wehte den Wickelrock auseinander, und Ann Kathrin sah es, bevor Helmut es schaffte, den Satz auszusprechen.

»Meine Frau«, sagte er, »würde bei dem Wind nicht ohne Höschen spazieren gehen.«

»Meine auch nicht, wenn es windstill ist«, grinste sein Kollege.

»Haltet endlich die Klappe!«, schnauzte Ann Kathrin wütend, um ihnen danach aber gleich eine Frage zu stellen: »Heißt das, ihr habt ihren Slip hier nirgendwo gefunden? Auch keine Tasche oder so?«

»Nichts.«

Ann Kathrin kniete sich und betrachtete die Leiche genauer. Sie konnte es nicht mit Bestimmtheit sagen, aber für sie sah das nicht nach einer Vergewaltigung aus, obwohl vieles dafür sprach. Sie fragte sich, ob es eine Verdeckungstat war.

»Der Täter kann alles irgendwo in die Dünen geschmissen haben«, sagte Helmut und bekam wieder etwas Boden unter die Füße, indem er diesen Redebeitrag leistete.

»Oder der Wind hat ihm die Arbeit abgenommen«, warf sein Kollege ein.

Ann Kathrin schüttelte den Kopf. Sie sagte es mehr zu sich selbst als zu den Männern. Dabei deckte sie die Leiche wieder ab. »Er hat eine Trophäe mitgenommen. Er wollte eigentlich den Kopf mitnehmen und als ihm das misslungen ist, hat er ihr den Slip ausgezogen.«

Helmut hatte jetzt doch das Gefühl, einen ganz wichtigen Hinweis gegeben zu haben, und versuchte, seine Position wieder auszubauen: »Da hätte aber doch ihre Handtasche gereicht oder so ...«

»Die«, sagte Ann Kathrin, »hat er mitgenommen, damit wir sie nicht so leicht identifizieren können. Er will uns Arbeit machen.«

»Na, das ist ihm gelungen«, spottete Helmut. Sein Kollege kratzte sich und fragte: »Wieso gehen eigentlich immer alle davon aus, dass es ein Mann war, wenn eine tote Frau gefunden wird?«

»Weil es in fünfundneunzig Prozent aller Fälle der Wahrheit entspricht«, antwortete Ann Kathrin.

Frank Weller saß Herrn und Frau Schmelzin im Frühstücksraum des Hotels *Flörke* gegenüber. Das Personal räumte das Büfett schon ab. Eine freundliche Kellnerin hatte Weller angeboten, er könne sich gern noch etwas nehmen. Er hatte nicht widerstehen können und sich Rühreier, Tomaten und gebratenen Speck auf einen Teller geladen. Er erhielt auch noch Kaffee und ein knuspriges Brötchen.

Inge Schmelzin starrte ihn verständnislos an. Sie begriff nicht, dass er jetzt essen konnte. Ihre Tochter Annika saß zunächst nur händeringend herum, aber dann bekam sie eine Fressattacke. Sie lief hinter der netten Kellnerin her, die gerade den Marmorkuchen wegräumen wollte, und nahm sich davon vier Stückchen. Dazu Quark, Honig und Bananen. Sie stopfte die ganze Zeit etwas in sich hinein und kaute geräuschvoll.

Weller dagegen aß geradezu rücksichtsvoll langsam, machte sich vorsichtig kleine Häppchen. Bernd Schmelzin schwieg betreten, sah aber aus, als könne er jeden Moment ausflippen vor Wut.

Weller kannte solche Typen. Er nannte sie *Tellerminen*. Sie fielen nicht auf, waren ruhig, wurden praktisch nur als Teil der Landschaft wahrgenommen, wenn überhaupt, konnten aber auch plötzlich explodieren und großen Schaden anrichten. Noch saß er da und glotzte, als hätte er Mühe zu kapieren, was um ihn herum los war.

Frank Weller erwischte sich dabei, Schmelzins Hände zu betrachten. Hockte dieser Mann so stocksteif da, weil er heute Nacht einen Mord begangen hatte? Waren das die Hände eines Killers, der eine Frau stranguliert hatte, bis ihr fast der Kopf vom Leib getrennt worden war?

Inge Schmelzin hatte ein kleines goldenes Kreuz an einer Kette um den Hals baumeln. Weller vermutete, dass es mehr darstellen sollte als nur Schmuck. Er nahm an, vor sich eine tief religiöse Frau sitzen zu haben oder zumindest eine mit sehr klaren Wertmaßstäben. Sie hatte ein längliches Gesicht mit sanftem Ausdruck. Sie wirkte bescheiden, wie ein Mensch, der sich sehr zurücknimmt, weil er befürchtet, nicht wirklich in diese Welt zu passen. Das T-Shirt ihrer Tochter empfand sie so sehr als Provokation, dass sie ihr Kind bewusst ignorierte. Sie tat wirklich so, als würde sie sie nicht sehen.

Sie schämte sich, über das Interview mit Judith Rakers zu sprechen. Weller nahm das wahr. Er blickte neben sich, so wie er manchmal seiner Frau Ann Kathrin einen kurzen Blick zuwarf, um sich zu vergewissern, ob sie beide die Situation gleich einschätzten. Ann war nicht bei ihm, doch ihre Gegenwart schwang in ihm noch nach. Sie waren auf eine sehr intensive Weise miteinander verbunden. Zwischen ihnen funktionierte manchmal – längst nicht immer – eine Art emotionaler Standleitung. Sie war nur ein paar Hundert Meter Luftlinie von ihm entfernt, doch er vermisste sie.

Insgeheim glaubte Inge Schmelzin, die schrecklichen Ereignisse der Nacht seien eine Art Strafe für die Eitelkeiten, denen sie sich mit ihrer Tochter ergeben hatte, und für ihren Hochmut. Sie sprach es jetzt sogar aus, dabei guckte sie Annika tadelnd an: »Hochmut ist eine Todsünde. Wir haben uns wie eitle Gockel benommen. Haben damit kokettiert, ins Fernsehen zu kommen. Selbstsüchtig waren wir, eitel und …«

»Mama!«, schimpfte Annika, und Kuchenkrümel sprühten aus ihrem Mund. »Wir sind nicht umgebracht worden, sondern sie!«

Weller hatte die Rühreier verdrückt und kam jetzt zur Sache: »Ihre Tochter sagt, dass Sie die Tote kennen – oder zumindest Angaben zur Person machen können.«

Inge Schmelzin öffnete den Mund, bekam aber kein Wort heraus. Weller kannte das aus vielen Verhören und Befragungen. Bei manchen Menschen breitete sich im Gehirn monströse Leere aus, wenn sie plötzlich im Fokus des Geschehens standen.

Annika riss sich zusammen und antwortete für ihre Mutter: »Sie hat sie wohl ein paarmal bei *Remmers* getroffen. Beim Brötchenholen.«

Es war Frau Schmelzin unangenehm, dass ihre Tochter für sie sprach. Sie seufzte heftig und sagte mit leidendem Tonfall: »Wir haben früher hier oft in einer Ferienwohnung Urlaub gemacht, als Annika noch kleiner war.«

Annika mochte es nicht, wenn über die Zeit gesprochen wurde, als sie ein kleines Kind gewesen war. Am liebsten hätte sie ihre Kindheit ausgelöscht und wäre gleich als junge Frau auf die Welt gekommen. »Ich habe sie gestern bei *Vier Beaufort* getroffen. Da gibt es geile Klamotten. Nicht ganz billig, aber ...« Sie warf ihrem Vater einen vernichtenden Blick zu.

»Die Tote«, folgerte Weller, »ist also seit vielen Jahren ebenfalls Stammgast auf Langeoog? Oder ist sie sogar eine Insulanerin?«

»Mama glaubt ja, sie aus dem Fernsehen zu kennen«, spottete Annika und verzog dabei das Gesicht. Jetzt erinnerte sie Weller an seine Töchter. Als sie in dem Alter waren, machten sie auch gern durch Mimik darauf aufmerksam, dass sie ihn für völlig verblödet hielten.

»Ja, ich denke, sie ist Schauspielerin, aber ich komme nicht auf ihren Namen.«

Annika kommentierte: »Mama denkt das nur, weil Judith Rakers die Frau interviewt hat.«

Weller machte noch einen Versuch, die Aussage zu konkretisieren: »Sie wissen also nicht, wie die Frau heißt oder wo sie auf Langeoog gewohnt hat?«

Inge Schmelzin schüttelte den Kopf. Ihr Mann stieß säuerlich auf. Erst nach dem Rülpser hielt er sich die Hand vor den Mund. Es war ihm peinlich.

»Einmal«, sagte Inge Schmelzin zögerlich, »haben wir sie in der *Meierei* gesehen. Sie hat Dickmilch mit Sanddorn gegessen, wie wir auch.«

Die Erinnerung spülte noch mehr hoch. Weller ließ ihr Zeit. Er hatte von Ann Kathrin gelernt, dass man im Grunde nur ein guter Zuhörer sein musste. Die Menschen erzählten gern. Es erleichterte sie, und eine Erinnerung ergab die nächste. Es war wie ein Puzzlespiel aus vielen kleinen Teilchen.

»Sie hat sich ein Fahrrad bei Klaus geliehen, direkt am Bahnhof, genau wie wir. Als ich mal da war, um meinen Akku aufladen zu lassen, habe ich sie dort gesehen.«

Weller hatte zwar noch keinen Namen, aber doch schon erstaunlich viel. »Fuhr sie auch ein Elektrorad?«, fragte er.

Das wusste Inge Schmelzin nicht.

Weller verabschiedete sich. Er gab Frau Schmelzin seine Karte: »Falls Ihnen noch etwas einfällt …«

Er bedankte sich bei der Kellnerin. Sie zwinkerte ihm komplizenhaft zu.

Holger Bloem trank bei Horst in der *Kaffeerösterei* einen doppelten Espresso. Genauer gesagt, davor. Er sah zum Rathaus hinüber. Dort traf sich das Fernsehteam um Judith Rakers.

Bloem war hin- und hergerissen. Einerseits hatte er eigentlich vorgehabt, über die Dreharbeiten zu berichten und ein Porträt der Moderatorin mit einem Bericht über Langeoog zu verbinden. Vielleicht würde sogar eine Titelgeschichte für das *Ostfriesland Magazin* dabei herausspringen. Immerhin war Judith Rakers eines der bekanntesten Gesichter des Deutschen Fernsehens.

Das Wetter versprach mitzuspielen. Doch nun kam dieser Mord dazwischen. Auch wenn er die schrecklichen Bilder niemals gebracht hätte, weckte der Fall seine journalistische Neugier doch sehr. Seit er über den Serienkiller Dr. Bernhard Sommerfeldt ausführlich berichtet hatte, galt er als Fachmann für Schwerverbrecher. Er hatte sich nie darum beworben, doch so war es nun einmal und seine Freundschaft zu Ann Kathrin Klaasen war in der Öffentlichkeit ebenfalls bekannt. Wenn in Ostfriesland schlimme Verbrechen geschahen, riefen Journalisten, Agenturen und Rundfunkredakteure gerne ihn an, fragten nach seiner Einschätzung und bestellten Artikel bei ihm.

So war er fast erleichtert, als er seinen Freund Frank Weller sah, der sich bei dem Filmteam vorstellte. Wenn ich beide Geschichten in einem großen Bericht unterbringen könnte, dachte Bloem, wäre das doch geradezu ein Geschenk. So etwas liebten die Leser des *Ostfriesland Magazins*.

Er machte schon vorab ein paar Fotos. Eigentlich hätte er bei Horst gerne noch eine Kaffeemischung gekauft und einen guten Gin, doch jetzt trank er nur den Espresso aus und ging dann langsam, die richtige Perspektive für einen Schnappschuss suchend, auf die Filmcrew zu.

Die Drehbuchautorin Jana von Rautenberg gab Weller bereitwillig Auskunft. Sie hatte den Namen der interviewten Frau notiert: Astrid Thoben.

Judith Rakers blinzelte in die Sonne. Sie hatte etwas Strahlendes an sich, das Holger Bloem gerne mit der Kamera eingefangen hätte.

»Wir haben«, erzählte Judith ruhig, »an besonders schönen Orten Menschen angesprochen und spontan interviewt. Ich wollte wissen, was diese Orte für sie bedeuten. Diese Astrid war ganz toll. Am Flinthörn hat sie so verklärt aufs Meer geguckt, ich musste sie einfach ansprechen. Sie sagte, dieser Ort habe eine besondere Magie. Das fand ich schön. Ein Ort mit Magie!«

Der zweite Kameramann, Tarik, schlug vor, Weller die Aufnahmen zu zeigen. Jana von Rautenberg erklärte: »Wir drehen natürlich viel mehr, als Sie hinterher im Film sehen. Noch ist alles da.«

Hocherfreut bat Weller, sich alles ansehen zu dürfen.

»Ich brauche fünf Minuten«, lachte Tarik. Er war eifrig dabei, der Polizei in dieser Sache weiterzuhelfen.

Die Bürgermeisterin Heike Horn kam aus dem Rathaus. Sie war noch ziemlich mitgenommen von diesem Morgen. Immerhin begann nicht jeder Tag für sie mit einer Leiche.

»Gleich«, sagte sie, »stehe ich Ihnen zur Verfügung.« Sie kämmte sich mit den Fingern durch die Haarpracht.

Judith verbreitete trotz der durch den Leichenfund angespannten Situation gute Stimmung. Sie sprach mit der Bürgermeisterin. Die zwei kannten sich schon. »Also, ich würde Sie dann gleich fragen, was man sich denn unter einer *Fair-Trade-Insel* vorzustellen hat.«

»Gut. Zu dem schrecklichen Mord muss ich hoffentlich nichts sagen?«, fragte die Bürgermeisterin. Judith Rakers beruhigte sie: »Nein, wir sind ein Reisemagazin. Wir berichten über Deutschlands schönste Inseln. Später befragen wir noch einen Kriminalschriftsteller, der sich hier auf der Insel eine Ferienwohnung gekauft hat. Für Mord und Totschlag ist der zuständig, allerdings auch nur literarisch.«

Frank Weller sonderte sich ab. Er blieb vor der *Inselrösterei* stehen und rief Ann Kathrin an. »Ich habe den Namen der Toten, und letzte Filmaufnahmen mit ihr bekomme ich gleich zu sehen. Astrid Thoben.«

Weller musste den Namen zweimal wiederholen. Ann Kathrins Empfang war nicht gut. Dafür pfiff der Wind jetzt zu heftig aus Nordwest.

Tarik winkte Weller zu. »Wir sind so weit. Wir können es Ihnen jetzt am Monitor zeigen.«

Die Szenen waren aus verschiedenen Perspektiven aufgenommen. Tarik kommentierte für Weller: »Das sind Schuss und Gegenschuss. Totale. Halbtotale. Close-up. Schließlich müssen wir die Szene in verschiedene Bilder auflösen, sonst wird ja alles langweilig.«

Weller rief Ann Kathrin noch einmal an: »Ich glaube, Ann, das solltest du dir anschauen …«

Noch bevor Weller alle Aufnahmen gesichtet hatte, war Ann Kathrin auch schon da. Sie hatte Probleme mit ihrem E-Bike. Die Gangschaltung klemmte. Sie war die ganze Zeit mit Highspeed im sechsten Gang gefahren. Sie hatte rote Wangen, und auch ihre Nase war von der Sonne gerötet worden. Eigentlich benutzte sie seit ihrer Hautkrebsdiagnose täglich eine Sonnencreme mit Lichtschutzfaktor 50. Selbst im Herbst. Doch ausgerechnet heute, in der Hektik des Morgens, hatte sie es vergessen. Natürlich knallte genau an so einem Tag die Sonne gnadenlos vom Himmel. Und sie verbrachte die Zeit ungeschützt draußen. Was nutzte Lichtschutzfaktor 50 im Büro?

Sie ärgerte sich über sich selbst. Warum, fragte sie sich, reicht ein Problem aus, und ich vernachlässige mich sofort selbst? Immerhin war es nicht irgendein Problem. Eine Urlauberin war ermordet worden. Vielleicht war es ja normal, sich selbst angesichts solch schlimmer Ereignisse nicht so wichtig zu nehmen.

Sie hörte die Stimme ihres toten Vaters, als ob er neben ihr stehen würde: »Achte auf dich, mein Kind. Es nutzt keinem, wenn du umfällst.«

Judith Rakers machte Selfies mit Touristen. Sie blieb auch nach dem zehnten Fotowunsch freundlich, ja, es schien ihr Spaß zu machen.

Ann Kathrin stellte das Rad in den Fahrradständer und atmete tief durch. Gemeinsam mit Weller sah sie sich alles noch einmal an. Sie schlug vor, dabei ins Rathaus zu gehen. Die Bürgermeisterin stellte sofort ihr Büro zur Verfügung.

Jeder dachte, es ginge darum, die Blicke Neugieriger zu meiden, dabei wollte Ann Kathrin nur aus der Sonne. Sie zeigte auf den Bildschirm und bat Tarik: »Können Sie das anhalten?«

»Klar.«

»Siehst du den jungen Mann da, Frank?«

Weller nickte. »Ja. Was ist mit dem?« Er beantwortete seine Frage selbst: »Er liegt im Gras.«

Ann Kathrin ergänzte: »Und er guckt die ganze Zeit auf sein Handy.«

»Ja«, lachte Weller, »das ist die neue Zeit, Ann. Willkommen in der Gegenwart. So sind die heute. Das Handy ist wichtiger als die Leute neben einem.«

Tarik gab Weller recht. Aber Ann Kathrin reichte diese Erklärung nicht aus: »Da ist das Meer. Dort dreht ein Fernsehteam, und der guckt nur auf sein Handy?«

Weller lachte: »Was willst du damit sagen? Das macht ihn nicht verdächtig, Ann. Schau dir das schmächtige Jüngelchen an. Ich glaube, der hätte gar nicht genug Kraft, um den Kopf mit einer Stahlschlinge vom Körper zu trennen.«

Tarik guckte irritiert.

»Ich habe«, behauptete Ann Kathrin, »ihn heute Morgen am Flinthörn bei der Leiche gesehen.«

»Ja, da waren viele Leute«, gab Weller zu bedenken.

»Können Sie näher ranzoomen, oder haben Sie noch mehr Aufnahmen?«, fragte Ann Kathrin. Tarik half ihr.

Weller und Ann Kathrin erkannten es gleichzeitig: »Der macht mit seinem Handy Fotos!«, rief Ann Kathrin empört. Frank gab seiner Frau recht: »Ja, der pflegt auf jeden Fall nicht gerade seine Facebookseite. Aber was bedeutet das schon? Ich denke, jeder Zweite macht dort Fotos. Es ist ein ganz bezauberndes Plätzchen Erde. Nicht ohne Grund wurde ja dort gedreht.«

Judith Rakers schaute zur Tür rein: »Wir müssen ...«, mahnte sie.

»Aber schau dir mal den Winkel an, Frank. Der fotografiert nicht das Meer, sondern, wenn überhaupt, dann den Himmel.«

»Er wird diese Filmsituation aufgenommen haben, um bei seinen Freunden damit anzugeben, dass er am Set war«, vermutete Frank.

»Nein«, behauptete Ann und zog auf dem Bildschirm eine Linie vom Handy zu Inge und Annika Schmelzin. »Der fotografiert die beiden.«

Weller musste ihr recht geben: »Und wenn mich nicht alles täuscht, dann will der nicht nur ihre schönen Beine knipsen. Und schon mal gar nicht ihren Rücken. Der versucht, ihnen unter die Röcke zu fotografieren.«

Judith trat jetzt näher. Statt den zweiten Kameramann abzuholen, guckte sie mit auf den Bildschirm: »Upskirting ...«, sagte sie empört.

Ann Kathrin erklärte: »Das ist in vielen Ländern verboten. Bei uns leider immer noch nicht. Es gibt Gesetzesinitiativen, aber die verlaufen im Moment im Sand.«

Weller seufzte: »Ja, okay, blöde Sache. Aber wir suchen einen Mörder, keinen verklemmten Po-Fotografen.«

Ann Kathrin sah ihn mit diesem Blick an, mit dem sie wortlos sagen konnte: *Typisch Mann.*

Weller versuchte sofort, sich zu verteidigen: »Ich wollte das nicht verharmlosen, Ann. Aber er fotografiert hier eindeutig Mutter und Tochter, nicht Astrid Thoben. Die wurde aber umgebracht, nicht die beiden Schmelzins.«

Tarik wollte alles zusammenpacken, doch Ann Kathrin bat ihn: »Kann ich eine Kopie davon haben?«

Er sah Judith an. Sie nickte.

Weller radelte hinter Ann Kathrin her. Er hatte kein Elektrobike mehr bekommen, sondern nur ein ganz normales Fahrrad mit Gangschaltung. Er spürte diese Missstimmung zwischen ihnen, die er nur schwer ertrug. Er strampelte heftig, damit sie ihm nicht wegfuhr. Sie radelten gegen den Wind.

»Ann, was hast du denn? Ist es wegen dem Upskirting? Herrje, ja, ich hab das doch nicht gemacht, sondern dieser Depp! Wenn du willst, suche ich ihn. Die Insel ist ja nicht groß, und dann ...«

Ann Kathrin war immer noch zornig und sprach, ohne ihn anzusehen, obwohl er inzwischen neben ihr herfuhr. Er hatte aber Mühe, mit ihr mitzuhalten.

»Es nutzt nichts, wenn du ihn findest, Frank. Es macht mich wütend, dass es bei uns so verharmlost wird. Es sollte eine

Straftat sein! Ich meine, was bilden diese Männer sich eigentlich ein?!«

»Er ist bestimmt noch auf der Insel. Ich könnte ihn mir greifen und ihm einfach die Fresse polieren.«

Jetzt sah Ann Kathrin zu ihm rüber. »Mach dich nicht lächerlich. Willst du jetzt hier den Kämpfer für Frauenrechte spielen oder den Rächer der Entrechteten?«

»Herrje!«, schimpfte Weller. »Ich bin bloß dein Mann, ich mache die Gesetze nicht.«

Er hatte es genossen, diese Astrid zu töten. Aber er suchte noch einen guten Namen für sich. Ein Pseudonym, das Angst einflößte. Der Name sollte voller Ehrfurcht ausgesprochen werden.

Er hatte sich in der ersten Botschaft an Dr. Sommerfeldt *K. Ernte* genannt. Als er den Brief schrieb, hatte er es sogar witzig gefunden. *K.* für *Killer. Killer-Ernte.* Was für ein Name!

Er stellte sich einen Mann vor, der Menschen tötete, wie ein Bauer die Ernte einfuhr. Selbstverständlich. Es war sein ihm angestammtes Recht.

Doch jetzt erschien ihm der Name zu harmlos. Zu verspielt. Vielleicht sollte er sich *Professor* nennen oder, noch besser, *Meister*.

Er konnte von seinem Apartment im *Anna-See*-Gebäude das *Haus der Insel* sehen, wo abends oft Veranstaltungen stattfanden. Dort sang der Shanty Chor. Dort trat auch dieser schreckliche Kriminalschriftsteller auf, dessen Bücher hier in jedem Supermarkt die Regale verstopften. Es gab Familienprogramme. Piratenfeste und Gespensterpartys.

Er betrachtete das Museumsrettungsboot *Langeoog* vor dem Kurzentrum. Es war mal ein richtiges Motorrettungsboot der *Deutschen Gesellschaft zur Rettung Schiffbrüchiger* gewesen. Jetzt, auf festem Boden, bei den Fahrradständern, sah es aus wie sein eigenes, rotweißes Denkmal. Kinder kletterten darauf herum. Dienstags und donnerstags konnte es besichtigt werden.

Gerade standen wieder Touristen davor. Der Vater bemühte sich, seine Frau und seine drei Kinder so vor dem Rettungsschiff zu positionieren, dass alle mit aufs Foto kamen und der Schriftzug *Langeoog* noch zu sehen war. Die älteste Tochter wollte lieber ein Eis. Der kleine Sohn fragte, ob das Schiff echt sei. Die Mutter wollte nicht fotografiert werden, sie fand sich zu dick.

Schiffe, dachte er, werden nicht gebaut, um im Hafen zu liegen oder auf Asphalt ausgestellt zu werden. Schiffe, besonders Rettungsschiffe, gehören bei Sturm in die tosende See. Dieses Schiff war für ihn ein Symbol für Dr. Bernhard Sommerfeldt. Es wurde besucht und ständig fotografiert, war auf Postkarten zu sehen, aber es war eben kein Rettungsmotorboot mehr. Wahrscheinlich war es nicht einmal mehr seetauglich. Es war halt ein Museumsstück. Harmlos, ja belanglos. Genau wie Sommerfeldt, dessen erbärmliches Seelenleben inzwischen in den Feuilletons der Zeitungen diskutiert wurde, aber vor dem niemand mehr Angst hatte, weil er eben kein aktiver Serienkiller mehr war, sondern nur noch ein Ausstellungsstück. Ein Schreiberling. Das Gefängnis war so etwas wie ein Museum für Schwerkriminelle.

Er öffnete das Fenster und sah dem Treiben unten zu. Er hatte ein Apartment in der oberen Etage gemietet, nicht nur, um einen Blick von oben auf die Menschen zu haben, nein, vor allen Dingen, weil die Wände hier vier Meter hoch waren. Er brauchte Platz. Wohnungen mit niedriger Decke kamen ihm vor wie Särge. Er brauchte den unverstellbaren Blick in die Weite. Und wenn er sich schon in geschlossenen Räumen aufhalten musste, dann sollten sie groß sein. Alles andere nahm ihm die Luft zum Atmen. Er konnte nicht bei geschlossenen Fenstern schlafen. Am liebsten schlief er ein, wenn Regen gegen die Fenster trommelte oder draußen der Wind pfiff.

Er träumte oft von seinem ersten Mord. Er war gerade siebzehn geworden. Sie hieß Cora und konnte küssen, dass ihm die Knie weich wurden. Sie war bereit, mit ihm zu schlafen. Sie hatte es ihm auf alle erdenklichen Arten signalisiert, aber in seiner Phantasie spielte der Blümchensex, den sie sich vorstellte, keine Rolle. Er wusste nicht, wie er es ihr sagen sollte. Obwohl sie ihn flüsternd nach seinen Wünschen fragte und gern am Telefon ein bisschen *Dirty Talking* mit ihm machte, wie sie es nannte, musste es sein Geheimnis bleiben.

In seiner Phantasie würgte er sie. Sie starrte ihn an und zappelte, weil sie keine Luft mehr bekam.

Sie waren fest entschlossen, sich an diesem Tag endlich auch körperlich zu lieben. Sie waren in Köln-Mülheim in ein altes, leerstehendes Fabrikgebäude gegangen, das vielen Pärchen als Liebesbunker diente. Ja, *Liebesbunker* wurden die Hallen zwischen dem Mülheimer Hafen und der Deutz-Mülheimer-Straße mit den zerschlagenen Fenstern genannt.

Scherben knirschten unter ihren Füßen. Es war feucht und dunkel. Aber die Wände waren hoch. Das gefiel ihm. Mondlicht und eine flackernde Straßenlaterne erleuchteten die Halle nur spärlich. Sie hatten sich Kerzen mitgebracht. In einer Ecke stand ein altes Sofa, und ein paar leere Kisten dienten als Sitzgelegenheit. Später stand im Polizeibericht, auf dem Sofa seien

Spermaspuren von zwölf verschiedenen Personen identifiziert worden. Von ihm gab es da jedenfalls nichts.

Er hatte nicht mit ihr geschlafen. Er hatte sie umgebracht. Doch es war anders gewesen als in seiner Phantasie. Ganz anders. Sie hatte ihn nicht flehentlich angeguckt, sich nicht zitternd in ihr Schicksal ergeben, nein, sie hatte ihn geohrfeigt, ihn einen *blöden Idioten* genannt und nach Hause gewollt. Ja, sie hatte wirklich geglaubt, er würde sie einfach so gehen lassen. Sie hatte ihn sogar angebrüllt. Sie wolle Schluss mit ihm machen, jetzt und hier. Sofort! Das sei es jetzt gewesen!

Sie hatte es nicht überlebt.

Gemeinsam mit ihren Eltern hatte er weinend an ihrem Grab gestanden. Die ganze Klasse und fast alle Lehrer der Schule waren gekommen. Er war bedauert und getröstet worden. Schließlich wusste jeder, dass sie sich geliebt hatten.

Er trug seine Trauer wie ein Schutzschild vor sich her und gab zu, sich schuldig zu fühlen, weil sie sich doch verabredet hatten, er aber nicht gekommen war. Hätte er an diesem Tag nicht die Niederlage des 1. FC Köln am Fernseher verfolgt, sondern wäre mit ihr ins Kino gegangen, wie verabredet, dann würde sie vielleicht noch leben …

Ja, ihre Eltern trösteten ihn sogar noch. Er sei nicht schuld am Tod ihrer Tochter. Für eine Weile wurde er ihr Kinderersatz. Jeden Sonntag kam er zu Kaffee und Kuchen. Immer hatte die Mutter Coras Lieblingskuchen gebacken. Apfel mit Mandelsplittern. Er konnte keinen Apfelkuchen mehr sehen und Mandeln schon mal gar nicht.

Die Leiche war rasch gefunden worden, doch der Mord wurde nie aufgeklärt.

Erst sechs Jahre später hatte er es noch einmal gemacht. Er studierte damals schon Jura in Bochum. Nein, sie sah Cora nicht ähnlich. Im Gegenteil. Und doch hatte er gleich bei ihrer ersten Begegnung im Strafrechtsseminar gewusst, dass er sie töten würde. Töten musste!

Sie hatte kurze, rote Haare und ein durchdringendes Lachen. Sie war ein unglaublich fröhlicher Mensch. Sie studierte Jura, weil sie mal die Kanzlei ihres Vaters übernehmen wollte. Ihr Vater hatte sie von seinem Vater übernommen. Eine *Juristendynastie* nannte sie ihre Familie.

Sie war ein *Starlight-Express*-Junkie. Mindestens einmal im Jahr musste sie das Musical sehen. In ihrem Auto lief ständig die CD.

Er hatte sie nach einem gemeinsamen Musicalbesuch im Auto erwürgt. Dabei hatte er *Ich bin ich* gesungen. Platzregen prasselte auf das Autodach.

Er hatte ihre Leiche bei den Buhnen in die Ruhr geworfen. In diesem Uferschutzbereich gab es dammartige Bollwerke. Dort entstanden heftige Wirbel im Wasser. Sie war sofort mitgerissen worden.

Er roch an dem Höschen, das er Astrid Thoben ausgezogen hatte. Am liebsten hätte er es diesem Dr. Sommerfeldt geschickt, doch er hatte noch andere Pläne. Er fotografierte es und schickte Sommerfeldt eine Aufnahme. *Leider brauche ich es noch.*

Er musste jetzt diszipliniert handeln. Gegen ihn war dieser Sommerfeldt nur ein kleines Licht. Trotzdem hätte er ihn gerne mal persönlich kennengelernt.

Wegen seiner Trilogie galt Sommerfeldt als der bedeutendste Serienkiller Deutschlands. Aber das waren nur Bücher. Papier. Mehr nicht. Interessant geschrieben, zweifellos, aber doch auch nicht mehr als Unterhaltungsliteratur. Damit war Sommerfeldt berühmt geworden. Drei Bücher. Tausendzweihundert Seiten. Er schrieb inzwischen mehr, als er tötete. Er war längst vom Raubtier zum zahmen Schoßhündchen der Literaturkritik geworden.

Ich werde euch zeigen, wer hier der Größte ist, dachte er.

Er sah sich auf der Website die Fotos von Mutter und Tochter an. Nette Idee. Aber wenig gelungene Schnappschüsse. Dieser *M*, wie er sich nannte, war ein verbissener Jäger. Ehrgeizig, aber nur wenig talentiert. Er sammelte Punkte und gab damit an. *M* hatte diese Lehrerin mit dem Wickelrock abgeschossen. Ein Foto, auf dem ein Dreieck ihres Slips zwischen ihren Schenkeln zu sehen war. Mehr nicht. Diese Leistung verblasste angesichts seiner gestrigen Tat.

Er hielt diesen Slip jetzt in der Hand. Er hatte sie getötet. Dagegen war alles andere nur ein Kinderspiel.

Er ließ das Höschen um seinen Zeigefinger kreisen. Er hatte sich diesen *M* genau angesehen. Er war unvorsichtig. Ein schmalbrüstiger dummer Junge. Nur in der Anonymität des Internets ein großer Held.

Wenn ich mir jetzt die Mutter hole oder die Tochter oder am besten beide, dann werden sie dich über kurz oder lang verdächtigen. Spätestens, wenn sie dein Handy auslesen, bist du reif, und eines Tages werden sie das tun, denn Typen wie du fallen immer auf. Irgendwann werden dich empörte Frauen schnappen und zur Polizei bringen. Oder, noch besser, Väter oder Ehemänner. Dann wird dein Handy zur Tatwaffe erklärt, und sie schauen es sich ganz genau an.

Er klickte sich durch die Bilder auf der Homepage. Ja, vielleicht sollte er sich wirklich die Schmelzins holen. Er wusste, dass sie im *Hotel Flörke* wohnten und ihre Räder bei Klaus ausgeliehen hatten.

Er durchsuchte Astrid Thobens Handtasche. Er fand sogar

noch Geld. 241 Euro im Portemonnaie. Es war ihm unangenehm. Er war doch kein Dieb! Sollte er das Geld spenden?
Er zerknüllte die Scheine und stopfte sie in seine Jeans zu den
gebrauchten Papiertaschentüchern.

Im Badezimmer vor dem Spiegel benutzte er Astrids Lippenstift. Er schmeckte fruchtig. Das Rot war ihm eine Spur
zu dick. Nicht dezent genug. Es sah für ihn aus wie spanischer
Rotwein.

Er küsste den Spiegel und betrachtete den Abdruck seiner
Lippen. Ja, er würde sich Mutter und Tochter holen. Der Gedanke gefiel ihm immer besser. Ein Aufschrei würde durch die
Presse gehen. Niemand würde mehr über Dr. Bernhard Sommerfeldt reden. *Der Langeoog-Mörder* würde die Phantasie
der Menschen beflügeln, ihnen einen Schauer über den Rücken
laufen lassen, ja ihnen Angst machen.

Das Problem mit seinen bisherigen Taten war, dass niemand
sie als Serie erkannte. Das musste sich ändern. Bis jetzt hatte
er nur geübt. Nun sollten große Taten folgen.

Ich werde, versprach er sich selbst, Astrids Slip bei Inge
Schmelzin lassen und gleichzeitig etwas von ihr mitnehmen.
Das wird die Polizei verrückt machen, denn sie wissen dann,
dass ich weitermachen werde. Wenn ihr zu dumm seid, Zu-
sammenhänge zu sehen, dann werde ich halt klare Duftmar-
ken setzen.

Er fragte sich, wie lange sie brauchen würden, um diesen *M*
zu erwischen. Garantiert würden sie ihn für den Täter halten.
Das war ja auch so naheliegend. Sie brauchten immer einfache
Erklärungen.

Er sah sich erneut *M*s Fotos im Netz an. Wenn sie dich einkassiert haben, dann werde ich es eine Weile genießen. Die
Bullen werden sich feiern und stolz auf ihre Ermittlungsarbeit

sein. Aber dann – wenn ich es entscheide – könnte ich alles platzen lassen wie eine Seifenblase. Ich mache dann einfach weiter, und ihr werdet feststellen, dass ihr es mit einem anderen, viel größeren, viel mächtigeren Gegner zu tun habt. Mit mir!

Er stand wieder vor dem Spiegel. Er klopfte sich auf die Brust und brüllte seinen Tarzanschrei. Als Kind hatte er diese Szene im Kino geliebt. Wenn Tarzans Schrei durch den Dschungel hallte, bekamen seine Feinde Angst. Ja, so sollte es sein!

Hauptkommissar Rupert fühlte sich, seit er einen Undercovereinsatz gegen das organisierte Verbrechen überlebt hatte, im Grunde in Ostfriesland in dieser popligen Polizeiinspektion in Norden, die eigentlich baufällig war, als würde er hier nur ein Gastspiel geben, bis er zu wichtigeren Aufgaben gerufen werden würde. Er nahm das alles nicht mehr wirklich ernst.

Ann Kathrin Klaasen und Frank Weller amüsierten sich bei dem Wetter auf Langeoog, und er sollte hier im Büro Stallwache halten. Er hatte seinen Drehstuhl ans offene Fenster geschoben und die Beine hochgelegt. Er saß im Unterhemd und sonnte sich. Seine neuen schwarzen Lederschuhe glänzten auf der Fensterbank. Er fand, die Schuhe machten etwas aus ihm. Er musste sie ständig anschauen. Am liebsten wäre er damit ins Bett gegangen. Sie waren edel. Makellos. Handgemacht. Nur für ihn. Ein Überbleibsel aus der Undercoverzeit.

Die maßgeschneiderten Anzüge konnte er hier in der Inspektion in Norden schlecht tragen, auch wenn sie ihm teuflisch gut standen. Aber die Schuhe fielen nicht so sehr auf. Seit er sie trug, ließen auch die Rückenschmerzen nach. Es lag an den

Einlegesohlen, aber die handgemachten Schuhe wirkten nicht wie diese schrecklichen Gesundheitslatschen, die die Kollegin Marion Wolters trug, sondern sie sahen cool aus, wie Schuhe, die einer auswählte, der genau wusste, worauf es im Leben ankam, und zwar einer, der selbstbewusst genug war, sich das zu nehmen, was ihm zustand.

Bald schon würde er von hier wieder verschwinden und in Gangsterkreisen untertauchen. Dort verstand man etwas von gutem Schuhwerk.

Er erledigte seine Arbeit lässig, wie nebenbei, mit dem Laptop auf dem Oberschenkel. Er durchstöberte das Netz nach Astrid Thoben. Eine gute Internetrecherche brachte heutzutage mehr als ein stundenlanges Verhör, besonders wenn Anwälte dabei waren und jede zweite Frage blockierten. Das Netz gab bereitwillig Auskunft. Kein Anwalt schritt ein und erklärte seinem Klienten, es sei jetzt besser zu schweigen.

Bei Ermittlungen liebte Rupert das Internet. Über Facebook und Instagram gelang es ihm, Persönlichkeitsprofile zu erforschen. Es war noch nicht lange her, da hatte man dafür Psychologen gebraucht, Sachverständige, Gutachter, Gesprächsprotokolle und unterschriebene Aussagen. Heute machte man Screenshots von Facebookeinträgen, druckte die aus und legte sie zu den Akten.

Über Astrid Thoben fand Rupert viel. Sie war als Lehrerin für Deutsch und Geschichte nicht sehr beliebt. Sie unterrichtete in Wattenscheid und wohnte in Gelsenkirchen. Sie lebte in Scheidung, und es gab einen heftigen Rosenkrieg um ein Bergmannshäuschen, das angeblich ihr gehörte, aber ihr Ex behauptete, es komplett renoviert zu haben, und leitete daraus Besitzansprüche ab. Er hatte sich auf seiner Facebookseite so richtig ausgekotzt.

Wenn nur die Hälfte stimmte, musste sie ein ganz schönes Aas gewesen sein. An der Schule hatte sich der Wind zu ihren Ungunsten gedreht, als sie einem Schülersprecher schlechte Noten gegeben hatte. Er behauptete, das hätte nichts mit seinen Leistungen zu tun gehabt, sondern mit einem Artikel, den er über sie in der Schülerzeitung verfasst hatte. Darin hatte er ihre Lehrmethoden als veraltet und ihre Meinungen als verblödet dargestellt. Seine Noten seien nichts weiter als ihre Rache.

Auf verschiedenen Facebookseiten wurde ganz schön gegen Astrid Thoben gehetzt. Einige Schüler hatten versucht, sie in blöden Situationen zu fotografieren, und die Bilder hochgeladen. Nichts davon war strafbar, vermutete Rupert. Sie hatten einfach nur Fotos ausgesucht, auf denen sie unvorteilhaft abgebildet worden war. Einmal schielte sie, dann wieder verzog sie dämlich den Mund oder fuhr sich mit der Zunge über die Unterlippe. Ein richtig gelungener Schnappschuss tauchte mehrfach auf. Sie bohrte sich gedankenverloren in der Nase.

Möglicherweise verstieß das gegen ihr Recht am eigenen Bild und gegen andere Persönlichkeitsrechte, aber wen interessierte so etwas in diesen Zeiten noch? Sie musste doch froh sein, nicht auf der Toilette fotografiert worden zu sein.

Handys und die Möglichkeit, jederzeit überall alles ablichten und veröffentlichen zu können, hatten die Welt verändert. Auch Rupert musste damit leben, dass er bei Verhaftungen fotografiert wurde. Manchmal waren die Bilder im Netz, bevor er mit dem Gefangenen in der Inspektion war.

Man hatte Astrid Thoben nicht gerade verehrt, aber Gründe, sie umzubringen, fand Rupert nicht. Wenn überhaupt, dann schien ihm ihr Ex verdächtig. Er postete auffällig oft Bilder, die ihn mit schönen jungen Frauen zeigten, immer grinsend, mit einem Rotweinglas oder einem Prosecco in die Kamera prostend. Männern, die Prosecco tranken, traute Rupert sowieso nicht. Hatte er seine Ex erledigt, weil er nur so die Scheidungsfolgekosten niedrig halten konnte? Ging es um das Bergmannshäuschen in Gelsenkirchen-Ückendorf?

Noch waren sie gar nicht richtig geschieden. Sie wohnten seit zwei Jahren nicht mehr zusammen, aber die Anwälte fetzten sich immer noch.

Jemand, der sich *Supermann 23* nannte, hatte einen kurzen Handyfilm hochgeladen. Darin beschimpfte Astrid Thoben eine Kollegin als *Bitch* und behauptete, sie habe versucht, ihr den Mann auszuspannen. Am Ende des Filmchens drohten beide Frauen sich gegenseitig Prügel an. Es war verwackelt. Der Ton war schlecht. Kahle Wände. Ein trostloser Flur mit vielen Kleiderhaken an der Wand. Hatte diese Auseinandersetzung in der Schule stattgefunden? War *Supermann 23* ein Schüler? Rupert ging davon aus.

Ergab das alles irgendein Mordmotiv?

Rupert sah auf seine Schuhe. Die Sonne spiegelte sich darin. Rupert entdeckte einen Staubfleck. Er leckte seinen Zeigefinger an und polierte den Fleck weg.

Jessi Jaminski, die junge Kommissarin, guckte bei Rupert rein: »Ich hol mir ein Eis. Soll ich dir eins mitbringen?«

Rupert freute sich: »Gerne. Erdbeer. Zitrone. Karamell. Mit doppelt Sahne.«

Sie zwinkerte ihm zu und verschwand.

Auf Astrid Thobens Facebookseite konnte Rupert vieles bis zu fünf Jahren zurückverfolgen. Es gab eine Menge Fotos, die Astrid auf Langeoog zeigten.

Astrid bei den zotteligen Rindern. Astrid auf dem Fahrrad im Pirolatal. Astrid vor dem Wasserturm. Astrid knietief in einem Priel. Astrid in der *Weinperle*. Astrid am Ostende. Astrid in der *Meierei*. Sogar Fotos ihrer Dickmilch mit Zimt und Zucker hatte sie publiziert.

Aber Fotos von ihr am FKK-Strand entdeckte Rupert zu seinem Bedauern nicht. Sie hatte eine gute Bikinifigur, fand er, aber als Lehrerin war es vielleicht verständlich, wenn man nicht zu viel von sich preisgab. Trotzdem bedauerte er es.

In den letzten drei Jahren hatte sie hauptsächlich Selfies gemacht. Vorher war sie wohl gern mit ihrem Mann auf die Insel gefahren. Einen neuen Lover konnte Rupert bisher nicht ausmachen.

Er hörte Schritte im Flur, aber er rechnete nicht mit Ann Kathrin, sonst hätte er sich rasch wieder an den Schreibtisch gesetzt und vor allen Dingen sein Jackett übergeworfen, oder wenigstens das Hemd. Er vermutete Ann Kathrin noch auf Langeoog, gemeinsam mit ihrem Mann Frank Weller.

Rupert freute sich bei der Hitze auf das Eis, das Jessi holen wollte. So staunte er nicht schlecht, als Ann Kathrin plötzlich im Türrahmen stand: »Ich hoffe, du hast dich gut eingecremt«, bemerkte sie spitz.

Er versuchte, mit einer schwungvollen Bewegung seine Füße von der Fensterbank auf den Boden zu wuchten. Dabei fiel ihm der Laptop runter. »Ich … ich dachte, du ermittelst auf Langeoog …«, stammelte er.

»Mach ich auch. Aber ich habe einen Termin bei meinem Hautarzt. Den lasse ich nicht gerne platzen. Weißt du, wie lange man auf so einen Termin warten muss?!«

Er schlüpfte in sein Hemd und verzog den Mund. »Wem sagst du das … Versuch mal, Hilfe beim Orthopäden zu bekommen, wenn du Rückenschmerzen hast. Da kannst du Monate warten, bis du an der Reihe bist. Bei mir ist immer alles schon längst wieder gut, wenn ich endlich drankomme … Und dann haut der Dienstplan einem noch alles durcheinander ...« Er winkte ab.

Ann Kathrin wusste genau, wovon er sprach: »Was soll ich von einer Gesellschaft halten, die Krankenhäuser schließt, weil sie nicht genug Gewinn abwerfen?« Sie klopfte sich an die Stirn. »Wie verblödet muss man eigentlich sein? Wer Krankenhäuser abbaut, kann vielleicht rechnen, aber nicht denken. Ein großer Unfall ... eine Epidemie ... ein richtiger Ausbruch eines Grippevirus, und schon stehen wir alle mit dem Rücken am Abgrund.«

Rupert war froh, dass sie ein Thema gefunden hatten, bei dem sie einer Meinung waren. Viele gab es davon nicht. Er lachte: »Zum Glück sind deine Augen noch gut. Weißt du, wie das hier mit Terminen beim Augenarzt läuft?«

Ann Kathrin sah ihn an. »Nein. Wie?«

Rupert grinste. »Die werden von Generation zu Generation weitervererbt. Sobald ein Kind geboren wird, meldet die Mutter es schon an und falls das Kind mit Mitte Fünfzig die Augen lasern lassen muss ... kein Problem!« Er breitete fröhlich die Arme aus und wartete auf Ann Kathrins Lacher. Aber die guckte stattdessen auf die Uhr. Ihr blieb nicht mehr viel Zeit. »Hast du etwas Relevantes rausbekommen?«

Rupert mochte solche Fragen nicht, denn damit stand auch gleich fest, dass Ann Kathrin entschied, was wichtig war und was nicht.

»Ich glaube, die Tussi war zwar eine ganz schöne Schneeziege, aber ...«

»Nenn sie nicht so«, forderte Ann Kathrin barsch und musterte Rupert. »Nur weil sie tot ist, verliert sie nicht ihre Würde. Sie wird nicht zum Gegenstand.«

»Ja, ist ja gut«, stöhnte Rupert. »Also, falls ihr Ex sie nicht umgebracht hat, haben wir kaum Verdächtige.« Er dachte einen Moment nach. »Bis auf ein, zwei Schüler vielleicht ... Also, einer ist ganz schön sauer auf sie. Er heißt ...« Rupert sah nach, weil er den Namen des Schülersprechers vergessen hatte.

Ann Kathrin hatte sich mal wieder zu viel vorgenommen. Sie wollte zum Hautarzt, mit der Staatsanwältin Meta Jessen reden und dann wieder zurück auf die Insel. Sie hatte eine Chance, alles hinzubekommen, aber dazu musste auch alles klappen. Nichts durfte sich verschieben oder länger dauern als geplant. Die letzte Fähre ging um 17 Uhr 30. Noch war Ann Kathrin im Zeitplan. Noch konnte es funktionieren. Aber Meta Jessen kam, wie so oft, auch heute zu spät.

Ann Kathrin schob den Chip in den Computer. Sie zeigte Rupert die Szenen. »Guck mal, dieser Typ da, der fotografiert den Frauen unter die Röcke.«

In dem Moment traf Meta Jessen ein. Sie machte einen abgehetzten Eindruck, hatte aufgesprungene Lippen, schlechte Haut, als würde sie ein Make-up nicht vertragen, und glasige Augen. »Sommergrippe«, sagte sie nur knapp zur Erklärung. »Oder irgendeine Scheiß-Allergie. Jedenfalls kriege ich kaum noch Luft.«

Rupert gab gleich Gesundheitstipps zum Besten: »Che Guevara hatte so etwas auch. Der hat dagegen Zigarren geraucht. So dicke, kubanische.«

»Ja«, nickte Meta Jessen und putzte sich die Nase, »Che Guevara vielleicht. Aber ich nicht.«

Ohne weitere Zeit zu verlieren, deutete Ann Kathrin auf den Bildschirm: »Guck dir das mal genau an.«

»Upskirting. Klarer Fall. Aber da können wir wenig machen ...«, sagte Meta Jessen.

Rupert gab mit seinem Wissen an: »Der macht das ganz clever. Er weiß, dass ihn niemand beachtet, weil natürlich alle auf das Fernsehteam gucken oder Judith Rakers anglotzen … Ich wette, es hat nicht mal jemand einen Blick für die schöne Landschaft übrig.«

Ann Kathrin gab Rupert recht, und weil das so selten vorkam, drehte er jetzt voll auf: »Ich habe mal einen Film gesehen, da haben sie ein Gorilla-Experiment gemacht.«

»Gorilla-Experiment?«, hakte Meta Jessen nach und nieste.

»Ja. Da hat ein Professor seinen Studenten einen Film gezeigt, in dem Frauen mit so Riesenmöpsen sich gegenseitig einen Ball zuwarfen und durcheinanderrannten. Die Studenten sollten die Ballwechsel zählen. Haben sie auch. Mitten im Film sprang plötzlich ein Gorilla durchs Bild. Den haben die Studenten nicht gesehen.«

Ann Kathrin erklärte: »Man nennt das Unaufmerksamkeitsblindheit. Gerade weil etwas offensichtlich ist, wird es oft übersehen. Wenn das Gehirn eine Aufgabe hat und sich der widmet, werden die Ressourcen gebunden. Das Gehirn fokussiert sich gern auf die eine wichtige Sache.«

Rupert legte das Experiment auf seine Weise aus: »Ja, die Studenten wollten halt alles richtig machen und vor ihrem Professor gut dastehen. Das war ihr Fehler. Das hat ihren Blick verengt. Wenn Chefs zu viele Anweisungen geben, dann macht das ihre Mitarbeiter blöd. Sie sehen dann vor lauter Regeln nicht mehr die offensichtlichen Möglichkeiten oder Gefahren.«

Meta Jessen griff sich an den Kopf. »Och nö, bitte jetzt keine Grundsatzdiskussionen. Leute, ich geh echt auf dem Zahnfleisch. Bitte nur das Notwendigste.«

»Wir sollten ihren Ehemann verhaften und grillen, bis er gesteht«, schlug Rupert vor.

»Ich soll also einen Haftbefehl für einen Mann ausstellen, gegen den im Moment noch gar nichts vorliegt?«

Ann Kathrin war anderer Meinung als Rupert: »Ich glaube, dass es ein zufälliges Opfer war. Er wird es noch einmal tun …«

»Klar«, spottete Rupert, »unter einem Serienkiller tut Madame es nicht, da fängt sie erst gar nicht an zu ermitteln.«

Ann Kathrin drohte ihm mit dem Finger: »Nenn mich nicht Madame!«

»Wie kommst du darauf, Ann, dass es weitergeht?«, fragte Meta.

»Weil es ihm nicht gelungen ist, den Kopf vollständig abzutrennen. Ich vermute, er wurde gestört … Er wird das als Niederlage erlebt haben und nun noch einmal …«

»Oder der Ehemann dachte sich, tot ist tot, jetzt reicht's!«, warf Rupert ein.

Ann Kathrin sagte: »Er hat ihren Slip mitgenommen. Warum sollte ein Ehemann so etwas tun?«

Rupert drehte voll auf: »Zum Beispiel, um uns auf eine falsche Fährte zu locken.«

Ann Kathrin zeigte auf den Fotografen: »Ich finde, wir sollten einen Haftbefehl gegen ihn ausstellen.«

Rupert lachte: »Warum? Weil er die zweifellos schönen Beine dieser Frauen fotografiert hat? Ann, wir jagen einen Mörder, keinen Fotografen!«

»So etwas Ähnliches habe ich heute schon mal gehört«, schimpfte Ann Kathrin.

»Völlig zu Recht«, gab Meta Jessen zu.

Ann Kathrin sah auf die Uhr: »Okay. Ich muss.«

Meta Jessen guckte verständnislos. Ann Kathrin verschwand

schon. Schulterzuckend erklärte Rupert: »Arzttermin. Dagegen ist heutzutage eine Audienz beim Papst leichter zu kriegen ...«

Meta Jessen verstand.

Jessi brachte das Eis. »Tut mir leid, Rupi, ich bin aufgehalten worden. Ich fürchte, es ist schon geschmolzen.«

»Macht doch nichts«, sagte er und guckte säuerlich. »In den Händen einer heißen Frau schmilzt Eis einfach auch viel schneller.«

Meta Jessen und Jessi Jaminski sahen sich an. Jessi entschuldigte Rupert bei Meta: »Das sollte ein Kompliment sein.«

»Na, dann müssen wir das mit dem Komplimentemachen aber noch üben«, stöhnte Staatsanwältin Jessen.

Dr. Bernhard Sommerfeldt las zum zweiten Mal Tolstois *Krieg und Frieden*. In der Gefängnisbibliothek gab es die alten grünen, in Leinen gebundenen Ausgaben des Bertelsmann-Leserings. Das Gute hier im Gefängnis war: Er hatte Zeit. Zeit zum Lesen. Er hatte die russischen Dichter neu für sich entdeckt. Tolstoi und Dostojewski.

Mit Tolstoi und Dostojewski hatte er jetzt zumindest den wild wuchernden Bart gemeinsam. Gern spielte er mit den langen Barthaaren und flocht sie zu kleinen Zöpfchen, die links und rechts an seinem Hals herunterbaumelten.

Er las täglich mindestens zwei, drei Stunden am Stück und fühlte sich gut dabei. Das Versinken in Literatur befreite ihn auf eine rasch wirksame, völlig drogenfreie Weise. Schuld fiel von ihm ab, wenn er las. Nichts tat ihm mehr weh. Nichts quälte ihn. Das Blättern in einem Buch sprengte die Ketten von

Zeit und Raum. Er saß dann nicht mehr in diesem Gefängnis. Er war dann frei. Die Mauern hielten ihn nicht.

Manchmal brachte ihn das Lesen gleitend, ja übergangslos ins eigene Schreiben.

Schreiben war für ihn gefährlicher als Lesen. Das Graben in sich selbst machte ihm manchmal Angst. Er stieg herab in den Steinbruch seines Lebens und klopfte Literatur heraus. Es kam ihm so vor, als müsse er verborgene Sätze, verschüttete Wahrheiten bergen, ja aus dem Stein brechen. Das konnte richtig wehtun. Schreiben hieß auch, rücksichtslos sein gegen sich selbst. Er vergaß dann körperliche Bedürfnisse wie Hunger oder Durst. Er hätte nicht sagen können, ob es in der Zelle warm oder kalt war, denn er befand sich mehr in der Geschichte, die er aufschrieb, als in der Gegenwart. So konnte es sein, dass er den Wind in den Haaren spürte, aufs Meer sah und sich Salz von den Lippen leckte. Immer wieder ging er schreibend ins Watt zurück und atmete Meerluft ein.

Er blieb, selbst wenn er seine Schreibkladde zugeklappt und den Füller zugeschraubt hatte, noch eine Weile in dem Zustand. Er kam sich dann leichter vor, als würden seine Füße beim Gehen kaum den Boden berühren. Er fühlte sich dankbar und demütig, doch für andere Menschen schien er dann etwas Erhabenes auszustrahlen. Da war dann eine innere Stärke spürbar, die vielen hier mehr Angst machte als die dicken Muskeln anderer Mitgefangener.

Er hatte das Handy lange nicht in die Hand genommen, ja, es beim Lesen vergessen. Bei Tolstoi und Dostojewski spielten Handys keine Rolle.

Jetzt, da er die Nachricht sah, durchrieselte ihn ein heißer Schauer, dicht gefolgt von dem Gefühl, Eiswürfel im Magen zu haben. Sie schmolzen nicht in seinen Eingeweiden. Sie wuchsen. Trotz der Hitze auf seiner Haut fror er innerlich.

Die E-Mail kam vom selben Absender. *K. Ernte.* Doch diesmal hatte er mit *Professor* unterzeichnet. Das Foto zeigte eine gebrauchte Damenunterhose. Darunter die Zeilen:

Ich habe sie ihr ausgezogen. Ich würde sie dir gerne schicken, damit du teilhaben kannst, aber leider brauche ich das schöne Stück noch …

Sommerfeldt wusste, dass dies die Ankündigung einer weiteren Tat war. Er würde die Trophäe beim nächsten Opfer zurücklassen. Vielleicht, um die Polizei zu verspotten, um seine Macht zu beweisen oder auch einfach nur, weil er eben verrückt war.

Dr. Bernhard Sommerfeldt wusste nicht warum – er begann unwillkürlich, Liegestütze zu machen, als müsse er sich seiner immer noch vorhandenen Kraft vergewissern. Er powerte sich so richtig aus. Er schaffte sechzig, dann blieb er keuchend am Boden vor seinem Bett liegen. Er brauchte eine Weile, bis er wieder genug Energie hatte, um aufzustehen.

Was soll ich tun? Warum schreibt der mir? Ist das ein Test? Eine Art Prüfung?

Gern hätte Sommerfeldt sich wieder seiner eigenen Literatur gewidmet, aber irgendwie hatte ihn diese E-Mail in eine Stimmung gebracht, die Schreiben – echtes Schreiben – unmöglich machte. Er versuchte es, doch die Sätze erschienen ihm falsch. Kalt. Alles war viel zu gewollt. Folglich unecht.

Er griff wieder zu Tolstoi. Er hoffte, die Lektüre von *Krieg und Frieden* würde ihn zu sich selbst zurückführen. Irrtum. Es entstanden beim Lesen keine Bilder in seinem Kopf. Er konnte die Dialoge nicht hören. Alles war auf erschreckende Weise tot. Tot wie diese Frau in den Dünen.

Sommerfeldt schob den schweren Roman beiseite. Er guckte erneut auf sein Handy. Er suchte Nachrichten über den Mord. War die Leiche überhaupt schon gefunden worden? Im Internet gab es zwei Berichte. Einen von *Langeoog News* und einen von Holger Bloem.

Langeoog, dachte Sommerfeldt. Dort hatte er seinen ersten Auftragsmord begangen. Die Insel war für ihn und seine Entwicklung enorm wichtig gewesen.

Was versucht dieser *K. Ernte* alias *der Professor* hier zu konstruieren, fragte sich Sommerfeldt. Er weiß eine Menge über mich. Zumindest hat er meine Bücher gelesen. In *Totentanz am Strand*, dem zweiten Band der Trilogie, spielte Langeoog eine entscheidende Rolle. Und Holger Bloem war mal wieder mit von der Partie.

Worauf, fragte Sommerfeldt sich, läuft das alles hinaus? Will mich da einer provozieren?

Gelöst verließ Ann Kathrin die Hautarztpraxis. Draußen strich sie sich über die Oberarme. Sie schickte Weller die Nachricht: *Alles okay.*

Dieser Horrorgedanke, etwas Tödliches könne sich durch ihre Haut fressen und im ganzen Körper ausbreiten, verunsicherte sie täglich aufs Neue. Etwas, das harmlos aussah, eine kleine Veränderung eines Muttermals, konnte, nicht beachtet, tödliche Folgen haben. Plötzlich fragte man sich, wie der Sportler und ewige Nichtraucher an Lungenkrebs gekommen war. Niemand hatte den kleinen braunen Fleck auf dem Rücken für so gefährlich gehalten.

Ann Kathrin ließ sich jedes halbe Jahr untersuchen. Es ergab keinen Sinn, die Bösewichte und Serienkiller im ganzen Land zu jagen, aber die Bedrohung auf der eigenen Haut nicht ernst zu nehmen. UV-Bestrahlung, Autoabgase und Zigarettenqualm brachten mehr Menschen um als alle Serienkiller zusammen. Der Gedanke hatte etwas Erdrückendes und gleichzeitig auch Tröstendes. Gegen Hautkrebs konnte jeder selbst etwas tun.

Serienkiller zu fangen war wohl zu ihrer Lebensaufgabe geworden.

Als sie in Bensersiel ankam, konnte sie der Fähre nur noch hinterherschauen. Alles hatte wohl doch etwas länger gedauert als geplant.

Okay, dachte sie, dann eben nicht.

Sie fuhr auf der Störtebekerstraße direkt neben dem Deich nach Norden in den Distelkamp zurück.

Als sie Neßmersiel durchquerte, konnte sie nicht anders. Sie bog zu *Aggis Huus* ab. Die Wohnzimmeratmosphäre in dem Café tat ihr gut. Es roch nach Tee, Vanille und geschmorten Äpfeln.

Sie bestellte sich einen Eintopf. Manchmal liebte sie deftige Eintöpfe. Erbsen oder Linsen, das war gar nicht so wichtig. Dieses Gefühl, von innen gewärmt zu werden, breitete sich mit jedem Löffel in ihr aus.

Sie saß auf dem Sofa und betrachtete die vielen Tee- und Kaffeekannen. Symbole ostfriesischer Gemütlichkeit.

Aggi bediente ein Pärchen, das sich einen Sturmsack mit Eierlikör teilte. Sie fanden es äußerst witzig, dass die Windbeutel hier Sturmsäcke genannt wurden, und als Aggi einen auf dem Teller servierte, begriffen auch beide, warum. Sie fotografierten das Monstrum von allen Seiten und schickten das Bild an ihre Freunde und Verwandten.

Aggi setzte sich zu Ann Kathrin. »Wie sieht's aus?«, fragte sie.

Ann Kathrin schob den leeren Teller in die Mitte des Tisches: »Boah, war das gut.«

»Du hast den Eintopf richtig in dich reingeschlungen«, lachte Aggi.

Ann Kathrin nickte: »Ja, und zum Nachtisch nehme ich auch noch einen Pfannkuchen.«

»Mit heißen Kirschen oder mit Äpfeln?«

Ann Kathrin seufzte. Am liebsten hätte sie gesagt: »Beides.« Aber sie entschied sich für einen Apfelpfannkuchen, da sie den Geruch der Äpfel bereits in der Nase hatte. »Diäten«, sagte Ann Kathrin mehr zu sich selbst, »machen ja vielleicht schlank, aber glücklich machen sie mich jedenfalls nicht.«

Weller schrieb an Ann Kathrin. Er hatte für die Nacht ein Doppelzimmer im *Hotel Kröger* gebucht. Das Bett neben ihm würde wohl leer bleiben. Er hatte im *Ebbe & Flut* für sich und Ann reserviert. Jetzt hockte er allein dort. Er hatte sich zum Trost eine Fischplatte bestellt. Fisch zu essen gab ihm das Gefühl, zu Hause zu sein. Es war, als würde er sich ein bisschen von der Kraft des Meeres in den Körper holen, ja als würde das Meer ihn von innen durchspülen.

Hier im *Ebbe & Flut* wurde auf eine bodenständige Art gut gekocht, die Weller gefiel, und es gab Portionen, die hungrige Männer wie ihn auch satt machten. Die Senfsauce hier hatte er in bester Erinnerung.

Danach wollte er nebenan in der *Weinperle* einen guten Roten trinken. Mit Ann Kathrin wäre es bestimmt bei einem geblieben. Ohne sie hatte Weller ein bisschen Angst abzustürzen. Ihm war heute danach, sich zu besaufen.

In der *Weinperle* gab es nicht nur erstklassige Weine, sondern auch noch sehr guten Rum. Er nahm sich aber vor, keinen Rum zu trinken, sondern bei Wein zu bleiben. Zunächst brauchte er eine gute Grundlage. Er aß, als könnte er dadurch viele Probleme lösen.

Ich vermisse dich echt, Ann, schrieb er und kam sich vor wie ein verliebter Teenager auf Klassenfahrt, dessen Freundin nicht mitdurfte.

Es tat Ann Kathrin gut. Sie fühlte sich geliebt. In dieser Welt, wo sie es ständig mit Hass, Gewalt und Verbrechen zu tun hatte, kamen ihr ihre Ehe mit Frank und ihr Haus im Distelkamp vor wie Oasen des Friedens.

Aggi brachte den Apfelpfannkuchen. Entweder war der erstaunlich schnell zubereitet worden, oder Ann Kathrin hatte gedankenversunken das Zeitgefühl verloren.

Ihr Handy lag neben dem duftenden Apfelpfannkuchen. Ann Kathrin schrieb an Weller: *Ich wäre jetzt auch lieber bei dir.* Dann schnitt sie sich ein Stückchen ab. Sie achtete darauf, viel Apfel auf die Gabel zu bekommen. Der weiße Zucker darauf sah aus wie frisch gefallener Schnee.

Sie nahm sich vor, heute Abend nicht länger an dem Fall zu arbeiten. Das Ganze hatte eine verrückt machende Energie, der sie sich nicht pausenlos aussetzen wollte. Vielleicht war es sogar gut, eine Nacht auf dem Festland im eigenen Bett zu verbringen. Sie hatte vor, sich mit ihren Bilderbüchern zu verkriechen. Allein der Gedanke an ihre Bilderbuchsammlung reichte aus, und es ging ihr besser. In manchen Bilderbüchern steckte so viel Lebensweisheit und Poesie, dass es ihr einfach guttat, sie beim Einschlafen zu betrachten. Wenn Goethe heute seinen *Zauberlehrling* schreiben würde, dann würde er als Bilderbuch erscheinen, dachte sie. Wie denn sonst? Und die hohe

Literaturkritik würde Goethe vermutlich übersehen, weil sie sich mit Bilderbüchern nicht beschäftigte.

Eins der großen Missverständnisse dieser Zeit war für Ann Kathrin, dass Bilderbücher nur für kleine Kinder da sein sollten. Ihr gaben sie oft mehr als so mancher große Gegenwartsroman, den sie beim Lesen dann doch nur als aufgeblasen empfand.

Wenn ich heute Nacht auf Langeoog wäre, dachte sie, dann würde ich ohnehin nicht mit meinem lieben Mann im Bett liegen. Ich würde mich schon bei Sonnenuntergang am Flinthörn in den Dünen aufhalten. Ja, ich wäre bestimmt am Tatort, um in die Tat hineinzuspüren. Wenn es heute nicht klappt, dann werde ich es halt morgen tun.

Frank Weller hockte inzwischen in der *Weinperle*. Bernd Frech, der Besitzer, hatte ihn nur angeschaut und gesagt: »Ich glaube, ich weiß genau, was du heute brauchst, Frank. Probier bitte das einmal: tiefrot, undurchdringlich, fast schwarze Farbe. Das ist Südfrankreich. Genauer gesagt, die Côtes du Ventoux. Wenn du die Rhône runterfährst, liegen auf der Höhe von Orange die Weinberge in einer ursprünglichen Gegend. Eine Cuvée aus Syrah und Grenache. Sehr ehrlich und authentisch. Kategorie: Meditationswein. Zum Wohl!«

»Ehrlich ist gut«, hatte Frank geantwortet. Bei Weinen vertraute er Bernd blind. Der hatte ein Gespür für Menschen, ihre Stimmungen und den dazu passenden Wein.

Weller schrieb an Ann Kathrin: *Bin in der Weinperle. Wenn du jetzt hier wärst, wäre ich auch allein. Ich weiß, wo du jetzt sitzen würdest …*

Ja, antwortete sie, *du hast recht. Aber danach käme ich zu dir.*

Vielleicht lag es am Wein, vielleicht an Wellers Nachdenklichkeit. Jedenfalls entschied er, heute einfach das zu tun, was sonst Ann Kathrins Part war. Er zahlte nach dem zweiten Glas. Heute hatte er die ganze Flasche Wasser dazu geleert. Er nahm sich noch ein Stückchen Schokolade von der Etagere, die für Nascher ständig auf dem Tisch stand, und verließ das Lokal.

Er schlenderte durch die Barkhausenstraße. Schon bevor er bei seinem Rad ankam, um zum Flinthörn zu fahren, bekam er ein schlechtes Gewissen und zweifelte an sich selbst. Durfte er das überhaupt tun? War das übergriffig? Wie würde Ann darauf reagieren? Vielleicht fühlte sie sich geehrt ... vielleicht aber auch verspottet ... Es gab keine Garantien. War es eine Anmaßung, wenn er es überhaupt versuchte? Sie brachte sich – um ganz in einen Fall einzutauchen – in die Situation des Opfers. Sie musste dann allein sein, darauf bestand sie. Aber er hatte sie mehr als einmal beobachtet. Im Lütetsburger Park hatte sie sich nackt dorthin gelegt, wo die Leiche gefunden worden war. Ihm gruselte noch jetzt bei dem Gedanken.

Fallanalytiker gingen ganz anders an so eine Sache heran. Sie versuchten zu verstehen, was der Täter wann getan hatte. So gelang es ihnen manchmal, ihn zu begreifen, ja am Ende gar, ihn zu überführen. Ann Kathrin ging immer vom Opfer aus, aber auch sie zog so am Ende Rückschlüsse auf den Täter und seine Beziehung zum Opfer.

Ich kann mich schlecht in einem Wickelrock ohne Slip in die Dünen legen, dachte er. Trotzdem. Es musste ja nicht alles ganz genauso sein. Vielleicht reichte es ja aus, Zeit am Tatort zu verbringen und hineinzuspüren, wie Ann es nannte. Vielleicht war das einfach wichtiger als hektische Ermittlungsarbeit.

Er ließ sein Rad stehen. Er spürte die Strampelei noch immer in den Beinen und am Hintern. Dünen waren schließlich Dünen. Warum jetzt noch bis zum Flinthörn?

Er ging am *Seekrug* vorbei bis zum Sandstrand und dort in die Dünen.

Der *Professor* überlegte sich, wie er Inge oder Annika herauslocken konnte. Beide gleichzeitig würde er kaum zu fassen bekommen. Es war zu schwierig. Schließlich war er allein. Manchmal wünschte er sich einen Partner. Ein zweites Ich. Einen, auf den er sich vollständig verlassen konnte. Einen, der tickte wie er selbst. Doch so einen Menschen gab es nicht, und er konnte sich schlecht klonen lassen.

Er ging vor dem *Hotel Flörke* auf und ab. Sein Rad hatte er beim Rathaus stehen. Der Wind blähte seine Kleidung auf. Er dachte an all die Übungsstunden, in denen er sich genussvoll auf seine Tat vorbereitet hatte. Es begann mit den Besuchen beim Metzger. Im Combi an der Fleischtheke oder bei Meister Pompe hatte er sich dicke Rollbraten ausgesucht. Sie waren nicht alle gleich. Mit einem Zwiebelrollbraten aus Schweinenacken hatte er es zum ersten Mal getan. Das Fleisch war mit einem Kunstfasernetz umhüllt. Er hatte zu Hause die Stahlschlinge der Garrotte um den Rollbraten gewickelt wie um den Hals eines Opfers und dann zugezogen.

Früher hatten Gangster in Frankreich und Spanien so ihre Morde ausgeführt. Man konnte mit der Garrotte lautlos töten. Doch er wollte nicht einfach sein Opfer erwürgen. Nein, er fand es prickelnd, wenn die Stahlschlinge das Fleisch durchtrennte.

Er hatte es auch mit Kalbs- und Putenrollbraten probiert.

Danach hatte er sich die Stücke gebraten. Tagelang hatte er nur von dem mit der Stahlschlinge zerteilten Fleisch gelebt. Aber dann, in der Wirklichkeit, war alles ganz anders gewesen. Er hatte nicht mit so viel Blut gerechnet. Anders als bei einem Rollbraten machte so ein Mensch eine Riesensauerei, und die Halswirbel ließen sich nicht durchtrennen.

Er hatte danach im Meer gebadet, seine Klamotten und seine Haare in Salzwasser gewaschen. Das hatte gutgetan. Er wollte nicht im Metzgerkittel aus Polyester arbeiten. Er wollte auf der Haut spüren, was er tat.

Er wartete nun schon gut zwei Stunden und war kurz davor aufzugeben. Doch dann hatte er Glück. Inge Schmelzins Ehemann wollte die Diskussionssendung zum Thema Steuerreform unbedingt sehen und wenn es etwas gab, was Inge nicht interessierte, dann eine Talkshow zum Thema Steuern. »Ach, guckst du wieder *Kein Mensch fragt – Politiker antworten*? Dann hast du doch sicher Verständnis dafür, wenn ich noch ans Meer gehe.«

Er war im Grunde froh, alleine zu sein, tat aber so, als sei er nur schweren Herzens einverstanden. Er ertrug ihre Blicke bei solchen Sendungen nicht gern. Sie signalisierte ihm ständig durch ihre Körpersprache, dass sie hoffte, er würde den Polittalk gleich genauso öde finden wie sie, und dann könnten sie gemeinsam in ein unterhaltsameres Programm umschalten. Gleichzeitig tat sie aber sehr interessiert.

Er widmete sich nun den drängenden Fragen der Steuerreform, denn die Einschätzung hier stimmte. Deutschland hatte das komplizierteste Steuersystem der Welt.

Inge klopfte noch kurz bei Annika, doch die hatte keine Lust mitzukommen. Sie chattete gerade mit zwei Freundinnen, und das konnte Stunden dauern, solange das WLAN funktionierte.

Als Inge Schmelzin das Hotel verließ, bemerkte sie nicht, dass ihr jemand folgte. Sie nahm ihr Rad. Sie fuhr mit Licht. Der Mann hinter ihr ohne. Die Straßen waren schon menschenleer. Trauten die Leute sich nicht raus, weil ein Mord geschehen war? Ein bisschen war Inge beleidigt, weil ihr Mann nicht einmal im Spaß so etwas gesagt hatte wie: *Pass gut auf dich auf, nicht dass du auch noch dem Mörder begegnest.* Nein, stattdessen hatte er nur verstohlen auf die Uhr gesehen. Er wollte den Anfang dieser ach so wichtigen Sendung nicht verpassen.

Zunächst fuhr Inge nur herum, vorbei an den stoischen Langeoog-Rindern, dann am Hafen vorbei und schließlich, ohne dass sie groß darüber nachgedacht hatte, war sie am Flinthörn. Sie stellte ihr Rad ab. Sie verschloss es nicht. Wer sollte um diese Zeit hier in dieser abgelegenen Gegend Fahrräder stehlen? Ein Dieb hätte ja zu Fuß hierhergehen müssen, um dann mit einem gestohlenen Rad wegzufahren.

Sie lief den Sandweg hoch und betrachtete das Meer. Dieses Grollen war so wunderbar. Hier gab es keinerlei Töne der Zivilisation. Autos sowieso nicht, aber auch keine Musik. Keine Stimmen. Kein Brummen von Kühlschränken. Nichts. Da waren nur der Wind in den trockenen Gräsern und das Geräusch der brechenden Wellen. Ja, sie bildete sich ein zu hören, dass die Gräser trocken waren. Saftige, feuchte Grashalme hörten sich anders an, wenn der Wind sie kämmte.

Das ist ja völlig verrückt, dachte der *Professor*, das Schicksal spielt mir in die Hände. Wir sind keine hundert Meter vom Schauplatz des letzten Mordes entfernt.

Er hielt die Holzenden der Stahlschlinge schon in den Händen und spielte damit. Es wäre schon ein großer Schock, ein Riesenereignis, wenn es am Flinthörn die zweite Frauenleiche gäbe. Aber er würde es perfekt machen, sie genau dorthin legen, wo Astrid Thoben gestorben war. So würde er auf ewige Zeit einen gruseligen Wallfahrtsort erschaffen. Eine neue Sehenswürdigkeit für die Insel. Hierher würden schon bald Touristen fahren, um Selfies zu machen, und dabei würde ihnen ein Schauer über den Rücken laufen, denn jeder wusste genau, was hier passiert war. Vielleicht würde es eine Gedenktafel geben …

Sie schien eine Mondsüchtige zu sein. Immer wieder hielt sie ihr Gesicht in Richtung Mond, so wie andere sich sonnten. Er lächelte über den eigenen Gedanken. Sie sonnte sich nicht, sie mondete sich. Sie reckte dabei ihren Hals und drehte das Gesicht zum Mond. So machte sie es ihm leicht.

Er schlich sich von hinten an. Der feste Sand knirschte unter seinen Turnschuhen.

Frank Weller lag im Dünengras und guckte in den sternenklaren Himmel. Auf den Inseln bekam er nachts mehr noch als auf dem Festland das Gefühl, Teil des Universums zu sein. Teil von etwas Großem. Zu einem großen Zusammenhang dazuzugehören.

Der Vollmond hing heute so tief, als sei er schwerer geworden und könnte jeden Moment auf die Erde fallen. Der Mond schien auch größer zu sein als sonst, und je länger Weller ihn ansah, umso näher kam er.

Weller nahm wahr, dass sich im Gras etwas bewegte. Vielleicht ein Vogel oder eine Ringelnatter. Gab es hier überhaupt Schlangen? Wo so viele Raubvögel Beute suchten, überlebten Schlangen oder Frösche nicht lange. Sie konnten höchstens nachts aus ihren Verstecken kommen.

Ging es dem Täter genauso? Weller hatte Mühe, sich in

das Opfer einzufühlen. Vielleicht weil es ihm Schwierigkeiten machte, sich in eine Frau hineinzudenken. Hatte er da innere Sperren?

Er beschäftigte sich auch jetzt mehr mit dem Täter. Er schrieb eine WhatsApp an Ann Kathrin. Er gab jetzt viel von sich preis, setzte sich aber unter Umständen harter Kritik aus. Er hatte das Gefühl, es riskieren zu können: *Ich versuche es wie du. Ich will es verstehen.*

Sie wusste sofort Bescheid und antwortete augenblicklich: *Du bist am Tatort?*

Ja, ich will von dir lernen.

Sie telefonierten nicht. Es wäre unangebracht gewesen, die Ruhe durch Worte zu zerstören. Aber Schreiben war für beide völlig okay, fand Weller.

Er fragte: *Spielt der Mond eine Rolle?*

Ann Kathrin ließ sich Zeit mit der Antwort. Weller stellte sich vor, dass sie auf die Terrasse getreten war und in den Nachthimmel sah. Er ging einfach davon aus, dass sie im Distelkamp war und alleine sein wollte. Er hatte mit der Annahme recht. Er konnte sich in seine Frau hineinversetzen, aber eben nicht in das Opfer.

Sie wird die Einsamkeit gesucht haben, schrieb Ann Kathrin. *Sie wollte weg vom Dorftrubel. Von der Stelle in den Dünen kann sie das Meer sehen, fühlt sich aber selbst völlig geschützt. Nur der Mond und die Sterne spenden Licht.*

Für Weller stimmte das nicht ganz. Er hatte hinter sich die Lichter des *Seekrug,* wo oben im Restaurant die letzten Tische abgeräumt wurden, und von der Partykneipe *Düne 13* drang jetzt lautes Lachen zu ihm, das vom Wind zerfetzt wurde. Aber das teilte er Ann Kathrin nicht mit. Es hätte irgendwie die Stimmung zerstört, fand er.

Rupert verdächtigt ihren Ex, schrieb Ann Kathrin. *Wir überprüfen seinen Aufenthaltsort.*

In 95 Prozent aller Fälle ist es der Ex, antwortete Weller. *Da sie noch nicht geschieden sind, gehört das Bergmannshäuschen jetzt ihm.*

Weller konnte es nicht glauben. Ein Hase stand nur eine Armlänge von ihm entfernt und beobachtete wie hypnotisiert das leuchtende Display des Handys. Der Hase hatte wirklich lange Ohren. Eins stand hoch, eins hing herab, und seine Nase zuckte. Der Hase nieste. Weller staunte. Konnten Hasen Schnupfen bekommen?

Er hob vorsichtig das Handy, um den Hasen zu fotografieren. Das automatisch ausgelöste Blitzlicht vertrieb das Tier sofort. Jetzt ärgerte Weller sich, so unachtsam gewesen zu sein. Das galt auch Ann Kathrin gegenüber. Hatte er wirklich vergessen, sich zu erkundigen, wie es beim Arzt gelaufen war? Klar hatte sie es ihm geschrieben: *Alles okay!* Aber hätte er nicht fragen müssen?

Er fühlte sich blöd. Als Versager, der völlig sinnlos in den Dünen lag.

Er war schon ganz nah bei ihr, da zog Inge ihr Handy. Er konnte die Handbewegung sehen, mit der sie den Code eingab. Sie tippte keine Zahlen ein. Sie zeichnete mit dem Zeigefinger ein Z aufs Display. Typisch Frau, dachte er. Eins, drei, fünf, sieben, neun. Jetzt wusste er, wie er Annika hierherlocken würde.

Inge Schmelzin wollte nicht telefonieren. Sie machte ein Foto von dem beleuchteten Schiff am Horizont, das wie ein schwimmender Weihnachtsbaum aussah, mit weißen, roten und grünen Lichtern.

Wenn ich sie jetzt angreife, dachte er, und sie an Ort und Stelle erledige, dann muss ich sie hinterher quer durch den Sand schleifen, bis hoch in die Dünen. Es würde eine anstrengende und blutige Arbeit werden, und später würde alles so aussehen, als sei es für ihn wichtig gewesen, sein Opfer dorthin zu bringen. Besser wäre es, sie würde selbst zu dem Platz gehen, wo er Astrids Seele aus ihrem Körper befreit hatte. Es sollte eine Art Opferort werden und nicht ein Friedhof, wo die Leichen abgelegt wurden.

Er überlegte, ob er sie ansprechen sollte. Sie setzte sich jetzt in den Sand. Hier war der von den Wellen geriffelte Boden noch feucht. Es schien ihr nichts auszumachen, oder sie genoss es sogar. Sie wollte so nah wie möglich am Meer sein.

Das Wasser zog sich zurück. Er konnte nicht länger warten. Er musste es jetzt tun.

Sie nahm ihn wahr. Sie drehte sich zu ihm um. Er sagte: »Moin«, weil er es witzig fand, dass die Ostfriesen auch abends *Moin* sagten.

Kam es ihr gar nicht komisch vor, dass sich ihr nachts am Strand ein Mann leise näherte? Nahm sie ihn überhaupt nicht ernst? Wirkte er wie eine Witzfigur, nicht wie eine Bedrohung? Hatte sie keine Angst? Glaubte sie, dass er sie nur anbaggern wollte oder sich verlaufen hatte?

Doch dann sah er in ihren Augen das Wissen um die Gefahr. Sie wollte sich nur keine Blöße geben, ihm ihre Angst nicht zeigen.

»Ich habe kein Feuer«, sagte sie, als hätte er darum gebeten.

»Ich rauche auch nicht«, antwortete er sanft. Er konnte ihre rechte Hand nicht mehr sehen. Sie hatte sie hinter ihren Rücken geführt. War sie bewaffnet? Griff sie zu ihrem Pfefferspray? Er traute ihr das durchaus zu.

Er zeigte ihr die Stahlschlinge.

»Nein ...«, hauchte sie und hörte sich jetzt schon an, als würde sie ersticken.

»Doch«, widersprach er.

Er wollte die Schlinge um ihren Hals legen, doch sie hielt nicht still wie Astrid, die sich benommen hatte, als würde er ihr ein Goldkettchen schenken. Nein, Inge Schmelzin stieß ihn weg und sprang gleichzeitig auf. Sie war viel sportlicher, als er geglaubt hatte. Sie rannte zum Dünenaufgang.

Sie schrie nicht um Hilfe. Sie wollte nicht sinnlos Kraft vergeuden. Sie wusste, dass es jetzt um ihr Leben ging und dass hier im Moment außer ihr und dem Mörder niemand war.

Sie hatte schon auf der Fähre von Bensersiel zur Insel so ein Gefühl gehabt, als würde hier auf Langeoog etwas Bedeutendes geschehen. Von einem Sechser im Lotto bis zu einer Krebsdiagnose oder einem Schlaganfall war für sie alles möglich gewesen. Je näher sie der Insel gekommen waren, umso deutlicher hatte sie gefühlt, dass hier eine Entscheidung fallen würde. Jetzt wusste sie, dass ihre Ahnung richtig gewesen war.

In der ersten Nacht hatte sie neben dem schnarchenden Ehemann, den sie wirklich liebte, obwohl er manchmal sensibel war wie ein Stück Holz, gebetet: »Lieber Gott, lass es keine schlimme Krankheit sein, und wenn du einen von uns holen musst, dann nimm bitte nicht Annika.«

Jetzt war es so weit. Der Horror war gnädig. Er hatte sich entschieden, sie zu holen. Nicht ihre Tochter.

Bei dem Abfallgitter, wo der angeschwemmte Plastikmüll gesammelt wurde, holte er sie ein. Den halben Weg zur Opferstelle hatte sie schon selbst zurückgelegt. Jetzt noch ein kleines bisschen bergauf und dann nach links in die Dünen. Da war es. Dort sollte sie sterben.

Er trieb sie in die Richtung. Inzwischen hielt sie ihr Handy wie eine Waffe in der Hand. Versuchte sie, Hilfe zu rufen? Das konnte er nicht zulassen. Er sprang sie von hinten an. Sie stürzten gemeinsam auf den strohbedeckten Trampelpfad. Kämpfend rollten sie zwischen Pferdeäpfeln herum.

Sie schlug ihm zweimal ins Gesicht, aber es waren keine Faustschläge, sondern Ohrfeigen, als hätte sie Angst, ihm sonst zu wehzutun. Sie bekam Pferdekot zu fassen und rieb ihm die Scheiße ins Gesicht, während sich die Schlinge um ihren Hals zuzog.

Er kniete auf ihr, spuckte und fluchte. Es lief nicht wirklich nach Plan. Diese Schlinge musste von hinten um den Hals gelegt und hinter dem Nacken zugezogen werden. Jetzt zog er sie über ihrem Kehlkopf zusammen. Er brauchte viel mehr Kraft, und es dauerte länger.

Sie schlug und zappelte. Ihre Augen traten groß hervor, als wollten sie aus dem Gesicht springen. Dann wurden ihre Bewegungen langsamer und ihre Zunge sichtbar. Ihr Körper erschlaffte.

Er stieg von ihr herunter und sah sich um. Der Vollmond beleuchtete weite Teile des Strandes und ließ den feuchten Sand an einigen Stellen glitzern.

Er zog Inges leblosen Körper den Trampelpfad hoch. Diesmal war die Sache nicht so blutig verlaufen. Er hatte sie einfach nur erwürgt. Er spuckte immer noch, weil Pferdemist in seinen Mundwinkeln und in seinen Nasenlöchern klebte.

Er legte Inge Schmelzin dort ab, wo er Astrid Thoben getötet hatte.

Plötzlich waren zwei Libellen da. Eine leuchtete gelb, die

andere blau. Sie umtanzten die Tote. Ihre Bewegungen waren unnatürlich, wie abgehackt. Es hätten auch kleine Drohnen sein können, die ständig ihre Flugbahn veränderten. Er fühlte sich von ihnen gestört. Am liebsten hätte er sie zerquetscht, aber es gelang ihm weder, sie zu vertreiben, noch, sie zu töten.

Er setzte Inge Astrids Slip wie eine Mütze auf. Doch dann erschien ihm das unangemessen. Als er sie betrachtete und ein Foto machen wollte, gefiel es ihm so überhaupt nicht. Er nahm den Slip von ihrem Kopf und stopfte ihn in ihre rechte Hand. Ja, das war irgendwie erwachsener. Geradezu seriöser.

Er bog ihre Finger fest darum. Die Jagdtrophäe durfte nicht weggeweht werden.

Er überlegte, sich gleich die Nächste zu holen, aber dann schrieb er doch erst Annika an. Er schickte ihr eine Whats-App-Nachricht von Inges Handy. Sie hatten eine gemeinsame Familiengruppe: *Die Schmelzins.* Aber er wollte nicht den Vater hierherlocken, sondern nur die Tochter.

Er scrollte sich durch die letzten Nachrichten. Mutter und Tochter waren in einem regen Kontakt, auch ohne den Vater. Sie teilten sich praktisch jeden Mist mit. Fotografierten Eisbecher, Pferde und Klamotten. Das letzte Bild zeigte einen Spatzen, der auf dem Tisch neben einer Kaffeetasse Kuchenkrümel aufpickte.

Er schrieb an Annika: *Liebes, ich bin am Flinthörn. Der Vollmond ist ganz wunderbar. Komm doch auch.*

Hoffentlich ruft sie nicht an, dachte er erschrocken. Schreiben konnte er als Inge, sprechen nicht.

Die Antwort kam schon Sekunden später: *Bin schon zu müde, Mamutschka. Morgen wieder.*

Rasch tippte er: *Aber jetzt ist Vollmond, und das Meer leuchtet so wunderbar.*

Trotzdem heute keinen Bock mehr, lautete die schnelle Antwort.

Schade, dachte er. Mutter und Tochter, das wär's gewesen. Dann hole ich dich halt ein anderes Mal.

Er lief runter zum Meer und wusch sich in den Wellen. Sie hatte ihm echt Pferdekacke ins Gesicht geschmiert! Das Zeug klebte auch in seinen Augenbrauen und in seinen Ohren. Er tauchte ein paarmal unter, dann stand er mit seinen nassen Sachen am Strand, streckte die Arme aus wie eine Vogelscheuche und ließ den warmen Nordwestwind seine Kleidung trocknen.

Dr. Bernhard Sommerfeldt hatte sich auch nach jeder Tat im Meer gereinigt. Er hatte die Bücher nicht einfach nur gelesen. Er hatte sie studiert, versucht, diesen Sommerfeldt zu begreifen. Er war besser als dieser falsche Arzt. Er lernte von Sommerfeldts Fehlern. Der berühmte Serienkiller konnte keine Frauen töten. Er schon.

Er badete danach nicht nackt im Schlamm, er behielt seine Kleider an. Sie sollten sich voll Salzwasser saugen und dann im Wind auf seiner Haut langsam trocknen.

Es fühlte sich großartig an. Seine Haut zog sich zusammen. Es war wie eine Wiedergeburt, als würde er sich selbst mit Hilfe der Naturkräfte neu erschaffen.

Er genoss jede Sekunde, während er sich so den Naturgewalten aussetzte. Er war glücklich und für heute schon fast fertig. Annika würde er auch töten, aber nicht jetzt.

Er versuchte, sich Inge Schmelzins Slip zu holen. Es war schwieriger, als er dachte. Ihr Körper ließ sich nicht so leicht bewegen, ihre Beine waren schwer, als sei sie noch lebendig und würde sich dagegen wehren. Ihr Slip riss sogar ein wenig ein, was ihm gar nicht gefiel.

Hoffentlich, dachte er, glauben die Idioten nicht, dass sie ihren eigenen Slip in der Hand hält. Er stellte sich Polizisten blöd vor. Immerhin war es ihnen nie gelungen, ihn zu überführen.

Vielleicht, dachte er stolz, sind sie ja gar nicht so doof, sondern nur meiner überragenden Intelligenz nicht gewachsen.

Er machte noch Fotos von seiner Tat. Eins mit Blitzlicht und eins ohne. Sommerfeldt sollte es nicht einfach aus der Presse erfahren, sondern vorher von ihm persönlich.

Das Blitzlicht wurde automatisch ausgelöst. Darüber ärgerte er sich so sehr, dass er das Handy am liebsten zerstört hätte. Er konnte diesen Wutimpuls nur schwer unterdrücken. So ein Blitzlicht war weithin sichtbar, außerdem ließ es die Szenerie viel weniger gruselig erscheinen. Inge Schmelzins Haut leuchtete hellweiß auf dem Bild. In dieser hellen Nacht wäre ein Bild ganz ohne Blitzlicht viel schöner gewesen.

Er überlegte sich, sie noch einmal zu fotografieren, aber gleichzeitig wollte er sich nicht länger hier aufhalten. Ich bin ja schließlich kein Modefotograf, dachte er. Doch beim nächsten Mal würde er es besser machen.

Ann Kathrin Klaasen lag im Bett und las – zum wievielten Mal eigentlich? – im Bilderbuch *Die Träne des Einhorns*. Sie hatte auch den Folgeband *Das Licht des Einhorns* mit ins Bett genommen. Sie befand sich im *zauberhaften Tal* und kämpfte mit Sina und dem Ritter gegen den bösen Zauberer, als ihr Handy auf dem Nachtschränkchen aufleuchtete. Es war ein störendes Signal, wie aus einer anderen, wenig märchenhaften Welt. Obwohl sie gerade keine Lust auf die schnöde Wirklichkeit hatte, in der Zaubersprüche nur bedingt wirkten, griff sie hin und schaute aufs Display. Es war wie ein Reflex. Immer, wenn Weller und sie getrennt waren, musste sie einfach auf ihr Handy gucken, wenn eine Nachricht einging.

Aber es war gar nichts von ihm gekommen, sondern auf ihrem Handy befand sich angeblich eine Botschaft von Dr. Bernhard Sommerfeldt.

Seit der Serienkiller in Lingen im Gefängnis saß, bekam sie immer wieder angebliche Nachrichten von ihm. Sie hatte ihn gejagt und überführt. Er hatte sich damals als Hausarzt in Norddeich niedergelassen, und sie war sogar Patientin bei ihm gewesen.

Nicht alle Zeitungen waren fair mit ihr umgegangen. Einige Blätter hatten versucht, ihre Auflagen zu steigern, indem sie ihr offen oder zwischen den Zeilen ein Verhältnis mit ihm angedichtet hatten. Nur deshalb sei er so lange unentdeckt geblieben. Schließlich hatte sie einen Killer gejagt, dessen Patientin sie war. Ihre Professionalität war in Zweifel gezogen worden, ja, man hatte ihr eine indirekte Mitschuld an einigen Morden gegeben.

Die Zeitungen hatten diesen Mist nie zurückgenommen. Die einen verehrten sie als eine Art ostfriesische Heldin, für die anderen war sie eine aus Gelsenkirchen Zugereiste, die sich groß aufspielte, aber nicht einmal richtig Platt konnte.

Männer schickten ihr Fotos von ihrem Penis und boten sich an, Sommerfeldt als Lover ersetzen zu können. Andere schrieben ihr Postkarten aus weit entlegenen Ferienorten mit Sätzen wie: *Danke für deine Hilfe, Ann Kathrin, bin frei und warte auf dich.* In Briefen und E-Mails phantasierten einige, die sich als Sommerfeldt ausgaben, was sie sexuell so alles mit ihr anstellen würden, sobald sie sich wiedersähen.

In den ersten Monaten hatte sie noch jedes Mal Anzeige erstattet und alles genau dokumentiert. Es war nie etwas dabei herausgekommen. Auch ihre guten Beziehungen zur Staatsanwaltschaft nutzten ihr hier wenig. Kein einziger Brief- oder E-Mail-Schreiber war auch nur entlarvt, geschweige denn bestraft worden. Möglicherweise handelte es sich ein paarmal um ein- und dieselbe Person, die Formulierungen und die kranken Gedanken legten die Überlegung nahe. Doch nie führten Nachforschungen auch nur bis zu einem realen Namen oder gar einer Adresse. Es war heutzutage so leicht, Menschen anonym zu belästigen, sie zu beleidigen oder zu erniedrigen. Dem Hass waren Tür und Tor geöffnet. Die Betroffenen mussten es einfach aushalten, Hilfe war nicht zu erwarten.

Ann Kathrin fand, dass es so nicht weitergehen konnte. Klare Gesetze waren nötig. Hass und sexuelle Gewaltphantasien hatten für sie nichts mit Meinungsfreiheit zu tun. Wenn Onlineportale die realen Namen ihrer Nutzer nicht freigaben, schützten sie dadurch die Täter. In ihrem Fall war es besonders schlimm, weil eine Tageszeitung das alles auch noch befeuert hatte. Ann Kathrin glaubte, ein dickes Fell zu haben, aber es war doch nicht dick genug.

Diese angebliche Sommerfeldt-Botschaft war anders als die üblichen. Sie enthielt keine sexuellen Anspielungen und kam nicht so plump-vertraulich daher:

Sehr verehrte Frau Klaasen, ich würde gerne mit Ihnen sprechen. Falls Sie auch das Bedürfnis nach geistigem Austausch haben, kann ich Ihnen vielleicht Hinweise auf den Mann mit der Stahlschlinge geben. Ich fürchte, unser Freund wird weitermachen. Hochachtungsvoll, Ihr Dr. Bernhard Sommerfeldt.

Sie legte das Handy wieder auf den Nachtschrank. Das hätte rein sprachlich schon von ihm sein können, aber er saß im Gefängnis und hatte kaum Möglichkeiten, unkontrolliert ins Internet zu kommen.

Sie schickte Weller noch einen Gutenachtgruß und nahm sich vor, für heute nicht mehr ans Handy zu gehen. Sie schlug *Das Licht des Einhorns* auf.

Dr. Bernhard Sommerfeldt, der in Wirklichkeit Johannes Theissen hieß, aber von niemandem so genannt wurde, weil er als Dr. Bernhard Sommerfeldt berühmt geworden war, freute sich auf den Literarischen Arbeitskreis, den er im Gefängnis leitete. Heute wollte er über Hans Fallada reden und erzählen, wie es dem Dichter zwischen Gefängnis und Psychiatrie, zwischen Alkohol und Morphium gelungen war, großartige, tiefgründige Gesellschaftsbilder zu verfassen. Er glaubte, Fallada sei den Gefangenen näher als Tolstoi oder Dostojewski, die er selbst im Moment las.

Er überlegte, ob er die ersten Seiten aus *Wolf unter Wölfen* vorlesen sollte. Fallada hatte ihm ganz nebenbei durch seine Romanfiguren erklärt, wie Inflation funktionierte, was sie mit dem Leben von Menschen machte und warum es außer der Regierung auch noch andere gab, die davon mächtig profitierten.

Er hatte noch nicht auf sein Handy geschaut. Er hoffte auf eine Antwort von Ann Kathrin Klaasen. Stattdessen fand er erneut ein Bild von *K. Ernte*, der wieder als *Professor* unterzeichnet hatte. Die Frau war eindeutig tot. Sie war stranguliert worden, doch niemand hatte versucht, ihr den Kopf abzutrennen.

Schöne Grüße von der Insel des Lebens schickt Ihnen Ihr Professor stand kursiv unter dem Bild.

Sommerfeldt korrigierte seine E-Mail an Ann Kathrin Klaasen, indem er eine neue hinterherschickte: *Liebe Frau Klaasen, er hat es schon wieder getan. Auf Langeoog. Wir sollten miteinander reden.*

Als die Talkrunde über die Steuerreform mit den erwarteten Versprechungen aller Parteien, man müsse die Steuererklärungen vereinfachen und die Ausnahmeregelungen reduzieren, zu Ende gegangen war und auch der dämlichste Zuschauer ahnte, dass alles bestenfalls so bleiben würde, wie es war, wunderte Bernd Schmelzin sich, dass seine Frau noch nicht wieder da war. Sie blieb selten länger als eine Stunde allein weg, höchstens mal anderthalb Stunden.

Vielleicht, so vermutete er, ist sie noch bei Annika im Zimmer, und die zwei gucken gemeinsam den Liebesfilm im Ersten.

Er rief Annika übers Haustelefon an. Die Begrüßung: »Mann, Papa, du nervst!«, sagte ihm, dass seine Frau nicht bei Annika war. Er fragte trotzdem: »Weißt du, wo Mama ist? Sie wollte nur kurz zum Meer.«

Annika lachte. »Sie hat noch was gesagt, von endgültig die Schnauze voll, und dann ist sie mit diesem tätowierten Typen verschwunden. Du weißt schon, ich meine den mit den Lederklamotten.«

Ihr Vater stöhnte. Töchter in dem Alter waren nicht nur ein Vergnügen. Annika war immer sein Augenstern gewesen. Jetzt hatte er Angst, sie an irgendeinen Nichtsnutz zu verlieren, denn sie interessierte sich nicht für die guten Jungs, die kurz davor waren, ein Einserabitur zu machen. Sie fand die schlimmen Jungs spannender. In Wirklichkeit war sie aber ein

Sensibelchen und las Gedichte. Sie schrieb sogar heimlich welche, zeigte die aber nie, sondern stritt es ab.

»Ich mache mir Sorgen«, sagte er ehrlich.

»Mensch, Papa, bleib cool. Sie hat mir gerade geschrieben. Sie ist am Flinthörn und guckt aufs Meer.«

»Sie hat dir geschrieben?«

»Ja, sie hat gefragt, ob ich Lust habe, auch zu kommen, weil der Mond so schön scheint. Hab ich aber nicht.«

Ihre Stimme klang so abweisend, dass er begriff, sie hatte keine Lust darauf, länger mit ihm zu reden. Es reichte ihr schon, morgen früh wieder mit dem Langweiler, der ihr Vater für sie geworden war, frühstücken zu müssen. Genau deshalb kam sie morgens gern eine halbe Stunde später, um die Prozedur auf ein erträgliches Maß abzukürzen.

Er wünschte ihr eine gute Nacht und ließ sie in Ruhe.

Er switchte durch die Fernsehprogramme, fand aber nichts, was ihn interessierte. Er versuchte noch zweimal, seine Frau auf ihrem Handy zu erreichen. Jedes Mal sprang die Mailbox an. Klar. Sie hatte das Gerät meist auf Lautlos geschaltet.

Kurz vor Mitternacht zog er sich noch einmal vollständig an. Er lauschte an Annikas Tür. Bei ihr war es still.

Er spazierte in Richtung Wasserturm. Viele Gaststätten hatten nicht mehr auf. Der *Dwarslooper* vielleicht noch und möglicherweise die *Strandhalle*. Inge war nicht die Frau, die alleine an einer Theke einen Drink nahm. Nein, sie suchte den Kontakt zum Meer. Sie würde jetzt irgendwo am Strand sitzen und in den unfassbar klaren Himmel gucken. Der Mond hing wirklich tief.

Er ging wieder zum Hotel zurück.

Im Gegensatz zum Rest der Familie fuhr Bernd Schmelzin gar nicht so gerne Rad. Die Knie schmerzten manchmal danach noch, wenn er schon im Bett lag. Er saß lieber im eigenen Auto oder in einem Taxi. Aber es musste ja unbedingt diese autofreie Insel sein. Jedes Jahr wieder. Sie hatte zweifellos auch ihre Vorteile. Aber er wünschte sich andere Möglichkeiten der Fortbewegung.

Jetzt, in der Nacht, konnte man auch nicht mehr mit einer Kutsche fahren. Zu Fuß oder mit dem Rad oder eben gar nicht. Mehr gab es nicht.

Inges Rad war nicht da. Sie war also echt noch unterwegs. Er nahm seins und fuhr los. Nein, es machte ihm keinen Spaß. Er hätte sie lieber aus einer Kneipe geholt, als an diesem endlosen Strand zu suchen. Wo sollte er denn anfangen?

Er stoppte schon nach zweihundert Metern und versuchte noch einmal, sie anzurufen. Wieder die Mailbox.

Auf dem halben Weg zum Flinthörn, schon fast am Hafen, kehrte er um. Er war sauer. Er fuhr zum *Dwarslooper* und war froh, noch ein Pils und einen Fernet Branca zu bekommen. Den Kräuterschnaps brauchte er jetzt für den Magen. Wenn er sich ärgerte, schlug ihm das immer zunächst auf den Magen.

Vermutlich, dachte er, ist sie inzwischen längst im Hotel und schläft. Wahrscheinlich wird sie sich Sorgen machen, warum ich nicht da bin.

Er glaubte kaum, dass sie ihre Mailbox abhören würde. Sie war nicht so handysüchtig wie ihre Tochter. Sie guckte manchmal stundenlang nicht auf das Gerät. Dafür konnte sie das Meer anstarren, den Mond oder die Grashalme, die sich im Wind bogen.

Zu Hause konnte sie endlos auf dem Balkon sitzen und nachts in den Himmel gucken. »Die Sterne«, sagte sie, »regen meine Phantasie an, und ihr Anblick hilft mir gegen die Angst.«

»Welche Angst?«, hatte er sie gefragt, aber wie so oft keine

Antwort von ihr erhalten. Sie konnte ihn so angucken, dass er sich schon für die Frage schämte. Die Antwort musste für sie so selbstverständlich gewesen sein, dass nur ein völliger Ignorant überhaupt so fragen konnte.

Doch je länger er darüber nachdachte, konnte auch alles ganz anders gewesen sein. Vielleicht wusste sie die Antwort selbst nicht und fand deshalb die Frage unangenehm.

Er würde heute Nacht ohne sie einschlafen. Sollte sie doch so lange am Meer hocken und in den Himmel glotzen, wie sie wollte. Sein Schlaf war tief und traumlos.

Als er am nächsten Morgen wach wurde und das Bett neben sich leer vorfand, nahm er an, seine Frau sei zu Annika ins Bett geschlüpft, aus Sorge, er könne wieder zu laut schnarchen. Annika und Inge hatten eine ganz besondere Mutter-Tochter-Verbindung, von der er sich ausgeschlossen fühlte. Im Zweifelsfall hielten die beiden zusammen.

Er duschte ausgiebig und freute sich auf das Frühstück. Sie hatten einen festen Platz mit einer Reservierungsnummer auf dem Tisch. Er fand das sehr angenehm. Dies Gerangel morgens in anderen Hotels um den besten Platz ging ihm auf die Nerven. Er mochte es, wenn alles seine Ordnung hatte.

Annika hatte über die festgelegte Tischreservierung spöttisch gelächelt. Doch er hatte sie belehrt: »Es hat ja auch jeder Gast ein eigenes Zimmer mit Bett. Das muss zum Glück auch nicht jeden Abend neu verhandelt werden.«

Er aß morgens schon gerne Fisch und Krabben, auch Eier gehörten für ihn zu einem guten Frühstück. Er liebte es eiweißhaltig. Er saß allein am Tisch, ließ es sich gut gehen und wartete auf seine Mädels, so sprach er von ihnen, wenn sie gemeinsam etwas unternahmen. »Meine Mädels gehen zusammen ins Theater. Meine Mädels sind zum Shoppen.«

Eigentlich war Inge ein früher Vogel. Sie stand gern vor allen anderen auf, und sei es nur, um mit einer Tasse Kaffee in der Hand aus dem Fenster zu gucken.

Annika kam kurz vor neun alleine zum Frühstück. Sie sah ihren Vater vor seinen Essensresten sitzen und fragte verschlafen: »Ist Mama schon am Strand?«

Das war der Moment, in dem er begriff, dass etwas ganz und gar nicht in Ordnung war. Er stand unwillkürlich auf. Fast hätte er den Kaffee verschüttet.

Annika las in seinem Gesicht: »Mama ist heute Nacht nicht nach Hause gekommen?« Zunächst versuchte sie einen Scherz: »Die wird sich doch keinen Urlaubsflirt angelacht haben ...« Doch der Spaß kam schon recht kleinlaut über ihre Lippen. Mit wesentlich festerer Stimme sagte sie: »Mama hat mir geschrieben, ob ich kommen wollte.«

»Wo war sie?«

»Am Flinthörn.«

Er ging mit eiligen Schritten durch den Frühstücksraum. Ja, klar. Flinthörn.

Annika lief hinter ihm her. Sie erreichte ihn bei der Rezeption. »Wo willst du denn jetzt hin, Papa?«

Seine Lippen zitterten. Seine Stimme war brüchig, seine Bewegungen fahrig: »Hoffentlich ist ihr nichts passiert«, sagte er, und es klang, als würde er davon ausgehen, sie nicht lebend wiederzusehen.

»Wir können sie doch einfach anrufen«, schlug Annika vor, doch er stieß atemlos, als sei er viele Treppen gestiegen, hervor: »Hab ich. Zigmal.«

Er hatte zunächst Mühe, das Schloss seines Fahrrads aufzuschließen. Annika half ihm. Seine Hände bebten. So kannte sie ihn nicht. Sonst war er nicht aus der Ruhe zu bringen. Ein Fels in der Brandung. Manchmal aus ihrer Sicht auch schwerfällig und unbeweglich.

Jetzt radelte er schneller als sie. Über das Radfahrverbot im Ortskern setzte er, der gesetzestreue Bürger, sich heute ohne Skrupel hinweg. Er sah die vielen Möwen, die so aufgeregt und laut oben in den Dünen kämpften. Sie erinnerten ihn an die kreischenden Schwärme, die den Krabbenkuttern folgten. Die Tiere stritten um die besten Futterplätze und die größte Beute.

Er ahnte Schlimmes und fuhr noch schneller. Gestern, dachte er, bin ich im Grunde schon fast hier gewesen und dann umgekehrt. Ich Idiot!

Er war vor Annika beim Übergang zum Strand. Er ließ sein Rad einfach fallen und lief über den Strohbelag hin. Ein kurzer Blick reichte, dann wollte er nur noch seine Tochter schützen. Er lief ihr entgegen, um zu verhindern, dass sie das sah.

Er drückte sie fest an sich. Sie versuchte, sich loszumachen, doch er hatte plötzlich Bärenkräfte. Seine Wangen waren feucht. Er schluchzte und hielt seine Tochter fest.

Sie trommelte mit den Fäusten auf ihm herum und brüllte, das Schreckliche ahnend: »Mama! Mama!«

Seine Knie gaben nach. Sie fielen beide hin und rollten, sich weinend aneinanderklammernd, im Sand. Stroh klebte an ihrer Kleidung und in ihren Haaren. Einen Pferdeapfel drückte er zwischen seinen Schulterblättern platt. Aber was spielte das noch für eine Rolle?

Ann Kathrin Klaasen fütterte ihren Kater Willi. Er hatte sich lange nicht blicken lassen. Heute Morgen stand er miauend auf der Terrasse. Er sah zerzaust aus, als hätte er Kämpfe hinter sich. Sie wollte seine Wunden näher betrachten, aber er ließ sie nicht an sich heran. So schmusig, wie er sonst manchmal war, so kratzbürstig fremdelte er jetzt. Immerhin, ihr Futter nahm er an und suchte auch Schutz nah am Haus. Nach dem Essen rollte er sich in ihrem Strandkorb zusammen.

Sie näherte sich ihm vorsichtig, um sich die Verletzungen anzuschauen. Musste sie Willi zum Tierarzt bringen?

Da sie im Moment eine 16/8-Diät machte, zögerte sie das Frühstück so lange wie möglich hinaus. Sie wollte erst auf der Fähre oder, noch besser, später im *Café Leiß* frühstücken. Acht Stunden lang durfte sie essen, so viel sie wollte, und dann sechzehn Stunden lang nichts mehr. Auch ein Glas Wein war leider verboten. Kaffee oder Tee nur schwarz. Das machte ihr nicht viel aus. Sie trank in letzter Zeit oft nur heißes Wasser. Sie hatte das Gefühl, ihrem Körper damit etwas Gutes zu tun. Sie achtete immer mehr auf ihre Gesundheit. Sie versäumte die Vorsorgeuntersuchungen nicht mehr. Sie reduzierte ihren Alkoholkonsum. Sie aß mehr Gemüse und ging die Dinge ruhiger an.

Sie freute sich auf die Überfahrt mit der Fähre. Da heute Morgen eine Nebelbank aus Bensersiel eine Waschküche gemacht hatte, gab es keine Möglichkeit, von Norddeich rüberzufliegen, denn die Maschinen mussten ohne Radar auf Sicht geflogen werden.

Im Grunde war sie dankbar für die gewonnene Zeit zu Hause. Die Freude darüber hielt allerdings nur bis zu dem Moment, als sie auf ihr Handy sah. Wieder dieser angebliche Dr. Sommerfeldt. Es gibt so schrecklich viele Spinner auf der Welt, dachte sie. In der Anonymität des Internets wurden Hasenfüße zu Helden, fühlten sich die Verklemmten frei.

Sie packte noch einen kleinen Koffer. Genug, um zwei Tage zu bleiben oder einmal völlig durchgeschwitzt alle Kleider zu wechseln. Mit Regen rechnete sie nicht. Trotzdem packte sie eine Regenjacke ein. Das gehörte einfach dazu. Das Wetter, gerade auf den Inseln oder direkt in Küstennähe auf dem Festland, konnte in jeder Minute umschlagen. Es war launisch, aber zum Glück hielt die schlechte Laune nie lange.

Ann Kathrin mochte die warmen Regenschauer im Sommer mit den herrlichen Regenbögen. Statt sich eine Jacke anzuziehen, lief sie lieber nackt durch ihren Garten, geschützt durch die hohen Hecken vor unerwünschten Blicken. Noch lieber wäre sie über den Deich gelaufen, doch das tat sie nur in ihren Tagträumen. Dann breitete sie die Arme aus und tanzte nackt im Regen auf der Deichkrone.

Sie parkte den Wagen in Reihe L, weit hinten. Es wollten viele Touristen auf die Insel. Ann überlegte, falls sie schnell zurück müsste und das Wetter es zuließe, würde sie von Langeoog nach Norddeich fliegen und später den froschgrünen Twingo in Bensersiel wieder abholen.

Frank Weller behauptete, der Wagen würde nur noch von Rost und Lack zusammengehalten, aber sie konnte sich einfach nicht von ihm trennen. Es war für sie, als ob das Auto eine Seele hätte, ja, sie verstehen würde.

In schwierigen Situationen wie der Trennung von ihrem Mann Hero, als ihr Sohn Eike sich entschieden hatte, lieber bei Papa und seiner neuen Geliebten zu wohnen, da hatte sie sich von dem Twingo, den sie liebevoll *mein Frosch* nannte, besser verstanden gefühlt als von den meisten Menschen. Im Auto hatte sie ihre Gefühle herausgebrüllt und beim Fahren nicht einfach nur Selbstgespräche geführt, nein, sie hatte sich eingeredet, sie würde dem Twingo alles erzählen, so wie sie früher ihrem Teddy ihre Sorgen anvertraut hatte. In ihrem *Frosch* fühlte sie sich geschützt wie in einem Kokon.

Hier drin roch es schon ein bisschen nach Zuhause, fand sie. Nicht ganz so intensiv wie im Distelkamp, aber eine Ahnung davon war schon da.

Während sie vom Parkplatz zur Fähre ging, spielte ihr Handy plötzlich verrückt. Fünfzehn E-Mails, vier Sprachnachrichten, dazu WhatsApps und SMS. Sie öffnete im Gehen eine Nachricht von Weller: *Ann, er hat erneut zugeschlagen. Am selben Ort.*

Sie verstand nicht sofort, gleichzeitig fragte sie sich, warum ihr Mann sie nicht einfach angerufen hatte.

Alle Nachrichten hatten dasselbe Thema. Schuldgefühle krochen in ihr hoch wie eine Fieberwelle. Ihre Haut wurde überempfindlich, als bräuchte sie das größte Sinnesorgan ihres Körpers, um sich in die verrückte Realität einzufühlen. Als würde der Verstand nicht mehr ausreichen, um zu begreifen, und deshalb den Körper zu Hilfe rufen.

Eine zweite Tote auf Langeoog, und sie hatte die Nacht in ihrem Bett im Distelkamp mit Bilderbüchern von ihrer Nachbarin Bettina Göschl verbracht? Nein, das durfte, das konnte nicht wahr sein …

Sie fühlte sich hundeelend. Hatte Frank nicht behauptet, am Tatort zu sein? Da stimmte doch etwas nicht.

Rupert war vor ihr beim Fahrkartenschalter: »Das ist ja völlig irre«, rief er. Er sah aus, als sei er gerade aus dem Bett gekrochen. Unter der Sommerjacke trug er ein zerknittertes T-Shirt. Normalerweise ließ Beate ihn so nicht aus dem Haus gehen.

»Wir haben nicht mehr genug Polizeiwagen! Taxen gibt's auch keine mehr. Jede Menge Journalisten fliegen gerade ein.

Das wird die Hölle auf Langeoog. Weißt du, wie ich hierhergekommen bin?«

»Nee«, sagte Ann Kathrin ostfriesisch knapp.

Er wischte durch die Luft, als würde er Fliegen fangen: »Bei uns steht doch direkt so eine Mitfahrerbank bei der VHS.«

»Ja, für ältere, mobilitätseingeschränkte Bürger, so ab Mitte sechzig.«

Rupert steckte den Seitenhieb locker weg. »Jedenfalls hat mich da eine junge Dame mitgenommen. Sie ist sogar einen Umweg gefahren, um mich hierhinzubringen.«

»Wie schön für dich. Seit wann weißt du es?«, fragte Ann Kathrin.

»Was?«

»Na, das mit der zweiten Leiche.«

Rupert kratzte sich den Schädel. »Mich hat so eine Mieze vom Radio angerufen.«

»Ist nicht dein Ernst.«

»Doch, ich hab die mal in Norddeich in der *Schaluppe* kennengelernt. Ja, jetzt guck nicht so. Ich hatte nix mit der, oder ich kann mich nicht mehr daran erinnern … Wir haben ganz schön einen gehoben an dem Abend. Also, wenn es toll gewesen wäre, wüsste ich es ja noch.«

»Du bist unmöglich«, schimpfte Ann Kathrin und sah sich zu den Leuten um, die hinter ihnen in der Schlange standen.

Rupert verteidigte sich: »Beruhige dich. Ich hab ihr ja nichts erzählt.«

Ann Kathrin klopfte gegen seine Stirn. »Die Frage ist doch, woher wusste sie es vor uns?!«

Rupert zuckte mit den Schultern. Es war ihm völlig egal. »Von mir jedenfalls nicht.«

Auf der Fähre suchte Ann einen ruhigen Platz, um mit Weller zu telefonieren. Heute war Anreisetag. Es waren viele Menschen auf der Fähre.

Ann Kathrin beugte sich weit über die Reling und presste ihr Handy fest ans Ohr. Neben ihr fütterten Zwillinge verbotenerweise Möwen mit Kartoffelchips.

Weller klang zerknirscht. »Ann … Wir können den Zeitpunkt des Mordes ziemlich genau bestimmen. Sie hat ihrer Tochter vorher noch eine Nachricht geschickt.«

Ann Kathrin verstand nicht, was daran so schlimm sein sollte. Immerhin wussten sie jetzt etwas. »Wir haben also ihr Handy?«, hakte sie nach.

»Nein«, bedauerte Frank Weller, »das wissen wir nur von ihrer Tochter. Das Gruselige ist, sie liegt genau dort, wo wir Astrid Thoben gefunden haben.«

Ann Kathrin musste das erst verdauen. Sie ging von den Kindern weg, denn jetzt wurden die von einem halben Dutzend Möwen umflattert, die um die Chips kämpften. Kein Erwachsener griff ein. Viele machten Fotos und fanden das Ganze wohl lustig. Das Möwenfüttern war auf jeder Fähre verboten. Überall stand es gut lesbar. Meist gab es sogar diesbezügliche Durchsagen. Aber wer nahm schon Verbotsschilder ernst, wenn ein schöner Urlaubstag begann?

»Dann lässt sich die Tatzeit ja noch deutlicher eingrenzen, denn dort hast du doch gelegen und dich ins Opfer eingefühlt.«

Weller schwieg. Ann Kathrin dachte schon, der Kontakt sei unterbrochen. Auf dem Meer war manchmal der Empfang schwierig. Doch dann antwortete Frank mit belegter Stimme. Es klang fast, als würde eine andere Person sprechen: »Eben nicht. Ich war nicht dort.«

»Wie, du warst nicht dort? Du hast mir doch vom Tatort aus geschrieben.«

Er schluckte trocken und räusperte sich: »Ja, schon, aber nicht direkt. Ich dachte, Düne ist schließlich Düne …«

Ann Kathrin sah zu den Kindern. Eine Möwe pickte nach der Chipstüte. Jetzt heulte ein Kind und blutete am Finger. Das erinnerte die ersten Erwachsenen an die Schilder. Ann Kathrin griff nicht ein. Es gab jetzt Wichtigeres zu tun, und Kindererziehung war nie wirklich ihre Sache gewesen.

»Deich ist Deich …«, sagte sie fassungslos.

»Nein«, widersprach Weller, »Düne ist Düne. Ich weiß, es war blöd. Immerhin war ich aber auf Langeoog in den Dünen am Meer. Ich habe in denselben Nachthimmel geblickt wie sie.«

Er wartete auf eine Reaktion von Ann Kathrin, aber es kam nichts von ihr. Er hörte nur Möwengeschrei. Er ersparte es ihr, den Vorwurf auszusprechen. Er tat es selbst. »Wenn ich es richtig gemacht hätte – so wie du –, hätte ich den Mord vielleicht verhindern können. Oder ich hätte den Typ sogar zu fassen gekriegt.«

»Oder du wärst jetzt auch tot.« Ann Kathrin erschrak über ihren eigenen Satz. Sie sah rüber zur Insel. Sie war auf eine verwirrende Art wütend auf Frank. Es schockierte sie, mit welcher Leichtigkeit er sie angelogen hatte. Obwohl, richtig gelogen hatte er eigentlich nicht, mehr einen falschen Eindruck erweckt. Aber gerade das machte sie zornig. Gleichzeitig war sie aber auch erleichtert.

Der Mann, mit dem sie es zu tun hatten, wäre sicherlich nicht davor zurückgeschreckt, Weller zu attackieren, wenn er ihn am Tatort angetroffen hätte.

Vielleicht wurde ihr jetzt zum ersten Mal wirklich klar, welches Risiko sie oft eingegangen war. Manche Täter kamen zum Tatort zurück. Das war in der Kriminologie bekannt. Sie gruselte sich bei dem Gedanken, wie oft sie sich an Tatorten der Situation ausgesetzt hatte, alleine und im Grunde wehrlos.

Sie stellte sich vor, wie sie im Lütetsburger Park gelegen hatte ... Was, wenn der Täter zurückgekommen wäre? Sie hatte für ihn doch da gelegen wie eine Einladung: *Komm! Nimm mich!*

Hatte sie den Satz: *Oder du wärst jetzt auch tot* vielleicht mehr zu sich selbst gesagt als zu ihrem Mann?

»Ann«, sagte Weller ernst, »die Tote hält einen Damenslip in der Hand, und glaub mir, wir müssen nicht erst die DNA-Analyse abwarten, um zu wissen, wem dieses Kleidungsstück gehört.«

Ann Kathrin fuhr sich mit links durch die Haare, eine Geste, die bei Erschrecken zu ihr gehörte, so wie andere Menschen die Augen weit aufrissen, stumm wurden oder unwillkürlich einen Schritt zurückgingen.

Jetzt, da Weller es ausgesprochen hatte, kam es ihr so vor, als hätte sie es von Anfang an gewusst.

»Und, hat er wieder etwas mitgenommen?«, hörte sie sich selbst fragen.

»Ihr Handy fehlt, und eins ist auch klar, es geht ihm nicht um Geld. Sie hatte ein Portemonnaie dabei. Es sind alle Papiere drin und noch über hundert Euro. Eigentlich unlogisch.«

»Warum unlogisch?«

»Weil er die Tasche des ersten Opfers mitgenommen hat.«

»Da wollte er uns die Suche nach den Personalien erschweren. Jetzt will er, dass wir genau wissen, wer sein Opfer ist«, vermutete Ann Kathrin.

Weller überlegte: »Oder es ist ihm egal.«

»Nein, so tickt der nicht, Frank. Dem ist nichts gleichgültig. Der hat einen Plan.«

»Ann, er ist ein Verrückter. Einer, der direkt aus der Hölle zu uns gekommen ist.«

Sie wusste, was Frank damit meinte, erklärte ihm aber trotzdem ihre Sichtweise: »Er trägt die Hölle in sich, Frank, und jetzt ist sie ausgebrochen.«

Frank Weller gab ihr sofort recht: »Im Grunde müsste man doch jemanden, der so durchgeknallt ist, aus Tausenden herauspicken können. Ich denke immer, man müsste es ihm ansehen …«

Sie widersprach: »Du musst dir so einen Menschen vorstellen wie die ganze Erde. Verloren, alleine in den unendlichen Weiten des Weltalls … Er hat glühende Lava in sich. Einen brodelnden Kern. Irgendwo bricht das dann aus, sucht sich einen Weg. So verschafft er sich Erleichterung. Aber auch wenn irgendwo auf der Welt ein Vulkan ausbricht und eine ganze Gegend verwüstet, eine Stadt oder ein Dorf in kochendes Gestein verwandelt, dann funktioniert der Rest der Welt doch immer noch ziemlich gut. Wenn auf Bali ein Vulkan speit, beeinträchtigt das den Straßenverkehr in London und Paris nicht. Auf Norderney hat weiter die *Milchbar* geöffnet. Bei *ten Cate* gibt es Baumkuchen und …«

Weller unterbrach ihre Aufzählung. Er hatte das Gefühl, sie würde sonst endlos weiterreden, als brauche er so viele Bilder, um zu verstehen, was sie meinte: »Schon klar, Ann. Du glaubst, der Rest seiner Persönlichkeit könnte ein unauffälliges Erscheinungsbild bieten.«

Sie fühlte sich verstanden.

In Bensersiel besetzten, während die zwei miteinander redeten, zwölf Polizeibeamte die Ausgänge am Fähranleger. Niemand sollte die Insel verlassen können, ohne dass seine Personalien festgestellt worden waren. Es war bei schweren

Verbrechen auf den Inseln so üblich, doch Ann Kathrin fand es im Grunde sinnlos. Wenn überhaupt, dann war es für sie wichtig, den Flugplatz auf Langeoog zu überwachen. Von dort aus kam man schnell und unauffällig nach Emden, Norddeich oder Harlesiel. Wenn jemand ein privates Flugzeug nahm, war der Radius natürlich noch größer.

Dort stand seit heute Morgen die Inselpolizistin und ließ sich die Ausweispapiere der Fahrgäste zeigen. Nicht alle hatten Verständnis dafür.

Um Ann Kathrin herum befanden sich jetzt zu viele Touristen. Sie suchte mit dem Handy am Ohr einen Ort backbord bei den Rettungsbooten auf. Der Nordwestwind hatte den Nebel vertrieben, und nun strömten immer mehr Menschen an Deck, auf der Suche nach einem sonnigen Platz.

Ann Kathrin begab sich in den Schatten. Dort fand sie eine einsame Ecke. »Journalisten werden die Insel fluten«, prophezeite sie.

Da war Weller sich ebenfalls sicher.

»Wir müssen die Information mit der Damenunterwäsche auf jeden Fall aus Pressegesprächen heraushalten. Es ist Täterwissen und gehört nicht in die Öffentlichkeit.«

Weller wusste genau, warum. Sie hielten immer mindestens ein Detail zurück. Es gab bei Mordfällen, die viel Aufmerksamkeit bekamen, ab und zu Menschen, die gestanden die Tat, ohne sie begangen zu haben. Das mangelnde Täterwissen entlarvte sie dann rasch.

»Kann sein«, überlegte Weller, »dass Holger etwas mitgekriegt hat. Aber mit dem kann man reden.«

»Ja«, bestätigte Ann Kathrin, »der baut nicht aus Sensationsgier Mist.«

»Da ist noch etwas, Ann.«

»Nämlich?«

»Die zweite Frau kenne ich. Ich habe mit ihrer Tochter und ihrem Mann gesprochen. Inge Schmelzin ist die Mutter von der jungen Frau mit diesem bescheuerten T-Shirt.« Obwohl Ann Kathrin genau wusste, was er meinte, fuhr er fort: »*Nicht alles in Norddeutschland ist flach.*«

»Beide Opfer waren also bei dem Fernsehdreh dabei ...« Sie griff sich an den Kopf und massierte sich die Schläfen. Weller ergänzte: »Die Frauen kannten sich nicht. Also nicht wirklich. Frau Schmelzin kannte nicht einmal den Namen des ersten Opfers. Sie haben sich lediglich beim Brötchenholen getroffen oder in der *Meierei*. Sie kannten sich nur vom Sehen, wie man so schön sagt.«

Ann Kathrin sah über sich die ersten Flugzeuge. »Die Journalisten werden schon bald da sein«, folgerte sie. Sie holte tief Luft und blickte einem Flugzeug hinterher. »Frank, da muss ein Zusammenhang sein.«

»Nein, Ann, glaub mir, das ist nur Zufall.«

Sie wusste nicht, wie oft sie den Satz schon gesagt hatte: »Ich glaube nicht an Zufälle, Frank, das weißt du doch.«

»Ja, aber nur, weil du nicht daran glaubst, Ann, heißt es ja noch nicht, dass es keine Zufälle gibt.«

»Wir sollten uns diesen jungen Mann vorknöpfen«, schlug sie vor und ging einfach davon aus, dass Weller genau wusste, wen sie meinte. Aber er wollte jetzt Klarheit: »Wen? Den mit den Fotos?«

»Ja, den, der die Spannerbilder gemacht hat.«

Nirgendwo verbreiten sich Nachrichten so schnell wie auf einer Insel. Ein zweiter Mord am gleichen Ort reichte aus, um sämtliche anderen Gesprächsthemen beiseitezudrängen. Wer interessierte sich jetzt noch für Kommunalpolitik, die Fußballergebnisse der Kreisliga, die Boßelmeisterschaften oder die Eröffnung der Kunstausstellung? Selbst die Frage, ob das Wetter halten würde, geriet in den Hintergrund. Ein Mord war nichts Alltägliches, aber das hier ließ Spekulationen blühen und setzte ungeahnte Phantasien frei.

Marco Zielinski saß vor dem *Café Leiß* in der Sonne, trank Milchkaffee und wartete auf seine Waffel mit Vanilleeis und heißen Kirschen. Neben ihm in einem Strandkorb saß Peter Müller mit seiner Freundin Corinna und der kleinen Rahel. Heute war ihr letzter Tag. Sie wollten nicht in der Ferienwohnung frühstücken, sondern sich ein ausgiebiges Frühstück gönnen.

Die Kleine hatte den Vorfall natürlich noch nicht verarbeitet, und wenn Peter ehrlich zu sich selbst war, er auch nicht.

Die drei starrten einen Insulaner mit prallem Bierbauch an, der vor ihnen stand und mit großen Gesten seine Meinung zum Besten gab. Er hatte wirres, weißes Haar und braune, windgegerbte Haut. Es war unmöglich, sein Alter zu schätzen. Er hätte fünfzig, aber auch gut siebzig sein können.

Dass da oben am Flinthörn mal etwas passieren würde, das hätte ihm schon sein Großvater erzählt, so schön es dort oben sei, es sei doch ein verfluchter Ort.

Corinna überlegte, ob sie ihrer Tochter Rahel, die mit offenem Mund zuhörte, die Ohren zuhalten sollte. Peter Müller hätte den Insulaner am liebsten aus Rücksicht auf Rahel aufgefordert, den Mund zu halten, gleichzeitig wollte er aber wissen, was der Mann zu sagen hatte.

Während des Zweiten Weltkriegs sei dort Schlimmes mit den russischen Kriegsgefangenen geschehen. Keiner von denen hätte überlebt. Seine Oma habe ihm das alles erzählt. Er selbst sei ja ein Nachkriegskind, aber das dort sei ein verfluchter Ort.

»Halt endlich die Fresse!«, schimpfe ein anderer Insulaner, der auf seinem Fahrrad angehalten und ungebeten zugehört hatte. »Deine Oma war genau so'n Suffkopp wie du. Die Kriegsgefangenen hier wurden gut behandelt. Fast jede Familie hatte einen Franzosen als Helfer, die haben sich mit der Bevölkerung durchmischt. Mehr französisches Blut als hier auf der Insel wirst du kaum irgendwo finden!«

»Ja«, schimpfte der Mann mit dem Bierbauch zurück, »den Franzosen ging's hier gut, von denen spreche ich ja auch nicht, sondern von den Russen!«

Corinna unterbrach das Gespräch und verfiel in den Ton, den sie oft als Anwältin vor Gericht nutzte. Im Urlaub redete sie eigentlich anders: »Das gehört jetzt hier nicht hin.« Sie deutete auf ihre Tochter.

»Wir haben«, erklärte Peter Müller die Situation, »die erste Leiche da oben gefunden.«

Erst jetzt kapierte Rahel. Sie klammerte sich an ihre Mutter. »Mama, ist da schon wieder etwas Schlimmes passiert?«

Corinna legte ihren Arm so um ihre Tochter, dass sie ein Ohr gegen sich drückte und das andere mit der Hand zuhielt.

»Können Sie sich nicht woanders unterhalten?«, bat sie die beiden Langeooger.

»So weit kommt das noch, dass die Nordrhein-Vandalen uns sagen, was wir wo auf der Insel machen dürfen!«

»Bitte nehmen Sie doch Rücksicht«, bat Peter Müller.

Der mit dem Fahrrad fuhr einfach weiter, drehte sich aber

noch einmal um und rief: »Nehmen Sie den bloß nicht ernst, glauben Sie dem nix!«

»Ich wollte Ihr Kind nicht erschrecken. Aber man wird ja wohl noch die Wahrheit sagen dürfen. Da oben in die Dünen beim Flinthörn kriegen mich keine zehn Pferde hin. Wissen Sie«, sagte er jetzt schon wesentlich weniger aufgeregt, »das ganze Dünengebiet da ist überhaupt nur entstanden, weil achtzehnhundert und ein paar Zerquetschte eine Sturmflut auf Baltrum das ganze Dorf zerstört hat. Die Trümmer wurden hier angespült, es kamen Sandverwehungen dazu, und so entstand im Laufe der Jahre auf den angeschwemmten Trümmern des zerstörten Dorfes einer der schönsten Plätze dieser Erde.«

Rahel hatte, obwohl die Mutter ihr die Ohren zudrückte, genug verstanden und fragte: »Liegen dann da drunter Leichen, Mama?«

»Jetzt reicht's!«, schimpfte Peter Müller. »Bitte lassen Sie uns in Ruhe frühstücken.«

Da der Mann keine Anstalten machte zu gehen, sondern sich umsah, wem er jetzt seine Geschichten erzählen sollte, rief Rahels Mutter den Kellner: »Zahlen, bitte!«

Dieses Signal verstand der Mann dann doch und trollte sich. Er brummte etwas Unverständliches und zeigte nur noch seinen breiten Rücken.

Marco Zielinski wollte zu gern von seinem Milchkaffee trinken, doch seine Hände zitterten. Er saß in der Klemme wie noch nie zuvor in seinem Leben. War es richtig, zu fliehen oder zu bleiben?

Er war es gewöhnt, dass nichts schneller war als das Internet. Doch heute wurde er im *Café Leiß* Sachen gewahr, die noch nicht im Netz kursierten. Dass die Frau im *Hotel Flörke* gewohnt hatte, wusste praktisch schon jeder. Auch dass sie einen Mann hatte und eine Tochter. Ja, dass sie Stammgäste waren. Er liebte angeblich Ostfriesentorte, sie aß lieber Rumflockensahne. Die Tochter sei so eine ganz liebe gewesen, gut erzogen, wie man es heute kaum noch findet.

Marco Zielinski war katholisch erzogen worden und sogar eine Weile Messdiener gewesen. Er hatte Heiligenbildchen gesammelt und bunte Fotos von Ikonen, auf denen hinten fromme Sprüche oder Bibelzitate standen. Andere sammelten Fußballbilder, er so etwas. Ja, er hatte sogar damit geliebäugelt, Priester zu werden.

Nein, das Zölibat war es nicht, was ihn schließlich gehindert hatte. Ihn hielt so ein Gefühl von Endgültigkeit zurück. Irgendwann war dann die Liebe zu seinem Fotoapparat größer geworden als die Liebe zu Gott. Durch eine Fotografie konnte er etwas festhalten. Momente bannen. Ja, eine Art Unsterblichkeit für besondere Augenblicke herbeiführen. Bilder waren so etwas wie eingefrorene Realität.

Zunächst hatte er im Kölner Zoo fotografiert. Dann war er irgendwann auf die Sache mit den Mädchen gekommen …

In Siegburg hatte er einen Schnappschuss von einem wunderschönen Mädchen gemacht, das mit flatternden Haaren auf seinem Fahrrad an ihm vorbeifuhr. Als er abdrückte, hatte er es noch nicht gesehen. Erst viel später, bei genauerer Betrachtung, fiel auf, dass ihr Faltenrock am Oberschenkel beim Strampeln so hochgerutscht war, dass ihr hellblaues Höschen darunter hervorblitzte. Es war nur ganz wenig, nicht größer als eine Fingerkuppe, aber doch nahm dieses winzige Detail auf dem Foto ihn voll und ganz in Anspruch. Es zog seine Aufmerksamkeit geradezu wie ein Magnet an.

Er zeigte das Foto anderen, und alle Jungs in seinem Alter entdeckten dieselbe Stelle. Fast jeder gab seinen Senf dazu.

Vielleicht, dachte er heute, hatte damit alles begonnen.

Auch ältere Jungs, die ihn bisher völlig ignoriert hatten, baten ihn plötzlich, das Foto sehen zu dürfen, und fragten, ob er noch mehr solcher Schnappschüsse hätte.

Justus Piesleck, der kleine, schmächtige Junge, der zwei Häuser weiter wohnte und, vielleicht weil er einen Sprachfehler hatte, zum Mobbingopfer geworden war, hatte ihn um Schutz auf dem Nachhauseweg gebeten. Justus hatte alles getan, um sein Freund zu werden. Er hatte ihm Bonbons angeboten, Kinokarten und schließlich, als gar nichts half, seinen letzten Trumpf ausgepackt: Er hatte eine äußerst attraktive, vier Jahre ältere Schwester. Er bot Marco an, ihm eine Möglichkeit zu verschaffen, seine Schwester zu fotografieren. Möglicherweise sogar nackt oder aber zumindest beim Umziehen. Sie hätten ihre Zimmer nebeneinander, und es gäbe da ein Loch in der Wand, von dem sie nichts wusste.

Marco Zielinski war auf das Angebot eingegangen. Er hätte selbst nicht mehr genau sagen können, warum. Vielleicht war es einfach Neugier, und er wollte sehen, wie weit dieser Justus gehen würde und ob dieses Loch in der Wand wirklich existierte.

Es gab sogar zwei. Eins zum Badezimmer und eins in ihr Mädchenzimmer.

Später erfuhr Marco, dass Justus nicht nur ihm diese Gucklöcher angeboten hatte. Jeder, dachte Marco Zielinski, hat so seine eigene Art, sich Freunde zu machen. Das war die von Justus Piesleck.

Es war gar nicht so einfach gewesen, mit dem vorhandenen Kameramaterial durch diese winzigen Löcher zu fotografieren. Auch die Lichtverhältnisse waren nicht immer gut. Dazu kam dieses stundenlange Warten, denn sie zog sich natürlich nicht auf Kommando um.

Justus hatte aber einen detaillierten Plan. Samstags war es am einfachsten, weil sie dann ausging und sich immer vorher lange schminkte und meist mehrfach umzog, weil sie ausprobierte, welches Outfit ihr am besten gefiel.

Einmal, als er Justus besuchte, um samstagnachmittags wieder Aufnahmen von dessen Schwester zu machen, war er ein wenig zu früh. Im Flur begegnete ihm noch jemand anderes, der die Wohnung gerade verließ und sein Kameraequipment bei sich hatte. Eine große Fototasche. Da hatte er begriffen, dass er nicht der Einzige war.

Schließlich hatten sie angefangen zu tauschen. Aber immer nur Fotos von Justus Pieslecks Schwester zu machen wurde auf Dauer langweilig.

Sie gingen zu dritt auf die Pirsch. Eine Art Wettbewerb begann.

Marco Zielinski versuchte, diese Erinnerungen aus seinem Kopf zu drängen. Warum kamen die gerade jetzt? Er hatte doch wirklich andere Probleme.

Aber genau das kannte er von sich. Wenn irgendetwas brennend heiß wurde, unbedingt gelöst werden musste, wenn ihn Fragen würgten oder er Angst vor Herausforderungen hatte, dann flüchtete er sich in Erinnerungen. Er machte das nicht absichtlich. Sie kamen wie eine Sturmflut. Bilder von Jagdszenen mit dem Fotoapparat drängten sich zwischen ihn und all seine Sorgen.

Andere nahmen vielleicht Drogen oder betäubten sich sonst wie. Er hatte seine Fotos und Erinnerungen daran, wie sie entstanden waren. Dieses Kribbeln kurz vor einem Abschuss kam zurück. Die Angst, entdeckt zu werden. Das alles gab ihm ein sehr intensives Lebensgefühl. Eins, das sich speichern ließ. Auf einem Stick, einem Chip oder im eigenen Gehirn. Diese Dinge gehörten zu ihm, als Teil seiner Persönlichkeit. Sie schützten ihn vor der Wirklichkeit.

Doch jetzt wollte er das nicht. Er ahnte, dass sich bald Gefängnistore hinter ihm schließen würden, wenn er nicht rasch eine Lösung fand, heil aus der Sache herauszukommen.

Er ahnte, wer das zweite Opfer war. Er hatte ihr während der Filmaufnahmen unter den Rock fotografiert und das Bild hochgeladen. Zwei Frauen waren, kurz nachdem er sie fotografiert hatte, ermordet worden. Er fühlte sich hundeelend und kämpfte mit sich. Sollte er zum Flinthörn gehen, um sich selbst ein Bild zu verschaffen, oder gar zum *Hotel Flörke*?

Was will ich noch auf der Insel?, fragte er sich. Fotos machen ganz bestimmt nicht.

Er hatte das Zimmer in der *Alten Post* noch für den Rest der Woche gebucht. Würde er schon allein deshalb auffallen, weil er vorzeitig die Insel verließ, oder machten das jetzt viele wegen der Mordfälle?

Rupert war froh, jetzt hier unten nahe am Bullauge Ruhe zu haben. Er trank einen Kaffee, der gar nicht so übel war, aß eine Brezel und tippte auf seinem Laptop herum. Er nannte das Teil jetzt gerne *Notebook*, weil das irgendwie intellektueller klang, fand er.

Er blieb gern unter Deck. Er konnte diesen Überfahrten nicht viel abgewinnen. Es war einfach nur lästig für ihn. Warum bauten die keine Brücke? So eine vierspurige Autobahn stellte er sich vor. Die Amerikaner, dachte er, hätten längst eine Brücke gebaut, von Bensersiel nach Langeoog. So etwas wie die Brooklyn Bridge.

Marion Wolters von der Einsatzzentrale rief ihn an. Er setzte sich anders hin. Er dachte: *Na, Bratarsch, womit nervst du denn heute schon wieder?* Und er sagte: »Moin, Marion, was gibt's denn Schönes?«

Sie kaute mal wieder auf irgendetwas herum, während sie mit ihm sprach. Er tippte darauf, dass es etwas war, das angeblich gesund war oder schlank machte. In Wirklichkeit würde sie vermutlich krank davon werden oder zumindest schlechte Laune bekommen, falls es sie nicht dicker machte.

Sie wusste, dass er sie hinter ihrem Rücken *Bratarsch* nannte, und flötete geradezu freundlich: »Es gibt vielleicht einen Hinweis, dem wir nachgehen sollten. Hier hat schon dreimal ein Lehrer von Astrid Thobens Schule angerufen.«

»Lehrer«, stöhnte Rupert, so als könne man von denen ohnehin keine vernünftige Aussage erwarten.

»Ja, hier rufen natürlich pausenlos Leute an, die Tipps und Hinweise haben. Das meiste ist Müll, oder es will sich nur jemand interessant machen. Viele kennen wir auch schon. Die rufen immer an. Die sortiere ich alle vorher aus. Aber das hier klingt wirklich interessant. Bei Ann Kathrin und Weller ist besetzt, deshalb rufe ich dich an.«

Rupert steckte den Treffer kommentarlos weg, nahm sich aber vor, ihr bei der ersten Gelegenheit auch eins auszuwischen.

»Also, diese Astrid Thoben hat wohl in einer Lehrerkonferenz gesagt, sie fühle sich wie ein Wild, das gehetzt wird, und mit einer Kollegin ist sie in tiefem Hass verbunden.«

»So etwas gibt es unter Frauen?«, fragte Rupert gespielt erstaunt. Sie ging darüber hinweg: »Also, die heißt Brigitte Wölke, und es geht wohl um den Noch-Ehemann der Astrid Thoben. Angeblich hatte die Wölke was mit ihm.«

»Der Noch-Ehemann«, zitierte Rupert seine Kollegin Wolters süffisant, »ist jetzt Witwer. Und ich glaube kaum, dass eine Lehrerin aus Wattenscheid oder woher die stammt, hier anreist und dann ihrer Kollegin den Kopf ansägt, damit sie ihren abgelegten Typen schneller kriegt. Wenn überhaupt, dann hätte ja wohl die Ehefrau einen Grund gehabt, ihre Nebenbuhlerin auszuschalten. Logisch denken, Schätzchen, logisch denken! Außerdem haben wir einen zweiten Mord, und da passt die Geschichte, die du mir hier verkaufen willst, überhaupt nicht mehr.«

Für einen Moment war Rupert unkonzentriert, weil eine Frau die Treppe runterkam, um sich einen Kaffee und einen Schokoriegel zu holen. Sie passte genau in sein Beuteschema. Er sah es in ihren Augen: Sie wollte im Urlaub etwas erleben. Sie hatte eine Woche, schätzte er, höchstens zwei. Da konnte sie nicht sehr wählerisch sein.

Er zwinkerte ihr zu. Sie tat zunächst, als hätte sie es nicht bemerkt, drehte sich aber nach ein paar Schritten zu ihm um. Sie musterte ihn mit Kennerblick.

Klar, dachte Rupert, es gibt Bessere als mich, aber glaub mir, Puppe, es gibt bestimmt auch Bessere als dich. Wir könnten ein bisschen Spaß zusammen haben und gut ist. Mehr wird das eh nicht. Ich bin verheiratet und du garantiert auch. Aber für eine schöne Nacht könnte es reichen.

Als wäre sie in der Lage, seine Gedanken zu lesen, lächelte sie ihm zu. Er hatte schon immer befürchtet, dass Frauen Männern in den Kopf gucken können. Bei seiner Beate war das auf jeden Fall so. Die war geradezu Weltmeisterin darin. Ihr blieb nie etwas verborgen, da konnte er sich noch so viel Mühe geben. Zum Glück war sie aber ein harmoniesüchtiger Mensch und verzieh ihm am Ende immer alles. Natürlich musste er vorher gestehen. Die Wahrheit, nichts als die Wahrheit! So ähnlich wie in einem Verhör oder später beim Prozess. Wer freimütig alles zugab, um Verzeihung bat und versprach, sich zu bessern, wurde am Ende milde bestraft. Und warum sollte es in der Ehe anders sein als im Strafprozess? Natürlich wurde so mancher Delinquent nach der Entlassung rückfällig.

Wieso, fragte er sich, sollte er als Ehemann besser sein als alle verurteilten Straftäter? Die meisten waren doch Männer. Und sie blieben es auch. Sie wurden wieder schwach. Genau wie er. Die Verlockungen in der freien Wildbahn waren einfach zu groß, und es gab so viele süße Frauen … Sie waren alle auf eine besondere Art anders. Rupert musste es sich einfach eingestehen: Er verstand die Frauen nicht. Aber er liebte sie.

Marion Wolters holte Rupert aus seinen Gedanken: »Im Grunde hat diese Lehrerin vor allen Kollegen gesagt, dass sie sich bedroht fühlt. Das müssen wir doch ernst nehmen. Wir können das nicht ignorieren.«

»Machen wir, Mädchen, machen wir«, wiegelte Rupert ab.

»Nenn mich nicht Mädchen! Und wenn du noch mal Schätzchen zu mir sagst, raste ich aus. Ich bin eine erwachsene Frau!«

»Mädchen, ich wollte dich damit doch nicht beleidigen!«

»So? Wolltest du nicht? Hast du schwanzgesteuerter Gorilla aber!«

»Mädchen, jetzt hör mal auf! Was hast du zu mir gesagt?«

Es platzte aus ihr heraus: »Glaubst du, ich weiß nicht, wie du mich hinter meinem Rücken nennst?«

Rupert provozierte sie zu gerne: »Kampflesbe?«, riet er gespielt.

Sie holte tief Luft. »Bratarsch!«, polterte sie.

»Ach ja, stimmt«, gab Rupert unumwunden zu. »Weißt du auch, warum ich das tue?«

»Weil du ein frauenfeindlicher Idiot bist?!«, riet sie.

Das wies Rupert weit von sich weg: »Oh nein, nein! Weil es zu dir passt, deshalb. Alle wissen gleich, von wem ich rede, wenn ich *Bratarsch* sage.«

Sie schäumte vor Wut.

»Weißt du«, fuhr Rupert fort, »bei fast allen Menschen ist das so. Sie bekommen die passenden Spitznamen: Die Blonde. Die Prinzessin. Tarzan. El Blindo Kompletto. Rechenschieber. Königin. Tänzerin. Twiggy. Oder eben Bratarsch.«

Sie suchte nach einer passenden Antwort, fand aber keine Beleidigung schlimm und treffend genug, um sie abzuschießen. »Weißt du, wie sie dich nennen?«

»Na, jetzt bin ich aber neugierig.«

Sie trommelte mit den Fingernägeln auf der Schreibtischplatte herum. Es klang für Rupert durchs Handy wie die Titelmelodie von *Tatort*.

»Rupert«, sagte sie ruhig, und es klang, als hätte sie damit das schlimmste Schimpfwort ausgesprochen, das eine Frau zu einem Mann sagen konnte.

»Du mich auch«, konterte Rupert und drückte das Gespräch weg.

Seitdem der Nebel sich verzogen hatte, landete eine Maschine nach der anderen auf Langeoog. Er saß vor dem *Café Hansa* und aß Matjes auf Schwarzbrot. Er sah den Flugzeugen am Himmel zu. Dieses Gefühl, sie alle kämen wegen seiner Taten, erfüllte ihn mit Stolz, ja, mit Hochachtung vor sich selbst. Er war es, der die Ereignisse schuf, über die sie nun alle berichten würden.

Das fluchende Kamerateam amüsierte ihn. Ihnen hatte wohl vorher niemand gesagt, dass Langeoog eine autofreie Insel ist. Jetzt hatten sie Probleme mit ihrem Equipment, weil alle Bollerwagen und Fahrradtransportanhänger inzwischen vermietet waren. Nicht einmal Kinderfahrradanhänger gab es mehr, und die Gepäckträger hinterm Sitz reichten von der Größe her nicht aus.

So müssen Künstler sich fühlen, dachte er, wenn sie eine TV-Show vorbereiten, oder Sportler, die um den Sieg kämpfen. Was ihn von allen unterschied, war, dass er anonym bleiben musste. Seine Tat *performte* er nicht vor Publikum. Er war auf die Nachberichterstattung angewiesen. Er brauchte diese Presseleute mindestens so sehr wie sie ihn. Er bot ihnen keinen öden Familienstreit, bei dem am Ende ein frustrierter Partner den anderen erdolchte oder vergiftete. Nein, er holte sie aus ihrem Alltag, bot ihnen etwas Besonderes, gab ihnen ein Gesprächsthema.

In einer Welt, in der alles erklärt und zerdacht wurde, gewann das Unerklärliche, Unkontrollierbare an Faszination. Er wollte das Geheimnis sein. Im Grunde wussten sie doch alle, dass so, wie die Menschen lebten, die Welt unweigerlich auf eine Katastrophe hinauslief. Wir zerstören den Planeten, und jeder hoffe, das ganze Elend nicht mitzukriegen. Das war der einzige Trost. Man dachte an den Tod. Gingen wir deswegen mit der Welt so um, als hätten wir noch eine Ersatzwelt im Kofferraum? War der eigene Tod eine Erlösung angesichts des kollabierenden Planeten? Ertrugen wir das Jetzt nur, wenn nach uns alles nur noch schlimmer wurde? Musste nach uns alles noch schlimmer werden, damit wir das Jetzt ertrugen?

Wie oft hatte er als Kind den Satz: *Nach uns die Sintflut* gehört? Er war der Vorbote des Verderbens. Ein Gesandter der Hölle. Seine Morde – seine für die Normalos unerklärlichen, weil scheinbar grundlosen Taten – ließen sie ahnen, was auf sie zukam, und offenbarte ihnen gleichzeitig etwas von sich selbst. Wer hatte nicht schon mal daran gedacht, jemanden umzubringen oder etwas anderes Verbotenes zu tun? Er zeigte ihnen ihre erbärmlichen Hemmschwellen. Ja, genau das tat er! Die einen schämten sich schon, weil sie heimlich rauchten, Fleisch aßen oder in den Puff gingen. Die anderen hielten sich für gute, moralisch überlegene Menschen, weil sie ihren Chef nicht umbrachten oder ihren Ehepartner nicht vergifteten. Und dann kam er und lebte ungestraft seine Phantasien aus.

Ja, vielleicht bin ich verrückt, dachte er trotzig. Aber ihr seid noch viel verrückter als ich. In einer wahnsinnigen, dem Untergang geweihten Welt, ist doch der verrückte Serienkiller nur Ausdruck eurer Verkommenheit.

Er kam sich gerade großartig vor. Wie ein Erlöser. Einer, der über geheimes Wissen verfügte. Ein Heiliger. Ein Guru. Er wusste, was dem folgte. Nach dem Höhenflug kam der Absturz. Jedes Mal. Kurz nach der Tat war da zunächst dieses Überlegenheitsgefühl, es getan zu haben und ungestraft davongekommen zu sein. Später dann kamen Scham und Angst und Ekel. Noch war er voller Adrenalin. Glückshormone fluteten ihn. Er glaubte, besser riechen und schmecken zu können. Es gab keine Alltagswehwehchen mehr.

Da war gerade diese blöde Stimme der Vernunft, die ihm sagte: *Du redest dir das alles schön. Machst geradezu eine Philosophie daraus. Das ist Selbstbetrug. Du bist einfach nur ein Lustmörder. Ein sadistisches Arschloch. Bei den Nazis hättest du dich freiwillig als KZ-Aufseher beworben. Menschen Angst*

zu machen, sie sterben zu sehen, das ist deine Leidenschaft.
Du bist ein völlig verrückter Mistkerl. Eine Kugel wird dich
eines Tages stoppen.

Warum antwortete Sommerfeldt nicht? Ob sie ihm das WLAN gesperrt hatten? Erreichten die E-Mails ihn gar nicht? Hatten sie den Brief abgefangen?

Dieser Sommerfeldt, der würde ihn verstehen, ihm Achtung und Anerkennung zollen. Wer, wenn nicht er?

Sommerfeldt selbst beschrieb in seinem Werk, wie er versucht hatte, eine Therapie zu beginnen, aber kann jemandem in der Therapie geholfen werden, wenn er nicht die Wahrheit über sich erzählen darf, erzählen kann? Was war überhaupt die Wahrheit? Wer war er selbst?

So viele Fernsehteams und Journalisten hatte selbst Dr. Bernhard Sommerfeldt nicht auf die Insel gebracht. Auf Langeoog wurden die Zimmer knapp. Die Sache war so heiß, dass Journalisten anreisten, ohne sich vorher um eine Zimmerreservierung zu kümmern. Sollten sie nur alle kommen und schreiben … Für ihn war nur ein Journalist wichtig: dieser Holger Bloem. Der Mann, der Sommerfeldt so nahe gekommen war wie kein Zweiter. Sommerfeldt hatte ihn wirklich an sich rangelassen und nicht umgebracht. Ja, dieser Bloem war der einzig richtige Fachmann für Kreaturen, wie er eine war. Er war gespannt, was Bloem schreiben würde. Ironischerweise war er ja schon direkt nach dem ersten Mord vor Ort gewesen.

Er lächelte bei dem Gedanken, dass er sich selbst immer wieder als *Kreatur* bezeichnete. *Kreatur* traf es! Er fühlte sich oft, als sei er nicht geboren, sondern erschaffen worden. Wenn er tötete, wenn er die Schlinge zuzog, dann wurde er zu einem selbstbestimmten Wesen. Dann erschuf er sich selbst neu.

Er hatte immer noch Inge Schmelzins Handy. Er hatte die

SIM-Karte rausgenommen, damit sie es nicht orten konnten. Aber er spielte mit dem Gedanken, sie einmal kurz wieder einzustecken, um Annika anzurufen: *Hier spricht deine Mutter. Du warst eine böse Tochter. Warum bist du nicht zum Flinthörn gekommen, als ich dich gerufen habe?*

Er grinste bei dem Gedanken, aber er tat es nicht. Er bestellte sich einen Cappuccino und hielt sein Gesicht in die Sonne.

Was für ein Tag! Alle suchen mich, und ich sitze hier und schaue euch an. Ich genieße den Cappuccino und werde sehr bald erneut zuschlagen. Ich lasse euch nicht mehr zur Ruhe kommen.

Holger Bloem ging an ihm vorbei. Er war, als er vom zweiten Mord gehört hatte, gleich in die nächste Maschine gestiegen und von Norddeich aus wieder losgeflogen. Sie sahen sich praktisch ins Gesicht. Er sagte sogar »Moin« zu Bloem und spielte dabei mit einer Hand in der Tasche mit der Stahlschlinge.

Bloem nickte und grüßte zurück, obwohl er keine Ahnung hatte, wer da gerade mit Milchschaumschnurrbart vor ihm saß. Bloem war ein höflicher Mensch. Er kannte viele Leute. Auf ein *Moin* mehr oder weniger kam es ihm nicht an. Ihm lief kein Schauer über den Rücken, als er den Mörder unbekannterweise grüßte. Er sah ganz normal aus. Ein Langeoog-Urlauber oder ein Sänger aus dem Shantychor, der heute Abend im *Haus der Insel* auftrat. Wer konnte das sagen?

Bloem ahnte natürlich nicht, dass sein Erscheinen für den Täter eine große Genugtuung bedeutete. Ja, gewissermaßen adelte er die Tat dadurch, stellte sie in eine Reihe mit den Dr.-Bernhard-Sommerfeldt-Morden. Bloem wäre nicht für eine Kneipenschlägerei mit Todesfolge gekommen und erst

127

recht nicht für ein kleineres Delikt. Wenn er seinen Chefredakteurssessel verließ, dann gab es wirklich etwas zu berichten oder zu erforschen. Er hatte jeden Artikel von ihm gelesen und kaufte sich sogar jeden Monat das *Ostfriesland Magazin*, um nichts zu verpassen.

Dabei waren ihm zwei Dinge aufgefallen: Erstens, Bloem interessierte sich nicht nur für die dunkle Seite der menschlichen Seele, sondern auch für die Schönheiten Ostfrieslands. Für alles Maritime, für Schiffe, die Inseln und das Meer. Seevögel hatten es ihm besonders angetan. Mit seiner Kamera versuchte er, ihren Flug einzufangen.

Und zweitens hatte Bloem ein großes Interesse an Kunst und Literatur. Vielleicht war so das verstörend gute Verhältnis zwischen Bloem und Sommerfeldt entstanden. Bloem kannte sich gut aus in ostfriesischer Kriminalliteratur. Er porträtierte Autoren, berichtete über Verfilmungen.

Du wirst dich wundern, dachte er freudig erregt. Meine Morde stellen alles in den Schatten, was sich deine Kriminalschriftsteller bisher ausgedacht haben. Meine Phantasie ist ungleich schlimmer, und im Gegensatz zu den Literaten kenne ich keine Hemmungen.

Zwei Frauen, die eine Mitte dreißig, die andere Mitte fünfzig, setzten sich laut lachend an einen Nebentisch. Sie winkten dem Kellner. Beide sahen aus, als gehörten sie eigentlich nicht hierher, sondern auf eine Filmpremiere in Berlin oder eine Automesse in Frankfurt. Sie trugen völlig unterschiedliche Duftnoten, aber beide hatten es viel zu gut gemeint. Der Wind wehte eine wilde Mischung aus Grapefruit, Pfeffer, nassem Holz, Moschus, Pfirsich, Rum und Vanille zu ihm rüber. Der Duft traf ihn wie ein unerwarteter Giftgasanschlag. Jedenfalls schmeckte der Cappuccino sofort nicht mehr.

Er rückte ein Stück weiter weg, das reichte aber nicht aus, um ihren Duftwolken zu entkommen. Er schnäuzte sich absichtlich laut. Die zwei bemerkten nicht, wie sehr sie ihre Umwelt beleidigten.

Er sah sich ihre Hälse an. Der der Älteren erschien ihm äußerst attraktiv. Wieder spielte er mit der Stahlschlinge in seiner Tasche. Er stellte sich vor, sie ihr um den Hals zu legen und sie nach Luft japsen zu lassen. Ja, diese beiden Luftverpesterinnen hatten gute Chancen, Besuch vom Todesengel zu bekommen. Aber für den Moment hatte er noch andere Pläne. Die zwei waren lästig, aber nicht wichtig.

Als Nächstes käme die Tochter dran, keine Frage. Endlich wusste er auch, wie er sich nennen würde. Nicht *K. Ernte*, auch nicht *Professor*, sondern *Todesengel*. Jawohl, das war es! Den Namen verdankte er eigentlich diesen beiden Frauen. Sie würden nie erfahren, welche Rolle sie für seine Selbstfindung gespielt hatten, aber ihr aufdringliches, vermutlich sogar sündhaft teures Parfüm hatte ihm diese Erkenntnis gebracht. Es kam ihm so vor, als hätte er das Wort durch die Nase eingesogen: *Todesengel!* Endlich. Das war es. Das Wort vereinte beides: die Angst und die Hoffnung. Den Tod und das Leben.

Er bezahlte. Er musste aus der Parfümwolke heraus. Es kratzte schon im Hals, und seine Zunge wurde pelzig. Von weitem sah er sich zu den beiden Frauen um. Er hätte sie zu gern getötet. Besonders die mit dem Truthahnhals.

Eine *Sonderkommission Langeoog* wurde gegründet. Nach und nach trudelten vierunddreißig Spezialisten aus Hannover,

Oldenburg, Wilhelmshaven, Bremen, Wiesbaden und Gelsenkirchen ein. Ann Kathrin versuchte, sich dem üblichen Kompetenzgerangel zu entziehen. Fallanalytiker vom LKA und Kollegen vom BKA tauschten Ansichten und Erfahrungen aus. Die Inselverwaltung hatte ihnen dafür den Kleinen Kursaal neben der Ausstellung *Mini-Langeoog – Die Insel aus Legosteinen* zur Verfügung gestellt. Zwei Mitarbeiter des BKA machten vor den kleinen Häusern aus Lego Selfies für ihre Kinder.

Ann Kathrin und Weller hatten sich in den Ausstellungsraum *Müll am Meer* zurückgezogen. Ann Kathrin wollte die »Begrüßungsorgie« im Kursaal vermeiden. Immer wenn Kollegen zusammentrafen, die sich lange nicht gesehen hatten und sich erneut zusammenraufen mussten, fühlte sie sich auf eine unangenehme Art von ihnen beäugt und gleichzeitig der Gruppe nicht zugehörig. Sie war so gar keine Teamspielerin, und Gruppen von mehr als vier oder fünf Personen lösten manchmal regelrechte Fluchtreaktionen in ihr aus.

Ann Kathrin zeigte Weller die Nachrichten, die sie von diesem Menschen erhalten hatte, der sich Dr. Bernhard Sommerfeldt nannte. Weller war daran gewöhnt, dass seine Frau von Spinnern, die sich als Sommerfeldt ausgaben oder aber ihr ein Verhältnis mit ihm andichteten, Post bekam. Eigentlich hatten sie sich darauf verständigt, diesem geistigen Schrott keine Beachtung zu schenken. Doch diese E-Mails stimmten auch Weller nachdenklich.

»Woher weiß der das? Ist das ein Blindschuss? Hat der den zweiten Mord erahnt oder nur erraten? Will sich hier einer interessant machen, oder weiß da einer wirklich etwas?«

Stammten die E-Mails vielleicht sogar vom Täter selbst? Es war nicht ungewöhnlich, dass ein Mörder oder Entführer die Nähe zu den Ermittlern suchte. Manche boten sich als Zeugen an oder wollten sonst irgendwie mitarbeiten. Weller erinnerte sich an einen Kindesentführer im Harz, der bei der Suche nach dem Kind als Freiwilliger stundenlang mit der Polizei und den örtlichen Hilfskräften den Wald durchkämmt hatte. Er hatte mit ihnen zur Stärkung Erbsensuppe gegessen und sich dadurch hervorgetan, dass er lauthals die Todesstrafe für Kindesentführer forderte.

Ann Kathrin sagte: »Er hat praktisch den zweiten Mord angekündigt. Er wird weitermachen, hat er geschrieben.«

»Ja«, gab Frank Weller ihr recht, »und dann ein paar Stunden später den Vollzug gemeldet. Und zwar zu einem Zeitpunkt, als wir von dem zweiten Mord noch gar nichts wussten.« Die Nachricht: »*Liebe Frau Klaasen, er hat es schon wieder getan. Auf Langeoog.*«, las Weller laut vor. »*Wir sollten miteinander reden.*«, ergänzte er nachdenklich. »Warum antwortest du ihm nicht einfach auf diese E-Mail? Klick doch auf *Antworten* und ...«

Alles in ihr sträubte sich dagegen. Sie vertraute solchen Gefühlen. Sie aß auch nichts, wovor sie sich ekelte. Sie hielt sich nicht länger als nötig an Orten auf, die ihr unangenehm waren. Sie mied zum Beispiel Parkhäuser in Großstädten, wenn es eben ging.

Weller spürte ihren Widerstand. »... wir können versuchen, die E-Mails zuzuordnen und zurückzuverfolgen ...«

Sie lachte spöttisch: »Das ist jetzt nicht dein Ernst, Frank. Damit sind wir doch bisher immer gescheitert. Warum sollte es jetzt klappen? Der ist doch nicht blöd. Wenn der Täter über diesen Weg wirklich Kontakt mit uns aufnimmt, dann hat er Mittel und Wege gefunden, seine E-Mail-Adresse und seine Computer-ID vor uns zu verstecken. Wahrscheinlich führt wieder alles zu einem Provider in Pakistan oder Japan.«

»Und wenn das wirklich von Sommerfeldt kommt?«, hakte Weller nach.

»Ja, dann sollte ich mit ihm reden. Ich glaube, Frank, am besten fahre ich hin.«

»Nach Lingen?«

»Ja.«

»Aber du bist gerade erst wieder auf Langeoog angekommen, Ann …«

»Wir müssen die Antworten da suchen, wo wir sie finden können. Nicht da, wo es gerade am schönsten ist«, entgegnete Ann Kathrin.

Da Weller ihren Sturkopf kannte, gab er sich nicht viel Mühe, sie abzuhalten. Erst als er an sein nur zur Hälfte genutztes Doppelzimmer und das schmerzlich leere Bett neben sich dachte, formulierte er einen Einwand: »Ich dachte, du wolltest heute Nacht lieber am Flinthörn sein. Ein Ort, an dem zwei Morde hintereinander geschehen sind, hat dir doch bestimmt viel zu erzählen.«

»Ja, da hast du zweifellos recht, Frank. Aber Sommerfeldt weiß möglicherweise auch einiges zu berichten. Ich muss dieser Spur nachgehen. Wir würden uns das sonst ewig vorwerfen.«

Frank Weller guckte, als sei er eifersüchtig. Das fand Ann Kathrin amüsant. Sie musste sich eingestehen, dass es ihr gefiel. »Wenn die E-Mails von Sommerfeldt sind, dann weiß er mehr als wir. Wenn nicht, dann können die Nachrichten nur vom Täter direkt sein«, stellte sie fest.

»Und dann?«, fragte Frank.

»Dann werden wir sehen, wie wir die Tatsache für uns nutzen können.«

Weller küsste seine Frau auf die Nasenspitze.

Rupert schaute in den Raum. »Ach, hier seid ihr! Knutschen?!« Er sah sich um. »Müll im Museum. Ist das von diesem Boy oder wie der heißt?«

»Du meinst vermutlich *Beuys*«, konterte Weller.

»Ja«, lachte Rupert, »genau. Ich meine diese Pfeife. Der mit den Fettflecken und der Badewanne, in der er – vermutlich zu heiß – gebadet wurde.«

Ann Kathrin konnte sich das jetzt nicht anhören. Sie verabschiedete sich.

Weller, der es nie aufgab und immer noch glaubte, bildungspolitisch einen guten Einfluss auf Rupert zu haben, erklärte: »Das ist alles Müll aus dem Meer.«

»Ein ganzes Müllmuseum?«, staunte Rupert.

Weller nickte.

»Hat dieser Beuys dem Museum den ganzen Müll verkauft?«

»Was?«

Rupert deutete auf die Plastikflaschen: »Wir schmeißen unseren Müll immer weg. Andere stellen ihren Müll aus. Da wären mir so ein paar schöne Bilder lieber. Ich meine, gibt's nicht ein paar Ölgemälde, so Aktdarstellungen oder wenigstens Frauen in Dessous? Das wäre doch für die Touristen auch viel interessanter als Müll, oder?«

»Mensch, Rupert! Das ist nicht von Beuys! Das ist Plastikmüll aus dem Meer! Aber wir sind hier, um einen Fall zu lösen, nicht, um eine Ausstellung zu kuratieren«, stellte Weller klar.

Rupert wusste zwar nicht, was das Wort *kuratieren* bedeuten sollte, aber es hörte sich für ihn nach viel Arbeit an, und daran hatte er im Moment kein Interesse.

Als Ann Kathrin auf den Flugplatz zuging, fragte sie sich, ob sie gerade vor zu vielen Kollegen floh oder vor sich selbst. Der Gedanke an eine Nacht in den Dünen, dort, wo zwei Frauen ermordet worden waren, ließ ihr jetzt schon einen Schauer über den Rücken laufen. Sie fieberte dem Moment entgegen, und sie hatte gleichzeitig Angst davor.

Ähnlich ging es ihr mit Sommerfeldt. Vor ihm hatte sie zwar keine Angst, aber sie suchte ihn doch mit gemischten Gefühlen auf. Zwischen ihnen beiden gab es eine merkwürdige Verbindung. Eine Journalistin hatte sie mal in der *WAZ* als *Hassliebe* bezeichnet. Zwei gegensätzliche Pole, die sich anzogen und abstießen. In Ann Kathrins Erinnerung hatte es regelrechte geistig-emotionale Duelle zwischen ihr und Sommerfeldt gegeben. Gleichzeitig respektierten sie sich auf eine natürliche Weise, so wie die Nacht den Tag respektiert und die Ebbe die Flut.

Noch immer reisten Kollegen an. Ann Kathrin begrüßte in der Schalterhalle einen jungen Mann aus Gelsenkirchen, dessen Namen sie vergessen hatte. Aber sie fand ihn sehr nett.

Er versuchte, sie ostfriesisch zu grüßen, und sagte: »Guten Moin.«

Er galt als Spezialist für Spuren in der Umwelt, bestimmte anhand von Maden eine Todeszeit. Ihm eilte der Ruf voraus, er könne Spuren lesen wie ein Indianer. Sie bezweifelte, dass er seine Fähigkeiten hier würde einsetzen können.

Ann Kathrin hatte nicht vor, offizielle Besuchsanträge zu stellen. Sie würde nicht einmal die Spesen abrechnen, sondern lieber alles selbst zahlen. Was bedeuteten ein paar Euro schon, wenn es darum ging, einen Mörder zu fangen, bevor er sich das nächste Opfer holen konnte? Es fühlte sich heroisch an. Mörder aus dem Verkehr zu ziehen war eben mehr als ihr Beruf. Es war ihre Leidenschaft. Ihre Berufung.

Aber dann fragte sie sich, ob sie nicht vielleicht einfach nur die Bürokratie scheute. Sie hatte nicht einmal ihren Chef Martin Büscher informiert. Er glaubte, sie sei auf Langeoog. Es fiel ihr schwer, Formulare auszufüllen, Anträge zu stellen oder auf Genehmigungen zu warten. Sie hasste es, jemandem die Macht zu geben, über ihr Handeln zu bestimmen. Sie wollte von niemandes *Ja* oder *Nein* abhängig sein.

In solchen Momenten wurde ihr klar, wie frei sie unter ihrem ehemaligen Chef Ubbo Heide hatte arbeiten können. Er hatte sich immer mit breitem Rücken vor seine Mitarbeiter gestellt und sie nach außen, vor allen Dingen aber nach oben, geschützt. Martin Büschers Rücken war längst nicht so breit wie der von Ubbo, und er war auch lange nicht so durchsetzungsfähig und gut vernetzt.

Sie kannte einige Justizvollzugsbeamte in Lingen. Sie würde einfach vor der JVA vorfahren und darum bitten, Dr. Sommerfeldt sprechen zu dürfen. Sie hatte nicht vor, die E-Mails zu erwähnen. Das würde alles nur verkomplizieren.

Wenn die E-Mails von ihm stammten, hatte er einen unkontrollierten E-Mail-Zugang und möglicherweise ein verbotenes Handy. Sie musste verhindern, dass es ihm abgenommen wurde.

Sie fragte sich schon, ob sie gerade nur den schnellen, unbürokratischen Weg wählte oder ob sie sich schon außerhalb der Legalität befand. War es im Kontakt mit Dr. Sommerfeldt nicht häufig so gewesen? Es gab immer etwas, das so bedeutsam war, dass dadurch Fragen nach richtig oder falsch in den Hintergrund gedrängt wurden. Schon in Sommerfeldts Nähe geriet die Frage, was gut oder böse war, ins Wanken. Bis dahin war es für sie einfach gewesen: Das Böse war illegal und das Gute legal. Sommerfeldt hatte genau das durcheinandergebracht. Wenn man seinen Gedanken folgte oder, noch schlimmer, wenn man die Welt mit seinen Augen sah, dann konnte etwas, das illegal war, gut sein, und etwas, das legal war, böse.

Schon jetzt, bevor sie auch nur auf dem Festland war, spürte sie, dass dieser Konflikt diesmal monströser denn je auf sie zukam. Ja, vermutlich befand sie sich schon allein deswegen mitten in dem Dilemma, weil sie sich entschieden hatte, ihn aufzusuchen.

Mit ihr flog in der Islander ein stolzer Opa, der seiner Enkeltochter immer wieder gegen den Lärm der Maschine zubrüllte: »Guck doch mal da! Schau doch mal! Ist das nicht toll?!« Die Kleine war ehrlich begeistert.

Ann Kathrin dachte, wer den Blick aufs glitzernde Meer und die Vogelschwärme nicht großartig findet, mit dem stimmt sowieso etwas nicht. Gleichzeitig erwischte sie sich aber dabei, gerade nicht von der Aussicht beeindruckt zu sein. So kannte sie sich gar nicht. Sie spürte, wie sehr dieser Fall begann, Besitz von ihr zu ergreifen.

Ihr erster Mann Hero, der Therapeut, der so gerne Patientinnen anbaggerte, hatte zu ihr gesagt: »Du glaubst tief in dir drin, dass nicht wir deine Familie sind, sondern die Polizei.«

Ihr waren wenig Argumente zu ihrer Verteidigung eingefallen. Sie hatte ihn angebrüllt: »Ich schlafe jedenfalls nicht mit meinen Klienten!«

Warum, verflucht, denke ich genau jetzt daran, statt für ein paar Minuten den Flug nach Norddeich zu genießen?

Im Grunde war Hero immer eifersüchtig auf die *Bad Boys* gewesen, die sie jagte. Ja, er nannte die Verbrecher gern *Bad Boys*. Einmal hatte er sie mit seiner zynischen Art fast dazu gebracht, ihn zu ohrfeigen. Als sie stolz, aber erschöpft, von einem Verhör berichtet hatte, bei dem es ihr gelungen war, den

Täter zu knacken und zum Geständnis zu bewegen, hatte er sie hämisch angegrinst und behauptet: »Deshalb bist du so ein Workaholic. Für dich ist das besser als Sex, stimmt's? So ein Geständnis ist für die große Verhörspezialistin praktisch wie ein Orgasmus.«

»Was stimmt mit dir nicht?«, hatte sie ihn gefragt. »Du bist eifersüchtig auf einen Vergewaltiger, der seine Frau getötet hat?«

Sie spürte ein Grummeln im Magen. Ob Frank Weller, ihr zweiter Ehemann, von dem sie sich wirklich geliebt und verstanden fühlte, eifersüchtig auf Sommerfeldt war? Immerhin war der falsche Doktor eine charismatische Persönlichkeit. Er galt als hochintelligent und konnte eloquent über Literatur und Kunst reden. Weller wusste, wie sehr sie solche Gespräche schätzte. Aber deshalb fuhr sie nicht hin. Es ging um diese E-Mails, um sonst nichts. Sie sagte sich das gebetsmühlenartig auf.

Während der Autofahrt von Norddeich nach Lingen hörte Ann Kathrin die ganze Zeit Radio. Erst *Radio Nordseewelle* und dann, als der Empfang schlechter wurde, schaltete sie auf *NDR2* und später auf *Radio 21*. Auf allen drei Sendern wurde über die Morde auf Langeoog berichtet. Die einen sagten fälschlicherweise *Doppelmord* dazu, die anderen *Lustmord*.

Die Moderatorin von *Radio 21*, Annette Radüg, mit ihrer sympathisch-aufmunternden Stimme, vermutete: »Das ist ein neuer Fall für Ostfrieslands berühmteste Kommissarin Ann Kathrin Klaasen. Du schnappst ihn, Ann Kathrin! Wir glauben an dich!«

Ann Kathrin war vor mehr als einem Jahr mal Talkgast in der Sendung *Menschen bei Annette Radüg* gewesen. Sie hatten sich auf Anhieb verstanden. So ein öffentliches Mutmachen über den Sender war zwar ungewöhnlich, doch Ann Kathrin freute sich darüber. Es gab ihr wieder das Gefühl, das Richtige zu tun und auf der richtigen Seite zu sein.

Sie parkte auf dem großen Parkplatz zwischen dem Campus Lingen und der JVA. Über den Glastüren sah sie den Schriftzug *Hochschule Osnabrück*. Dies war ein interessanter Ort, fand Ann Kathrin. Das Gefängnis, der Bahnhof, die Hochschule, das Kunstmuseum, und in der Mitte dieser Parkplatz. Da die Reisenden. Dort Freiheit und Lehre. Da Stacheldraht auf der Mauer.

Die JVA Lingen hatte das einzige Gefängniskrankenhaus in Niedersachsen. Auch aus Bremen und Nordrhein-Westfalen wurden kranke Häftlinge hierhergebracht.

Ann Kathrin meldete sich an der Schleuse. Der diensthabende Justizvollzugsbeamte an der Pforte kannte sie von einem früheren Besuch. Sie behauptete, sich per E-Mail angemeldet zu haben. Er fand nichts, telefonierte aber gleich herum und holte sich in Minuten ein Einverständnis.

Na bitte, dachte Ann Kathrin, geht doch. Der kürzeste Weg ist oft ein Gespräch. Wahrscheinlich wäre die kleine Lüge, dass sie eine E-Mail geschrieben hatte, nicht mal nötig gewesen.

Ann Kathrin gab ihr Handy ab, ihren Autoschlüssel, ihre Dienstwaffe und ihr Portemonnaie. Alles wurde eingeschlossen. Dann erst öffnete sich die zweite Tür der Schleuse. Zwei Beamtinnen kamen ihr entgegen. Die eine stellte sich als Tanja Bottmer vor. Sie roch säuerlich aus dem Mund und war vermutlich magenkrank, diagnostizierte Ann Kathrin. Die junge

Frau ging mit so selbstverständlich-lässiger Freundlichkeit mit Ann Kathrin um, als wären sie hier nicht im Gefängnis und als hätte sie keine Uniform an, sondern als würden sie in Hippieklamotten über den Campus hüpfen oder sich auf einem Rockkonzert begegnen. Ann Kathrin gefiel das.

»Ich bringe Sie gern zu Dr. Sommerfeldt«, freute Tanja sich und fügte hinzu: »Bernhard hat gar nichts gesagt. Weiß er nicht, dass Sie kommen?« Sie beantwortete ihre Frage gleich selbst: »Wahrscheinlich hat er wieder den Kopf ganz woanders. Das ist bei Schriftstellern so, wenn sie schreiben. Wissen Sie, ich schreibe ja auch.«

»Und er unterstützt Sie?«, riet Ann Kathrin.

»Ja. Er ist praktisch mein Lehrer.«

Ann Kathrin verkniff sich dazu jeden Kommentar.

Sie gingen ein paar Schritte stumm nebeneinander her. Ihre Kollegin verabschiedete sich.

Tanja öffnete eine schwere Tür zu einem Gebäude: »Er ist ein ganz wundervoller Lehrmeister und Gesprächspartner. Er weiß so viel über Literatur. Er liebt die Poesie wirklich ...«, schwärmte sie.

Im Flur sagte Ann Kathrin: »Ich muss allein mit ihm reden.«

»Ich kann Sie«, schlug Tanja vor, »in den Besucherraum führen. Da sind Sie kameraüberwacht, und eine Kollegin sieht Sie ständig durch den Spiegel.«

»Ich kenne den Raum«, unterbrach Ann Kathrin ihre Begleiterin. »Es wäre mir lieber, wenn ich ihm einfach in seiner Zelle ein paar Fragen stellen könnte.«

»So geht das eigentlich nicht«, stellte Tanja klar, »aber wenn Sie mich fragen, der ist ganz harmlos. Der tut keiner Frau etwas zuleide.«

»Stimmt«, bestätigte Ann Kathrin, »aber er hat sechs Männer umgebracht. Vermutlich mehr. Sechs hat er jedenfalls zugegeben.«

Tanja wirkte, als müsste sie ihn verteidigen. »Böse Männer«, kommentierte sie.

Ann Kathrin gab ihr recht: »Ja, Männer, die eigentlich hierhergehörten. Hinter Gitter. Aber nicht in eine Urne.«

Fischbrötchen waren für Frank Weller Seelennahrung. Er verspeiste das zweite im Stehen unter dem Schild *Treffpunkt* in der Barkhausenstraße Nummer 22. Von oben belauerten ihn gierige Möwen. Von unten hungrige Enten. Die kleinen Krümel, die aus seinem Fischbrötchen nach unten fielen, holten sich aber die Spatzen, die schneller waren als die Enten.

Weller machte so seine Mittagspause. Rupert flirtete nicht weit von ihm entfernt bei der Eisdiele *Venezia* mit der Bedienung. Weller ahnte nicht, dass der Mörder mit der Stahlschlinge keine fünfzig Meter Luftlinie von ihm entfernt wohnte, oben im zweiten Stock in der Apartmentvilla *Anna See*. Weller sah vom Imbiss aus direkt auf das Gebäude. Dort hatte einst der Serienkiller Dr. Bernhard Sommerfeldt gewohnt. An ihn dachte Weller mit einem mulmigen Gefühl im Magen, weil Ann Kathrin gerade zu ihm unterwegs war.

Weller sprach mit Helmut Bent, dem ostfriesischen Spezialisten für forensische Biologie. Der aß nichts, trank nur eine Cola Zero. Er stand mächtig unter Druck, weil ein Fachmann aus Gelsenkirchen angereist war, und Helmut Bent hatte keine Lust, sich auf seinem Spezialgebiet von einem Nordrhein-Westfalen ausstechen zu lassen. Er empfand sein Wissen als eine Art Privatbesitz, und es beleidigte ihn geradezu, dass andere auf seinem Gebiet genauso viel konnten und wussten wie er. Allein, dass man dieses Gelsenkirchener Trüffelschwein zu Hilfe geholt hatte, empfand Bent nicht als Entlastung in einem schweren Fall, sondern als Misstrauensvotum, ja, geradezu als Putschversuch gegen sich persönlich.

Er fragte sich, ob er das Kripochef Martin Büscher zu verdanken hatte oder einer übergeordneten Instanz. Steckte vielleicht sogar Frau Klaasen dahinter? Er war mit ihr aneinandergeraten, weil er ihr verraten hatte, dass Astrid Thoben, das erste Opfer, keinen Slip getragen hatte. Gut, er gestand sich selbst ein, dass er es vielleicht etwas salopp ausgeschmückt hatte, aber war das Grund genug, gleich so hochzugehen? Er bedauerte Frank Weller, der mit diesem Flintenweib zusammenleben musste, und fragte sich, wie Frank das überhaupt schaffte.

Er erläuterte ihm seine Theorie auch, weil er nicht warten wollte, bis dieser Gelsenkirchener Spezialist mit seinen Weisheiten daherkam: »Frank, ich kann dir genau sagen, warum er die zweite nur erwürgt hat …«

»Na ja«, relativierte Weller, »seine Stahlschlinge ist schon verdammt tief in ihren Hals eingeschnitten. Möglicherweise wäre sie ohnehin verblutet, wenn sie nicht vorher erstickt wäre.«

Das ließ Helmut Bent nicht gelten: »Der Ersten hat er fast den Kopf abgetrennt, da fehlte nicht mehr viel. Beim zweiten Opfer hat er das nicht geschafft, weil er die Schlinge nicht in ihrem Nacken zugezogen hat, sondern von vorne.« Bent tippte in Wellers Nacken: »Hier lag also die Hauptschnittkraft.«

Weller mochte es nicht, ungebeten angefasst zu werden. Er wich aus. Aber Helmut Bent ignorierte Wellers Missfallen. Er berührte Wellers Nacken noch einmal: »Im Nacken sind starke Muskelstränge, und, selbst wenn man die durchtrennt, kommt dann auch schon der Wirbel. Während, wenn man die Hauptangriffsfläche hier hat …«, er drückte gegen Wellers Kehlkopf, »dann kann man da relativ leicht sehr viel Fleisch durchschneiden. Halsschlagadern, die Luftröhre und die Speiseröhre …«

»Was willst du damit sagen?«, fragte Weller und wehrte sauer Bents Hand ab. Er verstand immer mehr, warum Ann Kathrin Bent nicht mochte. Er hatte etwas Übergriffiges an sich. Etwas Respektloses.

Helmut Bent tänzelte jetzt um Weller herum. »Was ich damit sagen will? Na, sein erstes Opfer hat er von hinten erwürgt. Dem zweiten hat er dabei in die Augen gesehen. Er hat die Garrotte so zusammengezogen.«

Er machte es an Wellers Hals vor. Weller schubste ihn zurück. »Hör auf! Ich bin nicht dein Crashtest-Dummy! Ich mag es nicht, wenn man mich antatscht!«

Helmut Bent war sofort eingeschnappt. Er schmollte und drehte sich weg. »Ich dachte«, sagte er pikiert, »es würde die Freunde von der Fahndung vielleicht interessieren, was genau passiert ist.«

»Ja«, gestand Weller ein, »interessant ist deine Theorie ja auch, aber was folgt denn daraus? Vielleicht hat sich die eine einfach nur mehr oder besser gewehrt, schneller umgedreht oder …«

Frank Wellers Handy spielte *Piraten Ahoi!*. Helmut Bent verzog den Mund. Was konnte man schon von einem Ermittler der Mordkommission erwarten, der ein Kinderlied als Klingelton hatte? Aber nicht weit von ihnen sangen ein paar Kinder sofort mit: »Hisst die Flaggen, setzt die Segel!« Sie zeigten Weller den erhobenen Daumen. Er winkte ihnen.

Weller ging ein paar Schritte von Helmut Bent weg und

drehte ihm den Rücken zu. Er war dankbar für die Unterbrechung dieses Gesprächs. Der Ton war zunehmend rauer, ja fordernder geworden. Weller schätzte es so ein, dass Helmut Bent nach Anerkennung gierte. Wenn er über Fakten und Tatsachen redete, klang das immer irgendwie angeberisch, und dann misstraute Weller eben genau diesen Fakten.

Judith Rakers klang aufgeregt, ganz anders als abends im Fernsehen, wenn sie die Nachrichten vorlas. Sie sprach leise, als hätte sie Angst, jemand, der es nicht mitkriegen sollte, würde sie hören. »Herr Weller«, flüsterte sie, »ich habe unseren kleinen Klemmie gesehen. Falls Sie ihn noch suchen, er sitzt im *Café Leiß*. Genauer gesagt, davor.«

Weller wusste zunächst gar nicht, wen sie meinte. Er kam sich blöd vor, weil er heute so langsam schaltete. Aber solche Tage hatte er eben.

Judith Rakers konnte sich vorstellen, dass es in so einem Fall viele Verdächtige gab und viele Hinweise aus der Bevölkerung. Also erklärte sie geduldig: »Der junge Mann, der so gern Frauen unter die Röcke fotografiert.«

»Entschuldigung«, sagte Weller, »manchmal fällt bei mir der Groschen pfennigweise.«

Sie lachte: »Inzwischen haben wir auch schon den Euro.«

»Stimmt«, versicherte Weller, »da fällt dann wohl der Euro centweise. Aber eigentlich klingt es mit Groschen und Pfennig besser, finden Sie nicht?«

Er wischte sich durchs Gesicht. Was rede ich für einen Stuss, dachte er. Er wusste nicht, ob Judith Rakers ihn so nervös machte, der Fall, die Abwesenheit von Ann Kathrin, die zu Sommerfeldt unterwegs war, oder das Herumgefummele von diesem ungebührlichen KTU-Bengel.

»Er sitzt vor dem *Café Leiß*«, wiederholte Weller.

»Genau. Und wenn Sie mich fragen, er sieht nicht gut aus. Also, entspannte Touristen stelle ich mir anders vor.«

»Hat er Sie gesehen, Frau Rakers?«

»Nein, ich glaube nicht, aber ich weiß es nicht genau.«

»Sind Sie im Café?«

»Nein, ich bin daran vorbeigegangen. Ich sitze jetzt vor dem *Ebbe & Flut*. Jana von Rautenberg ist bei mir, unsere Drehbuchautorin. Sie kennen sich ja.«

»Gut. Halten Sie sich von ihm fern. Wir holen ihn uns. Aber bitte kein Wort zu niemandem. Wenn dieser Typ der ist, für den wir ihn halten, dann ist er hochgefährlich.«

Weller bedankte sich für den Tipp und verabschiedete sich. Er wischte seine Finger am Hosenbein ab und schlang den Brötchenrest runter. Er griff ungefragt Bents Cola vom Stehtisch und nahm einen Schluck, um den Mund auszuspülen. Eigentlich mochte Weller keine Cola, aber jetzt auf die Schnelle war es egal.

Bent guckte erstaunt.

»Fische müssen schwimmen«, behauptete Weller.

Rupert war nicht weit. Er hatte sich ein großes Eis in der Waffel besorgt und schleckte daran herum.

Rupert erkannte schon an Wellers Bewegungen, dass es um einen Zugriff ging. Da war Rupert zu gern mit dabei. Er mochte Verhaftungen. Schon als Schüler hatte er davon geträumt, Polizist zu werden und dann seinen Mathelehrer zu verhaften.

»Es sind drei Dutzend Kollegen auf der Insel, und es kommen immer mehr. Von wegen Personalmangel bei der Polizei. Bei so einem prestigeträchtigen Fall gelten andere Regeln, da treten sie sich schon mal gerne bei uns auf die Füße. Aber wehe, der Alltag tritt wieder ein ...« Er stupste Weller an: »Komm, wir regeln das gemeinsam, und dann schicken wir den Rest der Bande wieder nach Hause in ihre staubigen Büros.«

Weller nickte.

Helmut Bent guckte zu ihnen herüber. Er hatte nicht viel mitgekriegt, aber dass es sich hier um eine heikle Aktion handelte, die unter Umständen Körpereinsatz forderte, ahnte er. Jetzt war er froh, als KTU-ler nichts damit zu tun zu haben. Er sammelte Proben und Fakten. Sein Job waren Indizienbewertungen und Untersuchungen von Proben. Für den eher sportlichen Teil der Arbeit waren seine Kollegen zuständig.

Dr. Bernhard Sommerfeldt empfing Ann Kathrin in seiner spartanischen Zelle, als sei diese ein gemütlich eingerichtetes Wohnzimmer. Er schien nicht im Geringsten erstaunt, sondern erleichtert, sie endlich zu sehen. Noch während die Begrüßungsfloskeln ausgetauscht wurden, wusste Ann Kathrin, dass die Nachrichten von ihm stammten, und sie wusste, dass sie Tanja Bottmer loswerden musste. Das hatte weniger mit deren Mundgeruch zu tun als damit, dass weder sie noch Sommerfeldt Zeugen brauchen konnten. Doch obwohl Ann Kathrin sie darum gebeten hatte, hatte Tanja nicht vor zu gehen.

Ann Kathrin war klar, dass hier gleich etwas Wichtiges, möglicherweise nicht ganz Legales oder Korrektes stattfinden könnte. Sie sprach es noch einmal deutlich aus: »Ich wäre Ihnen dankbar, Tanja, wenn Sie uns jetzt allein lassen könnten.«

»Ja, äh, eigentlich darf ich das nicht«, sagte Tanja und guckte dabei Sommerfeldt an. Er lächelte und machte eine großzügige Geste, als würde er gerade eine Gunst verteilen: »Vielleicht können Sie uns zwei Kaffee besorgen, Tanja«, bat er freundlich, aber bestimmt. Tanja nickte und zog sich sofort zurück.

Ann Kathrin war beeindruckt. Der falsche Doktor benahm sich, als sei er vom Gefangenen zum Gefängnisdirektor avanciert. Eine flotte Karriere!

Sie sah ihn fragend an.

»Ich genieße gewisse Privilegien«, gab er zu.

»Ja, das kann man nicht übersehen«, erwiderte Ann Kathrin.

Schulterzuckend lachte er: »Den Promistatus werde ich nicht mehr los. Die einen hassen mich dafür, die anderen lieben mich.«

»Stimmt«, sagte Ann Kathrin, »eine gewisse Verehrung für Sie war der jungen Dame deutlich anzusehen. Aber nun zum Grund meines Besuches. Wir haben gerade ein gewaltiges Problem auf Langeoog. Haben Sie mir dazu etwas zu sagen?«

Ihre Frage hing wie Nebel im Raum. Einen Moment befürchtete Ann Kathrin, etwas falsch gemacht zu haben. Erwartete er vielleicht zunächst ein Angebot? Wollte er etwas für sich erreichen, etwas heraushandeln?

Aber er ließ sich einfach nur Zeit mit seiner Antwort, bot ihr seinen Stuhl an und setzte sich selbst aufs Bett. Er hatte, das sah sie erst jetzt, einen elektrischen Wasserkocher und eine French Press Kaffeekanne. Er hätte für sie vermutlich sogar einen recht guten Kaffee selbst kochen können. Damit war klar, dass auch Tanja wusste, hier wurden private, ja geheime Gespräche geführt, und sie war eher bereit, Sommerfeldt einen Gefallen zu tun als ihr.

Bernhard Sommerfeldt holte sein Handy aus dem Buch. »Handys sind ja hier in der JVA eigentlich verboten«, belehrte er Ann Kathrin.

»Ich weiß«, lächelte sie, »sonst würden die Gefangenen den ganzen Tag Pornos gucken.«

»Die anderen vermutlich«, erwiderte Sommerfeldt. »Kann sein, dass Sie recht haben.«

Er zeigte Ann Kathrin die E-Mails, die er erhalten hatte, und sagte leise: »Der WLAN-Empfang wird hier eigentlich fast überall unmöglich gemacht. Sie benutzen dazu Störsender. Aber die haben nur eine bestimmte Reichweite. Mein Palast hier ist nicht davon betroffen. Entweder ist das wieder ein Privileg, das ich genieße, oder ein glücklicher Zufall.«

Darauf ging Ann Kathrin nicht ein. Die Nachrichten auf seinem Handy faszinierten sie. Die Fotos von den toten Frauen waren ohne jeden Zweifel echt.

»Haben Sie«, fragte Ann Kathrin, »geantwortet?«

»Natürlich nicht. Ich habe Sie informiert, Frau Klaasen.« Sommerfeldt zeigte ihr den Zettel mit dem Zeitungsausschnitt. »Das hier kam zuerst.«

»Kennen Sie den Täter?«, wollte Ann Kathrin direkt wissen.

Er schüttelte den Kopf. »Nein, nicht dass ich wüsste. Aber er kennt mich, das ist ja wohl klar.«

»Wer nicht?«, fragte sie zurück.

»Sie sind gekommen, um mir zu schmeicheln?«

»Nein, ich bin gekommen, weil Sie mich um ein Treffen gebeten haben, und ich erhoffe mir von Ihnen Hinweise auf den Mörder.«

Sommerfeldt sah sie durchdringend an. Es war nicht dieser Rupert-Blick, mit dem Männer Frauen ausziehen, sondern ein ganz anderer, tieferer Blick, als würde er in ihre Seele schauen, als könnte er zwar nicht ihre Gedanken, wohl aber ihre Gefühle lesen.

»Nun, wir wissen einiges über ihn«, erklärte Sommerfeldt, schwieg dann aber wieder.

»Und zwar?«, hakte Ann Kathrin ungeduldig nach.

Sommerfeldt nahm zur Kenntnis, unter welch hohem Druck sie stand.

Tanja kam tatsächlich mit zwei Bechern Kaffee zurück. Ann Kathrin und Sommerfeldt bedankten sich höflich. Tanja hatte sogar Milch und Zucker mitgebracht und entschuldigte sich bei Ann Kathrin: »Ich wusste ja nicht, wie Sie ihn am liebsten trinken, Frau Klaasen.«

Ann Kathrin bedankte sich noch einmal, und Tanja verstand. »Ja, also dann, wenn Sie mich brauchen – ich bin in Rufweite.«

Sommerfeldt lächelte sie an. Oder zwinkerte er ihr sogar zu? Sie verließ den Raum fast lautlos.

Sommerfeldt lehnte sich mit dem Rücken gegen die Wand. Er öffnete die Arme wie zu einer Umarmung und begann: »Er ist auf Langeoog.«

»Ja, das wissen wir auch«, spottete Ann Kathrin, und es tat ihr fast sofort leid, seine Aufzählung unterbrochen zu haben, bevor er sie richtig begonnen hatte. Sie verstieß damit gegen ihre eigenen Verhörregeln. Wie oft hatte sie den Kollegen gesagt: »Ein Verhör besteht im Wesentlichen aus aktivem Zuhören. Im Grunde wollen die meisten reden, sich erleichtern oder sich verteidigen. Es darf erst gar nicht das Gefühl entstehen, es könne sich um ein Verhör handeln. Viel wichtiger ist ein Gespräch. Worauf es ankommt, ist, aus dem Erzählfluss das Wichtige herauszufiltern und Lüge von Wahrheit zu unterscheiden. Unterbrecht euer Gegenüber nicht ständig. Lasst sie reden. Lasst sie in Fluss kommen.«

Normalerweise ging sie bei einem Verhör auf und ab. Drei

Schritte, eine Kehrtwendung, drei Schritte. Bei jedem zweiten Schritt ein Blick auf den Verdächtigen. Aber das hier war kein Verhör. Eher ein Gespräch. Vielleicht nicht gerade unter Freunden, aber doch unter alten Bekannten.

Sie zwang sich also, sitzen zu bleiben auf dem Gefängnisstuhl, der noch warm von Sommerfeldts Hintern war.

Sommerfeldt fuhr erst nach einer längeren Pause fort. Ihr wurde klar, dass Zeit im Gefängnis anders verstrich. Sommerfeldt hatte im Gegensatz zu ihr keine Eile. Konnte es möglich sein, dass er die Begegnung mit ihr gerade sehr genoss und in die Länge ziehen wollte? Endlich spielte er auch mal wieder eine Rolle.

Er hob den Zeitungsartikel hoch: »Er liest die *Hannoversche Neue Presse*. Er gibt auch eine Adresse aus Hannover an. Dort wohnt er aber ganz bestimmt nicht. Das ist das Künstlerhaus. Der Sitz des *Bödecker-Kreises*, den ich manchmal für seine Leseförderung mit kleinen Spenden unterstützt habe.«

Ann Kathrin nickte. Sie erinnerte sich sehr gut daran. »Wissen wir noch mehr?«, fragte sie.

»Ja. Der Täter sucht Kontakt zu mir«, sagte Sommerfeldt.

»Warum?«, hakte Ann Kathrin nach und schwor sich, ab jetzt einfach zuzuhören und Sommerfeldt reden zu lassen.

»Weil er Anerkennung sucht.«

»Anerkennung?« Die Frage rutschte ihr raus. Was ist mit mir los, dachte sie. Verliere ich gerade meine Impulskontrolle?

»Ja«, bestätigte Sommerfeldt, »und zwar meine Anerkennung. Es ist für einen Mörder ja nicht leicht, in der Öffentlichkeit besonders viel Applaus für seine Taten einzuheimsen. Aber das will er auch gar nicht. Er will die Allgemeinheit erschrecken. Er will, dass Sie«, er zeigte auf Ann Kathrin, »wissen, dass er weitermacht, deshalb die Sachen mit den intimen Kleidungsstücken.«

Es fiel Ann Kathrin auf, dass Sommerfeldt nicht *Schlüpfer* sagte oder *Slip*, sondern von *intimen Kleidungsstücken* sprach. Das war typisch für ihn.

»Er will damit ein Höchstmaß an Aufmerksamkeit erreichen«, behauptete Sommerfeldt, »aber von mir will er auch Anerkennung.«

Sommerfeldt legte seine Hände zusammen wie zu einem stillen Gebet und guckte Ann Kathrin erwartungsvoll an. Unter seinen Blicken lief es ihr heiß und kalt den Rücken runter. Sie konzentrierte sich darauf, dem Augenkontakt standzuhalten.

»Und wie«, fragte sie gespielt naiv, »können Sie uns helfen – falls Sie das überhaupt wollen? Genießen Sie sein Buhlen um Anerkennung?«

»Er versucht, besser zu sein als ich. Er fühlt sich mir sogar überlegen, weil er Frauen tötet, was ich nie getan habe.«

»Wenn man Ihren Büchern Glauben schenkt, können Sie das auch gar nicht, Herr Doktor. Ich darf Sie doch so nennen?«

Er schmunzelte. »Nachdem ich Sie einmal untersucht habe, dürfen Sie das selbstverständlich.«

Ann Kathrin schlug die Beine übereinander und verschränkte die Arme vor der Brust. »Ja, das ist bis heute ein Ereignis, dem ich fassungslos gegenüberstehe. Ich jage den Serienkiller und gehe dann als Patientin zu ihm, weil es mir nicht gut geht.«

Er lachte schallend. »Sie sahen wirklich erbärmlich aus, Frau Klaasen. Ich habe Sie gern krankgeschrieben. Es hat mir auch ein bisschen den Fahndungsdruck genommen. Seien wir doch mal ehrlich: Ihre Kollegen sind Deppen.« Er sah ihre Protesthaltung. »Nun, sagen wir, sie sind gesellschaftlicher Durchschnitt«, relativierte er. »Aber Sie sind eine herausra-

gende Polizistin. Niemand anders hätte mich fassen und hier-
herbringen können.«

»Jetzt schmeicheln Sie mir, Herr Doktor.«

Er beugte sich vor und flüsterte: »Er nennt sich mal *K. Ernte*,
dann *Professor*. Das bedeutet …«

»Er ist eine gespaltene Persönlichkeit?«, riet Ann Kathrin.

»Nein, bitte keine Wohnzimmerpsychologie. Er hat seinen
Weg noch nicht gefunden, das ist es. Er probiert sich aus. Das
hier, Frau Klaasen, ist erst der Anfang einer ziemlich bösen
und blutigen Geschichte.«

»Helfen Sie mir, sie zu beenden, bevor sie zum Albtraum
wird«, forderte Ann Kathrin forsch.

Dr. Sommerfeldt wurde noch leiser und beugte sich weiter
zu ihr vor. Sie kam ihm ein bisschen mit dem Kopf entgegen,
machte ihren Hals ganz lang. »Ich spiele Ihren Köder, Frau Klaasen. Lassen Sie mich frei. Er wird mich finden, und dann …«

Sie konnte nicht anders, sie musste laut lachen. Es erschien
ihr unangemessen, aber doch irgendwie auch die einzig mög-
liche Reaktion. Sie setzte sich gerade hin.

»Sie denken im Ernst, ich würde Sie freilassen, und dann
können Sie Ihren Rachefeldzug in Ruhe fortsetzen? Ich glaub
es nicht!«

»Mein Rachefeldzug ist beendet, Frau Klaasen. Meine Gegner sind tot.«

Sie machte eine wegwerfende Handbewegung. »Selbst wenn
ich es wollte, wir leben in einem Rechtsstaat. Da kommen Serienkiller nicht einfach so frei. Keine Kommissarin kann jemanden aus dem Gefängnis entlassen. Dafür sind Gerichte
zuständig.«

Er blieb ruhig, während sie sich aufregte. Er fühlte sich ihr
überlegen, und das nervte sie.

»Ich könnte bei einem Freigang begleitet werden. Zum Beispiel zum Grab meines Vaters oder zum Geburtstag meiner Mutter. Und dann würde ich fliehen.«

Ann Kathrin wusste, dass das durchaus eine Möglichkeit war, dachte aber nicht daran, sich darauf einzulassen. »Ich glaube kaum, dass Ihre Mutter Sie zu ihrem Geburtstag einlädt«, konterte sie hart.

»Ich hatte auch nicht vor hinzugehen«, entgegnete er.

Ann Kathrin stand auf und ging zur Tür. »So«, sagte sie, »ich hab den Kaffee ausgetrunken. Das war's.«

»Sie haben ja noch nicht einmal an ihrem Kaffee genippt«, lästerte er. »Dabei ist er gar nicht so schlecht, wie Sie denken. Das sind Vorurteile.«

Sommerfeldt nahm demonstrativ einen Schluck aus seinem Becher. Ann Kathrin blieb wartend bei der Tür stehen. Es war zu früh, um zu gehen. Sie konnte sich zwar auf sein Angebot nicht einlassen, aber sie ahnte, dass sie noch nicht alle Möglichkeiten, an den Mörder heranzukommen, die dieser Besuch bot, ausgelotet hatte.

»Ich müsste das Handy eigentlich melden«, drohte sie sanft.

Er lächelte: »Ich müsste jetzt eigentlich meinen Mittagsschlaf machen.«

»Was könnte der Name *K. Ernte* bedeuten?«, fragte sie.

Er nahm noch einmal einen Schluck Kaffee und stöhnte genießerisch: »Dazu jetzt ein Stück Baumkuchen von ten Cate, und ich würde mich wieder als freier Mensch fühlen.«

»Was«, insistierte Ann Kathrin, die das Gefühl hatte, er wolle ihr ausweichen oder sie auf die Folter spannen, »was?« Sie hasste solche Spielchen, kannte sie aber aus zig Zeugenbefragungen.

»Keine Ahnung. Er sucht noch seinen richtigen Namen.

K. Ernte könnte so etwas wie *Killer-Ernte* bedeuten, so, als hätte er lange gesät und gewartet und würde jetzt endlich …«
Sommerfeldt strich sich übers Kinn. »Oder er will uns nur beschäftigen. Auf falsche Fährten locken. Ich glaube, er ist gut im Vortäuschen. Er ist nicht in der Ecke, in der wir ihn suchen. Er muss ja auch an seine Opfer ungehindert herangekommen sein. Auf Langeoog am Flinthörn, da sieht man jemanden von weitem kommen. Er sieht also vermutlich harmlos aus. Oder gibt es Anzeichen, dass ein Opfer vor ihm weggelaufen ist?«

»Nein«, antwortete Ann Kathrin.

»Dann hatten sie nichts dagegen, dass er sich ihnen nähert.«

»Sie meinen, Opfer und Täter kannten sich?«, fragte Ann Kathrin.

Er hob und senkte die Schultern, als käme es darauf überhaupt nicht an. »Vielleicht wie Touristen sich eben auf einer kleinen Insel kennen. Man sieht sich im Café, auf der Straße, am Strand und es kommt ein Gefühl von Bekanntheit auf. Dabei weiß man nichts über den anderen. Das nutzt er vermutlich geschickt aus.«

Ann Kathrin wollte gehen. Er fragte: »Sie wollen mich also nicht freilassen?«

»Nein, ich verhelfe Ihnen nicht zur Flucht, Herr Doktor.«

»Das ist ein Fehler, Frau Klaasen. Sie brauchen einen Köder.«

»Nein. Ich brauche eine verwertbare Spur.«

Ann Kathrin ging in den Flur und rief nach Tanja. Sie war sofort da.

Ja, sie hätten ihre Kollegen um Hilfe bitten können. Langeoog hatte im Moment die höchste Polizeidichte pro Einwohner in ganz Deutschland. Auf 1933 Einwohner kamen inzwischen schon 61 Beamte. Rupert hatte sich einen Spaß daraus gemacht, es auszurechnen. Er musste dazu zwar den Taschenrechner seines Handys benutzen, aber jetzt konnte er vor Weller damit angeben: »Auf 31,68 Einwohner kommt im Augenblick ein Polizist.«

Dabei hatte Rupert allerdings knapp zehntausend Urlaubsgäste vergessen.

»Laber mich nicht zu mit diesem Scheiß«, forderte Weller. »Iss lieber dein Eis.«

Weller überprüfte seine Heckler & Koch, was auf der belebten Barkhausenstraße sofort auffiel. Die Kinder, die gerade noch *Piraten Ahoi!* gesungen hatten, staunten, und ein Junge fotografierte Weller mit seinem Handy. »Von wegen, hier ist nichts los! Das ist ein Gangster«, raunte er seinen Freunden zu.

»Der Mörder?«, fragte ein Blondschopf mit Sommersprossen auf der Nase.

Rupert versuchte, den kompletten Eisrest in seinen Mund zu schieben. Es war nicht einfach für ihn. Im *Venezia* gab es große Portionen. Aber Rupert wollte bei der Verhaftung gern die Hände frei haben. Gleichzeitig hatte er nicht vor, auf dieses köstliche Eis zu verzichten.

Weder Weller noch Rupert wollten ihre Kollegen einbeziehen. Sie befanden sich nur wenige Schritte vom *Café Leiß* entfernt. Es waren viele Touristen auf der Barkhausenstraße.

Sie mussten unter allen Umständen eine Schießerei vermeiden. Ein schneller Zugriff ohne jedes Risiko für andere Menschen war notwendig.

Das Eis füllte Ruperts gesamten Mundraum aus. Die Spitze

der Waffel ragte zwischen seinen Lippen hervor. Für Weller sah er jetzt ein bisschen aus wie ein Austernfischer. Weller mochte diese Vögel, die so gern mit ihren langen roten Schnäbeln im Watt stocherten.

Rupert griff sich an den Kopf. Ein stechender Schmerz durchzuckte sein Gehirn. Das passierte ihm manchmal, wenn er zu schnell zu viel Eis aß. Dabei spielte die Sorte keine Rolle. Früher hatte er gedacht, es käme nur bei Schokoladen- und Nusseis vor, aber dem war nicht so. Bei Zitrone und Erdbeer hatte es ihn mal besonders hart erwischt. Es war ein Gefühl, als würde er plötzlich blind. Es dauerte nicht lange, aber es tat verdammt weh. Weil dieser Kältekopfschmerz ihm peinlich war, versuchte er jetzt, besonders taff zu sein. Er schlug Weller vor: »Du machst den Buhmann und ich den Wummser.«

Sie gingen nebeneinander in Richtung *Café Leiß*. Sie rannten nicht. Sie wollten kein Aufsehen erregen. Sie gingen nur zügig. Wenn sie nicht ihre Dienstwaffen in den Händen gehalten hätten, wären sie praktisch nicht aufgefallen. Kurz vor dem Café bemerkte Weller die Blicke der Touristen und steckte seine Waffe wieder ein. Er bat auch Rupert darum.

Der drückte sich die rechte Hand gegen die Stirn und stöhnte: »Verflucht, verflucht! So muss es sich anfühlen, wenn einem einer in den Kopf schießt.« Er hatte inzwischen das gesamte Eis runtergeschluckt. Es schmolz nun in seiner Speiseröhre. Er zerkrachte die Waffel zwischen den Zähnen, sehr zur Enttäuschung einer Möwe, die auf dem Dach saß und schon auf das Hörnchen spekuliert hatte.

»Wir können doch hier nicht die Buhmann-und-Wummser-Nummer abziehen!«, protestierte Weller.

»Warum nicht?«, fragte Rupert. »Hat doch immer geklappt. Du lenkst ihn ab, und ich semmel ihm eine rein.«

Sie waren schon fast da. »Du kannst dem doch hier vor all den Menschen nicht einfach eine reinhauen!«

»Warum nicht? Die Leute finden das klasse, wenn wir einen Mörder aus dem Verkehr ziehen.«

»Wir wissen doch gar nicht, ob er der Mörder ist«, wendete Weller ein.

»Komm mir nicht so!«, schimpfte Rupert, immer noch gereizt von diesem stechenden Kopfschmerz. Eine Prügelei wäre ihm jetzt gerade recht gewesen. Zumindest eine, bei der er als Sieger feststand.

»Wir werden das ganz schnell und professionell abwickeln«, sagte Weller mit Nachdruck. »Wir fordern ihn auf, uns keine Schwierigkeiten zu machen, und legen ihm Handschellen an.«

»Guter Plan«, spottete Rupert. »Hoffentlich kapiert der kleine Wichser das auch.«

Vor dem Café waren alle Tische besetzt. Auch in den Strandkörben war kein Platz mehr frei. Bei dem Wetter saßen die Urlauber am liebsten draußen.

Weller erkannte den Verdächtigen schon von weitem. Er saß in einem Strandkorb. Das war schon mal gut. Nach hinten kam er so leicht nicht weg. Einfach den Stuhl werfen und über den Zaun springen war jedenfalls nicht drin.

Marco Zielinski hielt den Kopf gesenkt. Er betrachtete mit beiden Händen unter dem Tisch seine letzten Fotos. Er überlegte, ob er sie auf dem Gerät löschen sollte. Machte das überhaupt einen Sinn, wenn sie doch schon im Netz hochgeladen und vermutlich zigmal kopiert worden waren?

Vor ihm standen ein leerer Teller mit Kuchengabel und eine Tasse, an der noch Milchschaum klebte. Er saß bereits seit Stunden hier, als würde er sich nicht in seine Wohnung im Apartmenthaus *Alte Post* zurücktrauen. Es lag in Spuckweite von hier, ebenfalls in der Barkhausenstraße, aber im Moment fühlte er sich unter vielen Menschen einfach wohler. Sobald er allein war, musste er ständig nachsehen, ob sich nicht irgendwo jemand versteckte. Nein, er würde das niemals irgendjemandem erzählen. Keinem Freund und keinem Therapeuten. Er hatte ja Mühe, es selbst zu glauben. Er schämte sich vor sich selbst, aber er hatte tatsächlich mitten in der Nacht die Schranktüren geöffnet und nachgeguckt, ob da jemand war. Auch unter dem Bett hatte er nachgesehen. Nichts hatte er gefunden. Nicht einmal Staub oder eine tote Motte. Alles war leer und blank geputzt.

Wenn er aus dem Fenster auf die Barkhausenstraße sah und die Touristen beobachtete, die dort flanierten, dann wollte er gern einer von ihnen sein. Ein ganz normaler Typ, der abends Sonnenuntergänge knipste, und nicht einer, der seinen Selfiestick benutzte, um seine Handykamera unter die Röcke von Frauen gucken zu lassen. Jetzt lag der Selfiestick wie ein Degen kampfbereit auf dem Tisch.

Marco Zielinski wäre gern ein anderer gewesen. Er wollte mit sich, seinen Taten und seinem Hobby am liebsten gar nichts mehr zu tun haben. Bis jetzt hatte er keine Schwierigkeiten damit gehabt, er handelte sogar aus einem gewissen Überlegenheitsgefühl heraus. Er war auf der sicheren Seite. Selbst wenn mal eine Frau etwas bemerkte, schämte die sich meist.

Eine hatte ihn mal angegriffen. Das war in Haltern am See gewesen. Nie würde er das vergessen. Es war gegenüber dem Schulzentrum in der Holtwicker Straße passiert. Sein Versuch, das Handy zum zweiten Mal unter den karierten Faltenrock zu halten, ging schief. Dieses langbeinige Mädchen fuhr herum. Ihre feuerroten Haare passten im Grunde bestens zu ihrer Wut. Sie hatte sofort kapiert, was er getan hatte, und ging auf ihn los. Zunächst regnete es Ohrfeigen. Das fand er sogar noch amüsant. Aber dann waren plötzlich Freundinnen von ihr da und droschen ungefragt ebenfalls auf ihn ein. Die eine mit den Rastalocken und den Löchern in der Jeans begann plötzlich zu boxen. Sie konnte hart zuschlagen. Zwei Fausthiebe trafen ihn und mehrere Tritte. Die Rastafrau nahm ihm dann auch noch das Handy ab und warf es fest auf den Boden. Das Glas brach. Sie trat sogar noch drauf.

»Oh, kaputt«, sagte sie und triumphierte: »Schick mir 'ne Rechnung, Arschloch, dann haben wir wenigstens deine Adresse.«

Er wohnte in Bonn. Aber dort machte er keine Fotos. Er war doch nicht verrückt.

Plötzlich saß er im Schatten. Er blickte hoch. Seine Hände mit dem Handy waren immer noch unter der Tischplatte. Undenkbar, dass jemand etwas auf dem Display gesehen hatte.

Der Mann in dem grauen Anzug, mit dem T-Shirt unter der Jacke, trug sehr gute Schuhe. Das erkannte Marco sofort. Der Mann richtete eine Pistole auf ihn und fauchte: »Deine Hände! Ich will deine Hände sehen!«

Marco blieb einfach sitzen, ohne sich zu bewegen. Er hatte Angst, bei einer falschen Bewegung könnte auf ihn geschossen werden. Was, wenn der glaubt, dass ich unter dem Tisch eine Waffe habe, fragte er sich.

Marco überlegte, ob es noch etwas bringen könnte, das Handy auszuschalten und dann einfach fallen zu lassen. Später würde vielleicht irgendein Gast das Handy finden, aber da er den PIN-Code nicht kannte, konnte er es nicht öffnen und nicht in die Menüs schauen.

Er versuchte, das Handy auszuschalten, ohne hinzusehen. Seine Hände zitterten. Er kannte sich so gar nicht.

Der zweite Polizist hielt seine Marke hoch und rief den Tee trinkenden und Kuchen essenden Urlaubern zu: »Dies ist eine Polizeiaktion! Bitte bleiben Sie auf Ihren Plätzen!«.

Rupert bekam natürlich mit, dass der schmächtige Typ im Strandkorb unter dem Tisch herumfummelte. Was immer der da machte, gefiel Rupert nicht. Vielleicht hatte er ein Messer, vielleicht hielt er aber auch eine Schusswaffe im Anschlag oder zog gerade eine Handgranate ab. Die Welt wimmelte heutzutage von solchen Verrückten.

Rupert hatte keine Lust, bei diesem Einsatz draufzugehen: »Ich will deine Scheiß-Hände sehen! Du wirst sie jetzt ganz langsam hochheben, und was immer du da in der Hand hast, legst du jetzt brav auf den Tisch, so, dass ich es genau sehen kann. Kapiert?«

Weller steckte seine Marke ein. Da war etwas in den Augen des Jungen und in seiner linkischen Art ... Diese geduckte Körperhaltung ... Bei Weller klingelten alle Alarmglocken. Der sah aus wie einer, der hier auf seine Verhaftung gewartet hatte. Wie einer, der in der Lage war, sich und ein paar andere in die Luft zu sprengen. Vor solch einem erweiterten Selbstmord hatte Weller Angst.

Er war mit einem Satz neben dem Strandkorb. Er trat den Tisch um und griff sich den rechten Arm des Mannes. Der sprang auf. Gäste schrien.

Rupert suchte einen besseren Blickwinkel. Schießen konnte er so auf jeden Fall nicht.

Marcos linke Faust traf Wellers Nase. Sofort schoss Blut aus Wellers Nasenlöchern. Er sah augenblicklich nichts mehr. Der Schmerz verschleierte für ein paar Sekunden seinen Blick.

Marco Zielinski floh über den Zaun zu den Fahrrädern. Rupert rannte hinter ihm her. Rupert wusste, dass er das Tempo nicht lange würde durchhalten können. Der Kerl da war höchstens fünfundzwanzig.

»Hände hoch, oder ich schieße!«, rief Rupert, doch der Typ lief einfach weiter. Auf der Straße stoben die Menschen auseinander. Sie verließen ihre Eisbecher und Tortenteller. Ein Festschmaus für die Möwen begann. Sie stürzten sich sofort auf die leeren Tische. Die Raubvögel nutzten kreischend ihre Chance.

Rupert rannte fast einen kleinen Jungen um, der ein Pack Bocciakugeln bei sich trug, weil er endlich etwas hatte, das er mit seinem Vater gemeinsam am Strand spielen konnte.

Rupert nahm dem Kind die Kugeln ab. »Darf ich mal?«

Bevor der Kleine sich dazu geäußert hatte, warf Rupert die erste Kugel und traf Marco Zielinskis Rücken. Der stolperte und fiel hin.

Rupert gab dem Kind die Kugeln zurück. »Siehst du«, sagte er stolz, »so macht man das.«

Bevor Marco wieder auf den Beinen stand, war Weller auch da. Er machte einen Bogen und stellte sich so hin, dass er ihm den Fluchtweg abschnitt.

Weller hatte sich eine zerfetzte Serviette vom Café in die Nasenlöcher gestopft. Auf einigen Touristenfotos, die auf Instagram hochgeladen wurden, sah er später deshalb ziemlich dämlich aus.

Weller kochte innerlich vor Wut. Als Zielinski versuchte, an ihm vorbeizukommen, schlug Weller zu. Er traf in Zielinskis deckungsloses Gesicht.

Rupert, der diese Plastikkabelbinder als Handschellen nicht mochte, setzte geradezu genüsslich die silberne Acht aus Stahl ein. Als sie um Zielinskis Hände klickte, lachte Rupert: »Das hättest du auch einfacher haben können, Blödmann. Und vor allen Dingen völlig schmerzfrei.«

Der kleine Junge hob seine Bocciakugel auf und sah sie jetzt mit ganz anderen Augen an, als sei sie plötzlich sehr wertvoll geworden. Seine Glückskugel.

»Lesen Sie ihm jetzt seine Rechte vor?«, fragte er Rupert, den er ab jetzt für seinen Freund hielt.

»Nee«, antwortete Rupert, »wir sind doch hier nicht in Amerika. Ich zieh den jetzt einfach aus dem Verkehr, damit das Leben auf dieser schönen Insel wieder friedlich weitergehen kann.«

»Hat der denn keine Rechte?«, wollte Ruperts neuer Freund nun wissen.

»Doch«, antwortete Rupert, »der kann sich vor der ersten Vernehmung mit einem Anwalt unterhalten. Und das würde ich ihm auch raten.«

Weller zog die selbst gemachten Tampons aus der Nase und stopfte sich neue aus Papiertaschentüchern rein, die ihm eine wildfremde Frau auf der Straße anbot.

Rupert pflaumte Weller an: »Von wegen, nicht den Buhmann und den Wummser machen. Wie sieht das denn aus, wenn so viele Touristen dabei zugucken? Ich kann dem doch nicht einfach eine reinhauen!«

Marco Zielinski wollte etwas sagen, doch Rupert warnte ihn: »Sei froh, dass er dir nur eine gelangt hat. Wo ich hinhaue, da wächst kein Gras mehr. An deiner Stelle würde ich mich ab jetzt gut benehmen. Sehr gut!«

Der kleine Junge mit den Bocciakugeln versprach: »Ich werde später auch mal Polizist.«

Es gab in Aurich eine eigene Abteilung, die sich mit Internet-kriminalität beschäftigte. Hier wurden unter anderem zerstörte oder gelöschte Festplatten wiederhergestellt, so dass zumindest Reste noch lesbar waren. Hier arbeiteten nur Männer. Niemand hatte das so geplant. Es hatte sich einfach so ergeben.

Sie wurden auch *Nerds* genannt oder *Cybercops*. Da sie sich ständig, auch bei schönstem Wetter, in abgedunkelten Räumen vor Bildschirmen aufhielten, machten sie alle einen blassen, kränklichen Eindruck. Der älteste von ihnen, Kevin Janssen, war gerade 28 geworden, sah aber aus, als würden seine Chancen, den 30. Geburtstag zu erleben, täglich geringer. Seine beiden Kollegen waren fett. Er selbst sah so aus, als hätte er gerade erst einen Hungerstreik nur knapp überlebt.

Er wurde von niemandem Kevin genannt. Er war für alle *Salander*. Einige sprachen ihn auch mit einer Mischung aus Spott und Anerkennung als *Lisbeth* an. Rupert glaubte, damit solle die Vermutung ausgedrückt werden, er sei schwul, was definitiv nicht stimmte, denn er hatte Rupert Prügel angedroht, falls der seine Freundin noch einmal anbaggern würde.

Lisbeth Salander war eine Figur aus *Stieg Larssons* Kriminalromanen. Aber das wusste Rupert nicht, weil er das letzte Buch in der Schule gelesen hatte, und das nicht freiwillig: *Der Schimmelreiter*.

Ann Kathrin Klaasen war unterwegs zu den Cybercops, doch im letzten Moment – sie stand schon mit dem Twingo auf dem Parkplatz – stieg sie nicht aus. Wenn sie die Jungs jetzt beauftragte, mehr über den Absender der E-Mails herauszufinden, würde alles sofort offiziell werden. Die Staatsanwaltschaft musste eingeschaltet werden. Davor hatte sie am wenigsten Angst. Mit Meta Jessen kam sie klar. Aber die gesamte Sonderkommission, die gerade unter dem Namen *Langeoog* zusammengestellt worden war, musste dann zwangsläufig davon erfahren. Die Sache würde sofort eine ganz eigene Dynamik bekommen. Es konnte sogar darauf hinauslaufen, dass Sommerfeldts Handy konfisziert werden würde. Offiziell durfte er es ja gar nicht haben.

Ann Kathrin misstraute Gruppen sowieso. Sie fand es selbst blöd und hätte es gern anders gehabt, aber es war eben so. Sie fühlte sich meist mehr ausgebremst, kontrolliert und eingeschränkt als unterstützt.

Da war durchaus eine Stimme in ihr, die ermahnte sie, sich an die Spielregeln zu halten und nicht eine Ermittlung wie eine Verschwörung zu gestalten. Aber es gab einen alten Kollegen, der ihr noch etwas schuldig war. Er hatte vermutlich nicht so viele Fortbildungskurse belegt wie die coolen Jungs in der neugegründeten Abteilung. Er war garantiert langsamer, und vielleicht hatte er auch die neuesten Tricks der Täuscher noch nicht drauf. Er war nach langer Krankheit frühpensioniert worden. Aber er hatte eben eine Menge Erfahrung, und er war loyal. Er konnte schweigen und wusste, dass Ermittlungsarbeit und Bürokratie manchmal nicht so wirklich zusammenpassten. Wer alles richtig machte und sich nie vorwerfen lassen musste, Dienstwege nicht eingehalten oder Regeln verletzt zu haben, war rein dienstrechtlich gesehen auf der sicheren Seite, hatte aber nur sehr selten auch gute Ermittlungsergebnisse vorzuweisen.

Sie rief den ehemaligen Kollegen Thiekötter zu Hause an. Er hatte gerade beide Hände in seinem Aquarium. Seine Diskus-Buntbarsche hatten Junge bekommen, und er war aufgeregt, als würde er gerade erneut Opa werden. Er trocknete seine Hände ab und brummte in den Hörer: »Wer stört mich da?«

»Moin. Hier Ann. Ich bräuchte mal deine Hilfe.«

»Meine Hilfe?«

»Ja, wir sind im Moment schwer überlastet durch die beiden Morde auf Langeoog.«

»Und die smarten Playboys aus der Cybergruppe sind alle krank oder was?« Er sprach es spöttisch aus, so als wären sie in seinen Augen keine richtigen Polizisten.

»Nein, die sind topfit, aber ich brauche dich.«

Das hörte er gern. »Nun, ich konnte einer schönen Frau noch nie widerstehen. Aber du weißt schon, Ann, dass ich aus der Firma raus bin? Pensioniert!«

»Ja, ich habe an deiner Abschiedsparty teilgenommen.«

Er überlegte kurz. »Und genau deshalb rufst du mich an, stimmt's? Du brauchst einen, der sich nicht mehr an die Dienstvorschriften halten muss.«

»Na ja, wenn du es so knallhart ausdrücken willst – ja, ich brauche jemanden, der mir auch etwas sagt, das später nicht unbedingt in einer Akte stehen muss. Kannst du für mich den Absender einer E-Mail ermitteln?«

Der erfahrene Kollege lachte. »Ach, du Gute! Selbst, wenn es mir gelingt, dann wäre das später im Prozess nicht zu deinem Besten, weil wir auf ungesetzliche Art und Weise an die Informationen gekommen sind …« Er sah sich resigniert seine Zierfische an. Er war froh, diesen Lebensraum jetzt pflegen zu können und sich nicht mehr um jeden kriminellen Mist kümmern zu müssen. Seine Aquarienfische bereiteten ihm Freude. »Deshalb habe ich einmal fast hingeworfen. Vor Gericht stand ich plötzlich als der Bösewicht da, nicht der Täter, gegen den wir ermittelt haben.« Er fügte hinzu: »Das weißt du doch noch, Ann.«

Sie verstand ihn nur zu gut. »Ich brauche die Info nur für mich, damit ich weiß, ob ich auf dem Holzweg bin oder nicht.«

»Okay. Wann kannst du hier sein?«

»Soll ich etwas mitbringen? Kuchen? Pizza? Fischbröt-chen?«

»Komm einfach. Ich freu mich auf dich.«

Die Sonderkommission wuchs weiter. Sie teilte sich jetzt in drei Arbeitsgruppen auf. Eine wurde von einem sehr erfahrenen Kollegen aus Osnabrück geleitet, eine von einem Jungspund aus Hannover, der angeblich in den USA beim FBI ausgebil-det worden war, aber miserables Englisch sprach. Die dritte Gruppe hatte noch keine Leitung, sondern sollte im Team von drei Frauen geführt werden. Da stand aber noch nicht genau fest, von wem.

Die Verhaftung von Marco Zielinski stieß in der ersten Gruppe nur auf Kopfschütteln. Man hatte nun wirklich Wich-tigeres zu tun, als sich mit einem kleinen Voyeur zu beschäfti-gen. Es sei denn, er hätte etwas Relevantes gesehen.

Rupert war sofort auf Krawall gebürstet, als ein BKAler ihn über Standards und Notwendigkeiten während einer Morder-mittlung belehren wollte. Seit seiner Schulzeit hasste Rupert Belehrungen und ging bei so etwas sofort hoch.

Weller machte noch einen Versuch zu erklären, warum sie Marco Zielinski hopsgenommen hatten, aber dann sah er die schrecklichen Bilder der zwei Opfer, die jetzt in DIN-A4-Größe an einer Papierwand im Kleinen Kursaal hingen, und sein Einwand verlor für ihn selbst irgendwie an Sinn.

Er fragte sich schon, ob sie vielleicht zu sehr auf Ann Kathrin gehört hatten. Sie war manchmal sehr impulsiv. Sie war wütend wegen des Upskirtings, aber wahrscheinlich war dieses schmächtige Jüngelchen nur Beifang. So etwas gab es praktisch bei jeder großen Fahndung. Immer gingen kleine Fische ins Netz. Bei einer Hausdurchsuchung fand man zwar nicht die Mordwaffe, aber dafür kleine Mengen illegaler Drogen oder Gegenstände, die aus Einbrüchen stammten.

Weller selbst hatte mal bei einer Suche nach einem Doppelmörder zufällig in einer Wohnung statt des Mordwerkzeugs Filmaufnahmen aus einer öffentlichen Toilette gefunden. Der Typ war zwar kein Mörder, kam aber trotzdem vor Gericht. § 201a, *Verletzung des höchstpersönlichen Lebensbereichs durch Bildaufnahmen*. Er hatte sich entschieden, lieber in Therapie zu gehen statt in den Knast.

War das hier so ähnlich? Okay, dachte Weller, zwei Frauen, die ermordet wurden, hat er fotografiert und dabei sicherlich ihre Privatsphäre verletzt. Aber diese Insel war klein. Der Zufall gar nicht so groß.

Weller bekam immer mehr Zweifel. Trotzdem durchsuchte er gemeinsam mit Rupert das Apartment im Hotel *Alte Post* mit Zielinskis Einverständnis. Zielinski zeigte sich kooperativ, ja, er benahm sich geradezu unterwürfig, war mit praktisch allem einverstanden, seitdem sie ihn festgesetzt hatten.

Sie fanden keine Stahlschlinge in seinem Zimmer und auch sonst keine Waffe.

Weller fühlte sich komisch, weil er im *Hotel Kröger*, nur wenige Meter Luftlinie von Zielinski entfernt, geschlafen hatte. Er rief Ann Kathrin an. Sie entschied: »Bringt ihn aufs Festland. Wir verhören ihn in Aurich und beantragen hier einen Haftbefehl.«

Weller wunderte sich, wie entschieden sie vorging. »Und was ist mit Sommerfeldt?«, hakte er nach.

»Nicht am Telefon. Später zu Hause«, antwortete sie.

Rupert, Weller und Marco Zielinski nahmen die letzte Fähre nach Bensersiel.

Annika Schmelzin hatte den ganzen Tag wie unter einer Käseglocke verbracht. Alles war so unwirklich. Gerade hatte sie noch täglich versucht, sich von ihren Eltern abzugrenzen, hatte extreme Meinungen geäußert, um zu schockieren, hatte Sachen angezogen, die sie nicht mochten, Worte benutzt, die sie falsch fanden. Allein mit ein paar englischen Ausdrücken für Dinge, die auch auf Deutsch benennbar waren, hatte sie ihre Mutter ärgern können. Mehr nicht. Sie war immer so schrecklich verständnisvoll gewesen, dass echte Provokationen oder Abgrenzung nur schwer möglich waren.

Und jetzt war sie tot. Nicht einfach gestorben, sondern ermordet. So etwas gehörte für Annika ins Fernsehen. Ins Kino. In Romane. Aber doch nicht ins Leben! Das hatte mit ihr und ihrer Familie ja im Grunde nichts zu tun. Wenn überhaupt, dann war Unglück für Annika immer weit weg gewesen. Nur medial erfahrbar.

Die Katastrophen in der Tagesschau konnte man wegswitchen. Das hier nicht. Es war so verrückt real, dass sie es noch gar nicht richtig spüren konnte. Es war, als könnte jeden Moment ihre Mutter wieder mit einer vollen Einkaufstüte in der Hand hereinkommen. Alles würde sich als Irrtum entpuppen. Als schlimmes Missverständnis. Oder als Albtraum.

Ja, dachte sie, gleich werde ich wach, und wir sind nur gemeinsam beim Fernsehgucken eingeschlafen. Sie liegt neben mir und schnarcht leise mit offenem Mund.

167

Sie schloss die Augen, um der Hoffnung Nahrung zu geben. Doch als sie sie wieder öffnete, war sie allein im Zimmer.

Um das Gespräch mit Sommerfeldt zu verdauen, machte Ann Kathrin Klaasen einen Spaziergang auf der Deichkrone. Sie hatte den Wagen in der Tunnelstraße geparkt und die einsame Stelle am Deich aufgesucht, wo es immer viel mehr Schafe und Vögel gab als Menschen. Lediglich ein paar Radfahrer kamen ihr unten auf der dem Meer abgewandten Seite des Deiches entgegen. Sie fuhren über den sogenannten Deichverteidigungsweg.

Man bräuchte, dachte Ann Kathrin, so etwas an vielen Stellen im Leben. So einen Deich, der eine klare Linie zieht. Bis hierhin und nicht weiter!

Das Meer wurde nur schön und verlor seine Bedrohung, weil es diese scharfe Trennungslinie gab. Jeder Deichbruch stellte ein ernsthaftes Problem dar und musste mit allen Mitteln verhindert werden. Die Schäden, die Sturmfluten im November, aber zunehmend auch im Sommer, anrichteten, wurden sofort ausgebessert. Ohne diesen kilometerlangen Schutzwall wäre ein sicheres Leben in Ostfriesland nicht möglich. Vermutlich würde es die gesamte Nordseeküste in der heutigen Form schon lange nicht mehr geben. Durch den Anstieg des Meeresspiegels stand man nun vor großen Aufgaben. Die Deiche mussten erhöht werden, um den Sturmfluten weiterhin trotzen zu können. Kein Küstenbewohner stellte das ernsthaft in Frage. Sie alle wussten, wie wichtig dieser letzte Schutz gegen die Zerstörungskraft des Meeres war.

In der Gesellschaft insgesamt sah das anders aus. Ann

Kathrin hatte das Gefühl, da würden immer mehr Deiche geschliffen, Schutzlinien durchbrochen, ja, ihre Notwendigkeit bestritten. Die klare Trennungslinie zwischen gut und böse, richtig und falsch, gab es im Grunde nicht mehr. Manchmal sehnte sie sich danach. Jetzt war so ein Moment.

Diese jungen Männer mit den Fotos zum Beispiel ... Ann war immer noch wütend und musste ihre Gefühle in den Griff bekommen, um nicht gleich beim Verhör unprofessionell zu werden. Sie kam sich selbst so ungeschützt vor. Im Moment ließ sie alles viel zu nah an sich ran. Diese Morde. Diese übergriffigen Fotos. Das Gespräch mit Sommerfeldt.

Sie musste die Probleme für sich eindeichen, sonst drohte ihre innere Sturmflut ihre Seelenlandschaft zu überfluten. Ja, es gab auch ein seelisches »Landunter«.

Der Blick vom Deich ins Inland tat ihr gut. Sie kehrte dem Meer den Rücken zu. Ablandiger Wind schnitt ihr scharf in die Augen. Die Windräder drehten sich gemächlich. Eins stand sogar still.

Ein Verdacht keimte in ihr auf. Wollte Sommerfeldt sie reinlegen? Hatte er draußen einen Komplizen oder eine Unterstützerin? Beging jemand die Morde nur, um Sommerfeldts Blatt zu verbessern? War sie selbst Teil dieses Spiels? Glaubten die echt, sie könnten sie veranlassen, ihm bei der Flucht zu helfen?

Waren alle verrückt geworden?

Trotzdem kam es ihr so vor, als würde sie den Schlüssel zur Lösung des Problems besitzen. Da war ein langer, kafkaesker Flur voller Türen. Zu einer passte ihr Schlüssel. Doch wenn sie die falsche Tür öffnete, löste sie damit eine Katastrophe aus.

Es war ihr gerade zu viel Verantwortung. Sie drehte sich um. Jetzt spürte sie den Wind im Rücken. Er drückte sie ein Stück den Deich hinab. Sie blickte aufs Meer. Es kam ihr nicht majestätisch vor. Nicht einladend, wie so oft. Es weckte keine Glücksgefühle. Jetzt war die Nordsee einfach nur bedrohlich, und der Wind schob Ann Kathrin genau in die Richtung, wo die Gefahr lauerte.

Hier, dachte sie, genau hier auf der Deichkrone, sieben Meter fünfzig über dem Meer, auf dem längsten selbst gemachten Hügel an der norddeutschen Küste, lassen mich die Naturgewalten immer genau spüren, worum es geht und was gerade mit mir passiert. Hier ist meine Universität. Hier, dem Wind ausgesetzt, lausche ich den Vorlesungen des Meeres in Philosophie, besuche Psychologieseminare im Deichgras und beginne, den Irrsinn, der mich manchmal so selbstverständlich umgibt, als sei er alternativlos und gottgegeben, als das zu erkennen, was er ist: einfach nur Irrsinn. Keineswegs alternativlos und ganz bestimmt nicht gottgegeben, sondern von Menschen geschaffen.

Immer, wenn ich von hier wieder weggehe, weiß ich ein bisschen mehr über mich selbst. Manchmal hat die hier versammelte geballte Kraft mir geholfen, meine Position im Leben besser zu verstehen.

Auf dem Deich spüre ich, wie tief ich atmen kann und wie viel Luft mir manchmal der Alltag nimmt. Oft knurrt hier mein Magen. Nicht weil ich Hunger habe, sondern weil etwas in mir, das verkrampft und angespannt war, locker wird. Ich lasse Probleme los und vertraue sie dem Wind an.

Erst als sie zurück bei ihrem froschgrünen Twingo war, las sie Frank Wellers Nachricht auf ihrem Handy: *Liebe, wir beginnen mit dem Verhör, solange er noch nicht darauf besteht, einen Anwalt zu benötigen. Ich glaube, er schämt sich so sehr, dass er keiner weiteren Person von der Sache erzählen möchte.*

Ann Kathrin kannte dieses Phänomen. Es gab immer wieder kurz nach Aufdeckung einer Tat in den ersten Stunden oder

Tagen Verdächtige, die glaubten, keinen Anwalt zu brauchen. Bei manchen war es einfach eine narzisstische Falle. Sie hielten sich für so intelligent, dass sie der Polizei nicht zutrauten, ihr Lügengeflecht zu knacken. Besonders Männern ging es in Bezug zu ihr oft so. Sie fühlten sich Frauen so sehr überlegen, dass sie glaubten, bei einer Befragung durch eine weibliche Beamtin locker ohne Rechtsbeistand bestehen zu können. Andere hingegen schämten sich ihrer Tat so sehr, dass sie am liebsten gehabt hätten, es würde ein Geheimnis zwischen ihnen und der Polizei bleiben.

Sätze wie: *Meine Frau muss doch nichts davon erfahren* kannte sie. Wahlweise waren es dann nicht die Frau, sondern bei jungen Leuten auch gerne mal der Chef oder die Eltern, die niemals erfahren durften, was geschehen war. Einige glaubten auch, wer sich einen Anwalt nähme, würde dadurch gleich verdächtig erscheinen, ja, als sei ein Rechtsbeistand geradezu so etwas Ähnliches wie ein Schuldanerkenntnis. Oft wurden solche ohne Anwalt gemachten Aussagen später widerrufen. Aber eine erste Befragung, frisch nach der Tat, brachte trotzdem häufig entscheidende Erkenntnisse für die weitere Ermittlung.

Ann Kathrin ließ sich Zeit. Etwas in ihr, das sie gerade beim Anblick des Meeres aufgesogen hatte, weigerte sich, hektisch zu werden. Manchmal hielt nach einem intensiven Deichspaziergang dieses Gefühl stundenlang an. Es konnte Tage dauern, bis der Stress sie wieder vollständig hatte.

Immer wieder machte sich irgendetwas wichtiger, als es eigentlich war. Inzwischen empfand sie es als krank machend. Da war der Deich wichtig und der Blick aufs Meer. Ihr alter Chef Ubbo Heide hatte manchmal Besprechungen an den Deich verlegt. Ihr zuliebe, wie er vorgab. Ein Satz von ihm würde ihr immer in Erinnerung bleiben: »Ein Blick aufs Meer relativiert alles.«

Um dieses Gefühl nicht zu schnell wieder zu verlieren, holte sie sich bei ten Cate noch ein paar Deichgrafkugeln und trank mit ihrer Freundin Monika Tapper einen Kaffee. Jörg Tapper wollte ihr ein Stück seiner neuen Tortenkreation zum Probieren geben. Sie widerstand der Versuchung nicht lange, wollte erst nur ein kleines Stück und aß dann doch ein großes.

»Solange Kakao auf Bäumen wächst, ist Schokolade für mich Obst«, lachte Jörg und steckte ihr noch ein bisschen Geistesnahrung für den harten Tag in die Tasche.

In der Polizeiinspektion fragte Ann Kathrin ihre Kollegin Marion Wolters, die gerade Akten von einem Büro in ein anderes transportierte: »Wie viele haben sich bisher gemeldet und die Tat gestanden?«

»Bei uns ein Dutzend«, antwortete Marion. Oben auf ihrem Aktenstapel lag ein Ausdruck mit Namen. Sie balancierte alles mühsam. Mit dem Kinn hielt sie die losen Papiere auf den Akten fest. Aber Ann Kathrin hakte nach, als würden sie gerade locker beim Kaffeeautomaten stehen: »Und?«

Marion Wolters verzog den Mund: »Wir gehen jedem Geständnis nach. Wäre ja schlimm, wenn der Echte dabei wäre, aber wir hätten ihn nicht ernst genommen. Ich habe gerade vier aussortiert. Zwei haben behauptet, sie hätten die Leiche mit dem Auto zum Flinthörn transportiert. Auf einer autofreien Insel ein Problem ...«, lachte sie. »Einer glaubte, Flinthörn sei eine Insel, und einer hat auch gleich noch behauptet, seine Mutter umgebracht zu haben. Die lebt allerdings in einem Seniorenheim in Greetsiel. Ich habe mit ihr gesprochen. Sie bezeichnete ihren Sohn als Wiedergeburt Adolf Hitlers. Aber acht müssen wir uns noch genauer angucken.«

Der Wind fegte durch ein Fenster rein und ließ einen Zettel von Marions Stapel flattern. Ann Kathrin hob das Papier auf und sah sich die Namensliste an.

»Den hier könnt ihr auch vergessen«, schlug Ann vor, »Dieter Stobbe! Das ist immer einer der Ersten. Gesteht praktisch immer alles. Kann aber im wahrsten Sinne des Wortes keiner Fliege etwas zuleide tun. Er ist Veganer, falls sich das nicht geändert hat.«

»Also nur noch sieben«, freute sich Marion Wolters. Ihre Blicke sagten, dass sie den Stapel nicht mehr lange würde halten können. Ungefragt nahm Ann Kathrin ihr ein wenig ab und trug es mit ihr ins Büro. Sie knallten alles auf den Schreibtisch.

»Irgendwie«, beschwerte Marion sich, »dachte ich früher mal, durch die Digitalisierung würden weniger Papiere hin und her geschoben. In Wirklichkeit steigen die Aktenberge. Wir produzieren immer mehr Papiermüll. Der Drucker läuft an solchen Tagen heiß.«

Ann Kathrin nahm sich noch ein Glas und hielt es unter den Wasserhahn. Sie fand nichts erfrischender als kaltes, ostfriesisches Leitungswasser. Sie ließ immer erst ein wenig ins Waschbecken prasseln und hielt ihr Handgelenk in den Strahl, bis das Wasser ganz kalt aus der Leitung lief. Dann trank sie ein Glas im Stehen leer, füllte es noch einmal und nahm es mit. Das volle Wasserglas in der Hand gab ihr ein Gefühl von Zuversicht. Sie stellte sich damit vor die Glasscheibe und sah Weller und Rupert zu, wie sie Marco Zielinski befragten.

Kevin Janssen, der von allen *Salander* genannt wurde, hatte nur Sekunden gebraucht, um den PIN-Code zu knacken. Jetzt lag Zielinskis Handy wie ein offenes Buch vor ihnen. Rupert ging damit auf und ab und bestaunte die Fotos. Er imitierte dabei unwillkürlich Ann Kathrins Verhörgang, machte aber nicht drei Schritte, Kehrtwendung, drei Schritte, sondern stolzierte immer bis kurz vor die Wand und stoppte dort abrupt. Dann lief er auf die gegenüberliegende Wand zu, als könne er mit Zauberkräften hindurchgehen. Er sah auch nicht auf den Verdächtigen, wie Ann es immer tat. Diese Handybilder nahmen ihn viel zu sehr gefangen.

Marco Zielinski fragte Weller: »Darf der das eigentlich?«

Weller antwortete nicht, sondern blickte Rupert an. Der blieb jetzt direkt vor Zielinski stehen, deutete auf das Handydisplay und fauchte: »Gegenfrage: Darf man das? Soll ich dich weiter mit Zielinski anreden oder lieber ›kleines Ferkel‹ zu dir sagen?«

Ann Kathrin mochte es nicht, wenn Verdächtige bei Gesprächen geduzt wurden. Bei Rupert war es immer genau der Moment, wenn für ihn ein Beschuldigter zum Angeklagten wurde. Verbrecher siezte er nicht, die duzte er, als stünde er mit ihnen auf einer Ebene. Es hatte oft Diskussionen zwischen Ann Kathrin und Rupert darüber gegeben.

»Zwei Frauen, die Sie gegen ihren Willen fotografiert haben, sind jetzt tot«, stellte Weller sachlich fest und traf damit in Zielinskis Angstzentrum.

»Ja, das weiß ich«, brüllte Zielinski, »aber ich habe damit nichts zu tun!«

»Das sehe ich anders«, konterte Weller hart.

Rupert setzte nach: »Ich auch.«

Rupert entdeckte einen besonders ansprechenden Po und hielt Weller das Handy hin: »Guck mal, was für eine scharfe Schnitte!«

Weller warf Rupert einen tadelnden Blick zu und blickte zu der großen Trennungsscheibe, hinter der er Ann Kathrin vermutete. Obwohl die Scheibe von innen nach außen völlig blickdicht war, fühlte Weller sich unwohl.

Rupert pflaumte Zielinski an: »Wer ist das hier? Wo hast du die abgeschossen? Die weiß doch garantiert auch nichts von ihrem Glück. Oder hat die ihren Hintern freiwillig in die Kamera gehalten?«

Auch Rupert wurde jetzt den Gedanken nicht los, dass Ann Kathrin ihnen zusah. Weller hatte das mit seinem Blick zum Spiegel ausgelöst. Er fühlte sich mit einem Mal unfrei. Wie oft hatte er sich auf der anderen Seite befunden und von dort über Ann Kathrin gelästert, weil sie im Verhör in eine Sackgasse geraten war? Anderen zuzugucken und deren Leistungen zu bewerten, sie zu verspotten und zu behaupten, einem selber wäre so etwas nie passiert, war sehr einfach. Das begriff er jetzt, als er sich in der umgekehrten Situation befand. Er schielte immer wieder fast zwanghaft zur Glasscheibe, obwohl er genau wusste, dass er nichts würde erkennen können.

Weller registrierte, wie unaufmerksam Rupert wurde. Am liebsten hätte er ihn zur Ordnung gerufen. Wenn Rupert nicht die Handybilder bestaunte, dann sah er zur Scheibe. Der Verdächtige wurde zur Randfigur.

Die Tür flog auf, und Kevin Janssen stand wie eine Offenbarung im Raum. Er schob eine Kaffeetasse zur Seite und baute einen Laptop auf dem Tisch auf. Die Titelmelodie vom *Weißen Hai* erklang. Ungefragt legte Kevin los: »Ich habe sein Handy mal vorsichtshalber gespiegelt und mir seine letzten Kontakte und Aktionen angesehen. Da bin ich dann auf diese Seite hier gestoßen.«

Er präsentierte die Seite wie eine revolutionäre Erfindung, die das Energieproblem der Erde mit einem Schlag für alle Menschen lösen würde.

Weller beugte sich vor und sah sich das Ganze mit Kevin Janssen an. Rupert schob sich zwischen die zwei, um mehr sehen zu können.

»Wie, gespiegelt?«, fragte Marco Zielinski nervös, der selber nicht auf den Bildschirm schauen konnte. »Habt ihr jetzt etwa alle meine Daten auf eurem Computer?«

»Ja«, antwortete Kevin stolz. Er brüstete sich mit seiner Heldentat: »Wenn du ein neues Handy bekommst, willst du doch auch nicht, dass all deine Daten verloren gehen. Du jubelst die also schnell von einem Gerät aufs andere. Das habe ich auch gemacht. Ein von Handy-zu-Handy-Übertrag. Es reicht, wenn beide Geräte in einem Raum sind, und man kann ...«

»Das ist ungeheuerlich!«, empörte Marco Zielinski sich.

Weller guckte auf den Bildschirm: »Das finde ich allerdings auch! Sie haben also Frau Astrid Thoben nicht zufällig fotografiert, sondern ihr gezielt nachgestellt?«

Marco Zielinski wog ab, was besser für ihn war. Sollte er jetzt doch auf einem Rechtsbeistand bestehen, oder gab gerade diese absurde Situation ihm die Möglichkeit, sich zu erklären und dann die Polizeidienststelle als freier Mann zu verlassen? Würde ein Richter die Beweismittel gegen ihn überhaupt gelten lassen, wenn sie auf so übergriffige Art und Weise herangeschafft worden waren?

»Ja«, gestand er, »ich bin M. Ich wollte die Punkte. Es ist ein Spiel, wenn Sie so wollen.«

»Ein Spiel?«, wiederholte Weller.

»Ja. Andere kaufen sich ein Gewehr und gehen zur Jagd oder machen den Angelschein. Wir fotografieren.«

»Wieso«, fragte Rupert, »gibt es diese Punkte? Warum ist diese Lehrerin mehr wert als die Einzelhandelsfachverkäuferin da?«

»Na, Jungs? Habe ich euch weitergeholfen?«, fragte Kevin stolz, der deutlich erkennbar nach Anerkennung heischte.

»Ja, Lisbeth Salander, hast du«, lobte Weller ihn.

Rupert polterte: »Und jetzt kannst du uns auch gerne wieder alleine lassen. Wir schaffen das mit dem Kleinen hier ganz gut.«

Rupert begleitete Kevin zur Tür und flüsterte ihm zu: »Ich würde mir das an deiner Stelle nicht gefallen lassen.«

»Was?«

»Na, dass sie mich Lisbeth nennen oder Salamander.«

Kevin guckte Rupert mitleidig an: »Das wird auch ganz sicher nicht geschehen, Rupi. Niemand wird dich jemals so nennen. Das tun sie, weil ich bestimmte Fähigkeiten habe, die andere Leute nicht besitzen. Und nicht Salamander, sondern Salander!«

Wellers Stimme füllte jetzt den ganzen Raum aus. Rupert schloss die Tür hinter Kevin.

»Erklären Sie mir den kranken Scheiß hier, Herr Zielinski«, forderte Weller scharf. So, wie er *Zielinski* ausgesprochen hatte, gab der Befragte sofort jeden Widerstand auf. Er sah aus wie ein Boxer, der in die Ecke geprügelt worden war und sich nun nur noch an den Seilen festhielt. Ihm war schwindlig. Wellers Stimme hatte dazu ausgereicht. Seine dick angeschwollene Nase ließ ihn gefährlich, ja rachelüstern aussehen.

»Wer«, fauchte Weller angriffslustig, »hat Frau Thoben zum Abschuss freigegeben? Wer?«

Marco Zielinski überlegte, wie er es am besten erklären konnte. Er hatte immer noch die Hoffnung, sie würden ihn gehen lassen. Er musste ihnen etwas bieten, das sie verstanden, ja vielleicht sogar sympathisch fanden.

»Wer ... So etwas weiß man nicht ...«, begann er.

»Klar«, kommentierte Rupert spöttisch, »der große Unbekannte.« Er sprach in Richtung Weller weiter, hoffte aber darauf, dass Ann Kathrin ihn hören würde. Es war in letzter Zeit immer wichtiger für ihn geworden, vor ihr gut dazustehen. Er ärgerte sich selbst darüber und hätte es niemals zugegeben, aber genau so war es. »Wenn uns hier einer mit dem großen Unbekannten kommt, Weller, weißt du, woran ich dann immer denke?«

Weller reagierte nicht auf Rupert. Er interessierte sich mehr für das, was Zielinski dachte. Doch Rupert fuhr fort: »Ich denke dann daran, dass der große Unbekannte vermutlich genau da gerade vor uns sitzt. So war es nämlich meistens.« Er zeigte auf Marco Zielinski und grinste ihn an.

Der Beschuldigte wendete sich an Weller: »Herr Kommissar, das funktioniert ganz einfach. Es ist wie ein Versteckspiel. Einer sagt: *Wer die Thoben abschießt, hat fünfhundert Punkte verdient.* Es läuft nach Angebot und Nachfrage. Einer macht ein Angebot, ein anderer akzeptiert. Ähnlich wie beim Skat. Man reizt ein Blatt aus. Das kennen Sie doch?«

Weller nickte und stützte dann, sauer über sich selbst, beide Hände auf dem Tisch auf. Seine Haltung hatte jetzt etwas von einem Gorilla. »Wer?«, hakte er nach.

»Ja, genau«, schimpfte Rupert. »Wer? Wir wollen endlich einen Namen!«

Marco Zielinski hob beide Arme über den Kopf. Er reckte sich, als sei er müde. Wieder sprach er in Richtung Weller. Er erhoffte sich von ihm mehr Verständnis als von Rupert. Weller war für ihn eindeutig der Intelligentere der beiden.

»Herr Kommissar, ich weiß es nicht. Bitte glauben Sie mir. Vielleicht war es ein Schüler, vielleicht ein Kollege. Meistens ist es der Exmann oder ein enttäuschter abgewiesener Lover.«

Er beugte sich zu Weller vor, als wolle er ihn ins Vertrauen ziehen. »Stellen Sie sich vor, Herr Kommissar, Ihre Exfrau nervt Sie. Sie verspottet Sie, macht Sie bei Ihren Freunden schlecht, und Sie kämpfen die ganze Zeit mit ihr ums Geld. Vielleicht schwärzt sie Sie beim Finanzamt an oder erpresst Sie mit der Drohung, das zu tun. Und Sie sinnen auf Rache. Wenn Sie jetzt ein paar freizügige Fotos von ihr ins Netz stellen, die Sie während Ihrer Ehe gemacht haben, dann weiß doch jeder gleich, wer das war. Sie zeigt Sie an, und Sie haben wieder mal die Arschkarte gezogen.«

Rupert klopfte Weller freundschaftlich auf die Schulter, so als hätte Marco Zielinski genau ins Schwarze getroffen und er wolle seinen Freund trösten.

Zielinski schöpfte Hoffnung. Die beiden waren vielleicht gar nicht so schlimm. Ja, sie würden ihn verstehen, schließlich waren sie doch auch Männer.

»Sie stellen also Ihre Ex mit ein paar Angaben bei uns auf die Plattform, und das Spiel beginnt.«

Rupert nickte. Er hatte kapiert.

Weller machte ein Pokergesicht. Bei ihm regte sich keine Miene. Endlich hatte er sich im Griff. Dass er keine Gefühlsregung bei Weller spürte, veranlasste Marco Zielinski, noch mehr aufzudrehen. »Ja, im Ernst, Herr Kommissar. Wie würden Sie sich denn an ihrer Ex rächen? Man macht so etwas doch nicht selber!«

Rupert stimmte zu, obwohl er im selben Moment ahnte, dass das falsch war.

Marco Zielinski erklärte: »Man stellt sie anonym auf die Plattform und gibt sie zum Abschuss frei. Ab dann sind Sie selbst fein raus, müssen nichts mehr machen, können sich zurücklehnen und es genießen.«

Vor lauter Empörung schlug Weller auf die Tischplatte, dass die Kaffeebecher und der Laptop hüpften. Er fühlte sich, als sei ihm das alles von Zielinski unterstellt worden. »Nein, verdammt, nichts dergleichen würde ich tun! Nur ein perverses, feiges Schwein verhält sich so!«

Rupert versuchte einzulenken. Er fand, dass eigentlich alles ganz gut lief. Sie wussten schon viel mehr als vorher. »Ihr seid also so etwas wie ein Online-Bestellservice, so wie *amazon*, nur eben für die Rache an Exfrauen?«

Marco Zielinski lächelte über den Vergleich. »Nicht ganz. Bei uns muss man ja nichts bezahlen. Wie gesagt, es ist ein Spiel, und es geht auch nicht immer um Rache, sondern manchmal geht es einfach nur um …«

»Ärsche?«, ergänzte Weller.

»Spaß«, korrigierte Zielinski.

Ann Kathrin hatte genug gesehen. Sie wog ab, was dafür sprach, jetzt das Verhör zu übernehmen.

Rupert trank einen Schluck aus seinem Kaffeebecher und verzog den Mund. Das Zeug war sumpfig und lauwarm. Er nahm auch Frank Wellers Becher und versprach: »Ich besorge uns frischen …«

So, wie Weller ihn ansah, traute der ihm nicht zu, mit der Kaffeemaschine fertigzuwerden. Draußen ging Rupert an Ann Kathrin vorbei, die, an die Scheibe gelehnt, versonnen dastand.

Fast hätte Rupert neugierig gefragt: *Na, Süße, wie war ich?* Doch dies war ja kein Frühstück nach einem One-Night-Stand, sondern ein Verhör. Also holte er tief Luft und gab seine Erkenntnis zum Besten: »Ihr Ex hat sie zum Abschuss freigegeben.«

»Und wer«, fragte Ann Kathrin, »hat sie umgebracht?«

»Ja, äh, also … wenn du mich jetzt so fragst … Entweder dieser kleine Klemmie da oder ihr Ex. Ich tippe auf ihren Ex.«

»Du tippst …?«, hakte Ann Kathrin kritisch nach.

Rupert nickte.

»Wir spielen hier aber nicht Lotto, Rupert. Warum sollte ihr Ex den Auftrag geben, sie zu fotografieren, wenn er sie umbringen will?«

Rupert stellte sich anders hin. In Ann Kathrins Nähe bekam er oft das Gefühl, zu klein zu sein, und das hatte sicherlich nichts mit ihrer Körpergröße zu tun. Er holte tief Luft. »Um den Verdacht auf diese Agrartheologen zu lenken, die so gerne Ärsche knipsen.«

»Agrartheologen?«

»Manche sagen auch Schweinepriester.«

Ruperts Sprache gefiel ihr nicht, aber an seiner Überlegung konnte durchaus etwas dran sein. Rupert wollte weiter. Er fühlte sich in Ann Kathrins Nähe gerade wie bei seiner Abiturprüfung. Sein Hemd war schon durchgeschwitzt.

»Und warum dann die zweite Frau? Warum ein weiterer Mord?«, wollte Ann Kathrin von ihm wissen.

»Eine Verdeckungstat?«, riet Rupert. Er sah die junge Kommissarin Jessi Jaminski kommen. Er vermutete, so etwas wie ein Vorbild für sie zu sein. Jessi lächelte ihn an. Plötzlich wurde er mutig und riskierte einen Befreiungsversuch aus dieser Prüfungssituation. »Vielleicht ist das ein ganz gerissener Hund. Der weiß genau, dass hier die berühmte Serienkillerfahnderin Ann Kathrin Klaasen arbeitet. Darum bietet er uns genau das an, worauf unsere Superkommissarin am ehesten abfährt. Eine Serie! Dann suchen wir nämlich kein Motiv eines Einzelnen mehr, sondern jagen einfach einen Verrückten.«

Ann Kathrin ignorierte Ruperts frechen Ton. »Ja«, sagte sie, »wir wissen scheinbar alles, aber wir haben nichts in der Hand.«

Jetzt war es ruhig auf der Straße vor dem Hotel. Annika Schmelzin stand am Fenster hinter den Gardinen. Sie hatte kein Licht im Zimmer gemacht. Lediglich die Badezimmertür stand einen Spalt offen, und von dort fiel ein schmaler Lichtkegel auf ihr zerwühltes Bett. Noch nie zuvor gedachte Gedanken kreisten durch ihren Kopf. War sie ab jetzt für ihren Vater verantwortlich oder er für sie? Ihr wurde bewusst, dass sie allen Abgrenzungsversuchen zum Trotz immer ein Mamakind gewesen war, nie ein Papakind.

Was sollte jetzt werden? Plötzlich tat ihr jeder blöde Streit leid, und sie spürte die Liebe zu ihrer Mutter wie ein Messer in sich wühlen. Sie empfand sie plötzlich als ihre beste Freundin. Sie wollte ihr nah sein. Alles war so scheiße schnell gegangen. Sie hatte keine Gelegenheit gehabt, Abschied zu nehmen. Jetzt kam es ihr sogar so vor, als hätte sie es abgelehnt.

Immer wieder las sie die letzten Nachrichten. Sie schämte sich dafür, wie abweisend sie gewesen war. Das alles bekam mit einem Mal eine so große Bedeutung. Jedes Wort zählte doppelt. Sätze wogen Zentner, wurden zu einer Last, die sie niederdrückte.

Sie machte sich auf den Weg. Leise schlich sie im *Hotel Flörke* durch den Flur, wie eine Diebin, die es auf den Schmuck und das Bargeld von leichtfertigen Urlaubern abgesehen hatte, die nachts ihre Türen unverschlossen ließen.

Sie wollte alleine sein, um Kontakt zu ihrer Mutter zu suchen. Sie fuhr mit dem Rad genau dorthin, von wo ihre liebe Mutter ihr die letzte Nachricht geschickt hatte. Es war, als würde sie erst jetzt ihrer Einladung folgen. Es war der Ort zwischen den Dünen am Flinthörn, wo ihre Mutter getötet worden war. In dieser sternenklaren, fast windstillen Nacht, radelte sie zu dieser Stelle.

Nein, sie hatte keine Angst. Wovor denn auch? Das Schlimmste war ja bereits geschehen, so dachte sie. Sie spürte die Nähe ihrer Mutter, ja es war, als würde sie ihr entgegenradeln.

Am Flinthörn warf sie ihr Rad einfach ins Gras und lief den strohbedeckten Weg hoch. Sie rannte, bis sie außer Atem war und sich selbst nach Luft japsen hörte. Ihr Herz pochte, dass sie es am Hals spürte. Ihre Spucke schmeckte nach Metall.

Hier hatte sie ihren Vater umarmt und sich gegen das Wissen gesträubt, dass ihre Mutter ermordet worden war.

Sie sah zu den Sternen hoch, als könne ihre Mutter dort irgendwo sein. Sie ließ ihren Tränen freien Lauf. Sie setzte sich in den Sand. Sie streichelte mit den Händen das hohe Gras, als würde sie die Haare ihrer schlafenden Mutter berühren, ohne sie zu wecken.

Da hinten, ganz weit weg, an der Wasserkante, spazierte ein Pärchen. Sie leuchteten mit einer Taschenlampe vor sich auf den Boden. Alle paar Meter blieben sie stehen und knutschten.

Wenn ich wenigstens einen Freund hätte, dachte Annika. Einen richtigen. Einen guten! Einen, der kommt, um zu bleiben. Keinen Flattermann! Was sie jetzt brauchte, war eine ernsthafte Beziehung. Sie sehnte sich nach einem, der sie wirklich liebte. Verzehrte sich nach jemandem, der in der Lage war, das Loch zu füllen, das die schreckliche Tat in ihr Innerstes hineingesprengt hatte.

»Mama!«, rief sie. »Mama!« Es klang wie eine Beschwörung.

Nicht weit von ihr, keine vierzig Meter Luftlinie entfernt, hockte jemand in den Dünen, der sein Glück kaum fassen konnte. Er hörte ihre *Mama*-Rufe und beobachtete sie mit seinem Nachtsichtgerät, was kaum nötig gewesen wäre, da der Mond heute besonders hell über der Insel glänzte. Die Sterne funkelten geradezu wie ein Feuerwerk, das am Himmel eingefroren war.

Er besaß zwei verschiedene Nachtsichtgeräte. Das eine verstärkte einfach nur das vorhandene Licht, doch er mochte bei diesem Restlichtverstärker das fluoreszierende grünliche Bild nicht. Besser gefiel ihm das Nachtsichtgerät, das auf Wärme reagierte. Es machte Menschen, Tiere, manchmal auch Motoren sichtbar, deren Temperatur von der restlichen Umgebung abwich. Durch diese Kamera betrachtet, sah Annika Schmelzin gespensterhaft aus. Ein weißes Wesen, einsam in einer schwarzen Umwelt.

Ein Tier näherte sich ihr. Sie bemerkte es nicht. Vielleicht war es ein Hase, ein kleiner Hund, ein Fuchs oder eine Katze. Das konnte er nicht sehen. Aber etwas schlich heran, als hätte es vor, ihm die Beute wegzuschnappen.

Es war die Nacht der Austernfischer. Das Pärchen unten am Wasser schreckte die Vögel unabsichtlich an einer Futterstelle auf. Sie flogen schimpfend auf und machten einen solchen Lärm, dass das Pärchen sich zurückzog.

Er duckte sich tief ins Gras, um nicht gesehen zu werden. Er hatte geglaubt, Polizisten würden diese Stelle in den Dünen sichern. Sie traten sich auf der Insel ja geradezu gegenseitig auf die Füße. Doch jetzt hockten sie in der *Weinperle*, im *Dwarslooper* oder nahmen einen Drink im *Blied*. Einige schliefen vielleicht auch schon, weil sie die Nordseeluft nicht gewohnt waren.

Niemand war vor Ort und bewachte den Tatort. Zwei Frauen waren hier gestorben. Noch befand sich die Insel im Schockzustand.

Er hatte die Stahlschlinge in der Tasche und ließ sie durch seine Finger gleiten. Er betrachtete Annika als ein Geschenk des Universums, das er gerne annahm.

Ann Kathrin und Frank Weller waren bei den Nachbarn Rita und Peter Grendel zum Grillen eingeladen. Der Maurer holte die ersten Riesenbratwürste vom Rost. Bettina Göschl war mit ihrer Gitarre *Gitti* da. Sie probierte ein neues Lied aus und wollte von ihren Freunden wissen, wie sie es fanden.

Frank Weller schaltete auf seinem Handy ihren Song *Piraten Ahoi!* jetzt zur Begrüßung ein, als er Bettina sah.

Peter Grendel sang gleich mit: »... *auch bei Sturm gehen wir an Bord ...*« Frank Weller hob die Faust: »*Hisst die Flaggen, setzt die Segel!*«

Jörg und Monika Tapper brachten Baumkuchen mit und superlange Baguettes. Holger Bloem und seine Frau Angela kamen mit einer Kiste *Ostfriesen Bräu*. Außerdem hatte Angela selbst gemachten Eierlikör dabei. Die Liter-Flaschen *Bagbander Landbier* fanden sofort fröhliche Abnehmer.

Peter Grendel stellte sein leeres 0,33-Liter-Fläschchen *Jever* Pils neben eine große Flasche *Ostfriesen Bräu*. Er lachte: »Guck mal, da kriegt man doch den Eindruck, das hier ist für den Kindergeburtstag.« Er hob die große Flasche hoch: »Ja, das ist die richtige Größe!«

Schnell wurden die Morde auf Langeoog auch hier zum Thema.

Monika stellte die Frage: »Warum macht ein Mensch so etwas?«

Unausgesprochen erhofften sich alle eine Antwort von Ann Kathrin, Frank oder Holger. Jeder der drei spürte dies und hoffte, dass ein anderer antworten würde. Schließlich begann Ann Kathrin: »Ich glaube nicht, dass ein Mensch als Mörder geboren wird.«

»Sondern?«, fragte Rita Grendel.

Ann Kathrin antwortete nicht sofort, weil ihr alles Voreilige suspekt war, wenn es um so wichtige Fragen und Erkenntnisse ging.

Holger Bloem versuchte eine Erklärung: »Irgendwann läuft vielleicht irgendetwas in einem Leben schief. Jemand bekommt einen Knacks und dann ...«

»Och nö«, warf Jörg Tapper ein, »bitte nicht die schlimme Kindheit!«

»Er ist kein Freudianer«, nahm Monika ihren Mann in Schutz.

Peter Grendel, der gerade noch sehr gut gelaunt, ja übermütig gewesen war, weil er endlich seine Freunde wiedersah, wurde plötzlich sehr ernst. Er schob die Bierflasche von sich weg und vergaß sogar die Würstchen auf dem Grill. Er sagte: »Die Frage ist doch, Ann, gibt es das Böse?«

Sie sah ihn an und antwortete: »Ja, ich bin ihm zweifellos begegnet. Es saß mir schon in Form einer alten Frau gegenüber und auch schon als junger, starker Mann.« Sie griff sich trotz des warmen Sommerabends an die Oberarme und rieb über die Haut, als ob sie frieren würde. »In der Nähe des Bösen habe ich oft das Gefühl gehabt, die Raumtemperatur würde sinken.«

»Sinkt sie wirklich, wenn das Böse im Raum ist?«, fragte Jörg kritisch.

Ann Kathrin schüttelte den Kopf. »Nein. Aber man fröstelt. Es geschieht etwas mit einem.«

Ann Kathrin fasste sich an den Hals: »Ich hatte schon Mühe zu atmen. Manchmal erkenne ich zunächst an meinen eigenen Körperreaktionen, welcher Mensch da vor mir sitzt ...«

Es war ein stiller Moment auf der Terrasse. Nur das leise Knistern und Zischen der Würstchen auf dem Grill waren zu hören. Die Glut der Holzkohle leuchtete wie ein Vorbote der Hölle. Fett tropfte hinein.

Bettina Göschl hatte ihre Gitarre neben ihren Stuhl gestellt. Sie wischte sich Haare aus dem Gesicht. »Wenn man an Reinkarnation glaubt«, sagte sie so leise, dass es wie ein fernes Flüstern klang, aber trotzdem noch mühelos von jedem gehört wurde, »dann kann es ja sein, dass jemand etwas aus einem früheren Leben mitbringt ...«

»Interessanter Gedanke«, bestätigte Weller. »Heißt das zum Beispiel, jemandem geschieht großes Unrecht vor seinem Tod, und der kommt dann im nächsten Leben mit einer irren Wut auf die Welt?«

Ann Kathrin fand den Gedanken spannend, behauptete aber: »Angeblich wird der Charakter des Menschen in den ersten vier Lebensjahren entscheidend geprägt.«

»Jeder von uns kann zum Mörder werden«, behauptete Peter Grendel. Er schob die Würstchen auf dem Grill, die anzukokeln drohten, zur Seite und drehte die Maiskolben um. Eine Bratwurst hob er hoch und bot sie an, doch niemand griff zu. Das lag nicht an den Würstchen von Meister Pompe, sondern an dem Thema, das alle gefangen hielt.

Peter Grendel zeigte sich genauso, wie ihn alle kannten: »Ich bin echt gegen die Todesstrafe. Aber wenn es um meine Frau oder um meine Tochter geht, könnte ich nicht für mich garantieren.«

Weller stimmte ihm sofort zu: »Ich auch nicht.« Er relativierte seine Worte gleich: »Also, ich würde nie eine Partei wählen, die für die Todesstrafe eintritt. Der Staat soll nicht das Recht haben zu töten. Aber wenn einer meine Frau oder meine Töchter anfasst, dann ...«

Rita Grendel befürchtete, die Diskussion könne ausufern und den schönen Abend restlos bestimmen. Sie rief: »Kinder, die Würstchen sind so weit! Und für die Vegetarier haben wir Maiskolben!«

»Kann man auch beides bekommen?«, lachte Bettina.

»Klar«, antwortete Rita. »Und wenn du erst meinen Kartoffelsalat siehst, Süße, dann ...« Rita führte ihre Fingerspitzen zum Mund und küsste sie laut.

Peter verteilte Würstchen. Holger Bloem war noch ganz im begonnenen Gespräch. Er führte aus: »Ich glaube, es gibt Menschen, die andere gerne leiden sehen.«

Seine Frau Angela gab ihm recht: »Ja, stimmt. Und es gibt die anderen, die genau das nicht können.«

Ann Kathrin ließ eine große Flasche *Ostfriesen Bräu* ploppen und goss ein Glas damit voll, das im Vergleich zur Flasche geradezu lächerlich klein wirkte. »Vielleicht«, sagte sie, »verläuft genau da die Trennungslinie zwischen gut und böse ... Falls es so etwas überhaupt noch gibt.«

Jörg Tapper wollte keinen Senf und behauptete, eine gute Wurst brauche keinen. Da war Peter Grendel entschieden anderer Meinung.

Monika wollte nichts essen. Für sie war das hier noch nicht ausdiskutiert. »Was willst du uns damit sagen, Ann?«

Die beiden Frauen rückten näher zusammen. Als hätte diese

Bewegung ein Signal ausgesendet, bildeten sich plötzlich zwei Gruppen: die Frauen und die Männer.

Später saßen sie auch auf den Bierbänken nach Geschlechtern getrennt. Rita nannte die Sitzordnung *Ostfriesische Reihe.*

Das Gespräch über das Böse lief jetzt nur noch unter den Frauen weiter. Ann Kathrin saß zwischen Angela und Monika. Angela schenkte Eierlikör ein.

Ann Kathrin formulierte ihre Antwort sehr überlegt: »Ich will damit sagen, dass nicht jeder, der aus unserer Sicht Böses tut, das selber auch verwerflich findet. Wer mit einem Lkw in einen Weihnachtsmarkt rast oder sich in die Luft sprengt, um möglichst viele Menschen mitzunehmen, der glaubt vermutlich sogar, etwas Gutes zu tun. Fühlt sich im Recht.«

Angela schraubte die Eierlikörflasche zu. Die Gläser waren so voll, dass sich auf ihnen ein gelber Berg wölbte. Sie sagte: »So einer glaubt wahrscheinlich, er würde von seinem Gott belohnt, weil er uns Ungläubige umbringt. Prost, Mädels. Der ist selbst gemacht.«

Ann Kathrin stieß mit ihren Freundinnen an. Sie tranken. Bettina wischte sich mit dem Handrücken Tropfen von den Lippen: »Manche«, sagte sie, »sind religiös wahnsinnig. Das glaube ich sofort.«

Ann Kathrin nickte nachdenklich. »Ja, Bettina, Wahnsinn ist vielleicht das Schlüsselwort. Wenn ich das Böse vor mir sah, dann war es oft einfach der Wahnsinn, der mich frösteln ließ.«

»Sieht man es in den Augen?«, fragte Monika.

»Manchmal schon. Ich verstehe, wie Menschen früher darauf kamen, jemand sei vom Bösen besessen. Es kann sich echt so anfühlen. Mein Verstand schreit dann: Nein, Halt, Vorsicht, so etwas gibt es nicht! Ist wissenschaftlich völliger Blödsinn! Aber ein Gefühl sagt mir: Verdammt, genauso ist es. Das darf man nur in keine Akte schreiben, wenn man seinen Job behalten will.«

»Mich gruselt, wenn du so redest«, sagte Monika. Bettina rückte unwillkürlich näher ans Feuer.

Die Männer hatten inzwischen andere Themen. Holger Bloem wollte von Peter Grendel den Stand der Bauarbeiten an der Wasserkante in Norddeich wissen. Peter sprach voller Stolz über das neunzig Meter lange Wattfenster, an dem sie gerade bauten. »Wir mussten zuerst Fundamente in den Wattboden eingraben. Ihr wisst ja, Freunde, jeder hat seine Sucht. Ich bin auch abhängig, und zwar tideabhängig. Wenn die Flut kommt, sollten wir vorbereitet sein.«

Die Männer lachten.

»Habt ihr«, fragte Jörg Tapper, »die Drachenwiese höher gelegt?«

Peter Grendel nickte. »Ja. Um einen Meter zwanzig. Jetzt wird nicht immer alles gleich überspült, wenn der Meeresspiegel steigt.«

Weller gefielen die Betonblockstufen.

»Ja«, sagte Peter, »die haben fünfundvierzig Zentimeter Sitzhöhe, also praktisch wie ein Stuhl. Und du hast einen wunderbaren Blick von dort nach Norderney und nach Juist. Wir haben die gesamte Linie bis zum Hundestrand befestigt. Eine große Meeresterrasse. Das wird den Touristen gefallen.«

»Du bist mein Held«, sagte Weller voller Bewunderung und stieß mit Peter an.

Wenn es bei uns doch auch so laufen würde, dachte er. Ich möchte auch so über meine Arbeit reden können wie Peter. Der macht etwas, das ist schön und hält, jeder kann es sehen und sich daran erfreuen. Und ich, ich verhafte höchstens irgendeinen Drecksack, damit der nicht noch mehr Schweinereien anrichtet. Und meistens verhaften wir ihn sowieso zu spät.

Er hatte ein schlechtes Gewissen, weil er jetzt hier mit seinen Freunden saß und entspannte, statt auf Langeoog den Mörder zu jagen. Aber er wusste, dass er sich von der Arbeit nicht auffressen lassen durfte. Manchmal hatte er Angst, bei dem, was er tat, durchzudrehen.

Alles sprach gegen diesen Marco Zielinski. Doch Weller spürte genau, dass Ann Kathrin nicht wirklich daran glaubte, dass Zielinski die beiden Frauen ermordet hatte.

Weller nahm einen tiefen Schluck. Muss man sich wirklich besaufen, um mal einen Moment zu entspannen, fragte er sich. Er beschloss, heute Abend nicht mehr über den Fall zu sprechen, sondern lieber mit Peter noch ein bisschen über die Baumaßnahmen an der Wasserkante zu reden.

Auch Holger Bloem brachte ein neues Thema mit: »Wisst ihr eigentlich«, fragte er, »dass eine Filmproduktion in Norden einen neuen Krimi drehen will mit Julia Jentsch in der Hauptrolle?«

Eigentlich interessierte den Büchermenschen Weller das gar nicht. Film war nicht so sein Ding. Aber er war über jede Ablenkung froh. »Wer spielt sonst noch mit?«, fragte er.

Holger Bloem zählte auf: »Barnaby Metschurat, Christian Erdmann, Kai Maertens und Andreas Euler.« Holger tippte Peter Grendel an: »Und weißt du was, Peter? Der erinnert mich total an dich. Netter Typ. Ich mache ein Interview mit ihm fürs *Ostfriesland Magazin*. Mit Julia Jentsch habe ich auch schon ein gutes Gespräch für unser Blatt geführt.«

Frank Weller lachte: »Du wirst noch unser Hollywood-Starreporter!«

Holger verzog das Gesicht: »Hollywood war gestern. Norden ist das neue Hollywood! Sie wollen auch bei einem Open-Air-Konzert von Bettina drehen.« Holger zeigte auf Bettina Göschl.

»Wisst ihr was, Jungs«, schlug Jörg Tapper vor, »da bewerben wir uns als Statisten. Genau! Wir stehen unten in der Menge und jubeln ihr zu.«

Bettina spürte, dass die Männer alle zu ihr rübersahen, wusste aber nicht, warum. Ihr war immer noch ein bisschen kalt, und sie war froh, im Kreis ihrer Vertrauten zu sein. Es kam ihr vor, als würde draußen etwas Böses ums Haus schleichen, in harmloser Gestalt und doch hochgefährlich. Sie schüttelte sich. Solche Gespräche gingen ihr doch immer lange nach.

»Bitte, spiel was für uns«, schlug Rita vor, und Jörg Tapper hatte auch gleich einen Musikwunsch: »*Piraten Ahoi!*«

Bettina nahm ihre Gitarre.

Es war merkwürdig still nach der Tat. Er kannte das aus Sommerfeldts Büchern. Sommerfeldt hatte immer die Stille gesucht. Die Totenstille im Watt.

Sommerfeldt hätte nie auf jemanden geschossen. Er hasste Knallwaffen.

»Wir«, sagte er leise gegen den Wind, »wir töten lautlos. Darin sind wir uns gleich. Du mit deinem Messer und ich mit der Stahlschlinge. Ich will ja später nicht als einfacher Nachahmer dastehen. Als Kopist.«

Er ging an der Wasserkante Richtung Vogelschutzgebiet. Eigentlich durfte man hier nicht weiter, um die Vögel nicht zu stören. Eigentlich. Ihm gefiel das. Wenn viele sich daran hielten oder zumindest die meisten, dann war er hier sicher.

Gigantische Vogelschwärme scheuchte er mit seinen Schritten auf. Die Tiere flatterten wild durcheinander und stießen wütende Schreie aus. Da war ein Geschnatter und ein Flügelrauschen um ihn, das das Meer und den Wind übertönte. Die Vögel fanden sich zu wolkenartigen Gebilden zusammen, die sich zuckend über ihm und um ihn herum bewegten. Die Wolken zerstoben wie von einer inneren Explosion zerfetzt und fanden doch gleich wieder zu beweglichen, zuckenden Klumpen zusammen.

Es war ein triumphaler Moment für ihn. Nicht ganz so großartig wie das Durchtrennen einer Halsschlagader, aber eben doch triumphal. Gebieterisch. Göttlich. Es war, als würden die Vögel ihm huldigen.

Er zog sich aus und sah dabei zu ihnen hoch, als könne er hier, mitten in ihrem Brutgebiet, einer der ihren werden und sich künftig *Birdie* nennen. *Birdie!* Vögelchen. Aber nein, das klang doch zu harmlos. Opfer hießen vielleicht *Birdie*. Er war ein Vollstrecker. Der Sensenmann persönlich. Er wollte kein harmloser Singvogel sein. Er wollte ein Raubvogel werden. Am liebsten so groß wie ein Flugdrache.

Nackt lief er ins Meer. Dort wusch er dann auch seine Kleidung. Er zog sich wieder an. Eine scharfe Muschel schnitt in seine rechte Fußsohle. Sein Blut vermischte sich mit Sand und Salzwasser. Mit den schweren, vollgesogenen Klamotten am Körper stand er mit ausgestreckten Armen da wie eine Vogelscheuche mitten im Vogelschutzgebiet.

Er guckte zum Mond und genoss das Kribbeln auf der Haut. Nein, es erregte ihn nicht sexuell. Es war anders. Grundsätzlicher. Es war, als könnte er jeden Moment seine menschliche Hülle verlassen und etwas ganz anderes, Neues werden. Etwas, das fliegen konnte und durch seine Atmung in der Lage war, die Vögel zu dirigieren wie ein Dirigent im Orchestergraben mit dem Taktstock seine Musiker.

Hatte hier an dieser Stelle nicht Sommerfeldt seine Leiche vergraben? Er hatte die Zeilen gut in Erinnerung. Langeoog war für Sommerfeldt so wichtig gewesen. Er hatte die Leiche im Vogelschutzgebiet vergraben, in der Hoffnung, sie würde dort nicht gefunden werden. Kein ganz blöder Gedanke. Nur hatte Sommerfeldt nicht mit der Sturmflut gerechnet.

Er lachte über Sommerfeldts Fehler. Warum, fragte er sich, hast du überhaupt versucht, die Leiche zu verstecken? Hast du dich deiner Tat geschämt? Ich präsentiere sie der Öffentlichkeit. Über diese Scham bin ich hinaus. Das war damals … Beim ersten und beim zweiten Mal. In Köln-Mülheim und in Bochum.

Der Mond hatte eine unfassbare Anziehungskraft. Ihm war, als könne er hinaufschweben und ihn in Sekunden mühelos erreichen. Er brauchte dazu kein Raumschiff, keine Raketen, sondern er konnte es mit Hilfe seiner Gedanken. Er erreichte es gut durch Ein- und Ausatmen. Er bekam jetzt das Gefühl, gleichzeitig auf dem Mond zu sein und hier auf Langeoog mit den Füßen im Sand zu stehen.

Er dachte an den Abend in der Buurderee in Großheide zurück. Er hörte wieder die Harfenklänge von Ralf Kleemann. Er hatte dort gesessen und gelauscht. Es waren vielleicht dreißig, höchstens vierzig Gäste gekommen. Die Leute hockten nicht nah aufeinander. Das gefiel ihm. Niemand setzte sich zu ihm an den Tisch. Fünf Plätze blieben frei. Andächtig hörten alle der keltischen Musik zu. Er trank erst einen Kaffee und nach der Pause ein Bier.

Ralf Kleemann erklärte, wie eine Harfe funktionierte. An diesem Abend hatte er begriffen, dass eine Harfe im Grunde ein Klavier ohne Tasten und ohne großen Klangkörper drum herum war. Da zupfte einer die Klaviersaiten praktisch direkt.

Die Musik hatte ihn heruntergeholt, ja entspannt. Er hatte sich gleich zwei CDs gekauft und sie zu Hause in den neuen Räumen in Norddeich immer wieder gehört. Aber die gleiche Entspannung, ja Verzauberung wie bei der Livemusik hatte er nie wieder empfunden. Ein paar Klänge der Livemusik waren in ihm gespeichert, und manchmal, wenn es ihm gutging, erklangen sie, als würden Engel für ihn spielen.

Die Buurderee war ein Kultort für ihn geworden. Dort hatte er auch dem Dichter Manfred C. Schmidt gelauscht. Er wurde von einem Gitarristen begleitet. Helmut Bengen. Er mochte besonders Schmidts Kurzkrimis. Als er sie vorlas, hatte er ein paarmal laut gelacht und sich dann erschrocken zu den anderen Gästen umgesehen. Einer wie er befürchtete immer, aufzufallen und schließlich aufzufliegen. Lachte er an Stellen, an denen andere sich gruselten? Reichte ein Lachen an der falschen Stelle, um jemanden als Mörder zu überführen?

Er fühlte sich der menschlichen Gemeinschaft nicht wirklich zugehörig. Er musste sich immer verstellen, um nicht aufzufallen. Als Vogelscheuche im Nachtwind kam er sich echt vor.

Er stand so, bis er das Gefühl hatte, aus nassem Holz zu bestehen. Zeit existierte nicht mehr. Er gehörte inzwischen zur Landschaft. Zum Weltnaturerbe.

Die Vögel hatten sich beruhigt und saßen um ihn herum. Der Mond ließ ihr Gefieder glänzen. Es mussten ein paar Hundert, vielleicht ein paar Tausend Tiere sein. Sie sahen aus seiner Perspektive wie schwarze, fast bläuliche Ornamente auf einem riesigen Teppich aus. Das Geschnatter und Gekreische waren vorbei. Er hörte wieder den Wind und das Meer. Da draußen fuhr ein beleuchtetes Passagierschiff vorbei, das ihm mitten im

Sommer mit seinen Lichterketten ein weihnachtliches Gefühl brachte. Er sah die roten Punkte blinken, die Tiefflieger vor den Windrädern warnten. Wie eine Perlenkette, die in der Luft hing. Er fragte sich, wo um diese Zeit Tiefflieger herkommen sollten.

Er drehte sich ganz langsam. Der Blick auf die Vögel war jetzt spannender als der zum Mond. Er fühlte sich endlich als Teil von etwas, aber auch hier als Fremdkörper.

Er rannte schreiend los und scheuchte die Tiere noch einmal auf. Diesmal ganz bewusst, als Zeichen seiner Überlegenheit. Einige Vögel schissen vor Angst. Ein ätzender weißer Streifen Vogelkot traf sein Gesicht.

Dr. Bernhard Sommerfeldt schrieb an einer Geschichte über seine Schulzeit. Erst Bamberg, dann das Internat. Er suchte sich selbst in seiner Kindheit, so als hätte er sich dort verloren. Er wollte verstehen, wie er zu dem wurde, der er heute war. Hatte sich sein Weg früh abgezeichnet? Hatte es Hinweise oder gar Warnsignale gegeben?

Er fragte sich, ob er langsam zum Serienmörder geworden oder ob es schlagartig geschehen war, durch ein Ereignis, so wie man durch einen Autounfall plötzlich zum Rollstuhlfahrer wird.

Und wenn ja, welches Erlebnis war das gewesen? Der Tag, an dem ihm klargeworden war, dass seine Ehefrau und seine Mutter ihn zum Bauernopfer auserkoren hatten, um die Firma plündern zu können? Ihre Machenschaften hatten sie ihm in die Schuhe geschoben. Aber damals war er nicht zum Mörder geworden, sondern nur aus Franken abgehauen. Vor der Verantwortung geflohen. Vor den Prozessen und all dem Druck. Er hatte sich den Staatsanwälten, Richtern und Gläubigern entzogen. Er war von Johannes Theissen zu Dr. Bernhard Sommerfeldt geworden, zu einem angesehenen Mann mit einer gut laufenden Arztpraxis.

Wie eine Schlange hatte er sich gehäutet, war zu einem geworden, den er selbst erst kennenlernen musste. Die alte Haut hatte er in Bamberg gelassen, und die neue war noch ungewohnt, fühlte sich aber gut an.

Er betrachtete sich selbst, befragte sich, sah sein Leben wie in einem Film. Was er dann aufschrieb, las er fast erstaunt. Der Schriftsteller in ihm, der Hans Fallada, formulierte kurze, klare Sätze, war lakonisch, sezierte ihn gnadenlos, aber nicht kalt, sondern durchaus voller Mitgefühl.

Der Killer in ihm, der Dr. Sommerfeldt persönlich, lachte: *Ja, es ist ein Mitgefühl, das ein Angler mit dem Fisch hat. Erst überlistet er ihn mit einem Köder und zieht ihn an Land. Wenn er dann nach Sauerstoff japsend am Boden liegt, tötet er ihn mit einem Schlag zwischen die Augen, um ihm das Leid zu ersparen.*

Fallada protestierte: *Nein, es ist das Mitgefühl mit der leidenden menschlichen Kreatur. Das meiste Leid ist doch selbst gemacht.*

Der Killer nahm das nicht ernst: *Ach, hör doch auf, Dichter! Es ist das Mitgefühl, mit dem man einen Fangschuss setzt oder das Messer sprechen lässt.*

Er schob den Block von sich weg. Wenn die Personen, die er war, in ihm zu streiten begannen, schrieb er selten gute Texte. Dann war nie klar, wohin sich Handlung und Dialoge entwickelten.

Schreiben heißt, sich ständig entscheiden zu müssen. Das wurde ihm dabei schmerzlich bewusst. Wenn nicht klar war, wer gerade den Füller in der Hand hielt, lief nichts. Schreiben, wirklich schreiben, konnte er nur als Hans Fallada. Das würde heute aber nichts mehr werden. Schade.

Er fischte das versteckte Handy aus dem Buchregal. Ein Journalist namens Jürgen Overkott von der WAZ hatte ihm schriftlich Fragen gestellt. Das Interview sollte heute erscheinen. Er googelte sich selbst, um es zu finden. Tatsächlich, da war es.

Auf dem veröffentlichten Foto kam er sich fremd vor. Ein junger Held, kein reumütiger Strafgefangener. Das Bild hatte Holger Bloem von ihm gemacht. Er konnte sich noch genau an die Situation erinnern. Er hatte mit Ann Kathrin Klaasen ein Stück Kuchen von ten Cate gegessen. Auf dem Bild war sogar der Teller zu sehen. Er hatte der Kommissarin in die Augen geguckt, als Bloem auf den Auslöser drückte. Sein Blick hatte dadurch etwas von einem Menschen, der sich verstanden fühlte. Fast etwas Verliebtes.

Natürlich waren sie nicht ineinander verliebt. Er nicht in die Kommissarin, die ihn verhaftet hatte, und sie garantiert nicht in den Mörder, den sie seit Jahren jagte. Und doch waren sie sich ähnlich und wussten viel voneinander. Mehr als so manches Ehepaar.

Die erste Frage lautete: *Wie geht es Ihnen im Gefängnis, Herr Sommerfeldt? Oder soll ich Sie lieber Johannes Theissen nennen?*

Ich fühle mich hier als Dr. Sommerfeldt. Johannes Theissen hat nur noch wenig mit mir zu tun. Wenn ich an ihn denke, dann wie an einen zu früh verstorbenen Freund. Im Gefängnis fühle ich mich auf eine merkwürdige Art frei. Man geht hier höflicher, freundlich, *mit mir um. Ich habe Zeit, zu lesen und zu schreiben. Ich habe draußen vieles erlebt. Vielleicht reicht*

das ja für ein Leben. Mir bleiben die Erinnerung und natürlich
die Literatur.

Was macht für Sie einen guten Roman aus?

Er sollte uns etwas über die Abgründe der menschlichen Seele
erzählen, über unsere größte Angst und unsere tiefste Sehnsucht.

Das Interview gefiel ihm. Er fand sich darin wieder. Ja, das
war er, der da antwortete. Er erwischte sich dabei, dass er laut
vorlas. Er fragte sich, wer alles dieses Interview später lesen
würde. Fans? Literaturfreunde?

Ja, er hatte Fans. Es fiel ihm immer noch nicht leicht, das
zu akzeptieren, aber so war es. Sie waren keine Fans des Serienkillers, wohl aber des Schriftstellers. Sie unterschieden
zwischen dem Autor und dem Straftäter. Die würden es natürlich lesen. Einige sammelten seine Interviews sogar. Sein Verlag
hatte nachgefragt, was er davon hielte, einen Interviewband zu
veröffentlichen: *Gespräche mit …*

Also, Fans würden es lesen, schon klar. Aber wer von denen,
die ihn wirklich kannten?

Er dachte an seine Mutter. Sein Mund wurde trocken. Er
wollte weiterlesen, irgendetwas tun, Hauptsache, er musste
die Präsenz der Mutter in dieser Zelle nicht mehr spüren.
Wenigstens hier wollte er sicher vor ihr sein. Vor ihrer kalten
Energie, die durch ihre reine Anwesenheit das Gefühl in ihm
dominant werden ließ, er sei ein sabbernder Idiot, der nichts
auf die Reihe bekam und an ihrem ganzen traurigen Leben
schuld war.

Als der Hinweis auf eine E-Mail aufploppte, nahm er die
Ablenkung nur zu gern an.

Das erste Bild zeigte eine junge, tote Frau im Dünengras, die Arme und die Beine unnatürlich verrenkt. Auf dem zweiten Bild, das etwas kleiner und leicht verwackelt war, sah er eine andere Tote vor ähnlichem Hintergrund.

Darunter der Satz: *Mutter und Tochter im Tod vereint.*

Er schrieb, ohne lange nachzudenken, an Ann Kathrin Klaasen: *Er hat die Tochter ebenfalls ermordet.*

Als die Nachricht Ann Kathrin erreichte, ging sie gerade Arm in Arm mit Frank vom Distelkamp Nummer eins zum Distelkamp Nummer dreizehn. Das Handy steckte in ihrer Tasche, und Ann Kathrin spürte den Eierlikör deutlich.

»Wenn ich nicht schon so betrunken wäre«, lallte Weller, »hätte ich Lust, mit dir zu schlafen.«

»Ich auch, Liebster«, flüsterte sie verheißungsvoll. Zu Hause angekommen, zogen sie nur rasch Schuhe und Hosen aus. So krochen sie ins Bett und kuschelten sich aneinander.

Frank Weller erzählte noch, wie froh sie sein könnten, so tolle Freunde zu haben, aber das hörte Ann Kathrin schon nicht mehr. Sie schlief bereits und träumte von einem anderen Mann: von Dr. Bernhard Sommerfeldt, der ihr in einer dunklen Unterführung einen Schatten zeigte, der sich schwarz eine Wand hoch bewegte.

»Ich krieg dich!«, rief sie im Schlaf. »Ich krieg dich!«

Weller verstand: *Ich lieb dich, ich lieb dich*, und antwortete: »Ich dich auch, Ann.«

Das Schlimme an einem fröhlichen Abend war das Dröhnen im Kopf am anderen Morgen, als sei dort ein Hornissennest zwischen den Ohren, wo gestern noch ein Gehirn gewesen war.

Heute fühlte es sich für Ann Kathrin so an, als würde zusätzlich eine Möwe auf ihrem Kopf sitzen und mit dem Schnabel hineinhacken. Früher hatten ihr solche Nächte kaum etwas ausgemacht. Mit einem schwarzen Tee und einer Aspirin war sie gleich wieder voll da. Jetzt bekam sie schon beim Gedanken an Tee oder Aspirin Magenkrämpfe.

Sie quälte sich mühsam aus dem Bett, stolperte über ihre Schuhe, die sie einfach im Flur ausgezogen hatte, und trank in der Küche am Spülbecken stehend zwei große Gläser Leitungswasser. Es erfrischte wenigstens kurz.

Sie rülpste und massierte sich die Schläfen. Ihr Spiegelbild im Fenster gefiel ihr nicht. Ich sehe noch furchtbarer aus, als ich mich fühle, dachte sie.

Frank huschte hinter ihr vorbei ins Badezimmer. Er stand vor dem Spiegel und sagte: »Was haben wir denn gestern Abend noch getrunken? Entweder macht das Zeug blind oder unsichtbar.«

Er versuchte, wie so oft, sich mit Scherzen hochzuholen. Er kämpfte mit ausgiebigem Zähneputzen gegen die Alkoholfahne an. Polizisten durften nicht so riechen, und er hatte vor, heute zum Dienst zu gehen. Wer feiern kann, der kann auch arbeiten, war seine Devise.

Er suchte Ann im Haus. Sie war nicht mehr im Bad, nicht in der Küche und auch nicht im Wohnzimmer. Die Tür zum Garten stand offen.

Auf der Terrasse begegneten die zwei sich. Ann Kathrin saß auf einem Stuhl. Sie hatte die Füße auf der Sitzfläche und stützte ihr Kinn auf ihren Knien ab. Sie umarmte ihre Beine.

Ein bisschen sah sie aus wie ein versandfertiges menschliches Paket, fand Weller.

Er versuchte ganz männlich zwei Kniebeugen, gab aber rasch auf, weil die Umgebung um ihn herum zu trudeln begann. »Eine Bratwurst muss gestern wohl schlecht gewesen sein«, grinste er.

»Klar«, sagte Ann Kathrin, »am Alkohol kann es nicht gelegen haben.«

»Ich mach uns erst mal einen Kaffee«, versprach Weller. Barfuß tapste er in der Küche herum.

Ann Kathrin beobachtete einen Igel, der durch den Garten lief. Sie versuchte, am Stand der Sonne abzuschätzen, wie spät es wohl war. Aber das Denken und Kombinieren fielen ihr noch schwer. Dem Vogelgezwitscher nach zu urteilen, war es noch recht früh. Sie blieb ruhig sitzen und wartete auf Frank, der ihr Kaffee herausbrachte. Er setzte sich mit einer großen Tasse zu ihr. Er pustete hinein und schlürfte ungeniert laut.

Sie traute sich noch gar nicht, davon zu trinken, obwohl der Kaffee wirklich gut duftete. Sie befürchtete, ihr Magen könnte rebellieren.

Sie sprach es aus wie eine große philosophische Erkenntnis: »Der Eierlikör war es nicht. Wir hätten danach diese klaren Schnäpse besser weggelassen.«

»Wir werden alt, Ann. Wir vertragen einfach nichts mehr.«

Sie schwiegen eine Weile und starrten vor sich hin. Die Rosen im Garten bekamen Besuch von Insekten. Ann Kathrin erkannte einen ganzen Schwarm dunkler Erdhummeln. Alle Tiere labten sich an den Blüten, nur eine Hummel verirrte sich in Ann Kathrins noch recht wirr abstehenden Haaren. Sie hörte das Tier, sah es aber nicht.

»Kommst du aus meinem Kopf, oder willst du rein?«, fragte Ann.

»Ich finde mein Handy nicht«, stöhnte Weller.

»Vielleicht hast du es bei den Grendels liegen lassen ...«

»Ruf mich mal an«, schlug Weller vor, aber auf Anhieb konnte auch Ann Kathrin nicht sagen, wo sich ihr Handy befand.

Weller durchsuchte ihre Sachen und ihre Handtasche. Er fand es und reichte es ihr. Sie rief ihn an. Weller lauschte. Aus dem Schlafzimmer hörte er Bettinas Stimme: Er lief dem Gesang nach. Am Fußende des Ehebettes erklang *Piraten Ahoi!*

Als Weller mit seinem Handy, immer noch barfuß und in durchschwitzter Nachtwäsche, die Terrasse betrat, saß Ann Kathrin anders da. Er begriff sofort, dass etwas Entscheidendes passiert war. Etwas Ungutes. Eine Kleinigkeit, die sie übersehen hatten, entwickelte sich gerade zur Katastrophe. So, wie sie jetzt vor ihm stand, sah sie aus, wenn sich die berühmte Mücke in den real existierenden Elefanten zu verwandeln begann.

Kommentarlos hielt sie ihm das Handy hin. Er nahm es und las die E-Mail.

Es gibt Menschen, die bei schlimmen, erschütternden Nachrichten krank werden, ja sich vor Problemen in eine Krankheit geradezu flüchten. Ann Kathrin und Weller gehörten nicht dazu. Ann Kathrin kannte das bei sich. Ein Adrenalinschub fegte augenblicklich alle körperlichen Beeinträchtigungen weg. Keine Kopfschmerzen mehr. Kein Schwindel. Kein flaues Gefühl im Magen. Eine seltsame Klarheit war mit einem Schlag da. So rasch konnte kein Medikament wirken.

Neulich hatte sie noch mit ihrer Nachbarin Bettina Göschl darüber gesprochen. Bettina hatte gesagt: »Ich war so richtig krank und dachte, ich kann unmöglich auf die Bühne. Aber der Saal war ausverkauft, und ich habe es nicht geschafft abzusagen. Auf der Bühne vor dem Publikum war ich dann mit einem Schlag fit. Nichts tat mir mehr weh. Ich war bühnengesund.« Bettina hatte lachend hinzugefügt: »Eigentlich müsste die Krankenkasse meine Tournee bezahlen. Nach fünf Auftritten war ich wieder richtig gesund.«

Bei Ann Kathrin kam meist danach eine Art Zusammenbruch. Sie hielt durch, fühlte sich fit und trotz Schlafmangel ausgeruht, bis ein Fall gelöst oder ein Problem behoben waren. Kurz danach, wenn die anderen feierten, ging sie kraftlos in die Knie, schlief zehn, manchmal sogar zwölf Stunden durch, duschte ausgiebig und kehrte nach einem Spaziergang am Deich wieder zu den Lebenden zurück.

Weller kämmte sich mit den Fingern durch die Haare und walkte sein Gesicht. »Vielleicht«, sagte er, »blufft er nur.«

»Glaub ich nicht, Frank. Warum sollte er? Er weiß, dass wir es sofort überprüfen können ...«

»Vielleicht will er uns nur erschrecken.«

»Ach, Frank«, erwiderte Ann, »Sommerfeldt neigt nicht zu solch blöden Scherzen.«

Sie ging jetzt auf der Terrasse auf und ab. Mit jedem Schritt stieg zusätzliche Lebensenergie in ihr auf. Sie hatte ihr Handy am Ohr und gab klare Anweisungen.

»Er muss noch auf Langeoog sein. Sucht die Tochter! Ja, Jungs, das Frühstück ist beendet. Wir haben einen dritten Mord. Aus dem Wellnesswochenende auf der Insel wird wohl nichts werden. Tun wir unseren Job. Fassen wir das Schwein!«

»Wenn wir jetzt wirklich eine Leiche finden«, sagte Weller, »dann bedeutet das, dass unser Marco Zielinski unschuldig ist.«

»Unschuldig ist er garantiert nicht. Aber eben auch kein Mörder.«

Kevin Janssen hatte die Nacht durchgearbeitet, aber es hatte sich für ihn nicht wie Arbeit angefühlt. Es war einfach großartig gewesen. Seine Oma hatte früher Kreuzworträtsel gelöst und damit einmal ein Wochenende im Sauerland gewonnen. Nie hatte er sie glücklicher gesehen, nicht einmal bei der Geburt eines neuen Enkelkinds. Jedes geknackte Rätsel, jedes entschlüsselte Wort zauberten ein tiefes, befriedigtes Lächeln auf ihr Gesicht, das durch die vielen Falten wunderschön geworden war. Ja, als er ein kleiner Junge war, kannte er keine schönere Frau als seine Omi.

Immer, wenn er an einem Problem herumtüftelte, wenn er versuchte, eine Firewall zu umgehen, eine Sicherungsmaßnahme auszutricksen oder ein Passwort zu seinen Gunsten zu verändern, musste er an sie denken. An ihr Lächeln, wenn sie das passende Wort zur Rätselfrage gefunden hatte.

Sie war schon lange tot, doch etwas von ihr trug er in sich. Heute Nacht war es ihm gelungen, die anonymisierte Seite im Darknet zu knacken. Er hatte eine Lücke in deren Sicherheitssystem gefunden und gnadenlos ausgenutzt. Er hatte sich selbst zum Administrator ernannt, die anderen gesperrt und die Passwörter verändert. Schnell war er so über hektische Chatverläufe und Versuche eines Administrators, wieder Gewalt über die Seite zu bekommen, auf deren wahre Identität gestoßen. Verglichen mit ihm waren sie doch alle Amateure.

Jetzt stand er vor dem Spiegel. Er war mager. Er war blass, und er hatte fiebrige Augen. Aber er fühlte sich großartig.

Sein Essen hatte aus Kaffee, Mineralwasser und zwei Energydrinks bestanden. Er strich sich übers Gesicht und nannte sich selbst *Lisbeth. Lisbeth Salander.*

Er sprach den Namen mehrfach aus. »Ich bin der Champion«, sagte er zu sich selbst.

Er entschied, die Ergebnisse seiner Arbeit nicht solchen Erbsenzählern zu präsentieren wie diesem Kripochef Büscher, der immer das Für und Wider und das Wider und Für abwog und zwanghaft versuchte, alles mit den altbackenen Gesetzen übereinanderzubringen. Wer sich an die Datenschutzgrundverordnung, von allen nur kurz *DSGVO* genannt, hielt, brauchte erst gar nicht zu beginnen. Der hatte nämlich von vornherein schon verloren.

Aber dieser Rupert war in Kevins Augen ein guter Mann. Er wusste, was getan werden musste, und er wusste gute Arbeit zu schätzen. Dieser Rupert zog notfalls voll durch. Entschuldigen konnte man sich ja später immer noch. Besser nach erfolgreicher Tat um Verzeihung bitten, als sich vorher von Bedenkenträgern stoppen zu lassen. Was er getan hatte, glich im Grunde einem Einbruch in ein fremdes Haus und Diebstahl, aber eben digital.

Er stiefelte zu Ruperts Büro. Im Flur begegnete ihm Marion Wolters, die so tiefenentspannt lächelte, als hätte sie ein Kochrezept für Grünkohl mit Pinkel erfunden, das ohne Geschmacksverlust kalorienfrei zubereitet werden konnte.

Er öffnete die Tür zu Ruperts Büro, ohne anzuklopfen. Rupert zuckte zusammen. Er verschüttete ein bisschen von seinem Kaffee. Ein Mettbrötchen mit Zwiebeln klemmte zwischen seinen Lippen.

Rupert fühlte sich irgendwie erwischt, denn auf seinem Bildschirm war fast lebensgroß ein weiblicher Po zu sehen.

»Ich habe … ich bin … das ist Ermittlungsarbeit …«

Marion Wolters hörte diesen Satz, und er klang in ihren Ohren verdammt nach Entschuldigungsgestammel. Sie lugte über Kevins Schulter in den Raum. Was sie sah, fand sie typisch. »Ermittlungsarbeit …«, sagte sie spöttisch.

Rupert keifte zurück: »Davon verstehst du nichts!«

Kevin Lisbeth Salander Janssen schob sie in den Flur zurück und schloss die Tür. Was er Rupert zu sagen hatte, war nicht für ihre Ohren bestimmt.

Sie blieb vor der Tür stehen und lauschte. Sie hörte nur, dass die zwei flüsterten, konnte aber nicht verstehen, worum es ging. Das ärgerte sie sehr. Sie dachte über einen Vorwand nach, der es ihr erlauben würde, die Tür zu öffnen und einzutreten.

Kevin beugte sich zu Rupert und zeigte auf den Bildschirm: »Rate mal, Kollege, wer diese Seite betreibt.«

Rupert lachte: »Du hast den verdammten Mistkerl gefunden?«

Kevin nickte triumphierend.

Rupert fragte nicht, wie er es geschafft hatte. Er ahnte, dass es nicht ganz legal war. Aber für ihn zählte nur das Ergebnis. Ermittlungsarbeit war oft das genaue Gegenteil von Datenschutz. Es ging eben darum, ein Geheimnis zu knacken, statt es zu hüten. Ein Versteck zu finden, statt es zu respektieren. Letztendlich ging es darum, in einem dunklen Raum das Licht anzumachen, ohne vorher um Genehmigung zu bitten. Im Rahmen geltender Gesetze war das oft nur sehr schwer möglich.

Rupert versuchte, den jungen magersüchtigen Kollegen vor einer dienstlichen Dummheit zu bewahren: »Ich stelle mir vor, du hast den Namen geträumt oder du hattest so ein Gefühl, wie unsere Superkommissarin Frau Klaasen es manchmal hat. Intuition oder wie der Scheiß heißt! Du weißt schon ...« Rupert griff sich an den Bauch, als sei damit alles gesagt.

Kevin verstand die Anspielung und lächelte.

»Also? Wer ist es?«, wollte Rupert wissen.

»Lord Dark Shadow.«

Rupert wiederholte enttäuscht: »Lord Dark Shadow ... Ja, danke, das hilft mir sehr.«

Kevin bog seinen Rücken durch: »Das ist ein Pseudonym.«

»Was du nicht sagst.«

»Ja, aber ich habe auch seinen richtigen Namen. Er wohnt in Emden, in der Kirchstraße, nicht weit von der *a Lasco*-Bibliothek.«

Rupert pfiff anerkennend.

Kevin tippte auf Ruperts Computer den Namen ein. Sofort erschien ein Foto. »Das ist er«, behauptete Kevin. »Sein richtiger Name ist Karl-Heinz Pommes.«

Rupert stöhnte lasziv und versuchte, einen weiblichen Orgasmus laut nachzuäffen: »Oh, oh, oh, Karl-Heinz Pommes, ja, ich komme, klingt irgendwie doof, aber ja, ja, ja, Lord Dark Shadow, gib's mir, das ist der Bringer, sag ich dir.«

Marion Wolters hielt es vor der Tür nicht länger aus. Sie riss sie weit auf und starrte in Ruperts Gesicht. Er schwieg sofort und setzte sich anders hin. Marion deutete auf das Porträt auf Ruperts Bildschirm: »Der Lord! Ich liebe seine Bücher.« Sie staunte: »Sag bloß, ihr lest den auch? Echt, Jungs? Das hätte ich nicht gedacht.«

»Was schreibt der denn so?«, fragte Rupert.

»Er schreibt über die großen Themen der Weltliteratur«, schwärmte Marion Wolters. So kannte Rupert sie gar nicht. Sie wirkte ja fast sanft auf ihn.

»Herrje, hast du es nicht ein bisschen kleiner? Die großen Themen der Weltliteratur!!«, stöhnte Rupert.

»Er erzählt von Liebe, Tod und Geburt«, erklärte Marion.

Rupert rief wieder die Seite auf, die der Dichter im Darknet betrieb.

»Liebe, Tod und Geburt? Sieht mir eher nach Ärschen, Schenkeln und schlecht sitzenden Slips aus.«

Marion Wolters war empört: »Mit dem Schweinkram hat doch der Lord nichts zu tun!«

Damit brachte sie Rupert erst recht gegen den Typen auf. Ein Mann, den Marion Wolters gut fand, ja, für den sie schwärmte und den sie bereit war zu verteidigen, der musste ein verachtenswertes Exemplar der Gattung Mann sein.

Rupert mochte es nicht, wenn sie auf ihn herabsah. Er stand auf, stellte sich breitbeinig hin und klemmte seinen rechten Daumen hinter den Gürtel: »Das hier sind geheime Ermittlungsergebnisse in einem sehr brisanten Fall. Du hast das alles weder gesehen noch gehört, ist das klar? Wenn du den Typen vorwarnst oder irgendetwas ausplauderst, kannst du diesen Job vergessen und wirst wieder Kindergärtnerin oder was immer du vorher gewesen bist.«

»Ich war nie Kindergärtnerin«, wies sie ihn zurecht, »und ich habe noch nie Dienstgeheimnisse ausgeplaudert! Aber den Lord zu verdächtigen ist echt lächerlich.«

Für Rupert war das Gespräch damit beendet. Er deutete demonstrativ auf die Tür. Zu Kevin sagte er: »Ich knöpf mir diesen Lord jetzt vor. Sofort.«

»Soll ich mit?«, fragte Marion.

Rupert schüttelte verständnislos, ja angewidert, den Kopf. Er stellte sich das schrecklich vor, eine Fahrt von Norden bis Emden mit Marion Wolters in einem Auto.

Sie fühlte sich abgelehnt und warf beleidigt den Kopf in den Nacken, dass ihre Haare nur so flogen. Als sie die Tür hinter sich zuknallte, sagte Rupert: »Bratarsch.«

Sie kriegte das natürlich noch mit, öffnete die Tür noch einmal und konterte: »Stummelschwänzchen!« Sie deutete einen Kuss an und verzog dann den Mund, als hätte er widerlich geschmeckt.

Er saß im Apartment *Anna Düne* auf dem Balkon. Er aß ein Brötchen mit Honig und trank dazu Kaffee. Es war, als hätten Tarzans Schreie die Tiere des Urwalds geweckt. Die Nachricht über die dritte Leiche hatte jetzt alles in Bewegung gesetzt. Schade, dass es auf Langeoog keine Polizeiautos mit Blaulicht gab. Sonst wären die Barkhausenstraße und die Bahnhofstraße zum ostfriesischen Manhattan geworden. Nirgendwo auf der Welt hatte er öfter Polizeisirenen gehört als in Manhattan. Das Geräusch der einen ging in das Gejaule der nächsten über. Eine Stadt im Alarmzustand. Dazwischen, wie ein Schlagzeug im Konzert der Sinne, dieses schreckliche Gehupe.

Langeoog war das Gegenteil von Manhattan. Er erinnerte sich an die Tage in Manhattan gern zurück. Jeder Ladendiebstahl, jeder abgebrochene Stöckelabsatz eines Playmates, verursachte dort mehr Aufsehen als hier drei Morde.

Er war ein bisschen neidisch. Dort wurden über Typen wie ihn ganze Fernsehserien gedreht. Dort waren Serienkiller Popstars, wurden weltweit in Büchern und Filmen vermarktet. Das hatte – wenn auch in bescheidenerem Rahmen – in Europa nur Dr. Bernhard Sommerfeldt hingekriegt.

Okay, dachte er, meine Morde lösen hier keine Blaulichtorgien aus und auch keine Alarmsirenen. Aber immerhin, hektisch werden sie doch alle. Nur eben zu Fuß oder auf Fahrrädern.

Er beobachtete auch die sozialen Medien. Die hatten etwas von Manhattan. Bunt, schrill, schnell. Dort kochten die Gerüchte über, und man war sich noch nicht einig, was man mit dem »irren Frauenmörder« tun sollte. Bei einigen Kommentaren klickte er sogar *Gefällt mir* an. Besonders wenn man ihm die Eier abschneiden oder ihn bei lebendigem Leibe häuten wollte. Je mehr Wut und Tötungsphantasien er auslöste, umso besser fühlte er sich. Waren sie im Grunde nicht alle genau wie er? Nur dass er nicht im Internet herumtönte, sondern es wirklich tat.

Er beschloss, sich unten auf einen der wenigen freien Plätze vor der Eisdiele *Venezia* zu setzen. Er wollte sich einen doppelten Espresso bestellen und einen Erdbeerbecher. Warum sollte er von der Insel fliehen? Er wollte noch bleiben und es genießen.

Er kannte eine Möglichkeit, unerkannt und unkontrolliert von hier wegzukommen. Er konnte sie jederzeit nutzen. Aber er hatte nicht im Geringsten das Gefühl, er könne bald auffliegen. Mit jedem Mord hatte sich sein Sicherheitsempfinden gesteigert. Es war, als hätte er in Drachenblut gebadet und sei unverwundbar geworden.

Eigentlich wollte Ann Kathrin erneut zu Dr. Sommerfeldt. Da sie sich selbst und ihren Gefühlen nicht traute, hätte sie am liebsten Ubbo Heide, ihren ehemaligen Chef, mitgenommen. Sie brauchte ihn irgendwie als Korrektiv. Weller konnte das nicht leisten, egal wieviel Mühe er sich gab. Ihm fehlte die

Distanz, Martin Büscher die Weisheit. Ganz klar, sie brauchte in dieser Sache Ubbo Heide.

Sie konnte nicht ignorieren, dass Sommerfeldt vor allen anderen gewusst hatte, was geschehen war. Doch gerade als sie Ubbos Nummer wählen wollte, rief Marion Wolters an: »Herzchen«, sagte sie forsch, »ich glaube, ich habe hier etwas für dich. Unter all den Hinweisen aus der Bevölkerung ist einer, den ich vielversprechend finde. Von Jutta Breuning aus Esens. Sie hat uns kontaktiert. Sie konnte vor Angst kaum sprechen. Sie verdächtigt ihren Mann ...«

»Verdächtigt?«, fragte Ann Kathrin, der das viel zu unkonkret war.

»Sie hat gesagt, er sei seit drei Nächten nicht zu Hause gewesen. Sie hat ihn als gewalttätig geschildert. Er würde sie beim Sex gerne würgen und sie mit einem Hundehalsband strangulieren. Von Esens nach Langeoog ist es nur ein Katzensprung.«

»Das ist heiß, verdammt heiß«, bestätigte Ann Kathrin.

»Und das ist noch nicht alles«, fuhr Marion fort. »Er ist für uns kein unbeschriebenes Blatt. Er war schon einmal verheiratet. In Oldenburg. Die Frau hat er mehrfach krankenhausreif geprügelt, und das Jugendamt hat die Tochter aus dem Haushalt genommen. Er heißt Wilko Breuning. Neuharlingersieler Straße, nicht weit von der *Fischfabrik*. Das ist so ein rustikales Restaurant. Kein Schnickschnack. Nur guter Fisch.«

»Ich weiß«, sagte Ann Kathrin, die Marions Vorliebe für Fischrestaurants und gute Bratkartoffeln kannte.

»Wir fahren hin«, entschied sie. Auf dem Weg zur Fähre kam sie ja praktisch dort vorbei.

Rupert hatte Jessi Jaminski mit nach Emden genommen. Die Kommissaranwärterin und Amateurboxerin erzählte während der Fahrt, dass sie auch schon ein Buch vom Lord gelesen habe. Marion habe es ihr ausgeliehen. Es war ein erotischer Liebesroman.

»Erotisch?«, hakte Rupert interessiert nach.

»Ja«, lachte Jessi, »aber nichts für dich. So richtigen Schweinkram schreibt der nicht. Das ist mehr so ein romantisches Buch. Ich wette, achtundneunzig Prozent seiner Bücher werden von Frauen gekauft. Es war ein bisschen traurig, aber irgendwie auch echt, so wie das Leben.«

»Das Leben«, behauptete Rupert, »ist nicht traurig, Jessi.«

»Das denkst du echt?«, fragte sie.

Er nickte. »Lass dir bloß nichts anderes erzählen, Mädchen. Das Leben ist toll. Klar, manchmal wird man nass und friert, und alle hacken auf einem rum, weil man es mal wieder nicht jedem recht gemacht hat. Scheiß drauf, Jessi, die Spaßbremsen können ja gerne einen Eintrag in die Personalakte machen oder uns eine Rüge erteilen. Aber die Luft zum Atmen, die kann uns keiner nehmen. Die gute ostfriesische Luft! Und in diesem herrlichen Land gibt es praktisch an jeder Ecke eine gute Currywurst und ein anständiges Bier. Sex ist auch nicht zu verachten und ...«

Jessi unterbrach seine begeisterte Aufzählung. »Genau das hat der Mörder aber gemacht.«

»Was? Currywurst gegessen?« Dass er guten Sex gehabt hatte, schloss Rupert von vornherein aus. Niemand, der ein befriedigendes Sexualleben führte, konnte in Ruperts Vorstellung auf die Idee kommen, andere Menschen zu ermorden.

»Er hat seinen Opfern«, führte Jessi aus, »die Luft zum Atmen genommen.«

Rupert staunte. »Stimmt, Jessi. Aus dir wird bestimmt noch mal eine ausgezeichnete Polizistin.«

Sie strahlte ihn dankbar an für dieses Lob.

Rupert genoss ihre Blicke und redete weiter, um ihre Aufmerksamkeit nicht zu verlieren: »Wenn dieser Lord so ein Frauenversteher und Feingeist ist, warum, liebe Jessi – bitte klär mich auf –, betreibt er dann im Darknet eine Seite mit Frauenärschen? Drei seiner unfreiwilligen Fotomodelle sind inzwischen ermordet worden. Auf der Seite gibt es aber mehr als dreitausend. Ich finde, es wird Zeit, ihn zu stoppen. Wir holen ihn uns. Jetzt.«

»Du willst ihn verhaften?«, fragte sie, als sei das erstens ein Sakrileg und zweitens völlig undenkbar, weil Rupert dazu ohnehin zu dämlich sei.

Rupert stellte sich einen skrupellosen, kaltblütigen Killer vor. Die waren ja oft perfekte Blender und täuschten so ihre gesamte Umgebung jahrelang über ihr eigentliches Wesen hinweg. Gut möglich, dass er, um einer Verhaftung zu entgehen, durch die geschlossene Tür schießen würde.

Jessi machte sich Sorgen: »Ich glaube zwar, dass es sich um ein Missverständnis oder einen Irrtum handelt, aber ich dachte, wir befragen ihn nur. Du hörst dich an, als wolltest du ihn richtig einkassieren.«

Rupert nahm das Lenkrad fester in die Hände und schob sein Kinn vor. »Will ich auch. Die bösen Jungs aus dem Verkehr zu ziehen ist nämlich unser eigentlicher Job.«

»Wenn er es wirklich ist, bräuchte man dann nicht ein Mobiles Einsatzkommando?«

Rupert gab das zu, zeigte sich aber trotzdem wenig einsichtig. »Wir haben nicht mal einen Hausdurchsuchungsbefehl.«

»Das heißt schon lange nicht mehr so«, belehrte Jessi ihn.

»Ich weiß«, spottete Rupert, »das Kind hat einen anderen Namen, aber es ist immer noch dasselbe Kind. Das ist alles nur Bürokratenmüll. Merk dir eins, Jessi: Die schlimmsten Verbrecher verstecken sich hinter Aktenbergen, Paragraphen und schwammigen Formulierungen.«

Es gefiel ihr, ihren Lehrer zu belehren: »Er muss uns nicht mal öffnen.«

»Wird er aber, Jessi, glaub mir, wird er«, prophezeite Rupert.

Er parkte vor der Johannes A Lasco Bibliothek. Sie gingen den Rest zu Fuß. Jessi sagte: »Du befürchtest, wenn er unseren Wagen sieht, flieht er sofort?«

»Ja, oder schlimmer, er ruft seinen Anwalt an.«

Es fiel Jessi schwer, neben Rupert herzugehen. Er hatte diesen Westernheldengang, mit dem John Wayne, wenn er zu lange auf dem Pferd gesessen hatte, zum Duell wankte. Es war ein völlig aus dem Rhythmus gefallenes, kraftstrotzendes Gehen. Sie gehörte mehr zu den leichtfüßigen Menschen. Als Boxerin im Ring hatte sie mehrere Kämpfe durch ihre hervorragende Beinarbeit dominiert. Mit Schnelligkeit glich sie fehlende Schlagkraft aus.

Karl-Heinz Pommes wohnte im dritten Stock. Unten an der Tür gab es sechs Namensschilder mit Klingelknöpfen. Der Verdächtige kam gleich mit beiden Namen vor: Lord Dark Shadow und Karl-Heinz Pommes.

Rupert kombinierte: »Er hat oben die ganze Etage. Zwei Wohnungen. Je nachdem, wo geklingelt wird, weiß er, ob Fans vor der Tür stehen oder ob ihm das Finanzamt auf die Pelle rückt.«

Die Haustür ließ sich problemlos öffnen. Rupert nickte Jessi zu. Gemeinsam gingen sie in den Flur. Es roch mitten im Sommer nach Grünkohl. Ein Licht sprang an. Eine Kamera nahm sie auf. Rupert registrierte die Kamera und winkte fröhlich.

Es gab keinen Fahrstuhl. Rupert war sofort sauer. Er fand, jedes Gebäude, das ein Treppengeländer hatte, sollte per Gesetz auch einen Fahrstuhl haben müssen. »Um jeden Scheiß kümmern sich die Politiker, aber um die wirklich wichtigen Sachen nicht«, maulte er.

Jessi war viel schneller oben als Rupert. Sie wartete in der dritten Etage auf ihn. Er japste. Ihr Atem war ruhig. Sie war Kämpfe über mehrere Runden gewohnt und ermüdete ihre Gegnerinnen gern.

Als Rupert oben ankam, griff er sich ins Kreuz, bog sich kurz durch und klingelte bei Lord Dark Shadow. Eine Stimme zwischen Ablehnung und Verunsicherung fragte durch einen Lautsprecher: »Ja? Wer ist da?«

Rupert wollte Jessi gegenüber glänzen und sagte sachlich: »Hier schwedische Akademie der Wissenschaften. Spreche ich mit Karl-Heinz Pommes, besser bekannt als Lord Dark Shadow?«

»Schwedische Akademie der Wissenschaften?«, fragte der Lord.

Jessi staunte über Ruperts Einfallsreichtum. Sie unterdrückte ein Kichern und zeigte ihm den erhobenen Daumen. Dadurch angespornt fuhr Rupert fort: »Ja, mich schickt die Akademie. Das ist eine heikle Mission, Herr Lord, äh, ich meine, Herr Pommes. Wir haben da schon so manchen Reinfall erlebt, deshalb checken wir jetzt vorher immer alle Kandidaten genau ab.«

»Kandidaten?«

»Du hast ihn an der Angel«, flüsterte Jessi.

»Ja, es geht um den Nobelpreis für ...« Rupert überlegte, »... für Schreiber ... Also, ich meine, für Schriftsteller.«

Rupert wusste, dass er jetzt Mist erzählte, aber ihm fiel das richtige Wort nicht ein. Jessi half: »Das heißt Literatur-Nobelpreis.«

Rupert nickte dankbar. »Also, es geht um den Literatur-Nobelpreis.«

»Sie wollen mich verarschen!«

»Nein, also, Sie haben den Preis nicht direkt gewonnen, also noch nicht. Aber Sie sollen auf die Kandidatenliste. Wir haben ein paar Frauen in der Jury, die stehen echt auf Ihr Zeugs. Andere wiederum kriegen das Kotzen, wenn sie Ihre Bücher lesen. Also, die sind sich überhaupt nicht einig bei uns. Und nun machen Sie schon auf, wenn Sie in den Recall wollen.«

»Recall?«, fragte der Lord.

Jessi deutete Rupert an, dass es, anders als bei *Deutschland sucht den Superstar* beim Nobelpreis keinen Recall gab.

Rupert riss der Geduldsfaden: »Ja, wollen Sie jetzt den Scheiß-Nobelpreis oder nicht?«

»Hauen Sie ab, oder ich rufe die Polizei!«, schimpfte der Lord.

Rupert reichte es. »Gute Idee. Sie ist nämlich schon da. Mach auf, du Genie, oder ich trete die Tür ein!«

Rupert schob Jessi zur Seite, und auch er selbst nahm Abstand von der Tür. Erst jetzt verstand Jessi, dass Rupert den Lord wirklich für sehr gefährlich hielt. Tatsächlich war da ein metallenes Geräusch hinter der Tür. Es klang, als ob eine Waffe durchgeladen werden würde.

Jessi erwischte sich dabei, dass sie sich unwillkürlich die Ohren zuhielt. Doch in Wirklichkeit hatte Karl-Heinz Pommes nur die Sicherheitskette oben an der Innenseite der Tür eingeklinkt. Er öffnete jetzt einen Spalt und lugte neugierig in den Flur. Er glaubte sich durch die dreizehn Zentimeter lange Kette geschützt. Sie glänzte silbern und war aus Edelstahl. Die Kette ließ sich leicht einfädeln. Sie war abschließbar und hatte eine Kindersicherung.

Rupert wusste, dass sich solche Ketten nur schwer zersägen ließen. Aber ihre Schwachstelle waren die kurzen Schrauben, mit denen die Elemente im Holztürrahmen fixiert wurden. Die Kette selbst hielt bei einer Zerreißprobe 150 bis 200 Kilo aus. Die Schrauben flogen aber schon bei einem Druck von wenigen Kilo aus der Verankerung.

Rupert trat mit voller Wucht gegen die Tür. Die Schrauben flogen durch die Gegend und kullerten über den Boden.

Der Lord bekam die auffliegende Tür gegen die Nase und rannte schreiend ins Wohnzimmer.

Rupert sah einen Moment vor Schmerzen nichts mehr. Sein Fußgelenk und sein Knie fanden die Aktion überhaupt nicht witzig und feuerten Schmerzgewitter durch seinen Körper. Tränen schossen ihm in die Augen.

Vor Jessi wollte Rupert nicht als Jammerlappen dastehen, also stürmte er halb blind hinter Karl-Heinz Pommes her. Rupert befürchtete, im Wohnzimmer könne eine Schuss- oder Stichwaffe liegen. Doch Karl-Heinz griff nur sein Handy vom Tisch und versuchte, damit ins Badezimmer zu fliehen.

Jessi hielt ihn auf. »Wir haben nur ein paar Fragen«, sagte sie.

»Ich rufe die Polizei!«, drohte der Lord erneut.

Jessi nahm ihm mühelos das Handy ab. »Wir werden uns jetzt alle beruhigen«, forderte sie. Sie reichte dem Schriftsteller ein Taschentuch. »Sie bluten aus der Nase.« Er nahm es.

Rupert ließ sich in einen grünen Ledersessel fallen und betastete seinen rechten Fuß.

Jessi zeigte ihre Polizeimarke vor. Rupert wischte sich Tränen ab und tönte: »Diese Scheiß-Türketten taugen nichts.«

»Was wollen Sie von mir?«, fragte der Lord. Ihm war schwindlig. Er setzte sich aufs Sofa.

»Ich glaube«, sagte Rupert, »wir könnten jetzt alle einen Schnaps vertragen.«

»Rupi! Bitte!«, tadelte Jessi. Sie entwickelte sich erschreckend schnell vom netten jungen Mädchen zur neuen Ann Kathrin Klaasen, fand Rupert. Er übernahm jetzt die Gesprächsführung. Mit einem Blick deutete er Jessi an, dass sie nun etwas lernen könne. Sie war sich da aber plötzlich nicht mehr ganz so sicher.

Rupert ging gleich in die Vollen. Immerhin musste er diesen ungewöhnlichen Auftritt hier rechtfertigen: »Drei Frauen, deren Ärsche man auf Ihrer Website bewundern kann, sind tot.« Rupert zeigte auf den Lord. »Und dafür kriegen wir dich dran. Wo warst du in den letzten drei Tagen? Und schwafel jetzt nicht rum. Ich will es lückenlos, und ich werde jede Stunde überprüfen.«

Der sonst so wortgewandte Lord, der für seine schwülstige Poesie und seine barocke Ausdrucksweise bekannt war, wollte etwas sagen, öffnete den Mund, aber es kam nur ein Pfeifton heraus, als würde aus etwas Luft entweichen.

Rupert sah sich im Raum um. Er fühlte sich hier nicht wohl.

Große Pflanzen in bunten Töpfen verstellten die Fenster. Für Ruperts Empfinden viel zu viele Bücher an den Wänden. Wuchtige Schränke und zusammengewürfelte Sitzmöbel. Der Tisch hatte eine Marmorplatte und lag voller Zeitungen und Zeitschriften. Dazwischen eine Flasche Calvados und ein leeres Glas neben einem Kaffeepott, auf dem stand: *Lächle, du kannst sie nicht alle töten.*

Rupert hatte mit Pornos gerechnet, aber er sah nur ganz normale Tageszeitungen. Die *Emder Zeitung* und die *HAZ*. Einen *Stern* von letzter Woche und das *Ostfriesland Magazin.*

Während der Lord immer noch nach Worten suchte und nach Luft rang, versuchte Jessi spielerisch, den PIN-Code seines Handys zu knacken. Der Lord registrierte das empört.

Rupert deutete auf die Möbel im Raum. »Hast du das alles von *Schlimmer Wohnen,* oder ist dir der Mist selbst eingefallen?«

Endlich hatte der Lord sich gefangen. »Das ist ein sozialwissenschaftliches Experiment.«

»Die Scheiß-Möbel hier?«, fragte Rupert.

»Nein, verflucht! Die Website!«

Rupert wiederholte es ganz langsam für Jessi, als hätte sie es nicht verstanden: »Ein sozialwissenschaftliches Experiment. Jugend forscht, oder was?« Rupert schlug sich gegen die Stirn: »Was soll denn da erforscht werden? Das Verhalten der Arschritze bei Westwind?«

Karl-Heinz Pommes hob beide Hände hoch über seinen Kopf. »Herrje, ich bin ein Schriftsteller! Kapieren Sie das nicht? Meine Bücher entstehen nicht einfach am Schreibtisch. Die Website ist Teil meiner Recherche. Ich beobachte das Verhalten von Menschen in Extremsituationen.«

Rupert nickte, als sei damit alles geklärt. »Sicher. Die einen gehen zur Recherche in die Universitätsbibliothek und die anderen ins Darknet. So sind sie, unsere Autoren.«

»Ja, das dürfen Sie gerne merkwürdig finden, aber ich versuche, meinen Leserinnen etwas Neues zu bieten. Ich lote die Wirklichkeit aus, bevor ich sie beschreibe. Ich suche den kalten, unverstellten Blick in die Abgründe der männlichen Seele. Ich habe dafür im Internet einen geschützten Raum geschaffen, wo sich Männerphantasien, ja, auch Rachephantasien, ungehindert, jenseits aller Konventionen, zeigen können.«

»Ja, das hat ja bestens funktioniert. Drei Leichen hätten wir schon mal. Also – wo warst du in den letzten drei Tagen? Und lüg mich jetzt nicht an, Goethe.«

Der Lord geriet in die Klemme und sprach Jessi an: »Darf der mich eigentlich einfach so duzen?«

Rupert antwortete für Jessi: »Glaub mir, Mylord, das ist ab jetzt dein geringstes Problem. Ich will ein überprüfbares Alibi, sonst nehme ich dich wegen dreifachen Mordverdachts fest.«

»Seismographen lösen keine Erdbeben aus, Herr Kommissar, sie registrieren sie. Schriftsteller sind solche Seismographen für die Gesellschaft, in der sie leben.«

Jessi beeindruckte er mit seinen Ausführungen, Rupert machte er wütend.

»Wo warst du in den letzten drei Tagen, habe ich gefragt!«

»Ich … ich bin nicht sehr gesellig. Ich war die meiste Zeit hier. Habe gearbeitet.«

Da Rupert bei dem Wort *gearbeitet* guckte, als wisse er gar nicht, was das bedeutet, führte Karl-Heinz Pommes aus: »Ich habe geschrieben.«

»Drei Tage und Nächte warst du in diesem Wohnparadies aus dem Sonderangebot im Einrichtungshaus?«

»Ja. Das heißt, nein. Also, ich meine, nicht die ganze Zeit. Ich war natürlich auch mal Brötchen holen, und im Café war ich auch. Und am Montag hatte ich ein Telefoninterview für Radio Ostfriesland.«

»Ein Telefoninterview«, spottete Rupert. Er deutete Jessi an, *pass auf, jetzt knacke ich die Nuss.*

»Wo warst du zum Beispiel gestern Abend?«, brüllte Rupert. »Denk nicht lange nach, sag es mir einfach! Das ist doch nicht so schwer!«

Der Lord zeigte auf die Fensterwand. »In der A Lasco Bibliothek, bei einer Autorenlesung. Das ist direkt hier ...«

»Kann das jemand bezeugen?«, fragte Rupert kritisch.

»Sie meinen, außer meiner Freundin, die eigentlich mitwollte, aber zwei Tage vorher mit mir Schluss gemacht hat?«

»Kluges Mädchen«, betonte Rupert. Es kam ihm so vor, als hätte Karl-Heinz das mit dem Schluss gemacht in Richtung Jessi gesagt, wie einen klaren Hinweis darauf, dass er wieder zu haben sei. Am liebsten hätte Rupert ihm allein deswegen eine reingehauen.

»Wenn sie nicht dabei war, kann sie es auch nicht bezeugen«, schimpfte Rupert.

»Ja, stimmt«, gab der Lord zu und zwinkerte Jessi zu.

»Dann gibt es also niemanden, der das bezeugen kann?«, triumphierte Rupert.

»Nein, eigentlich nicht. Nur die dreihundertfünfzig Gäste. Der Laden war nämlich ausverkauft.«

»Und hat dich von denen auch einer erkannt, Klugscheißer?«, fauchte Rupert.

Der Lord zierte sich. »Ja, die meisten, vermute ich. Immerhin war ja mein Foto auf der Eintrittskarte.«

Rupert guckte verwirrt. Jessi erläuterte: »Er hat die Lesung selbst gehalten.«

Rupert kapierte immer noch nicht. Jessi half ihm. »Er saß auf der Bühne, Rupi.«

Rupert sackte im Sessel zusammen. Er kam sich vor wie ein Ertrinkender. Er suchte einen Rettungsring. Er schimpfte: »Aber deine Scheiß-Website reicht, um dich einzuknasten! Ich will die

Adressen all deiner Nutzer, oder wir grillen dich für die nächsten achtundvierzig Stunden bei uns in der Polizeiinspektion.«

Der Lord fragte Jessi: »Habt ihr den aus dem Urwald oder aus der Steinzeit? Ich habe solche Daten nicht und selbst wenn ich sie hätte, würde ihre Speicherung gegen die DSGVO verstoßen.«

Rupert befürchtete, dass er damit sogar recht haben könnte. »Was ist nur aus dieser Welt geworden?«, stöhnte er.

Karl-Heinz Pommes erläuterte die Abkürzung, als hätte Rupert keine Ahnung, wovon die Rede war: »Datenschutzgrundverordnung.«

Rupert zeigte auf ihn: »Glaub ja nicht, dass du ungeschoren davonkommst, Mayo.«

»Ich heiße nicht Mayo.«

»Ich weiß, Pommes«, giftete Rupert.

Weller hätte zu gern in der *Fischfabrik* wenigstens ein Matjesbrötchen gegessen. Aber Ann Kathrin stand mächtig unter Strom. Sie klingelte bei Wilko und Jutta Breuning. Der Vorgarten war gar keiner. Da hatte jemand, statt Blumen oder Sträucher zu pflanzen, einfach Kies vor seine Fenster gekippt und zur Zierde zwei graue Steinplatten dazwischendrapiert.

Ann Kathrin vermutete, dass es schon vor ein, zwei Jahren passiert war, denn inzwischen hatte der Wind Sand und Samen herbeigeweht. Zwischen den Steinen wuchsen nun wilde Blumen und Gras. Ja, Ann Kathrin glaubte sogar, Ansätze eines Bäumchens zu erkennen. Waren das da nicht zarte Blätter einer jungen Eiche?

Alle Fenster waren trotz der Hitze geschlossen. Das Haus

machte einen unbewohnten Eindruck, so als seien die Besitzer für längere Zeit im Urlaub oder es stünde zum Verkauf. Die gehäkelten Gardinen an den Fenstern waren sauber und blickdicht. Die kurzen Scheibengardinen reichten eigentlich nur, um einen Teil des Fensters abzudecken, höchstens die Hälfte. Doch aus Gründen, die Ann Kathrin sich nur zu gut vorstellen konnte, waren an jedem Fenster jeweils mehrere Scheibengardinen übereinander aufgehängt, so dass, von außen betrachtet, das gesamte Fenster dicht war. Da wollte sich jemand vor Blicken ins Haus schützen.

Der Garten. Die Fenster. Das alles wirkte abweisend.

Das Schild *Vorsicht, bissiger Hund*, von dem schwarzen Kopf eines zähnefletschenden Pitbulls verstärkt, war mehr kitschig als abschreckend.

Ann Kathrin klingelte zum zweiten Mal. Weller wollte schon wieder gehen, doch Ann sagte: »Bitte machen Sie uns auf, Frau Breuning. Mein Name ist Ann Kathrin Klaasen. Ich bin von der Kripo Aurich-Wittmund. Ich würde gerne kurz mit Ihnen über Ihren Mann reden.«

Nichts geschah.

»Keiner zu Hause«, sagte Weller, aber Ann Kathrin glaubte das nicht. »Ich habe etwas gehört«, log sie, weil sie nicht sagen wollte: *Ich spüre, dass die Frau hinter der Tür steht.* Sie glaubte, ihre Angst zu fühlen. Ja, so etwas gab es bei ihr. Ann Kathrin sprach nicht gern darüber, aber manchmal, wenn sie einen Raum betrat, fielen Angst und Schrecken sie fast körperlich an wie bissige Tiere. Sie erschrak dann regelrecht, sah sich um, als könne aus der Wand gerade ein Angriff erfolgen. Sie konnte nicht erklären, was es war. Früher hatte sie sich eingebildet, es sei der Geruch. Menschen, die Angst hatten, dünsteten oft die Panik geradezu aus. Es war ihr oft vorgekommen, als hinge das noch in den Wänden. Aber inzwischen wusste sie, es war etwas anderes, das sie wahrnahm. Selbst in leeren Räumen, viele Tage nach der Tat, hatte sie es gespürt. Oder jetzt, durch die geschlossene Tür: die Aura des Verbrechens, der Gewalt.

Weller lauschte. Ann klingelte erneut.

Weller trat von einem Bein aufs andere. »Ann, lass uns gehen.« Er wusste genau, dass sie nichts gehört hatte.

»Frau Breuning, bitte lassen Sie uns reden. Wissen Sie, wo Ihr Mann sich im Moment befindet? Sie haben uns angerufen. Wir nehmen Ihren Hilferuf ernst.«

Weller zog Ann Kathrin ein paar Meter von der Tür weg. Er raunte ihr zu: »Und wenn nun ihr Mann hinter der Tür steht und zuhört?«

Sie hätte sagen können: *Das ist nicht so. Ich spüre ihre Angst, aber keine Wut. Da hinter der Tür steht ein Opfer, kein Täter.* Aber sie wollte sich heute nicht so weit öffnen. Nicht verletzlich machen. Sie war so verunsichert und hätte nicht einmal sagen können, warum. Also wählte sie selbst ihrem Mann Frank gegenüber eine Ausrede: »Dann hätte ich den Wüterich provoziert, und er würde jetzt zähnefletschend auf uns losgehen.«

Frank Weller fand das riskant. Viel zu hoch gepokert. »Und wenn du dich irrst? Dann wartet er nur, bis wir gehen, und lässt es sie spüren.«

Ann Kathrin wusste, dass Weller recht hatte. Trotzdem wollte sie weitermachen. Sie drehte sich um. »Bitte, Frau Breuning, geben Sie sich und uns eine Chance«, rief sie laut.

Einen Moment blieb Weller mit ihr stehen. Nach zwei Atemzügen legte er vorsichtig einen Arm um sie: »Lass uns gehen«, bat er erneut.

Sie gab nach. Zögernd machte sie ein paar Schritte mit ihm

zum Auto zurück. Ein Geräusch ließ beide stoppen. Jutta Breuning öffnete die Tür.

Ann Kathrin lief sofort auf sie zu. Die Frau trug einen Rollkragenpullover, wie sie in den Achtzigern modern gewesen waren, und einen Jeansrock. Sie hatte schwarze Ringe unter den Augen, aber keine offensichtlichen Wunden, wie Ann Kathrin sie von verprügelten Frauen kannte. Aber sie hatte diesen unruhigen, gehetzten Blick einer Frau, die jeden Moment damit rechnete, dass aus heiterem Himmel eine Katastrophe losbrechen könnte.

Ihren Gesichtsausdruck und ihre Körperhaltung kannte Ann Kathrin von Frauen mit Gewalterfahrung. Der vorgeschobene Kopf, die hochgezogenen Schultern, als würde sie jeden Moment Nackenschläge erwarten.

Sie deutete an, dass sie bereit war, Ann Kathrin reinzulassen. Sie suchte mit schnellen Blicken die Gegend ab. Niemand sollte das mitkriegen.

»Um Himmels willen«, seufzte sie und wies Weller ab. »Wenn er erfährt, dass in seiner Abwesenheit ein fremder Mann im Haus war, bringt er mich um.«

Als Ann Kathrin zu ihr in den Flur trat und die Frau die Tür vor Wellers Nase schloss, kam es ihm vor, als ob das Haus Ann Kathrin verschluckt hätte. Er musste sich beherrschen, um nicht zu klingeln und zu klopfen, um Einlass zu verlangen. Am liebsten hätte er die Tür aufgebrochen. Er tat all das nicht, aber er registrierte seine heftigen Emotionen.

Er ging vor dem Haus auf und ab. Er fragte sich, was er tun würde, wenn der Mann zurückkäme. Die Lust, ihn zu verprügeln, wuchs mit jeder Minute. Auch das würde Weller nicht tun. Dazu war er in Ann Kathrins Gegenwart viel zu beherrscht.

Auf der anderen Straßenseite hielt ein Mercedes Benz SUV

in schwarz. Ein bärtiger Mann mit großem Bauchumfang stieg aus. Er hatte etwas Aggressives an sich, fand Weller. War das Wilko Breuning?

Er hatte ein breiiges Gesicht, in dem die Augen sehr klein wirkten, ja, fast verschwanden.

Wenn er auf das Haus zugeht, dachte Weller, werde ich ihn aufhalten. Ich kontrolliere seine Papiere, und wenn er mir schräg kommt, liegt er mit Handschellen gefesselt auf dem Boden, bevor er weiß, welche Augenfarbe ich habe.

Der Mann kam geradezu auf Weller zu. Er machte dabei Bewegungen wie ein Seemann auf Deck bei heftigem Wellengang, doch er stakste an Weller vorbei und verschwand im Nachbarhaus.

Weller fragte sich, ob der Typ Lunte gerochen hatte. Er erlebte sich selbst als sehr verkrampft und versuchte, sich zu entspannen. Er folgte Ann Kathrins Rat, bewusst in den Bauch zu atmen. Es half ihm nur mäßig.

Das Haus wirkte von innen auf Ann Kathrin sehr gemütlich. Wie bei ihr selbst im Distelkamp dominierten hier Bücher die Räume. Selbst über den Fenstern waren Buchregale angebracht. Viele dicke Bildbände über Ostfriesland, Lanzarote, moderne Malerei, Kochbücher, Romane.

Tyrannische Frauenschläger mussten nicht unbedingt kulturlose Banausen sein. Ann Kathrin wurde mit ihren eigenen Vorurteilen konfrontiert. Sie hatte sich die Wohnung anders vorgestellt. Sie fragte sich jetzt, warum.

Sie sah sich die Buchregale im Wohnzimmer genau an. Ann Kathrin entdeckte die drei Sommerfeldt-Romane. Die Bücher machten einen zerlesenen Eindruck.

Ann Kathrin deutete darauf: »Lesen Sie das oder Ihr Mann?«

Frau Breuning sprach mit kratziger Stimme, wie jemand,

der viel zu viel rauchte und Stimmbandprobleme hatte: »Als er im Radio hörte, dass ein Serienkiller Bücher geschrieben hat, musste er sie sofort haben.«

Es tat der Frau gut, über Bücher zu sprechen. Ann Kathrin kannte so ein Verhalten misshandelter Frauen. Es fiel leichter, Zugang zu ihnen zu finden, wenn man zunächst über andere Dinge redete. Übers Kochen, Kinder, Pferde, Malerei oder Musik.

»Haben ihm die Romane gefallen?«

Jutta Breuning schaute Ann Kathrin von unten an, als müsse sie erst überlegen, welche Antwort die beste sei, ja, welche Antwort von ihr erwartet wurde.

»Liebe und Hass liegen bei ihm nah zusammen.« Sie lächelte wissend in sich hinein. »Ich glaube, er mag diesen Sommerfeldt nicht, aber er ist geradezu besessen von den Büchern. Er hat sich jeden Roman vorbestellt und dem Erscheinen regelrecht entgegengefiebert.«

»Und Sie glauben, dass er die Morde auf Langeoog begangen hat?«

Die Frau nickte heftig. »Ich musste sofort an ihn denken, als ich das im Fernsehen gesehen habe. Wenn er erfährt, dass ich Sie angerufen habe, bringt er uns beide um.«

»Wir können Sie schützen, Frau Breuning. Wir haben Schutzprogramme für misshandelte Frauen und …«

»Nein, können Sie nicht«, wendete Frau Breuning hart ein. »Sie kennen ihn nicht. Der lacht über Sie und Ihre Schutzprogramme.« Sie sprach das Wort *Schutz* aus, als sei es ein Witz. »Bitte gehen Sie einfach und kommen Sie erst wieder, wenn Sie ihn lebenslänglich hinter Gittern haben. Aber bitte rechnen Sie nicht mit meiner Hilfe.«

»Hat er Ihnen gegenüber die Morde gestanden?«

Sie lachte bitter. »Er ist nicht der Typ, der etwas gesteht oder sich mal in Ruhe ausspricht. Der schüttet nicht seiner Frau gegenüber sein Herz aus.«

Ann Kathrin hatte das Gefühl, sie könne hier durchaus am richtigen Ort sein. Sie hakte nach: »Was veranlasst Sie dann zu glauben, dass er ...«

Frau Breunings Körperhaltung veränderte sich. Sie war plötzlich voller Spannkraft, wirkte wie ein Turmspringer vor dem Sprung in die Tiefe. Sie packte Ann Kathrins Hand und zerrte sie zu einer verschlossenen Tür. Ann Kathrin stellte sich dahinter Sado-Maso-Räume mit SM-Utensilien vor. Aber in Wirklichkeit befand sich dort nur ein Schleiflackschlafzimmer mit einem großen Spiegel über einem Sideboard.

Jutta Breuning öffnete die oberste Schublade, griff hinein und hielt verschiedene Halsbänder hoch. Ann Kathrin sah auch Stricke und Tücher.

Wortlos zog Frau Breuning ihr Oberteil aus. Ihr Hals war voller Striemen, blauer Flecken und Schnitte.

Ann Kathrin hob ihr Handy hoch. »Darf ich das fotografieren?«

»Nein«, sagte Frau Breuning hart und zog sich sofort wieder so an, dass nichts mehr zu sehen war.

»Wissen Sie, wo er sich aufhält?«

»Nein.«

Die beiden Frauen standen sich fast feindselig gegenüber, und Ann Kathrin hätte sie doch so gern in den Arm genommen und beschützt.

»Wenn Sie mir seine Handynummer geben, kann ich ihn orten lassen und ...«

Frau Breuning verließ das Schlafzimmer. Ann Kathrin folgte ihr. Auf dem Tisch im Wohnzimmer lag ein Block. Jutta Breuning wollte die Nummer aufschreiben, doch sie zögerte. »Die haben Sie nicht von mir.«

»Keine Sorge«, bestätigte Ann Kathrin, »wir kennen uns im Grunde gar nicht.«

Erleichtert schrieb sie die Nummer auf.

»Wir werden ihn uns vorknöpfen«, versprach Ann Kathrin und steckte den Zettel ein. Sie reichte Jutta Breuning ihre Karte. »Falls er wiederkommt oder Ihnen noch etwas einfällt …«

»Machen Sie Ihren Job, Frau Kommissarin, und bitte, machen Sie ihn gut.«

»Ich brauche noch ein paar Dinge von Ihnen.«

Frau Breuning schaute verständnislos. Ann Kathrin erklärte: »Orte, wo er sich gerne aufhält. Freunde. Jeder Hinweis hilft uns weiter.«

Jutta Breuning schüttelte den Kopf und hatte es plötzlich sehr eilig. Alles tat ihr leid, und ihr Vertrauen in die Arbeit der Polizei schmolz plötzlich auf ein Minimum zusammen. »Wenn Sie nicht wollen, dass ich die nächste Leiche bin, dann gehen Sie jetzt bitte.«

»Kannte Ihr Mann die Opfer? Hat er mal Namen erwähnt? Astrid Thoben? Inge und Annika Schmelzin?«

Jutta Breuning schob Ann Kathrin zum Ausgang. »Bitte gehen Sie jetzt. Sofort!«

»Kennen Sie einen der Namen?«

»Nein, Und nun gehen Sie.«

Weller stand am Auto und beobachtete die Tür. Als Ann Kathrin herauskam, war es für ihn, als würde das Haus sie ausspucken.

Ann Kathrin nahm auf dem Beifahrersitz Platz. Sie sprach zunächst nichts. Sie überließ Weller das Steuer. Sie musste erst einmal durchatmen.

Er ließ ihr Zeit.

Dann sagte sie: »Er hat die Sommerfeldt-Trilogie im Buchregal.«

Weller pfiff anerkennend. »Also durchaus möglich, dass er unser Mann ist.«

»Ja.« Ann reichte Weller den Zettel mit der Handynummer: »Lass sein Handy orten und das Haus Tag und Nacht bewachen.«

Weller raunte, als würde er zum Täter sprechen: »Wir kriegen dich, du Arsch. Wir kriegen dich.« Er leitete die notwendigen Dinge in die Wege.

Ann Kathrin rieb ihre Handflächen fest an den Oberschenkeln. Sie wollte sich spüren. Es war, als müsse ihre Seele in den Körper zurückfinden. Der Drang, sich selbst zu berühren, um sich zu vergewissern, dass all dies wirklich passiert war, wurde immer größer. »Wenn wir ihn einkassieren, wird die Welt ein besserer Ort werden«, sagte sie zu Frank.

»Wir können uns«, gab Weller zu bedenken, »an die Regeln halten, über die Staatsanwaltschaft gehen und die Telefonanbieter. Wir könnten aber auch Lisbeth Salander fragen, dann wissen wir schneller, wo er ist.«

»Lass uns die Abkürzung nehmen, Frank. Nicht grundsätzlich. Nur jetzt. Wir sind verdammt in Eile und haben für Bürokratie keine Zeit.«

Am Anfang hatte es Irmi Reuter Spaß gemacht, ja, sie fand es prickelnd. Aufregend. Sie hatte den verklemmten Kuschelsex im Dunkeln mit wechselnden verheirateten Männern satt. Von Wilko Breuning fühlte sie sich wirklich gewollt. Er hatte ihr bei Kerzenlicht und Rotwein vorgelesen. *Fifty Shades of Grey.* Später härtere Sachen.

Es war ein Gedankenspiel. Eine knisternde Phantasie. Nicht mehr.

Seine Jutta verstand ihn eben nicht. Sie nahm das alles viel zu ernst, war zu spießig.

Ja, sie hatte sich bewusst auf diese Affäre eingelassen, obwohl er der Mann ihrer besten Freundin war. Sie mochte seine Maßlosigkeit und Experimentierfreude. Aber jetzt hatte sie nur noch Schmerzen und Angst. Er wurde immer extremer. Ihre vereinbarten Stoppworte, die das Spiel unterbrechen sollten, ignorierte er. Ja, es stachelte ihn geradezu an. Wenn sie sie rief, drehte er noch mehr auf.

Sie hatten vereinbart, dass, wenn sie sagte, *Ich hätte jetzt gerne ein Glas Sekt,* es dann sofort eine Verschnaufpause geben sollte. Ein Lockern der Fesseln, ein Durchatmen.

Am Anfang hatte das auch zwischen ihnen funktioniert. Er hatte sie gleich befreit, und sie hatten über die Erfahrung gesprochen. Einen Spaziergang gemacht oder gemeinsam geduscht.

Kühlschranktür hieß: *Sofort mit allem aufhören. Das tut mir zu weh.*

Weihnachtsteller bedeutete: *Bitte nicht ganz so heftig.*

Wenn sie keinen Ton mehr herausbekam, und darauf lief es oft hinaus, dann konnte sie mit den Händen abklatschen. Sie hatten diese Vorsichtsmaßnahmen zigmal geprobt. Auch das gehörte zum Spiel. Nur so konnten sie Grenzen austesten.

Doch mit auf dem Rücken gefesselten Händen konnte sie nicht abklatschen. Und wenn sie *Weihnachtsteller* oder *Kühlschranktür* rief, dann machte ihn das erst mal so richtig an, als würde es endlich ernst werden.

Der fiebrige Glanz in seinen Augen erschreckte sie. Die Stoppworte fachten seine aufflammende Gier nur noch mehr an. Er sog ihren Schmerz und ihre Angst auf. Darum ging es ihm. Alles andere war nur Vorspiel für ihn gewesen. Wirklich spannend wurde es für ihn erst hinter der Grenze des von ihr Gewollten. Er hörte schon lange nicht mehr auf, wenn sie röchelnd *ein Gläschen Sekt* verlangte.

Er führte sie gern am Halsband durch die Wohnung. So hatte es begonnen. Er hatte sie jetzt an den Heizkörper gebunden und trotz der Hitze die Heizung auf 5 geschaltet. Er wollte Schweiß auf ihrer Haut sehen. Er leckte ihn gern ab.

Sie wusste nicht, ob die Striemen von den Verbrennungen an den Heizungsrohren kamen oder von den Schlägen. Sie erkannte ihre eigene Stimme nicht mehr. Von der Würgerei war sie zunächst heiser geworden, und dann war etwas mit ihrem Kehlkopf geschehen. Sie hörte sich an wie eine alte, lungenkranke Frau.

Er hatte sich ihr gegenüber hingesetzt und ein Eis gegessen. Es gefiel ihm, sie schwitzen und zusehen zu lassen. Ein paarmal hatte er ihr auch einen Löffel voll Stracciatella an die Lippen gehalten.

Irmi wusste nicht mehr weiter und drohte ihm damit, ihrer Freundin Jutta alles zu erzählen. Das hatte ihn erst richtig verrückt gemacht. Es war, als hätte er darauf nur gewartet, ja, es angestrebt. Er rief Jutta an und hielt ihr dann das Handy ans Ohr: »Da, sprich dich aus mit deiner Freundin!«

Er wollte zuhören und es genießen, doch sie hatte nur geweint, und das hatte ihn noch wütender gemacht, als sei er betrogen worden.

Warum antwortete Sommerfeldt nicht? Warum? Hatten sie ihm die Möglichkeit entzogen? Bekam er die Nachrichten gar nicht?

Es ärgerte ihn ungemein. Verdiente seine Tat keine Anerkennung? Er hatte drei Frauen am selben Ort getötet. Sogar nacheinander Mutter und Tochter. War das etwa nichts? Oder hatte er den großen Meister damit so sehr schockiert, dass der jetzt stumm geworden war? Er, der Wortgewandte, der ganze Romane schrieb.

In *Totentanz am Strand* hatte er seine Zeit auf Langeoog beschrieben. Was nun aber hier geschehen war, stellte alles Bisherige in den Schatten.

Fuchste Sommerfeldt das? Fühlte er sich schon besiegt?

Ich werde weitermachen, auch wenn du nicht antwortest. Weitermachen, bis dein Name ausgelöscht ist und du in der Bedeutungslosigkeit verschwindest. Zuerst werden wir in der Vorstellung der Menschen verschmelzen. Meister und Schüler werden eins werden, bis dann die Größe des Schülers in ihrer Monstrosität zeigt, dass der Meister nie einer war, sondern nur ein Hochstapler.

Wie hatte Karl Kraus gesagt: *Wenn die Sonne der Kultur niedrig steht, werfen selbst Zwerge lange Schatten.*

Er überlegte sogar, ob er hinfahren sollte. Der Gedanke hatte etwas Faszinierendes. Wie käme das wohl bei Sommerfeldt an? Er konnte eine Besuchserlaubnis erbitten. Bestimmt gab es viele Fans und Bewunderer, die Sommerfeldt sprechen wollten. Journalisten ließ man immer wieder zu ihm. Diesen Holger Bloem zum Beispiel. Selbst für Fernsehteams hatten sich die Gefängnistore schon geöffnet.

Aber das war ein riskantes Spiel für ihn. Konnte er wirklich ungestört im Gefängnis mit Sommerfeldt reden? Der Gedanke, ihm zu begegnen, ihm Auge in Auge gegenüberzusitzen, ließ ihn erschaudern. Aber einen Besuch im Gefängnis verdrängte er ins Reich der unerfüllten Wünsche.

Trotzdem musste er irgendwie in die Offensive. Sommerfeldt hatte diesen Holger Bloem damals gekidnappt und ihm seine Geschichte erzählt. Er spielte auch mit diesem Gedanken, doch das sah zu nachgemacht aus. Er musste sich abgrenzen.

Außerdem galt Bloem als Fachmann für Serienkiller. Was, wenn er ein vernichtendes Urteil über ihn fällen würde? Bloem konnte ihn in seiner vollen Größe zeigen oder aber aus ihm einen Hanswurst machen.

Bloem war in der Lage, ihn und Sommerfeldt zu vergleichen, und Bloem galt bei einigen sogar als Sommerfeldt-Vertrauter. Wenn die Regierung einen Sprecher hatte, so hatte Sommerfeldt Bloem.

Das fehlte ihm. So jemanden brauchte er auch.

Nein, ein Gespräch mit Holger Bloem war für ihn einerseits die Königsdisziplin, andererseits war es aber auch ein zu großes Risiko. Er hatte Angst, sich Bloems Urteil zu unterwerfen und vor dessen Augen zum Versager zu werden, zum Psychopathen, oder, noch schlimmer, einfach zum Nachahmer.

Er radelte zur Meierei. Die Sonne brannte auf seiner Haut, und der Wind ließ ihn die Augen zusammenkneifen. Er wollte in der Meierei Dickmilch mit Sanddorn und Schwarzbrot essen. Er kam sich auch dabei vor wie ein Epigone. Ein Nachahmer. Ein Trittbrettfahrer.

Er bekam den Sommerfeldt-Roman einfach nicht aus dem Kopf. Der hatte auch sein Rad hier abgestellt und draußen auf der Holzbank mit Blick aufs Meer auf die Bedienung gewartet. Jetzt hockte er hier.

Seine Oberschenkel brannten von der Strampelei auf dem

Fahrrad, aber noch mehr brannte in ihm der Wunsch nach Anerkennung. Er wollte mit jemandem darüber reden. Aber wie konnte er das tun, ohne diesen Menschen gleich danach zu töten? Er wollte sich aussprechen, ohne verraten zu werden. Er wollte im Grunde Respekt, ja Bewunderung und hatte doch Angst vor einem Urteil, das am Ende über ihn gefällt werden würde.

Er trank einen Pott Kaffee und bröckelte das Schwarzbrot auf die Dickmilch. Der Sanddornsaft war in einem Schnapsglas serviert worden. Gleichzeitig mit ihm bekam eine junge Frau am Tisch gegenüber auch eine Portion. Sie lächelte ihn an und kippte den Sanddorn wie einen klaren Schnaps. Jetzt verzog sie die Lippen und kniff ein Auge zu, weil es so sauer war.

Er hob sein Schnapspinnchen demonstrativ hoch und ließ die goldleuchtende Flüssigkeit auf die Dickmilch tropfen.

»Guter Plan«, scherzte die junge Frau und reckte ihren sonnengebräunten Hals, als wolle sie ihm zeigen, wie sehr sie sich danach sehnte, mit seiner Stahlschlinge Bekanntschaft zu machen.

Die Dickmilch schmeckte wirklich köstlich. Er löffelte sie genüsslich. Das Schwarzbrot passte bestens dazu. Die junge Frau unterhielt sich mit einem Mann, der mit dem Rücken zu ihm saß. Er schrieb die Aussagen der Frau mit. Das konnte spannend werden.

Er lauschte. Es war ein geiles Gefühl, hier als Langeoog-Killer zwischen den ganz normalen Touristen zu sitzen, als ob er einer von ihnen wäre.

Er belauschte das Gespräch.

»Und obwohl drei Frauen auf der Insel getötet wurden, machen Sie unbeschwert weiterhin hier Urlaub?«

236

»Nein, nicht wirklich unbeschwert. Also, man denkt schon daran ... Aber an so einem schönen Tag, wenn man den Wind spürt und die Sonne lacht, dann kommt einem das irgendwie ... so unwirklich vor. Wie abends im Fernsehen. Obwohl ... ich glaube, ich würde nicht mehr nachts alleine am Strand spazieren gehen. Schon mal gar nicht am Flinthörn.«

»Ja, dann danke ich Ihnen für das Gespräch.«

»Wann wird das denn erscheinen?«

»Ich denke, schon morgen, in den Ostfriesischen Nachrichten. Darf ich noch einmal Ihren Namen haben. Rebecca?«

»Ja, mit zwei c.«

Den Nachnamen hatte er nicht richtig verstanden, das hatten das Möwengeschrei und Entengeschnatter verhindert. Der Journalist ging zum nächsten Tisch. Die Touristen sahen aus, als würden sie ihn schon fröhlich erwarten. Er stellte sich als Aike Ruhr von den ON vor. Er war groß und schlank. Ende 20, höchstens Anfang 30.

Ob ich dem so einfach einen Sack über den Kopf stülpen könnte, um ihn mitzunehmen? Er ist größer als ich. Auf einen Kampf würde ich es mit dem nicht gerne ankommen lassen. Wenn er mein Gesicht sieht, wird er mich später verraten.

Wie hast du das damals angestellt, Sommerfeldt? Hast du dir die gleichen Sorgen gemacht? Ich kann doch schlecht zu ihm hingehen und sagen: *Herzlichen Glückwunsch, Herr Ruhr, Sie haben ein Exklusivinterview mit dem Langeoog-Mörder gewonnen.*

Er bekam immer mehr Respekt vor Sommerfeldts Kunst.

Es ärgerte ihn. Er hatte noch nie ein Interview gegeben. Noch nie ein Buch geschrieben. Er war nur einer, der viel besser und effektiver mordete als dieser Sommerfeldt.

Er belauschte Aike Ruhr, der weitere Fragen stellte. Der

junge Journalist hörte sich ehrlich an, als würde er seiner eigenen Neugier folgen. Die Touristen gingen – vermutlich um sich selbst zu beruhigen – davon aus, dass der Täter Langeoog schon längst verlassen hatte.

»Das dachten die letzten zwei Opfer sicherlich auch«, scherzte ein Mann mit blauer Kappe, auf der *Wangerooge* stand. Aber er kam nicht gut damit an. Weder mit der Kappe noch mit dem Scherz.

Ann Kathrin und Weller saßen im Twingo und fuhren in Richtung Fähranleger. Ann Kathrin überlegte, nicht mit nach Langeoog zu fahren, sondern stattdessen Ubbo Heide auf Wangerooge zu besuchen. Mit ihm wollte sie alles besprechen. Sie brauchte einfach Ubbos Rat.

Sie sagte es Weller, und der sah es sofort ein. Er wäre gerne dabei gewesen. Er hoffte, Ubbo könne Ann vor schlimmen Dummheiten bewahren, denn er fürchtete, dass sie kurz davor stand, eine zu begehen.

Wellers Handy klingelte und Kevin Janssen meldete sich. Beide staunten, wie schnell Kevin war. Wellers Handy war, wie meist, so laut gestellt, dass Ann Kathrin problemlos alles mithören konnte. Er machte das nicht absichtlich, es geschah irgendwie von alleine, oder er beherrschte diesen Apparat einfach nicht.

Kevin prahlte geradezu: »Ich habe das Handy geortet.«

»Das hat aber lange gedauert«, frotzelte Weller. Er wusste, dass Ann Kathrin lieber mit dem alten Thiekötter arbeitete. Sie war im Grunde ein misstrauischer Mensch. Wer aber einmal ihr Vertrauen erworben hatte, der gehörte dann zum inneren

Kreis. Bei Thiekötter war das so. Bis dahin war es für Kevin noch ein weiter Weg.

»Das Handy befindet sich in Emden. Ortsteil Conrebbers-weg. Im Komponistenviertel. Mozartstraße. Beethovenstraße. Joseph-Haydn-Straße. Carl-Orff-Straße.« Er unterbrach seine Aufzählung und kam ins Schwärmen: »Ich hatte da mal eine Freundin. Das war eine ganz scharfe Schnitte.«

Ann Kathrin guckte genervt. Sie raunte: »Sehr interessant. Wie war sie denn so im Bett?«

Weller räusperte sich bewusst laut, damit Kevin das nicht mitbekam: »Kannst du das noch genauer bestimmen?«, fragte Weller.

»Sicher. In der Clara-Schumann-Straße. Ich kann dir nicht nur die Hausnummer sagen, sondern, wenn ich die Baupläne bekomme, auch, ob er sich im Wohnzimmer aufhält, im Esszimmer oder auf dem Klo. Unsere Peilung ist so auf vier, fünf Meter genau.«

»Du bist ein Teufelskerl«, lobte Weller Kevin.

»Rupert ist gerade in Emden«, sagte Ann Kathrin. Kevin hörte sie und fühlte sich geehrt. »Schöne Grüße an die Chefin!«

»Ich bin nicht die Chefin«, erwiderte Ann, der es gar nicht gefiel, so genannt zu werden. Aber sie wusste, dass das hinter ihrem Rücken geschah.

Weller hielt das Mikro des Handys zu und flüsterte in Anns Ohr: »Er ist ja auch nicht Lisbeth Salander.«

Rupert rieb sich vor Freude die Hände. Er hätte zu gern in Jessis Gegenwart die Niederlage wettgemacht, und er empfand es durchaus als geradezu persönliche Niederlage, dass Lord Dark Shadow alias Karl-Heinz Pommes ein bombensicheres Alibi besaß. Daran ließ sich wirklich nicht rütteln.

»Manchmal gewinnt man, und manchmal verliert man, aber man bleibt immer am Ball, Jessi«, philosophierte Rupert und gab *Clara-Schumann-Straße* ins Navi ein.

Mit belegter Stimme, aber durchaus kampfeslustig fragte Jessi: »Ist er es?«

»Zumindest glaubt seine Frau, dass er der Mörder ist, und wir knöpfen ihn uns vor, denn wir zwei sind ganz nah dran. Wir wissen nicht, was er mit dem Haus zu tun hat. Möglicherweise ist er auf der Flucht und versteckt sich dort. Kann sein, er ist dort unerlaubt eingedrungen. Vielleicht hat ihn auch jemand eingeladen. Keine Ahnung …«

»Oder er ist bei seinem nächsten Opfer«, befürchtete Jessi.

Rupert fuhr sich mit dem Zeigefinger zwischen Hemdkragen und Hals entlang. Es war plötzlich so stickig im Auto. »Dann sind wir jetzt ihre Rettung.«

»Wenn wir schnell genug sind«, schränkte Jessi seine Hoffnung ein.

In Ann Kathrins Handy heulte der Seehund. Sie hatte es sofort am Ohr. »Hier Jutta Breuning. Frau Klaasen, er hat mich gerade angerufen. Er ist völlig außer sich! Er hat rumgeschrien und mir gedroht. Hier, hören Sie mal! Ich hab's aufgenommen.«

Ann Kathrin lauschte. Es knackte ein paarmal, dann vernahm sie eine Art Grunzen und schließlich hörte es sich an, als würde jemand geohrfeigt.

»Ich bügel dir die Titten, wenn du nicht sofort hier anrollst!«, schrie jemand.

»Bitte, Frau Klaasen«, flehte Jutta Breuning, »er ist bei meiner besten Freundin in Emden.«

»In der Clara-Schumann-Straße …«, riet Ann Kathrin.

»Ja! Bitte helfen Sie ihr! Aber er darf nicht wissen, dass ich Sie informiert habe«, schluchzte sie.

»Das wird er nicht erfahren. Wir haben seinen Aufenthaltsort bereits selbst ermittelt. Ein Wagen ist dorthin unterwegs«, sagte Ann Kathrin ruhig.

»Und was soll ich jetzt machen?«

»An Ihrer Stelle würde ich meine Sachen packen und noch heute in ein Frauenhaus gehen. Bis der Spuk vorüber ist, halten Sie sich besser nicht im Haus auf. Ich kann auch für eine psychologische Betreuung sorgen. Wir haben da Spezialisten …«

»Aber«, wendete Jutta Breuning ein, »wenn er zurückkommt und ich nicht da bin … was dann?«

»Dann muss er sich selbst das Abendessen warmmachen«, zischte Ann Kathrin genervt. »Ich glaube aber kaum, dass er so bald zurückkommen wird.«

Rupert parkte direkt vor dem Haus. Der Vorgarten war gepflegt, mit roten und gelben Rosensträuchern. Einem Tannenbaum. Einer kleinen, liebevoll beschnittenen Hecke. An jedem Ende war ein Tierkopf aus dem üppigen, dicht verzweigten Blattwerk geschnitten.

»Da war ja ein richtiger Künstler am Werk«, behauptete Jessi.

Rupert rechnete damit, dass Wilko Breuning versuchen

würde, durch die Hintertür zu fliehen. Bei Verhaftungsmaß-
nahmen in Ein- oder Zweifamilienhäusern ging es immer darum, den Fluchtweg über die Garage oder durch die Terrassentür zu vereiteln.

»Er ist ein gefährlicher Mann, Jessi. Wir dürfen ihm keine
Möglichkeit geben, uns zu verarschen. Er hat drei Menschen
getötet.«

»Eigentlich sollten wir auf ein Mobiles Einsatzkommando
warten«, gab sie zu bedenken.

»Das gilt nicht bei Gefahr im Verzug«, erklärte Rupert und
fügte hinzu: »Da drin ist eine Frau in Not. Wir werden nicht
warten, bis die Verstärkung hier mit Blaulicht anrückt. Wir
helfen ihr jetzt.«

Jessi nickte entschlossen und entschied: »Ich klingele.«

Rupert verschwand hinters Haus und sicherte die Terrassentür. Sie war aus Glas. Rupert zog seine Dienstwaffe.

Komm nur, dachte er. Das wird heute nicht dein Glückstag,
Drecksack.

Hier auf der Terrasse stand ein alter Tannenbaum, der seine
Nadeln längst verloren hatte und darauf wartete, verfeuert zu
werden, neben einem Holzkohlegrill, in dem feuchte Asche
lag. Ruperts Vermutung, der Kerl werde hinten heraus fliehen,
steigerte sich zur Gewissheit. Rupert versteckte sich zunächst
zwischen Tannenbaum und Grill, aber dann kam ihm das albern vor, hier so in der Hocke zu sitzen. Stattdessen startete er
den Versuch, die Glastür zu knacken.

Kollege Wilfried Kleinert vom Einbruchsdezernat, der ein
bisschen wie ein Seehund aussah und dessen Stimme nicht
im Geringsten zu seiner Statur passte, hatte neulich noch bei
einem Lehrgang behauptet, solche Türen seien praktisch eine
Einladung für Einbrecher. »Da kann man gleich den Schlüssel

an den Türgriff hängen, dann geht wenigstens nichts kaputt. Die meisten Schäden entstehen nämlich beim Einbruch, nicht beim Diebstahl, sondern durch die Sachbeschädigung, wenn die Jungs versuchen reinzukommen.«

Es gab zwei Banden in Ostfriesland, die für viele Einbruchsserien verantwortlich waren. Die *Gentlemen-Einbrecher* gingen vorsichtig vor, als seien sie vom Schlüsseldienst. Die anderen dagegen schlugen alles kurz und klein, was ihnen im Weg war. Wilfried Kleinert sagte über sie: »Die sprengen sogar eine Kühlschranktür, wenn sie klemmt.«

Trotzdem nahm sie niemand so richtig ernst, denn sie hatten in Aurich statt des Geldautomaten den Kontoauszugsdrucker der Sparkasse aus der Wand gebrochen und geklaut.

Rupert erinnerte sich aber leider nicht so genau daran, wie Wilfried Kleinert diese Tür geöffnet hatte. Zum Erstaunen aller hatte Kleinert es vorgemacht. Fünf verschiedene Türen mit unterschiedlichen Verriegelungen hatten im Proberaum gestanden. Diese hier, das wusste Rupert genau, war die am einfachsten zu knackende gewesen. Aber, verdammt, wie hatte Wilfried es noch gemacht? Ein Draht hatte eine Rolle gespielt oder eine Stricknadel, das wusste Rupert nicht mehr so genau.

An dem Grill hing noch Grillbesteck. Eine Fleischgabel, eine Zange und ein Wender. Damit, hoffte Rupert, müsste es doch auch gehen. Er steckte die Dienstwaffe wieder ein und kniete sich vor die Glastür. Er schob die Spitze der Grillzange in das Gummi zwischen Tür und Rahmen. Es war nicht das teuerste Grillbesteck. Der erste Zinken verbog sich sofort.

Rupert kam sich vor, als würde Kleinert hämisch grinsend neben ihm stehen und ihm zusehen. Es war für Rupert, als müsse er eine Prüfung bestehen und sei kurz davor, sich vor der ganzen Klasse zu blamieren. Er hörte den Einbruchsspezialisten mit seiner piepsigen Stimme praktisch neben sich kichern: »Zu blöde, so eine Tür zu öffnen, aber die Mordkommission ist natürlich die Königsdisziplin der Kripo, schon klar. Und weißt du auch warum, Rupert? Weil Könige keinen Handschlag selbst tun müssen. Oder kennst du einen König, der die Waschmaschine repariert oder den Staubsauger?«

Wilko Breuning brauchte, wenn er so in Fahrt war, Alkohol wie sein Auto Benzin. Er goss in regelmäßigen Schlückchen nach. Sonst war er im Leben ein recht zivilisierter Mann, zumindest gab er sich Mühe, so zu wirken. Nie hätte er Rotwein aus einem Weißweinglas getrunken oder Whisky aus einem Cognacschwenker. Er benutzte beim Essen gern Stoffservietten und legte auf gepflegte Fingernägel Wert.

Aber wenn das Tier in ihm ihn zu dominieren begann, dann trank er nicht mehr aus Gläsern. Er hielt sich Flaschen an den Hals. Bier war ihm dann zu schwach. Er trank Wein oder Schnaps aus Flaschen, mit denen er herumfuchtelte, als seien es Waffen.

Er kam sich dann vor, als sei er kein Geschöpf dieser Zivilisation, sondern als sei er aus einer anderen, einer kriegerischen Zeit. Er war dann voller Gier, voller Wut, und er akzeptierte keine Grenzen. Es gab keine Moral. Keine Regeln. Keine Verbote. Das Recht des Stärkeren war das einzig wirkliche Recht. Alles andere war nur akademisches Geschwätz von Schlipsträgern. Niemand würde ihn mehr manipulieren oder beherrschen. Niemand!

Er nahm zunächst noch einen Schluck aus der Flasche, dann

griff er in Irmis wirre Haarpracht und riss ihren Kopf hoch. Er zwang sie, ihn mit ihren verheulten Augen anzusehen.

»Ich kann nur lieben, wenn ich herrschen kann«, zischte er. »Herrschen, verstehst du?!«

Sie nickte und öffnete ihre rissigen Lippen.

Er spuckte den Satz wie eine Drohung aus: »Gleich kommt deine Freundin. Dann kannst du sehen, was Liebe auch sein kann, Irmi. Unterwerfung. Richtige Unterwerfung! Die Auflösung des Ego …«

»Aber … ich liebe dich doch … ich …«

Er stieß sie gegen die Heizung. »Du weißt doch gar nicht, was das ist, Liebe! Ich spreche von Selbstaufgabe! Nur als Schmerzensdienerin bist du wirklich frei, kapierst du das nicht?«

Sie sah für ihn nicht aus wie eine Frau, die bereit war, sich zu ergeben, sondern mehr wie eine, die jeden Moment vor Angst um ihr bisschen Leben wahnsinnig werden konnte.

Ab jetzt, so stellte er sich vor, würden die beiden Frauen um seine Gunst wetteifern. Sie hatten es schon lange getan, aber jetzt würde es endlich gleichzeitig geschehen. Er würde sie hart rannehmen, ja, er fühlte sich bereit, neue Sklavinnen in seine Dienste einzustellen. Das Casting konnte noch heute beginnen.

Er nahm noch einen Schluck. Ohne Viagra würde er ihn heute nicht mehr hochkriegen, aber was spielte das für eine Rolle? Er kannte bessere Arten, sich zu amüsieren. Viel bessere …

Es klingelte an der Tür. Er wischte sich über die Lippen. Die Zeit war nur so verflogen. Wenn er sich richtig austobte, dann verlor er jedes Zeitgefühl. Minuten konnten zu Stunden werden, aber auch Stunden zu Minuten.

Er reckte sich und bog sich durch. Die Gelenke schmerzten manchmal, wenn er zu lange in einer anstrengenden Haltung stand.

Ich muss lockerer werden, dachte er. Viel lockerer. Ich habe das alles voll im Griff. Ich bin ganz Herr der Lage. Warum verkrampfe ich mich trotzdem?

Er sah nicht durch den Spion. Das war so eine erbärmliche Aktion. Etwas für Angsthasen. Hosenscheißer mit Rechtfertigungsschweiß unter den Achseln. Nichts für ihn!

Er riss die Tür schwungvoll auf. Obwohl er sie durch seinen Alkoholnebel sah, gab es für ihn keinen Zweifel: Die Kleine da vor ihm war nicht seine Jutta. Sie war zehn, wenn nicht fünfzehn Jahre jünger. Kleidergröße 38. BH 75 B. Das erkannte er auf den ersten Blick.

»Herr Breuning?«, fragte sie.

Er wölbte stolz seine Brust und blies ihr seinen Alkoholatem ins Gesicht. »Jawohl, persönlich«, antwortete er. Er war betrunken genug, für einen Moment zu glauben, auch sie könne eine seiner Schmerzensdienerinnen werden. Er ahnte ja noch nicht, wen er vor sich hatte. Die Norder Boxstadtmeisterin im Superfedergewicht stellte sich erst vor, als Wilko Breuning bereits auf dem Bauch lag: »Jessi Jaminski. Kripo Aurich. Mordkommission.«

»Mensch, du gehst aber ran«, spottete er, um nicht zu zeigen, wie beeindruckt er war.

»Ich verhafte Sie wegen Mordes in drei Fällen: Astrid Thoben, Inge Schmelzin und Annika Schmelzin«, sagte Jessi und wunderte sich, wie leicht es gewesen war, einen so gefährlichen Mann unter Kontrolle zu bekommen.

Sie hörte Stöhnen und sah die an die Heizung gebundene Frau. Jessi erschrak.

Irmi Reuter rief: »Bitte tun Sie ihm nicht weh!«

Jessi begriff die Situation nicht. Bat das angekettete, zusammengeschlagene Opfer da an der Heizung gerade um Rücksichtnahme für den Täter statt um Freiheit für sich selbst? Die Frau wollte von der Heizung weg auf Jessi zulaufen. Die Kette, an der das Lederhalsband hing, straffte sich und hielt sie schlagartig zurück. Ihr Körper stoppte mitten in der Vorwärtsbewegung ruckartig. Die Frau fiel nach hinten. Sie jaulte vor Schmerzen und begann gleichzeitig, zu weinen und zu lachen.

Sie war in einem erbärmlichen Zustand. Vermutlich wusste sie nicht mehr, was sie tat oder sagte.

Jessi ließ alle Vorsichtsmaßnahmen außer Acht. Sie lief hin, um Irmi Reuter zu helfen. In ihrer Vorstellung übernahmen Rupert oder ein anderer Kollege den betrunkenen Täter. Doch sie war im Moment alleine hier in der Wohnung. Rupert hörte zwar die Kampfgeräusche, bekam aber die Tür mit der Grillzange nicht auf. Er konnte sich aber auch nicht entschließen, ums Haus zu laufen und durch die offene Haustür zu gehen. Einerseits dauerte ihm das zu lange, und andererseits war es irgendwie auch uncool. Eine Niederlage für ihn, an dieser Scheiß-Terrassentür zu scheitern.

Jessi trug ihr Einsatzmesser, ein *Leatherman*, stets bei sich, um bei einem Notfall eingeschlossenen Menschen helfen zu können, Gurte zu durchtrennen oder Scheiben zu zertrümmern. Sie fasste in ihre Jacke, um das Werkzeug zu ziehen. Da griff Wilko Breuning sie von hinten an. Gemeinsam stürzten sie zunächst gegen den Tisch. Er rutschte zur Seite. Sie fielen auf den Boden.

Irmi kreischte. Für einen Moment rang Jessi nach Luft. Breuning war voll auf ihre Rippen gekracht. Sie rollte sich von ihm weg.

Die Schreie brachten Rupert in Hektik. Jetzt war keine Zeit mehr für Einbruchsexperimente mit Grillbesteck. Er gab mit den Worten: »Sesam öffne dich!« zwei Schüsse aus seiner Heckler & Koch ab. Einen völlig sinnlosen in den Türrahmen und einen in die große Doppelglasscheibe. Sie zersplitterte nicht in tausend Stücke, wie Rupert gehofft hatte, sondern die Tür sah jetzt aus, als hätte eine Riesenspinne ihr dichtes Netz gespannt.

Rupert trat, so fest er konnte, in die Mitte des silberglänzenden Spinnennetzes. Es brach, und gleich mehrere Splitter verletzten sein rechtes Bein.

Wilko Breuning stand erstaunlich schnell wieder auf den Beinen. Er griff nach seinem SM-Spielzeug, um Jessi damit anzugreifen. Sie raffte sich auf und empfing ihn mit einem Leberhaken, der ihm das Gefühl gab, innerlich zu zerreißen. Er glotzte Jessi ungläubig an. Dass man ihm wehtat, war er wohl nicht gewohnt.

Er hielt sich die Hände vor den Unterleib. Es war keine bewusste Handlung. Mehr eine hilflose Reaktion in Erwartung eines Tiefschlags. Aber genau der kam nicht. Stattdessen verpasste Jessi ihm eine rechte Gerade. Ihre Faust landete in seinem deckungslosen Gesicht.

Etwas explodierte unterhalb seines Auges, um den Wangenknochen herum, und ließ das Gesicht augenblicklich anschwellen. Er taumelte durch den Raum wie ein sehr müder Mensch auf der Suche nach einer Sitzgelegenheit.

Jetzt hatte es auch Rupert nach drinnen geschafft. Winzige Glassplitter hingen in seiner Kleidung und seinen Haaren. Bei dem Licht wirkte er, als sei er durch frisch gefallenen Schnee gelaufen.

Er hielt seine Dienstwaffe noch in der Hand. Er stieß Wilko

Breuning in einen Sessel. Er sah gleich, dass der Mann praktisch k. o. war. Jessi hatte ihn geschafft.

»Braves Mädchen«, sagte Rupert, doch das hörte sie gar nicht, denn sie kümmerte sich schon um Frau Reuter.

Rupert widmete sich dem mutmaßlichen Mörder. Die Situation war für ihn eindeutig. Sie müssten eigentlich Orden bekommen, eine Gehaltserhöhung und Sonderurlaub dazu. Aber wahrscheinlich würden sie zur Belohnung nur endlose Berichte schreiben und sich hinterher vor Gericht rechtfertigen müssen, warum sie es so und nicht so gemacht hatten. Der Klugscheißerclub würde wieder klugscheißen, denn sonst konnte er ja nichts.

»Sie hat dir wehgetan, was?«, fragte Rupert. »Sie hat einen ganz schönen Bumms drauf, stimmt's?«

Breuning hatte noch gar nicht genug Luft, um zu antworten.

Rupert fuhr fort: »Wenn du jetzt und hier alle Morde gestehst, könnte ich dir ein paar Schmerztabletten besorgen. Wir trinken alle in Ruhe einen Kaffee und …«

»Ich …«, stammelte Breuning, »ich habe niemanden umgebracht.«

Rupert zeigte auf Irmi Reuter, die gerade von Jessi losgeschnitten wurde und dabei weinte. Jessi schnitt das Lederband vorsichtig an Irmis Hals durch. Die Kette klirrte gegen die Heizung.

»Klar. Sieht man«, sagte Rupert. »Ihr habt gerade Weihnachtsplätzchen gebacken und wolltet jetzt in Ruhe eine Runde Canasta spielen. Leider haben wir dabei gestört. Hat sie sich versehentlich in den Hundeleinen verheddert, oder was? Ja, so wird es wohl gewesen sein, oder?«

Wilko Breuning wollte aufstehen, doch Rupert drückte ihn

hart in den Sessel zurück und brüllte: »Verarschen kann ich mich alleine!«

Irmi Reuter wollte einen Schritt auf Rupert zu gehen. Sie überschätzte sich aber. Ihr Kreislauf spielte nicht richtig mit, ihre Knie waren noch weich. Sie stolperte und fiel. Auf allen vieren rief sie: »Er ... er war die ganze Zeit hier bei mir!«

Jessi konnte es nicht fassen: »Ja, wollen Sie dem jetzt echt ein Alibi geben? Wollen Sie, dass er damit davonkommt?«

»Er ist doch kein Mörder«, behauptete Irmi.

Wilko Breuning wollte zu seiner Flasche greifen. Rupert hinderte ihn daran. Wütend funkelte er Rupert an.

Rupert lästerte: »Im Knast gibt es auch keinen Alk. Gewöhn dich schon mal dran. Wenn du den Entzug erst mal hinter dir hast, wird alles gleich ganz anders. Der Nebel lichtet sich, und du siehst dich in deiner ganzen Erbärmlichkeit. Typen wie dich benutzen sie im Knast als Punchingball. Ich gebe dir keine zehn Tage, und zwischen dir und einem Putzlappen gibt es nur noch einen Unterschied.«

Rupert genoss es, Breuning zu provozieren. Jessi sah genau, worauf das hinauslief. Rupert wollte erreichen, dass Wilko Breuning auf ihn losging. Er brauchte einen Grund, ihm so richtig eine zu verpassen.

Rupert klopfte sich Glassplitter aus der Kleidung. Sie regneten wie falsche Diamanten auf den Boden. Rupert belehrte Breuning: »Putzlappen heulen nicht, wenn man mit ihnen die Kloschüssel auswischt.«

»Wir haben das Haus nicht verlassen«, jammerte Irmi. »Wirklich nicht! Er war nur hier bei mir!«

Wilko Breuning schrie: »Ich mach euch fertig! Ihr habt kein Recht, hier einzudringen und euch so aufzuführen! Euch hat niemand gerufen! Das hier entspricht vielleicht nicht eurer spießigen Moral und euren Vorstellungen von Sex, aber es geschieht einvernehmlich!« Er buchstabierte das Wort fast: »Einvernehmlich!«

Irmi Reuter bestätigte das sofort. Jessi glaubte ihr nicht: »Keiner Frau gefällt es, so misshandelt zu werden!«

»Ihr schon«, spottete Wilko. »Außerdem geht Sie das nichts an. Und Sie entscheiden das auch nicht.«

Jessi half Irmi hoch und sah sich deren Wunden am Hals an. Rupert wandte sich an Irmi: »Er hat also seit drei Tagen die Wohnung nicht verlassen?«

Irmi Reuter nickte und sagte leise, wie zur Entschuldigung: »Am Anfang hat es ja auch Spaß gemacht.«

Rupert ließ sich nicht erschüttern. Er ging klar davon aus, den Täter vor sich zu haben. »Aber nachts war er immer mal kurz weg und hat Ihnen erzählt, er müsse zu seiner Frau oder rasch Zigaretten holen, um sie dann später auf Ihrer Haut auszudrücken, stimmt's?«

Jessi hatte die Stellen auf Frau Reuters Arm, auf die Rupert anspielte, ebenfalls gesehen. Die Brandwunden waren frisch.

»Wir werden«, kündigte Rupert an, »dein Scheiß-Alibi überprüfen. Wir werden jedem auf Langeoog ein Foto von deinem dämlichen Gesicht zeigen. Und glaub mir, Wutklo, wenn dich auch nur einer wiedererkennt und sagt: »*Oh, ja, neben dem Drecksack habe ich auf der Fähre gesessen*«, oder: »*Wegen dem habe ich das Café Leiß verlassen, weil der so magenkrank aus dem Hals nach Gülle roch*« –, dann, Wutklo, haben wir dich!«

»Ich heiße Wilko«, schrie Wilko, »nennen Sie mich nicht Wutklo! Sie haben kein Recht, hier reinzukommen und unsere intime Zweisamkeit zu stören, mich zu beleidigen, zu bedrohen und …« Er unterbrach seine Aufzählung, weil Jessi spottete: »Intime Zweisamkeit hat der echt gesagt!«

Rupert half ihm weiter bei der Aufzählung: »Vergessen Sie nicht, dass ich Ihre Scheiß-Terrassentür zerschossen habe. Die ist sowieso nicht einbruchssicher. Völliger Müll, solche Türen. Wahrscheinlich preist die Einbrechergewerkschaft solche Türen an oder stellt sie sogar selber her …«

»Ich will«, verlangte Wilko Breuning, »meinen Anwalt sprechen.«

»Ja«, sagte Rupert, »und ich hätte gerne ein Mettbrötchen mit frischen Zwiebeln.«

»Kann ich mich im Bad frischmachen?«, fragte Irmi Reuter.

Jessi erwiderte: »Natürlich. Aber Sie brauchen einen Arzt. Wir müssen Ihre Verletzungen versorgen und dokumentieren.«

»Warum?«

»Na, Sie wollen ihn doch hoffentlich anzeigen.« Jessi nahm wahr, dass Frau Reuter mitten in der Bewegung zu gefrieren schien. Wilko Breuning fixierte sie streng.

»Nein, natürlich nicht«, behauptete Irmi, sah aber aus, als würde sie nichts lieber tun.

»Er wird sowieso wegen drei Morden den Rest seines Lebens im Gefängnis sitzen. Falls er nicht in der Psychiatrie landet.«

»Er … er war es nicht! Wirklich! Er war hier, die ganze Zeit, bei mir … So glauben Sie mir doch!«, flehte Irmi.

Rupert ahnte, dass es schwer werden würde. Er setzte sich und überprüfte die Schnittwunden an seinem rechten Bein. Am Knöchel sah es schlimm aus.

Irmi nahm die Flasche und reichte sie Wilko. Der trank einen Schluck. Er stöhnte genüsslich.

Rupert kochte innerlich vor Wut. »Weißt du, Jessi«, tönte er demonstrativ laut, »früher hatten wir in der Polizeiinspektion so eine Arschlochliste. Darauf waren Typen wie der besoffene Wichser da. Und immer wenn einer der Jungs Geburtstag hatte oder es etwas anderes zu feiern gab – eine Geburt, eine Hochzeit oder so –, dann haben ein paar von uns die Typen auf der Liste besucht und verdroschen. Ich finde, er hat dort einen Ehrenplatz verdient.«

Alle schwiegen und starrten Rupert an. Jeder versuchte für sich herauszufinden, ob das ein Scherz war oder ob Rupert hier ungeniert über Polizeigewalt sprach.

»Aber das ... ist verboten! Willkürliche Gewaltakte«, rief Jessi.

Rupert verzog das Gesicht. »Ja, wahrscheinlich hast du recht, Jessi. Vermutlich ist das verboten. Aber das war uns scheißegal, denn weißt du, es hat auch einfach Spaß gemacht, so einen miesen Typen zu verkloppen. Die hatten es alle echt verdient. Aber wir machen das ja jetzt nicht mehr. Wir sind ja jetzt ganz anders. Sozusagen geläutert. Außerdem haben wir jetzt einen gefunden, der viel effektivere Methoden anwendet, um mit solchen Mistkerlen fertigzuwerden.«

»Wie? Was für Methoden?«, fragte Jessi.

Irmi kapierte nicht so ganz, was hier gerade ablief. Konnte es sein, dass Jessi und Rupert ein Spiel spielten, einen einstudierten Dialog abspulten, mit dem sie Frauenschlägern oder haltlosen Schlägern Angst machen wollten?

Rupert legte seinen rechten Zeigefinger bedeutungsvoll über seine Lippen und flüsterte verschwörerisch: »Sagt dir der Name Dr. Bernhard Sommerfeldt etwas?«

Er sprach zu Jessi, doch alle drei nickten.

»Er hat eine Weile für uns mit diesem Abschaum aufgeräumt. Also, er hat es nicht direkt in unserem Auftrag gemacht, aber wir haben ihn gewähren lassen. Er hat praktisch das Unkraut bei uns im Garten gejätet. Mit seinem Einhandmesser hat er es vernichtet ... äh, also ... aus dem Boden gestochen.«

»Aber der sitzt doch jetzt«, gab Jessi zu bedenken. Ihr gefiel Ruperts Art, Breuning Angst zu machen, inzwischen. Sie spielte gerne dabei mit und hoffte, spontan alles richtig zu machen.

»Ja«, gab Rupert zu, »klar, wir leben in einem Rechtsstaat. Da mussten wir diesen Sommerfeldt irgendwann aus dem Verkehr ziehen. Aber jetzt, da er sitzt, da vermissen ihn einige von uns sehr. Ich zum Beispiel. Wenn ich solche Abfalleimer wie den da sehe – guck dir nur das dämliche Grinsen von dem an –, der ahnt doch schon, dass er wieder freikommen wird. Mit einem blauen Auge, das du ihm gleich hoffentlich noch haust, Jessi, wird er dann davonkommen. Aber unseren Dr. Sommerfeldt, den ärgert das sehr und der würde ihn nur zu gern killen, deshalb ... Aber pssst, Jessi ... das muss jetzt echt unser Geheimnis bleiben ... deshalb bekommt unser Dr. Sommerfeldt jedes halbe Jahr Freigang. Da hat er dann die Gelegenheit, unsere Liste abzuarbeiten.«

Ruperts Geschichte zeigte Wirkung: »Ihr lasst ihn frei, damit er irgendwelche Leute umbringt?«, stöhnte Breuning.

»Nein«, protestierte Rupert und tat geheimnisvoll, »so würde ich das jetzt nicht nennen. Wir lassen ihn nicht frei. Er bekommt nur Ausgang. Und er bringt auch nicht irgendwelche Leute um, sondern nur so Sauhunde wie dich, Wutklo. Er selbst nennt das auch nicht Mord, sondern *den Sündern zu einem Gespräch mit ihrem Schöpfer verhelfen.*« Beeindruckt von seinem Zitat sagte Rupert: »Ja, er drückt sich immer so gewählt aus, der Herr Doktor.« Rupert zeigte auf Wilko Breuning. »Und du hast dir wirklich einen Platz ganz oben auf seiner Liste verdient.«

»Ich will sofort meinen Anwalt sprechen!«, forderte Breuning. Die Angst war ihm ins Gesicht geschrieben.

Rupert grinste: »Denkst du wirklich, dass du damit den Doktor beeindrucken kannst?«

Wilkos Lippen zitterten. Er starrte Rupert an. Jessi setzte nach: »Also, ich glaube, eher nicht.«

Ann Kathrin nahm in Harlesiel einen Flieger nach Wangerooge. Sie hatte Glück und konnte sofort mit.

Während des gesamten vier Minuten langen Fluges knutschte ein Pärchen hinter ihr. Sie waren beide noch keine zwanzig und wild entschlossen, ein ganzes Leben zusammenzubleiben. Zumindest wollten sie schon einmal mit einem gemeinsamen Wochenende beginnen. Ihr geschiedener Vater, mit dem Gesine eigentlich Ferien auf Wangerooge machen wollte, hatte im letzten Moment zu einem wichtigen Termin nach München fahren müssen. Aber Freddy war nur zu gerne bereit gewesen einzuspringen.

Sie hatten sich erst vor drei Tagen auf einer Fete in Oldenburg kennengelernt, und er hatte noch am selben Abend mit seiner Freundin Schluss gemacht, um Gesine nach Hause zu bringen.

Und jetzt dieser Urlaub! Glück musste man haben!

»Falls der Mörder inzwischen von Langeoog nach Wangerooge weitergezogen ist«, orakelte Freddy beim Aussteigen, während er brav Gesines Händchen hielt, »wird er dich nicht kriegen. Ich klebe an dir wie ein feuchtes T-Shirt.«

Gesine fand den Vergleich blöd, lachte aber und fürchtete sich nicht im Geringsten.

Ann Kathrin lief vom Flugplatz direkt am *Café Pudding* vorbei zur oberen Strandpromenade. Sie verspürte große Lust darauf, sich an der Eisbude in die Schlange zu stellen. Hier gab es echt das beste Eis. Aber sie stellte sich nicht an. Die Schlange war ihr zu lang, und sie stand mächtig unter Druck.

Ubbo Heide saß außen vor dem *Friesenjung* und trank mit Blick aufs Meer einen schwarzen Tee mit einem Pfefferminzblatt drin. Ann Kathrin hatte zuerst diesen typischen Ubbo-Heide-Geruch in der Nase, dann sah sie ihn.

Er saß braungebrannt, mit offenem Hemd, im Rollstuhl, so als könne er jeden Moment aufstehen und einen Strandspaziergang machen. So, dachte Ann Kathrin, möchte ich auch mal alt werden. Mit diesem zufriedenen, spitzbübischen Lächeln, als hätte er immer noch einen Trumpf im Ärmel. Dinge, die er nicht ändern kann, nimmt er gelassen als gegeben hin. Alles andere versucht er, in seinem Sinne zu beeinflussen.

Sie beugte sich zu ihm und umarmte ihn. Er sah sie an, als würde er immer noch aufs Meer gucken, mit dieser Mischung aus Ehrfurcht und Glück.

Zwei Möwen stritten sich direkt vor ihm um ein gestohlenes Fischbrötchen.

Es waren zu viele Touristen um Ann Kathrin und Ubbo herum. Hier konnte ihr Gespräch nicht stattfinden. Die Gefahr, dass jemand etwas aufschnappte, war zu groß.

»Ich hatte gehofft«, sagte Ann, »wir könnten in deiner Ferienwohnung reden.« Sie zeigte hoch zum Balkon. Dort stand Ubbos Frau Carola und winkte. Da oben hatten sie mit Blick auf die Nordsee so manches Problem erörtert und für viele auch eine Lösung gefunden.

Ubbo lächelte: »Ich dachte, wir schlendern erst ein bisschen über die Promenade.«

Ja, er sagte »schlendern«. Er war nicht bereit, sich von dem Rollstuhl den Spaziergang vermiesen zu lassen.

»Wenn du darauf bestehst«, sagte Ann Kathrin wenig begeistert.

»Oh, brennt es so sehr?«, fragte Ubbo.

»Hm. Lichterloh.«

»Dann lass uns hochgehen, mein Mädchen.«

Sein Rollstuhl hatte einen Motor, aber Ubbo ließ sich gern von ihr anschieben. Er hat das alles für sich perfekt ausgesucht, dachte sie. Barrierefreier Eingang. Breiter Fahrstuhl. Er kann praktisch mit dem Fahrstuhl zum Sandstrand.

Schon im Flur begann sie: »Wir haben drei Frauenleichen auf Langeoog.«

»Ich weiß, mein Mädchen, ich weiß.«

»Wir haben alle üblichen Verdächtigen überprüft.«

Er drehte sich zu ihr um, als hätte er keine Lust, mit solchen Sachen seine Zeit zu vertun. »Deshalb bist du aber nicht hier. Du stehst vor einer schweren Entscheidung.«

»Stimmt auffallend.«

Carola öffnete ihnen und erkannte sofort, dass die zwei in einem tiefen Gespräch waren, kurz davor, gleich abzutauchen in ihre eigene Welt, die bevölkert war von Mördern und Schwerverbrechern, durchströmt von Wahnsinn und Gemeinheiten. Eine Welt, mit der Carola nach Möglichkeit nichts zu tun haben wollte und neben der sie doch die ganze Zeit lebte. Sie akzeptierte dieses Vater-Tochter-Verhältnis zwischen Ann Kathrin und ihrem Mann. Manchmal war er für Ann mehr Vater als für seine eigene Tochter Insa. Ann konnte im Gegensatz zu Insa ihre Wünsche und Bedürfnisse an ihn klar formulieren, ja seine Zeit und seinen Rat für sich einfordern. Der Beruf verband sie.

»Ich lasse euch ein bisschen allein. Das Meer ruft mich«, lachte Carola. »Du weißt ja, wo alles steht, Ann. Wir haben noch ein paar Seelchen und eine Zimtzicke, falls du Hunger hast.«

»Von der Zimtzicke nehme ich gerne ein Stückchen, mit Butter«, freute Ann sich.

Ein paar Minuten später saß sie mit Ubbo auf dem Balkon. Vor ihnen das Meer mit sanften Wellen, unter ihnen fröhliche Touristen, die vor dem *Friesenjung,* belauert von Möwen, ihre Burger aßen.

Sie konnte Carola an der Wasserkante Richtung Westen gehen sehen. Sie winkte schon wieder.

»Er schreibt an Sommerfeldt«, sagte Ann knapp, als wäre damit schon die ganze Geschichte erzählt.

Ubbo Heide dachte sich seinen Teil: »Und Sommerfeldt bietet sich an, dir zu helfen ...«

»Exakt.«

»Und jetzt fragst du dich, ob du seine Hilfe annehmen kannst.«

»Er will mir als Köder dienen.«

»Du sollst ihn also freilassen.«

»Freilassen ist gut. Ich soll ihm zur Flucht verhelfen.«

»Klar. Einen legalen Weg gibt es nicht, das weiß er genau.«

»Und wenn er mich reinlegt?«, fragte Ann. »Wenn er einen Komplizen draußen hat?«

»Oder eine Komplizin«, flocht Ubbo ein.

Ann Kathrin nahm es auf: »Ja, eine Komplizin ... Aber es sieht sehr nach einem Täter aus.«

»Der Typ muss ihn rasend machen, Ann. Er tötet Frauen.«

»Klar. Sommerfeldt hat Frauen nie etwas angetan. Im Gegenteil. Er fühlte sich immer als Frauenbeschützer. Das hier ist nicht inszeniert. Sommerfeldt hätte das so nie akzeptiert. Er hat klare Moralvorstellungen, und danach handelt er. Das mag uns seltsam erscheinen, aber so ist es.«

»Und Frauen zu töten gehört wirklich nicht dazu«, sagte Ubbo Heide.

»Du glaubst also, er will mir wirklich helfen, den Täter zu stoppen?«

Ubbo überlegte eine Weile. Er sah Ann Kathrin nicht an, sondern beobachtete ein hoch beladenes Containerschiff, das aus seiner Sicht bedenklich nah an der Küste entlangfuhr. Er hoffte, dass an Bord keine gefährlichen Güter lagerten. Jedes Schiff bedeutete immer auch eine Gefahr für das Weltnaturerbe hier.

»Nein«, erwiderte Ubbo, »er will dir nicht helfen, Ann.«

»Sondern mich benutzen, um auszubrechen?«

Ubbo wiegte den Kopf hin und her. »Du willst ihn benutzen und er dich. Da seid ihr schon mal quitt. Aber er will dich nicht einfach benutzen, um auszubrechen …«

»Sondern?«

Ubbo Heide lächelte. »Er will ihn jagen, Ann. Ihm ist langweilig. Er möchte ihn zur Strecke bringen.«

Sie wusste sofort, dass er recht hatte. Einer wie Sommerfeldt war kein Köder. Er war ein Jäger.

»Ihr wollt ihn beide haben, Ann. Du willst ihn stoppen und hinter Gittern sehen. Dein Freund Sommerfeldt will ihn ausknipsen.«

»Er ist nicht mein Freund«, protestierte Ann Kathrin.

»Entschuldige. Das ist er wirklich nicht. Aber ihr seid euch sehr ähnlich.«

Ann Kathrin seufzte. »So siehst du mich also?«

Darauf sagte er nichts.

Fast trotzig aß sie ihr Stück Zimtzicke und trank dazu Leitungswasser. Sie bekam das Gefühl, sich sofort eincremen zu müssen, als brauche ihre Haut nicht nur einen Schutz gegen die Sonne, sondern gegen die ganze Welt. Vor allen Dingen gegen Ubbo, der im Grunde durch ihre Haut in sie hineingucken konnte.

Ubbo ging klar davon aus, dass sie es tun würde: »Wenn es schiefgeht, sehe ich euch schon mit eurer Fischbude in Norddeich.«

»Ich mich auch.«

»Du musst das mit deinen Leuten machen, Ann. Du brauchst absolut loyale Begleiter, die bereit sind, notfalls mit dir unterzugehen.«

»Weller und Rupert?!« Die Frage war mehr eine Feststellung.

»Sie werden dich dafür verfluchen, aber sie werden mitmachen ...«

Ann Kathrin machte noch einen Versuch: »Wenn wir es offiziell machen könnten, dann ...«

Er lachte, als hätte ihm lange niemand einen besseren Witz erzählt. »Offiziell? Dann brauchst du pro Tag fünfzehn Leute, um ihn zu überwachen. Drei Schichten à fünf Personen mindestens. Außerdem Verkabelung und Tonüberwachung. Mit GPS weißt du immer, wo er ist und ... In der besten aller Welten würde man das vermutlich genauso machen, aber da leben wir nicht, Ann. Die Verkabelung wird er sich bei der ersten Gelegenheit runterreißen, und dann entzieht er sich jeder Kontrolle. Die Crew, die ihn bewachen soll, wird verhindern, dass euer Langeoog-Killer sich ihm nähert. Der Typ ist doch nicht blöd und merkt das natürlich. Außerdem – bis du das alles geregelt hast, ich meine, so richtig sauber und bürokratisch, falls es überhaupt geht – bis dahin bin ich auf dem Friedhof und du im Altersheim.«

»Du würdest es also machen?«, stellte sie fest.

»Ich würde alles tun, um das Morden zu beenden. Genau das ist unser Job, Ann.«

Sie atmete die salzige Luft tief ein, stand auf und bog sich durch. »Du würdest die Würfel rollen lassen.«

Es schmeichelte ihm, dass sie ihn zitierte. So hatte er manche Lagebesprechung am runden Tisch beendet. Mit dem Satz: *Lassen wir die Würfel rollen.*

Jetzt fügte er noch hinzu: »Und ich würde auf mein Glück hoffen.«

Sie berührte dankbar sein Gesicht. »Hoffen heißt, nicht einfach darauf vertrauen.«

Rupert und Jessi lieferten den tobenden Wilko Breuning in Norden in der Polizeiinspektion ab. Er bekam seinen eigenen gekachelten Raum und kotzte ihn auch gleich voll.

Rupert wurde plötzlich sehr unruhig und wollte wieder nach Langeoog. Diesen Breuning hatten sie auf Nummer sicher. Aber was, fragte Rupert sich, wenn er es wirklich nicht gewesen war.

Er spielte es in Gedanken durch. Die Chancen standen fünfundneunzig zu fünf Prozent, dass sie mit Wilko Breuning den Täter erwischt hatten. Aber was, wenn die restlichen fünf Prozent Unsicherheit sich durch einen weiteren Mord auf Langeoog zur Sicherheit auswachsen würden?

Wie werden wir dastehen, dachte Rupert voller Sorge, wenn morgen Nacht ein vierter Mord geschieht, wieder an demselben Fleckchen Erde? Alle Welt wird uns für bescheuerte Amateure halten. Und der Täter lacht sich kaputt.

Nein, das musste verhindert werden, und er war genau der richtige Mann dafür. Jawohl, er würde sich heute Nacht am Flinthörn auf die Lauer legen, und falls der Täter noch frei herumlief und noch einmal zuschlagen wollte, dann würde er ihn in flagranti erwischen und einkassieren.

Oh, er fühlte sich prächtig bei dem Gedanken. Dafür nahm er gern unbezahlte Überstunden in Kauf. Ja, möglicherweise würde er schon heute Nacht zum Helden werden und wenn nicht, dann hatte er ja diesen Frauenschläger Wilko, der einen guten Angeklagten abgab, fand Rupert.

Wilko Breuning im Verhör zu überführen war genau Ann Kathrins Ding. Das wusste Rupert. Männer wie dieser Wilko glaubten, mit einer Frau leicht fertigzuwerden. Er hatte es oft gesehen, dass Ann Kathrin solche Typen knackte wie reife Walnüsse. Diesmal hätte er es gern selbst gemacht, aber falls Breuning der Falsche war, dann wollte Rupert auf keinen Fall den Richtigen verpassen, sondern den vierten Mord verhindern und dem Langeoog-Killer am Flinthörn die silberne Acht um die Handgelenke legen.

Er schaffte noch knapp die letzte Fähre. Noch hatte er kein Quartier auf der Insel. Er würde auch keines brauchen, denn er hatte nicht vor, die Nacht in einem Bett zu verbringen. Er wollte stattdessen im Dünengras auf der Lauer liegen.

Dr. Bernhard Sommerfeldt machte heute schon zum zweiten Mal fünfzig Liegestütze. Völlig zu Unrecht glaubten viele Menschen, Leseratten wie er seien unsportlich. Er las zwar wirklich viel, hielt sich aber auch fit. Fünfzig Liegestütze drückte er mindestens täglich. Aber jetzt beflügelte ihn das Gefühl, bald wieder in der freien Wildbahn zu sein.

Ann Kathrin Klaasen würde kommen, da gab es für ihn keinen Zweifel. Sie konnte gar nicht anders. Sie war seine Brücke in die Freiheit.

Er hatte, seit er hier in Lingen einsaß, vier Anträge auf Ausführung gestellt. Freigang, Außenbeschäftigung, Hafturlaub oder Ausgang gab es durchaus für Gefangene. Dadurch sollte ihre spätere Wiedereingliederung in die Gesellschaft gefördert werden. Für ihn galt das aber nicht. In seinem Fall glaubte niemand an eine Resozialisierung. Ein so gefährlicher Mann wie er musste einfach für immer weggeschlossen werden. Er sollte nie wieder durch die Straßen flanieren. Keine Möglichkeit mehr bekommen, sich ein neues Opfer zu suchen. Die Gesellschaft sollte vor ihm geschützt werden.

Er empfand das als Hohn. Bekannte Künstler und Politiker forderten gerne in Fernsehtalkshows seine Freilassung. Leute, die er nie im Leben getroffen hatte, bezeichneten sich öffentlich als seine Freunde. So mancher Promi wollte durch ihn noch prominenter werden.

Seit er hier einsaß, hatte er vier Anträge gestellt. Er hatte bei Josef Redings Beerdigung dabei sein wollen, weil er den Autor vieler Kurzgeschichten schon als Kind sehr gemocht hatte. Der Antrag war abgelehnt worden, weil er mit Reding weder verwandt noch verschwägert war, wie es in der Begründung hieß, die viel zu spät gekommen war.

Man wollte ihm auch keinen Besuch in der *3 nach 9*-Talkshow gewähren. Dabei hätte er zu gern mit Judith Rakers oder Giovanni di Lorenzo seinen Fall diskutiert.

Ein Antrag auf begleiteten Ausgang, um in der Unibibliothek forschen zu können, stand noch aus. Ebenso seine Bitte, in Emden die Kunstausstellung zu Horst Janssens neunzigsten Geburtstag besichtigen zu können.

Er würde trotzdem weitere Anträge stellen. Einfach nur, um es zu tun. So konnte er in dem Gefühl leben, weiter am Geschehen der Welt teilzuhaben.

Heute hatte er schriftlich darum gebeten, seine Mutter in Bamberg besuchen zu dürfen. Sie lag in der Klinik am Heinrichsdamm. Sie war die Treppe hinuntergefallen und hatte sich einen Hüftpfannenbruch zugezogen, was er ihr von Herzen gönnte. Nun feierte sie ihren Geburtstag im Krankenhaus, und wenn sie jemanden nicht an ihrem Bett sehen wollte, dann ihn.

Trotzdem, oder gerade deshalb, hatte er um eine Besuchsgenehmigung gebeten. Bestimmt würde sie davon erfahren und erschrecken. Er glaubte nicht ernsthaft, die Janssen-Ausstellung besuchen zu dürfen, doch eine Mutter im Krankenhaus war etwas anderes.

Wie viele Schwerbewaffnete würden sie zu seiner Begleitung benötigen? Er grinste bei dem Gedanken.

Er spürte das Brennen in seiner Armmuskulatur. Er stand jetzt vor dem Buchregal und berührte die drei Romane, die er über sein Leben veröffentlicht hatte. Vielleicht war er einer dieser Autoren, die die Dinge erst erleben, ja erleiden mussten, bevor Literatur daraus entstand. Ja, er war nicht der Typ, der Geschichten erfand. Er schrieb nur das, was geschah, gab sich ganz dem Leben, der Leidenschaft, dem Abenteuer hin und notierte dann genau, was er tat und was dabei in ihm vorging.

Bald schon, sehr bald, würde ein neues Kapitel aufgeschlagen werden. Es war ein großes, ein erhabenes Gefühl für ihn. Die Zeit in dieser Zelle hier neigte sich dem Ende zu. Er spürte es genau.

Tanja kam in seine Zelle. Sie hatte eine neue Kurzgeschichte geschrieben und bat ihn, sie durchzulesen und etwas dazu zu sagen. Sie hoffte auf Tipps und auf Anerkennung.

Er schlug ihr vor, sie solle ihm die Geschichte vorlesen. Zunächst weigerte sie sich verschämt lachend, hatte Hemmungen, doch als er das laute Vorlesen als eine wichtige Übung und erste Prüfung für junge Autoren bezeichnete, begann sie.

Sie schaffte drei, vier Sätze, fast ohne Luft zu holen, dann verhaspelte sie sich und begann, den Text schon beim Vorlesen zu verändern. Alles wurde flüssiger. Manche Sätze waren so holprig, dass es ihr unangenehm war, sie so vorzulesen, wie sie auf dem Papier standen. Beim Vorlesen gestaltete sie den Text weniger sperrig. Aus gestelzter Schrift wurde gesprochene Sprache.

Beim Vorlesen begriff sie etwas und lachte: »Ja, Meister, ich habe es kapiert. Das hier ist Papier. Tot.«

»Nein, Tanja«, sagte er, »es ist nicht tot. Nur noch wenig lebendig. Du schreibst über eine große Sehnsucht so gehemmt, als würdest du sie dir selber nicht zugestehen.«

Sie fühlte sich erkannt und nickte. »Ja, ich versuche so krampfhaft, alles richtig zu machen, dass ich ...« Ihr fehlten die Worte.

Sommerfeldt riet: »Dass der Text jede Leichtigkeit verliert?«
Sie gab ihm wortlos recht.

»Trau dich, authentisch zu sein«, ermutigte er sie. »Schreib, was du wirklich denkst und empfindest, nicht, was du denken oder empfinden solltest.«

»Ja aber ...«

Er schüttelte vehement den Kopf und sah ihr dann in die Augen: »Es gibt kein Aber. Wenn du schreibst, darfst du nicht versuchen, es irgendwem recht zu machen. Nicht deinen Eltern, deinem Freund oder deinen ehemaligen Lehrern.«

In dem Moment begriff sie etwas, das sie zu Tränen rührte, und vielleicht zum ersten Mal bekam sie eine Ahnung davon, wie es werden könnte, wenn sie in der Lage wäre, ihr Talent frei fließen zu lassen. Sie war ihm unendlich dankbar. Sie versprach, ihm ein paar von ihren selbstgemachten Muffins mitzubringen, was eigentlich verboten war.

Er mochte keine Muffins, aber es gefiel ihm, dass sie ihm zuliebe etwas Illegales tun wollte. »Hm«, schwärmte er, »darauf freue ich mich schon. Die Industriekekse, die es hier im Gefängnisladen gibt, beleidigen meinen Geschmack.«

Vielleicht, dachte er, wird doch noch eine Dichterin aus ihr, wenn sie ihre Hemmungen verliert und ihre Angst, Fehler zu machen. Da ist das Schmuggeln von Muffins ein guter möglicher Anfang. Wahrscheinlich nicht mal der schlechteste. Es kann ja nicht jeder gleich mit einer schweren Straftat oder einem Mord die eigene innere Begrenzung niederreißen.

Ann Kathrin blieb nach der Landung in Harlesiel noch einen Moment bei der Abflughalle stehen. Sie betrachtete die Schafe, die bei ihrem Auto grasten. Zwei Lämmchen standen auf wackligen Beinen. Der Anblick machte Ann Kathrin traurig. Sie würde, so spürte sie in diesem Moment, nie wieder Deichlamm essen können.

Sie fühlte sich bedrückt, als sie sich auf ihren froschgrünen Twingo zubewegte. Sie sah die Rostflecken und ahnte, dass hier eine Ära zu Ende ging. Sie umkreiste den Wagen einmal. Irgendwie passte er in diese Landschaft.

Tauben hatten aufs Dach und auf die Windschutzscheibe geschissen. Ann Kathrin kam es so vor, als ob die Tiere, die sich nur wenige Meter entfernt auf einem anderen Auto befanden, sie auslachten.

Sie fuhr von Harlesiel nach Lingen. Als sie auf der A31 war, schien die Lüftung heiße Luft in den Wagen zu blasen. Sie kurbelte die Scheibe runter. Ja, ihr Auto hatte noch eine Kurbel!

Dann wieder meinte sie, dass ihr toter Vater neben ihr auf dem Beifahrersitz und hinten Ubbo Heide sitzen würden. Die zwei kümmerten sich nicht um sie, sondern stritten über den richtigen Weg, über das, was sie zu tun oder zu lassen hatte. Ihr Vater fand das, was sie jetzt vorhatte, unverantwortlich. Ubbo Heide dagegen plädierte dafür, Dynamik in die festgefahrene Situation zu bringen.

Leben heißt Risiko, behauptete Ubbo.

Ann Kathrin wusste, dass beide Männer nur ein Spiegelbild ihrer eigenen Unsicherheit, ihres Hin- und Hergerissenseins waren. Sie fuhr, konzentrierte sich auf die Straße und konnte sich so aus dem Streit heraushalten, der in ihr selbst stattfand. Die beiden Vaterfiguren erledigten das für sie.

Als sie an einer Baustelle durch eine Fahrbahnverengung gestresst wurde, brüllte sie laut: »Nun haltet doch endlich mal den Mund!«

Tatsächlich verstummten beide. Ubbo Heide ein wenig beleidigt, ihr toter Vater eher rücksichtsvoll.

Ein Lkw-Fahrer sah amüsiert von oben zu ihr rein. Er glaubte, dass dort gerade eine hysterische Frau Selbstgespräche führte. Sie zeigte ihm den Stinkefinger.

Je länger er darüber nachdachte, umso klarer wurde für ihn, dass er auch einen Journalisten brauchte, der über ihn schrieb. Was Holger Bloem für Dr. Bernhard Sommerfeldt war, sollte Aike Ruhr für ihn werden. Dafür musste er ihn aber zunächst in seine Gewalt bringen. Das würde nicht allzu schwer werden, da hatte er seine Methoden. Doch wie sollte es dann weitergehen?

Wenn er mein Gesicht kennt, muss ich ihn töten. Aber ich will doch, dass er lebt und berichtet ... Verdammt, Sommerfeldt, wie hast du das Kunststück hingekriegt?

Er begann noch einmal, in den Büchern zu lesen. Manchmal glaubte er, sie fast auswendig zu kennen, aber je besser er sie kannte, umso mehr Geheimnisse offenbarten sich ihm. Sommerfeldt war für ihn wie ein riesiger Wattebausch. Nicht wirklich zu fassen. Eine Chimäre.

Es war ein Leichtes für ihn, auf Langeoog zu töten, aber er traute sich nicht zu, einen erwachsenen Menschen von hier zu entführen. Wie sollte er ihn von der Insel bringen? Auf einer autofreien Insel war der Kofferraum eines Autos ja wohl kaum eine Option. Da hatte es Sommerfeldt mit Bloem in Norden viel leichter gehabt.

Aike Ruhr im *Anna-See*-Gebäude im Ferienapartment festzuhalten erschien ihm zu riskant. Man konnte Schreie von hier aus bis auf die Barkhausenstraße hören, und die Apartments lagen viel zu dicht nebeneinander.

Nein, er würde warten müssen, bis dieser Journalist aufs Festland fuhr.

Aike Ruhr zahlte gerade im *Ebbe & Flut* seine Scholle. Er nahm die letzte Fähre zurück. Der Journalist fotografierte die Polizeikontrollen.

Ich muss aufpassen, dass ich nicht zufällig auf einem der

Bilder mit drauf bin, dachte er. Als er ihm vorsichtig folgte, sah er Hauptkommissar Rupert ankommen.

Vermutete der auch, dass es in der vierten Nacht in Folge einen Mord geben könnte? Kam er deshalb? Wollte er sich mit den anderen auf die Lauer legen?

Im Dünengras am Flinthörn würden sich in dieser Nacht die selbsternannten Detektive, Frauenbeschützer und Serienkiller-jäger auf die Füße treten. Er weidete sich an dem Gedanken.

Bei Anbruch der Dunkelheit würden viele Lichtkegel am Flinthörn zu sehen sein. So mancher Familienpapi würde to-desmutig auf die Pirsch gehen. Wer wollte denn da nicht mit dabei gewesen sein?

Er verließ die Insel mit Stolz. Mit ihm waren fast sechs-hundert Menschen auf der Fähre. Er musste seinen Ausweis vorzeigen und wurde registriert. Es störte ihn nicht weiter. Ja, er war Aike dankbar, dass er bei dem Spuk auf Langeoog nicht länger mitmachte. Ein Serienkiller war nur so gut wie die Journalisten, die über ihn schrieben. Wenn man etwas von Sommerfeldt lernen konnte, dann das: Er war ein perfekter Medienmann. Hatte eine Nase für die richtigen Leute. Dieser Bloem war ein Treffer gewesen. Ein Schuss ins Schwarze. Aike Ruhr würde sein Holger Bloem werden. Das waren große Fuß-stapfen für ihn.

Wie die Menschen über Sommerfeldt sprachen, faszinierte ihn. Er hatte eine von Fans geführte Homepage, und es gab Facebookgruppen, die sich für ihn einsetzten. Neulich in Nor-den hatte er sowohl in der Buchhandlung *Lesezeichen* als auch im Café ten Cate Büchertische für Sommerfeldts Trilo-gie entdeckt. Ein verurteilter Serienmörder, der einen eigenen Büchertisch in einem Café hatte. So etwas gab es auch nur in Ostfriesland. Das war kaum noch zu toppen. Seine stümperhaften Morde alleine hätten ihn niemals so berühmt gemacht, sondern das ganze Drumherum gehörte dazu.

Ja, zum Teufel, er wollte das auch für sich, und gleichzeitig schämte er sich dafür. Aber konnte man all das haben, ohne als reale Figur bekannt zu werden? Würde er Aike sein Gesicht zeigen müssen?

Sommerfeldt hatte sich Bloem zunächst in einer Teufelsmaske genähert. Das war für ihn keine Option. Er würde doch sofort als Nachahmer dastehen. Er brauchte zumindest eine andere Maske.

Er hatte sich ein Clownsgesicht und eine Wolfsmaske besorgt. Als amerikanischer Präsident wollte er nicht auftreten, dann schon lieber als Micky Maus.

Schon in der Inselbahn hatte der Journalist zu schreiben begonnen. Er blätterte in seinen Aufzeichnungen und machte sich Notizen. Auf der Fähre hatte er keine Augen für die prächtige Aussicht. Er schrieb.

Bei ihm, so dachte er, ist es mehr als ein Beruf. Es ist seine Leidenschaft. Ich habe mir also den Richtigen gewählt. Er wird meine Geschichte zu seinem Ding machen.

Er grinste in sich hinein: *Gib alles, Junge. Gemeinsam werden wir berühmt werden. Wir beide stellen Bloem und Sommerfeldt in den Schatten.*

Er holte sich einen Kaffee und eine Knackwurst.

Noch heute werde ich dich in meinen Bau bringen. Ja, ich werde dich nicht durch die Gegend kutschieren, wie Sommerfeldt es mit Bloem gemacht hat. Ich nehme dich mit in mein Basislager. Du wirst unter meiner Aufsicht und Kontrolle schreiben. Die einzige Frage, die ich klären muss, ist doch, ob ich dir die Augen verbinde oder ob ich eine Maske trage, wenn wir miteinander arbeiten.

Die Wurst hatte er mit drei Bissen verspeist. Jetzt schlürfte er genüsslich den Kaffee.

Es gab natürlich auch noch die Möglichkeit, diesen Aike nach getaner Arbeit einfach auszuknipsen. Am besten mit der Stahlschlinge, um die Echtheit des Verbrechens und der Aufzeichnungen für die Nachwelt zu dokumentieren.

Ann Kathrin kam zu spät. Sie wurde heute nicht mehr zu Sommerfeldt vorgelassen. Vielleicht vertrat sie ihr Anliegen auch nicht vehement genug, weil sie selbst spürte, dass sie vor dieser Begegnung eine kleine Verschnaufpause brauchte. Einmal Luft holen, durchatmen und alle Eventualitäten noch einmal neu zu überdenken erschien ihr nicht gerade falsch. Gleichzeitig war aber da dieser Zeitdruck. Der Langeoog-Killer hatte alle vierundzwanzig Stunden zugeschlagen. Warum sollte er seine Taktung verändern?

Sie stellte sich ihn als getriebenen Menschen vor, der möglicherweise sogar froh war, wenn er endlich geschnappt werden würde. So etwas hatte sie schon öfter erlebt.

Sie fuhr nicht nach Hause in den Distelkamp zurück. Sie war für heute erledigt. Sie nahm sich ein Zimmer im Burghotel. Dort, in dem denkmalgeschützten Haus, gab es Themenzimmer mit Wandmotiven von Christoph Hodgson. Sie mochte seine Bilder. Doch heute hatte sie keinen Sinn mehr dafür.

Sie ließ sich auf das große Bett fallen und schlief in ihren Sachen ein, ohne sich zuzudecken. Sie vermisste Frank Weller. Im Schlaf flüsterte sie seinen Namen wie eine Beschwörung.

»Frank ... Frank? Frank ...«

Sie träumte von einem schönen Abend zu Hause. Sie lag gemeinsam mit ihrem Mann in der fassrunden Sauna im Garten. Sie schwitzten den Stress der letzten Tage aus und waren sich wortlos einig. Dann irgendwann musste sie in der Sauna auf ihrem flauschigen Lieblingstuch eingenickt sein. Sie wachte auf, und Frank war nicht mehr da. Sie wollte die Sauna verlassen, doch sie bekam die Tür nicht auf. Sie konnte durch das Sichtfenster auf die Terrassentür sehen. Von Frank keine Spur.

Sie warf sich gegen die Tür, aber die blieb fest verschlossen. Sie rüttelte daran. Sie rief ihren Mann. Schließlich schrie sie um Hilfe.

Völlig verzweifelt wurde sie wach. Sie lag nicht mehr auf dem Bett, sondern saß aufrecht und drückte ein Kissen gegen ihren Bauch. Zunächst wusste sie nicht, wo sie war, und fand auch keinen Lichtschalter. Nur das rote Standby-Lämpchen des Fernsehers gab ihr eine gewisse Orientierung.

Sie stieß etwas um und verletzte sich einen Zeh an einem Stuhlbein. Sie riss die Vorhänge auf. Der Schmerz im Zeh half ihr, aus der Verzweiflung des Traumes schneller wieder herauszukommen. Sie öffnete das Fenster weit. Am liebsten hätte sie jetzt irgendwo noch einen Kaffee getrunken. Eine gute Idee, aber nicht ganz einfach, morgens um drei Uhr in Lingen.

Um nicht frustriert zu werden, blieb sie im Zimmer. Die Luft in der Stadt war warm. Sie setzte sich ans Fenster. Ein Bein ließ sie ins Zimmer baumeln, den Fuß des anderen setzte sie auf dem Fensterbrett auf. So hatte sie die Sicherheit des Zimmers und auch die Freiheit der Stadt und den offenen Sternenhimmel über sich.

Sie wusste, dass sie eine große, schwierige Aufgabe vor sich hatte, und fühlte sich gerade dem Leben nicht mehr wirklich gewachsen. Gern wäre sie wieder Kind geworden, hätte die Entscheidungen den Großen überlassen und hinterher dann dagegen protestieren können. Sie sehnte diese schöne Zeit so sehr zurück, und sie war wütend auf ihren Vater, weil er tot war und ihr jetzt nicht zur Seite stehen konnte. Und wütend auf Ubbo Heide, weil er pensioniert war.

Es war gut, die Wut zu spüren. Sie brüllte sie in die Nacht. In der besten aller Welten wäre alles anders, aber da lebte sie nicht. Ihre Zeit war jetzt.

Bei dem, was sie vorhatte, konnte ihr auch der alte Kollege Thiekötter nicht mehr helfen. Dafür war er zu sehr ›old school‹.

Sie rief Kevin Janssen an, der wegen seiner Künste *Lisbeth Salander* genannt wurde. Sie selbst vermied solche Spitznamen. Sie mochte kein Schubladendenken, und mit solchen Nicknames zwang man Leute gern Identitäten auf.

Trotz der ungewöhnlichen Stunde meldete sich Kevin erstaunlich freundlich nach dem dritten Klingeln. Ann Kathrin vermied lange Vorreden und eröffnete das Gespräch mit einer Frage: »Sind Sie wirklich so gut, wie alle behaupten, Kollege?«

Sie ging davon aus, dass er ihre Stimme erkannte, und genau so war es, falls er ihre Nummer nicht in sein Handy eingespeist hatte, was sie für unwahrscheinlich hielt.

»Ich bin der Beste«, antwortete er selbstbewusst. Er hörte sich an wie ein Mann, der bereit war, alles zu geben, um in ihren Augen gut dazustehen.

Sie schwieg, und er wurde forsch: »Testen Sie mich, Frau Klaasen.«

»Okay. Dies ist aber kein dienstliches Anliegen …«

»Klar«, grinste er, »sonst hätten Sie mich ja während der Arbeitszeit angerufen. Also, was kann ich für Sie tun?«

Ann Kathrin schluckte. Ich muss verrückt sein, dachte sie. Sie gab vor zu zögern: »Ich bin mir gar nicht sicher, ob das geht …«

»Nun machen Sie mich aber echt neugierig, Frau Klaasen.«
»Also gut«, sagte sie und rückte mit ihrem Anliegen raus.

Aike Ruhr fuhr von Bensersiel aus direkt in die Redaktion der ON nach Aurich. Das *Café Philipp* und die *Bäckerei Lorenz* hatten leider schon geschlossen. Er war hungrig, aber so voller Tatendrang, dass er beschloss, später zu essen. Er wollte seinen Bericht und ein paar Fotos heute schon online stellen.

Er parkte sein Auto bei der Sparkassenarena und ging den Rest zu Fuß. Er lief gerne ein paar Meter. Gehen half ihm beim Denken. Er formulierte bei jedem Schritt die ersten Sätze vor.

Die Straßen wirkten wie ausgestorben. Er machte sich keine Gedanken, dass hinter ihm Schritte zu hören waren. Die Schritte kamen näher. Er hörte sie, nahm sie aber kaum wahr. Er lief über den Platz des *Ulricianums*. Das Gymnasium hatte etwas Verlassenes an sich. In der breiten Glasfront sah er die Gestalt hinter sich wie einen Schatten näher kommen. Etwas an der Körperhaltung irritierte ihn. Mit der Person stimmte etwas nicht. Von ihr ging eine Gefahr aus.

Aike fuhr den Bruchteil einer Sekunde zu spät herum.

Der Clown hatte einen Elektroschocker in der Hand und jagte damit einen Schmerz durch Aikes Körper, auf den er nicht vorbereitet war. Er sah sich selbst in der Spiegelung der Glasscheiben zuckend auf dem Boden liegen.

Ein zweiter Stromstoß wurde durch seinen Körper geleitet. Aike verlor das Bewusstsein.

Rupert wurde in den Dünen am Flinthörn von drei jungen Männern einer Jugendgruppe angegriffen. Sie wollten den Mörder auf eigene Faust stellen. In Ermangelung von Baseballschlägern hatten sie sich mit Golfschlägern bewaffnet.

Der mit dem Driver gab sich besonders aggressiv und riskierte den ersten Schlag. Rupert sprang zur Seite und wurde knapp verfehlt.

»Seid ihr nicht ganz dicht?«, schrie er.

Einer ließ gleich eingeschüchtert sein Eisen fallen und schlug vor: »Lasst uns lieber abhauen, Leute.«

»Abhauen?! Bist du bescheuert, Kai? Das ist der Killer! Der kommt hier jeden Abend hin!«

Der Kampfeslustige holte zu einem zweiten Schlag aus. Rupert hob abwehrend die Hände. »Ich bin nicht der Mörder, Jungs, ich bin selbst Polizist.«

»Ach, und wo wart ihr dann gestern Abend und vorgestern?«, keifte der mit dem Driver.

»Ich verstehe ja, dass ihr sauer seid, und ich finde es im Prinzip auch klasse, dass ihr die Sache selbst in die Hand nehmen wollt, aber das ist jetzt hier die Stunde der Profis.«

Rupert wollte seinen Ausweis zeigen, da traf ihn ein harter Schlag am Kopf. Rupert sah Sterne, aber es waren nicht die am Himmel.

Weller und Schrader eilten herbei, weil sie die Jugendlichen wegrennen sahen. Weller stolperte über Rupert.

Eine Touristengruppe machte Fotos mit Blitzlicht.

Rupert erhob sich stöhnend. »Was für eine Scheiß-Aktion«, jammerte er.

»Der Täter lacht sich über uns kaputt«, kommentierte Weller.

Der Langeoog-Killer, wie er inzwischen in fast allen Medien genannt wurde, fuhr Aike Ruhrs Wagen in seine Garage und ließ das Tor herunter. Hier war das Fahrzeug vor den Blicken neugieriger Fahnder geschützt.

Er brachte den bewusstlosen Aike ins Haus. Es war einfacher, Menschen zu töten, als sie gefangen zu halten. Viel einfacher. Er hatte Medikamente. Er hatte Handschellen, Ketten und viel Klebeband. Aber um zu schreiben, brauchte Aike Ruhr einen klaren Kopf und eine gewisse Bewegungsfreiheit.

Er zerrte ihn die Treppe hoch. Der große, schlanke Mann schien über hundert Kilo schwer zu sein.

War das ganze Projekt zum Scheitern verurteilt? Jetzt, hier oben, allein mit dem Journalisten, kam ihm das alles aussichtslos vor. Verrückt und auf eine schmerzhafte Art jämmerlich.

Ich bin doch ein gottverdammter Stümper, dachte er. Ich kriege es einfach nicht hin. Ich werde nie so gut wie Sommerfeldt. Er ist der Meister, auch wenn er keine Frauen töten kann. Dafür hat er alles andere viel besser drauf als ich.

Für einen Moment war seine Verzweiflung so groß, dass er kurz davor war, Aike zu töten, den sicheren Hort zu verlassen, den Versuch zu unternehmen, in sein altes Leben zurückzukehren. Davor allerdings grauste es ihm ebenfalls, und er wusste nicht, ob es überhaupt möglich war.

Er ging auf und ab, bis er zu schwitzen begann. Er riss sich das Hemd vom Körper. Zwei Knöpfe lösten sich und kullerten über den Boden.

In diesem Zimmer, mit heruntergelassenen Rollläden, gab es einen einfachen Schreibtisch und einen blauen Bürostuhl auf Rollen. Sonst keine Möbel. An der Wand hatte vor langer Zeit mal ein Bild gehangen, das konnte man noch an dem hellen Viereck sehen. Die Heizung an der Wand war zum Staubfänger geworden. Auf ihr stand ein Kaffeebecher. Er war halb voll dort abgestellt worden. Der Kaffee darin war vertrocknet.

Der Langeoog-Killer setzte sich mit nacktem Oberkörper auf den Bürostuhl. Er beugte sich in Aikes Richtung vor und stützte seine Ellbogen auf den Knien ab. Schweißtropfen fielen auf den Teppich. Hier oben herrschte eine Bullenhitze.

Was mach ich mit dir, fragte er sich. Er brauchte einen Plan, und er wünschte sich einen Gesprächspartner.

Es verging viel Zeit. Zeit haben ist nicht genug. Er wünschte sich nach Langeoog zurück. Zu gern hätte er eine Prise frischen Nordseewinds am Flinthörn hierhergeholt in dieses stickige Zimmer. Stattdessen begann er, die Fenster von innen mit Latten zuzunageln. Dieser Raum musste zum Gefängnis umgebaut werden.

Der Lärm weckte Aike. Er blinzelte. Seine linke Gesichtshälfte war geschwollen. Er musste irgendwo gegen gestoßen sein.

Endlich wusste der Langeoog-Killer, was er als Nächstes tun würde. Er machte ein Foto von seinem Gefangenen.

Verdammt, dachte er, die Maske! Ich habe die Clownsmaske vergessen. Ob er mich schon erkannt hat? Oder ist er noch zu weggetreten?

Er setzte sich die Maske auf. Darunter schwitzte er noch mehr, da half auch der nackte Oberkörper wenig.

Ist es wirklich hier oben so heiß, fragte er sich, oder werde ich krank?

Vor lauter Aufregung konnte Ann Kathrin nicht richtig frühstücken. Am Nebentisch saß ein Pärchen, das es ihr noch schwerer machte. Sie sahen beide nicht nur schlank aus, sondern bestens durchtrainiert. Immer wenn Ann Kathrin solche körperbewussten Menschen sah, kam sie sich unsportlich, ja pummelig vor. Sie wusste, dass es nicht stimmte, aber das Wissen nutzte ihr in solchen Momenten wenig. Sie verglich sich dann mit den anderen auf eine unfaire Art. Unfair gegen sich selbst.

Das Pärchen war vor dem Frühstück schon joggen gewesen. Jetzt saßen sie in ihren Turnschuhen, mit ihren bunten Laufhosen, immer noch ganz wibbelig auf den Stühlen. Er aß ein Omelett mit Pilzen und Tomaten und viel Zwiebeln, sie ein Müsli, das hauptsächlich aus frischem Obst bestand. Das herrlich duftende Brot und die Brötchen straften beide mit Verachtung.

Kevin Janssen kam wie versprochen. Er war sogar etwas zu früh. Er reichte Ann Kathrin alles in einem Beutel und zwinkerte ihr zu. Sein Auftritt hatte etwas Verschwörerisches an sich. Das sportliche Pärchen guckte immer wieder zu ihm rüber.

Er grinste. »Die glauben, ich sei Ihr Lover.«

»Oder mein Dealer«, konterte Ann und verstaute den Beutel in ihrer Handtasche.

Kevin deutete zum Büffet. »Darf ich?«

Ann Kathrin gab das Büffet gestisch für ihn frei. Sie bekam außer Kaffee und Wasser noch nichts wirklich runter.

Kevin Janssen, der so magersüchtig aussah, dass die Jogger gegen ihn dick wirkten, schnitt sich zwei große Scheiben Weißbrot ab und bestrich sie großzügig mit Nutella. Er fügte eine Schicht Erdnussbutter hinzu und garnierte alles mit der köstlichen Erdbeermarmelade.

Er setzte sich so zu Ann Kathrin, dass die Sportler sehen

mussten, wie er hineinbiss. Dabei verdrehte er vor Glück die Augen und stöhnte.

Ann Kathrin mochte diesen Kevin Janssen plötzlich. Er provozierte gerne. Mit solchen Menschen konnte sie etwas anfangen. Sie fand ihn witzig. Seine Art nahm ihr etwas von ihrem Stress.

Sie sah auf die Uhr und gönnte sich dann doch noch ein Käsebrötchen.

Diesmal gab es keine Probleme. Sie wurde sofort zu Sommerfeldt gelassen. In der Schleuse gab sie ihr Handy, ihr Portemonnaie und ihre Dienstwaffe ab. Alles wurde in einen Spind geschlossen, und sie erhielt den Schlüssel dazu.

Ihre Handtasche hielt sie dem Justizvollzugsbeamten einmal geöffnet hin. Er sah gar nicht wirklich hinein. Es war mehr ein flüchtiger Blick aus reinem Pflichtbewusstsein. Er wollte es nur pro forma getan haben. Vielleicht hatte er Respekt vor der Kommissarin, oder er vermutete, in der Tasche würde sich höchstens Frauenkram befinden. Lippenstift, Tampons, Schminke. Wer eine Dienstwaffe, sein Portemonnaie und sein Handy abgab, wirkte erst mal unverdächtig. Denn genau das waren Dinge, die nicht ins Gefängnis sollten.

Selbst bei genauerem Betrachten der Tasche wäre ihm das Gerät, das sie ins Gefängnis schmuggelte, nicht aufgefallen. Es sah dem Mascara-Augenwimpernbürstchen, das seine Frau so gern benutzte, um ihren Wimpern beim Augenaufschlag ein verführerisches Volumen zu geben, sehr ähnlich.

Tanja begleitete Ann Kathrin wieder. Als sie gemeinsam über den Hof gingen, wo Gefangene in einem Grüppchen zusammenstanden und die beiden Frauen beäugten, als seien Außerirdische direkt in der JVA gelandet, fragte Tanja, ob Ann

Kathrin vielleicht mal Lust hätte, eine Geschichte von ihr zu lesen, die sie selbst geschrieben hatte.

»Handelt sie von Ihnen?«, fragte Ann Kathrin.

»Woher wissen Sie das?«, erschrak Tanja.

Ann Kathrin lächelte. »Hat Sommerfeldt sie schon gelesen?«

Tanja nickte. »Er fand sie zu verklemmt, glaube ich …«

»Sie oder die Geschichte?«

»Uns beide.«

Inzwischen war es kein Problem mehr, dass Ann Kathrin mit Sommerfeldt alleine in der Zelle sprechen wollte, obwohl Tanja nur der Ordnung halber betonte, dass das eigentlich ein Ding der Unmöglichkeit sei. Sie versprach, ganz in der Nähe zu bleiben.

»Keine Angst«, scherzte Ann Kathrin, »ich tue ihm schon nichts.«

Tanja verschloss die Tür nicht, sondern ließ sie weit geöffnet und lehnte sich im Flur an die Wand. In Gedanken wollte sie eigentlich an einer neuen Geschichte basteln, doch dann stellte sie sich stattdessen vor, worum es bei dem Gespräch zwischen der Kommissarin und dem Doktor gehen könnte. Zwei Besuche ganz kurz hintereinander … Ob die Kommissarin selbst heimlich schrieb? Ging es darum?

In der Zelle belauerten Ann Kathrin Klassen und Dr. Bernhard Sommerfeldt sich wie zwei Pokerspieler, die versuchten, am Gesichtsausdruck und an der Körperhaltung des anderen sein Blatt abzulesen.

Sommerfeldt setzte auch noch seinen Geruchssinn ein. Seit er in Lingen einsaß, hatte sich seine olfaktorische Wahrnehmung enorm verbessert. Er glaubte zu riechen, dass Ann Kathrin in ihren Sachen geschlafen hatte. Selbst die Erdnussbutter, die Kevin sich aufs Brot gestrichen hatte, nahm er noch wahr, rechnete sie allerdings Ann Kathrin zu und glaubte nun, er wisse, was sie morgens gerne frühstückte.

»Na«, sagte er, »nicht mehr auf Diät?«

Er verblüffte sie damit, doch sie stieg nicht darauf ein. Menschen abzulenken, zu irritieren und zu täuschen war eine seiner Taktiken, um durchzukommen und von sich abzulenken. Das wusste sie. Er brachte Menschen dazu, über sich selbst zu reden, und am Ende wussten sie nichts über ihn, fanden ihn aber sehr sympathisch.

Ann Kathrin kam gleich zur Sache: »Wenn ich Ihnen zur Freiheit verhelfe – also nur mal so ganz hypothetisch gedacht …«

Er schmunzelte. »Klar. Nur ganz hypothetisch …«

»Wer garantiert mir dann, dass ich irgendetwas davon habe und später nicht einfach als Idiotin dastehe?«

»Ich werde Ihnen den Langeoog-Killer liefern, Frau Klaasen. So nennen sie ihn inzwischen im Fernsehen.«

»Wie wollen Sie ihn finden?«

Er winkte ab. »Er wird mich finden. Er will den Kontakt. Er braucht meine Anerkennung.«

»Was haben Sie vor? Wollen Sie sich ins Café ten Cate setzen und warten, bis er reinkommt?«

Dr. Bernhard Sommerfeldt grinste. Er nahm sich für seine Antwort Zeit. »Er war längst dort, Frau Kommissarin.«

»Woher wollen Sie das wissen?«

»Er hat meine Bücher gelesen, und er sucht die Schauplätze auf. Garantiert hat er im Smutje Deichlamm gegessen und bei ten Cate auf meinem Stammplatz gesessen. Das Problem ist nur, Frau Klaasen, selbst, wenn Sie gleichzeitig im Café gewesen wären, hätten Sie ihn nicht erkannt.«

Da war etwas dran, das musste sie zugeben. Gleichzeitig

spürte sie, dass Sommerfeldt noch einen Trumpf in der Tasche hatte. »Aber Sie würden ihn erkennen?«

»Nein. Er mich. Er würde mich ansprechen, und genauso wird es laufen.«

Sie protestierte: »Herrgott, ich kann Sie nicht einfach so frei herumlaufen lassen, das wissen Sie doch!«

»Ach, da finden wir bestimmt gemeinsam einen Weg«, versicherte er.

Sie pokerte hoch: »Ich denke, dass wir Ihre Mithilfe nicht mehr benötigen. Kommissar Rupert hat gestern einen dringend Tatverdächtigen verhaftet. Ich dürfte Ihnen das eigentlich gar nicht erzählen. Ein Frauenschläger. Er würgt sie gerne. Seine Frau hat ihn angezeigt.«

Dr. Bernhard Sommerfeldt zeigte sich beeindruckt: »Sie sind sehr offen zu mir, Frau Klaasen. Also, ich will auch offen sein. Dieser …« Sommerfeldt machte eine Pause, als hätte sie den Namen erwähnt und er ihn nur vergessen.

»Wilko Breuning«, sagte Ann Kathrin und erschrak gleich über sich selbst. Er hatte sie reingelegt. Er sah ihre Empörung über ihren eigenen Fehler. Niemals hätte sie diesen Namen nennen dürfen.

Er lächelte milde. »Also«, fuhr Sommerfeldt fort, »will ich auch ganz offen sein. Ihr Täter läuft noch frei herum. Dieser Wilko Breuning ist vermutlich ein verabscheuungswürdiges Stück Scheiße, aber er ist nicht der Langeoog-Killer.«

Sie staunte über die Aussage und fragte sich, wie Sommerfeldt zu dieser Behauptung kam. Er fischte schweigend und so langsam, als hätten sie endlos Zeit, sein Handy aus dem Versteck hervor. Er tippte darauf herum und zeigte ihr dann ein Foto auf dem Display: Ein gefesselter Mann lag auf dem Boden.

»Das«, sagte Sommerfeldt, »ist der Journalist Aike Ruhr. Ihr Mann, Frau Klaasen, hat mir dazu nur einen einzigen Satz geschrieben: *Aike Ruhr ist mein Holger Bloem.*«

Ann Kathrin wurde es augenblicklich übel. Sie hatte plötzlich das Gefühl, der Sauerstoff im Raum würde knapp werden.

Sommerfeldt sprach weiter, als würde er vor Studenten dozieren, die seine Sätze mitschreiben wollten und kein Steno konnten: »Er macht mich nach, grenzt sich aber gleichzeitig auch von mir ab. Wie Kinder es in der Pubertät tun. Er will, dass über ihn geschrieben wird. Er giert nach der Anerkennung, die mir ständig zuteilwird. Er wird diesen Journalisten nicht töten. Noch nicht. Er braucht ihn für sein Ego.«

Ann Kathrin weitete mit der Rechten den Ausschnitt ihres T-Shirts am Hals. »Was schlagen Sie vor, Dr. Sommerfeldt?«

»Nun, ich habe mehrere Anträge gestellt. Zum Beispiel die Horst-Janssen-Ausstellung im Henri-Nannen-Museum besuchen zu dürfen oder meine Mutter im Krankenhaus. Wobei die Ausstellung für mich natürlich der interessantere Part wäre. Sie könnten dafür sorgen, dass mein Antrag bewilligt wird.«

»Das … das ist nicht so einfach. Sie sind ein verurteilter …«

Er unterbrach sie: »Wir wissen doch beide, wer ich bin, Frau Klaasen. Aber wenn Sie Ihre Möglichkeiten spielen lassen, wird es gehen. Sie müssen mir dann nur noch eine Chance geben, die Flucht zu ergreifen. Die Presse wird sich gleich darauf stürzen. Das ist auch gut so. Wir können also sicher sein, dass unser Mann es erfahren wird.«

»Und wie soll er dann mit Ihnen Kontakt aufnehmen?«, fragte Ann Kathrin kritisch.

Dr. Bernhard Sommerfeldt winkte ab, als seien das kleine Fische. »Er schafft es ständig, mir Botschaften ins Gefängnis zu schicken. Da wird es in der Freiheit für ihn einfacher. Ich habe ein Handy. Eine E-Mail-Adresse. Eine Facebookgruppe. Ich bin über Messenger und WhatsApp zu erreichen. Sie sehen Probleme, wo es gar keine gibt, Frau Kommissarin.«

Sie nickte. »Okay. Und dann?«

Er zog die Schultern hoch. »Nun, dann sehen wir weiter. Ich liefere Ihnen Ihren Killer auf dem Silbertablett, und zwar mit Vergnügen.«

Seine Worte und Schlussfolgerungen ergaben einen Sinn.

»Und dann sind Sie auf und davon?! Wer garantiert mir, dass Sie nicht einfach verschwinden? Das ist doch Ihr eigentlicher Plan, oder?«

Er hob die Hände wie jemand, der sich ergibt. »Aber Frau Klaasen, ich biete Ihnen meine Hilfe an, und Sie sind so voller Misstrauen. Ich weiß doch, dass ich wieder hier landen werde, über kurz oder lang. Gönnen Sie mir den Spaß. Ein bisschen Abwechslung, mehr wird das nicht für mich. Und ja, verflucht, es tut meiner armen Seele gut, wenn ich etwas wiedergutmachen kann. Ich helfe Ihnen gerne. Stoppen wir gemeinsam das Morden, und dann – das verspreche ich – fahre ich freiwillig wieder in den Knast ein. Sie können mich persönlich hier abliefern. Es läuft ja gar nicht so schlecht für mich hier.« Er sah ihr in die Augen. »Wie werden Sie dann dastehen? Sie beenden den Albtraum für Ostfriesland, und Sie beherrschen die Bestie.«

Mit *Bestie* meinte er zweifellos sich selbst.

Sie fixierte ihn wenig überzeugt.

»Über mein Handy können Sie mich jederzeit orten«, schlug er vor.

»Das«, sagte sie, »können Sie ganz einfach wegwerfen. Aber ich habe hier etwas …« Sie holte aus ihrer Tasche, was Kevin Janssen ihr gegeben hatte. Sie zeigte Dr. Bernhard Sommerfeldt den Stift. Er sah sich das Gerät interessiert an.

»Es ist ein Chip«, erklärte Ann Kathrin, »den man eigentlich benutzt, um Tiere zu orten. Er ist nicht größer als ein Reiskorn und wird unter die Haut implantiert. So wüsste ich dann immer, wo Sie sind.«

Dr. Sommerfeldt pfiff anerkennend. »Clever«. Er lobte sie und betrachtete das Instrument mit geradezu kindlichem Interesse. »Damit schießt man sich den Chip ins Fleisch?«

Ann Kathrin nickte.

Er presste das Gerät in die weiche Stelle zwischen Daumen und Zeigefinger seiner linken Hand. Sie wunderte sich, dass er es nicht gegen den Oberarm hielt.

Er erklärte: »Da werden wir in Zukunft alle unsere Chips haben. Kreditkarte, Türöffner, Blutdruckmesser … Das ist die Zukunft, Frau Klaasen. Wir sind nur unserer Zeit ein Stückchen voraus. Orwell lässt grüßen.«

Ohne weitere Diskussionen drückte er ab.

Er verzog sein Gesicht. Er bemühte sich, den Schmerz nicht zu zeigen, aber das gelang ihm nicht.

»Wir haben einen Deal«, behauptete er.

Sie kämpfte mit einem schlechten Gewissen. »Tut es arg weh?«, fragte sie.

»Nicht mehr als ein Wespenstich«, antwortete er und fügte hinzu, während er auf die verletzte Stelle pustete: »Allerdings einer, der sehr tief sitzt.«

Ann Kathrin musterte ihn. »Dann werde ich jetzt gehen und versuchen, die bürokratischen Hürden zu nehmen.«

Er lächelte gespielt gequält. »Die Bürokratie ist ein Monster, das unsere besten Ideen fressen will. Dieses Raubtier ist träge und erstickt – wo man es fett werden lässt – die Zukunftsvisionen von uns Kreativen. Menschen wie Sie und ich leben im ständigen Kampf gegen dieses Tier.«

»Wie wahr«, sagte Ann Kathrin, »wie wahr« und drehte ihm den Rücken zu.

Als sie gegangen war, bat Dr. Bernhard Sommerfeldt Tanja um ein Pflaster für seine kleine Verletzung zwischen Daumen und Zeigefinger. Ein wenig Blut war aus der Wunde geflossen. Er leckte es sich von der Hand.

Sie stand mit dem Pflaster dabei und sah zu. Er hatte etwas Animalisches an sich, fand sie, etwas, das sie anzog und bewunderte und ihr doch gleichzeitig Angst machte. Dieser zu lebenslanger Haft verurteilte Mann kam ihr trotz der Mauern des Gefängnisses viel freier vor, als sie jemals werden würde. Er trug, so dachte sie, die Freiheit in sich und nahm sie überall mit hin. Selbst ins Gefängnis.

Ann Kathrin hatte praktisch eine geheime Dienstbesprechung anberaumt. So etwas war nur informell möglich, also nicht in den Räumen der Polizeiinspektion. Für solche Gespräche nutzte Ann Kathrin nachmittags gern den Frühstücksraum im Smutje, denn dann war da wenig los. Aber jetzt gaben dort die Rotarier oder der Lions-Club einen Brunch zur Unterstützung des Fördervereins für ein Hospiz am Meer. Also wich Ann Kathrin ins Café ten Cate aus.

Jörg Tapper kapierte sofort, dass sie Ruhe brauchte und keine Öffentlichkeit. Er gab ihr den hinteren Raum und sperrte ihn mit dem Schild *Geschlossene Gesellschaft* ab. Das war sehr großzügig von ihm, denn das Café war rappelvoll und bei dem schönen Wetter waren auch draußen alle Tische besetzt. Er hatte an ihrer Stimme erkannt, wie sehr es brannte. Da musste sie nicht erst lange argumentieren.

»Höchstens eine halbe Stunde ...«, hatte sie versprochen.

Als Geistes- und Seelennahrung brachte Monika für ihre Freundin einen bereits zerteilten Marzipanseehund, ein paar Deichgrafkugeln, Mandelsplitter und mit Schokolade überzogene Baumkuchenspitzen.

Kripochef Martin Büscher nahm teil, Kevin Janssen auf ausdrückliche Bitte von Ann Kathrin, außerdem ihr Mann Frank Weller und Rupert mit Kopfverband.

Ann Kathrin bat Kevin, den sie als Einzige so nannte, zu dem alle anderen aber Lisbeth sagten, draußen im Café zu warten. »Wir rufen Sie dann rein. Es ist besser für Sie, wenn Sie nicht alles mitkriegen.«

Er war einverstanden.

Weller milderte mit dem Satz ab: »Das ist hier privat.«

Martin Büscher guckte mürrisch. Rupert passte die ganze Geheimniskrämerei nicht. Er setzte sich rittlings auf einen Stuhl und naschte gleich von den Süßigkeiten: »Also, was ist das hier? Trifft sich heute hier eine anonyme Selbsthilfegruppe oder was?« Da niemand darauf einstieg, fuhr er genüsslich schmatzend fort: »Die Freunde des außerehelichen Beischlafs?«

»Rupert!«, ermahnte Martin Büscher ihn mit Blick auf Ann Kathrin. Schnell schlug Rupert stattdessen vor: »Oder die Anonymen Königstreuen, die die letzten Tage der Demokratie einläuten, bevor unser Land endlich wieder richtig regiert wird, und zwar von einem König ... Ich meine, einem richtigen, so mit Krone und alles, nicht von solchen Anzugträgern mit schlecht gebundenen Krawatten ...«

Ann Kathrin ignorierte Ruperts Worte einfach. Das war für sie der beste Weg, mit seinem Schwachsinn umzugehen. Während sie sprach, stopfte Rupert immer schneller Marzipan,

Mandelsplitter und Baumkuchen in sich rein. Die Deichgrafkugel ließ er bis zum Schluss übrig. Es dauerte ihm zu lange, sie aus dem goldenen Papier zu wickeln.

»Unser Täter sucht ständig den Kontakt zu Dr. Bernhard Sommerfeldt. Das ist seine schwache Stelle. Eine reale Chance für uns, ihn zu fassen. Ich war bei Sommerfeldt. Er ist bereit, für uns den Köder zu spielen. Da wir ihn offiziell nicht frei lassen können, sollten wir ihm zur Flucht verhelfen.«

Martin Büscher stieß mit einer zuckenden Bewegung gegen seine Tasse. Sie klapperte auf dem Tisch. Er hoffte, sich verhört zu haben.

Ann Kathrin sprach ihn direkt an: »Wir müssen veranlassen, dass er Ausgang bekommt, um seine Mutter im Krankenhaus zu besuchen. Wir begleiten ihn dann selbst und geben ihm die Gelegenheit zur Flucht.«

Martin Büscher griff sich ans Herz. Weller tat, als hätte Ann Kathrin nur aus den Dienstvorschriften zitiert. Er würde an ihrer Seite stehen, egal was kam. Das war für ihn sowieso klar.

Rupert hatte inzwischen alles bis auf die Deichgrafkugeln vom großen Teller gegessen. Er half der ersten Deichgrafkugel aus dem Mantel und schmatzte: »Ist doch okay für euch, wenn ich das alles esse, oder? Ihr macht doch bestimmt alle gerade wieder so eine Scheiß-Diät ...«

»Du ja offensichtlich nicht«, konterte Weller.

»Doch«, erwiderte Rupert, »ich mache eine Ananas-Diät. Das ist eine High-Fat-, High-Carb-, High-Heels-Diät. Da darf man praktisch alles vernaschen, selbst die schönsten Schnitten«, grinste er. »Und man darf auch alles essen. Natürlich außer Ananas.«

Martin Büscher atmete schwer. Es war schon fast ein Röcheln. »Offiziell kriegen wir das nie durch«, erklärte er überflüssigerweise und fügte hinzu: »Kann ich mich trotzdem auf euch verlassen?«

Weller nickte. Rupert tat, als sei die Deichgrafkugel interessanter. Die Kuvertüre zerknackte zwischen seinen Zähnen. Er stöhnte, indem er den ehemaligen Chef Ubbo Heide nachmachte. »Das ist nicht dieser öde Cognacgeschmack, den die heute immer in Pralinen nachmachen. Auch nicht irgend so ein Weinbrandmist. Das hier hat einen Hauch von Arrak.«

»Ja, toll«, zischte Weller. Er mochte es nicht, wenn Rupert Ubbo Heide nachäffte.

»Du glaubst«, schimpfte Martin Büscher in Richtung Ann, »dass du nach dieser Aktion einen Serienkiller gefasst hast und den anderen wie ein Hündchen brav ins Gefängnis zurückbringen kannst?« Er schlug sich mit der flachen Hand gegen die Stirn. »Mensch, Ann, wie naiv bist du eigentlich?«

Rupert sah Ann Kathrin an. Er war auf ihre Antwort gespannt, doch Martin Büscher war noch nicht mit ihr fertig: »Die lachen euch aus. Alle beide gemeinsam. Am Ende laufen zwei Serienkiller frei herum …«

»Und wir machen eine Fischbude in Norddeich auf«, sagte Weller, um den Druck aus der Situation zu nehmen. »Man braucht immer einen Plan B.«

Ann Kathrin blieb bei der ganzen Aufregung sachlich: »Ich habe ihm heute einen Chip eingepflanzt. Darüber können wir ihn jederzeit orten. Deshalb ist unser Kevin ja da. Ich rufe ihn jetzt herein, und er erklärt uns, wie genau das funktioniert.«

»Nein, danke, verzichte! Ich glaube, mir wird schlecht«, kündigte Martin Büscher an und sah tatsächlich aus, als müsse er sich gleich übergeben.

Weller wollte zur Tür und Kevin reinholen. Ann bat ihn mit einem Blick, noch einen Moment zu warten.

»Ihr seid verrückt«, schimpfte Büscher. »Ich war nicht hier. Ich habe das alles gar nicht gehört. Das ist das Beste, was ich für euch tun kann. Vermutlich auch das Letzte.«

Er wollte gehen. Rupert hielt ihm eine Deichgrafkugel hin. »Hier Chef, das beruhigt. Ist gut für die Nerven.«

Martin Büscher lehnte ab.

Jörg Tapper kam herein, um nach seinen Gästen zu schauen. »Kann ich noch etwas für euch tun?«

Weller hob die Hand wie ein Schüler in der Schule: »Ja, ich hätte gerne ein Stück Apfelkuchen mit doppelt Sahne.«

Jörg sah den leeren Naschteller. Er räumte ihn ab. »Euch hat es ja geschmeckt«, kommentierte er. Alle nickten brav.

»Soll ich noch eine Portion bringen?«

Diesmal nickte nur Rupert, alle anderen schüttelten die Köpfe. Es kam Jörg so vor, als sei die Luft hier drin zum Schneiden dick. Er verstand, dass sie echte Probleme hatten, und ließ sie wieder allein.

»Ihr kriegt nirgendwo eine Genehmigung für den Ausflug dieses Serienkillers. Vielleicht in fünfzehn oder zwanzig Jahren. Aber nicht jetzt! Allein daran wird der ganze Blödsinn scheitern«, prophezeite Büscher kopfschüttelnd.

Er ging. Noch ehe er die Tür ganz hinter sich schloss, rief Weller: »Wir dachten, du könntest uns vielleicht genau dabei helfen …«

Ann Kathrin hob die Arme und ließ sie ratlos wieder fallen.

Kevin Janssen beobachtete alles aus dem Café heraus. Er sah durch die Glastür an den Gesten und Gesichtern, dass die Situation verfahren war.

»Er hat recht«, sagte Ann Kathrin, »wir werden Sommerfeldt nicht rauskriegen. Kein Richter unterschreibt uns …«

Monika Tapper brachte Weller den Apfelkuchen. Sie hatte

zu der Sahne noch eine Kugel Vanilleeis gepackt. Genau die richtige Portion für Weller bei dem Wetter. Sie zwinkerte ihm zu. Sie kannte ihn eben zu gut.

Sie warf Ann Kathrin einen aufmunternden Blick zu. Ann konnte ihn gut gebrauchen. Als Monika den Raum verlassen hatte, baggerte Weller sich Apfelkuchen, Sahne und Eis gleichzeitig in den Mund. In dem Moment konnte er zwar nicht sprechen, hatte aber einen Geistesblitz.

Rupert sagte noch: »Wir werden an den Genehmigungen scheitern. Der Rest wäre für mich okay.«

Weller schluckte. »Aber niemand war dabei, als du mit Sommerfeldt gesprochen hast, Ann, oder?«

»Stimmt«, sagte sie, ahnte aber nicht, worauf Weller hinaus wollte.

»Angenommen, er hätte dir einen weiteren Mord gestanden und wäre bereit, uns zu dem Ort zu führen, wo er die Leiche vergraben hat, dann ...«

»Dann könnten wir ihn im Rahmen unserer Ermittlungsarbeit herausholen. Das ist genial, Frank! Das funktioniert.«

Weller grinste breit. Rupert kommentierte: »Und das hat der Frank jetzt ganz ohne Schokolade hingekriegt.«

Weller stürzte sich wieder auf seinen Apfelkuchen, als sei er völlig ausgehungert.

Ann Kathrin versprach: »Den Rest erledige ich, Jungs.«

»Wir sollten das feiern«, schlug Rupert vor. »Ich meine, es ist immerhin das erste Mal, dass wir gemeinsam einem Mörder zur Flucht verhelfen.«

Ann Kathrin bremste ihn: »Zum Feiern haben wir keine Zeit, Rupert. Unser Täter hat Aike Ruhr in seiner Gewalt. Und wir sollten ihn uns greifen, bevor er seinen Gefangenen umbringt.«

»Gute Idee«, sagte Rupert. »Muss ich mir merken.«

Mit gespielt pessimistischem Blick, als sei Rupert dieser Aufgabe nicht gewachsen, riet Weller: »Schreib's dir besser auf.«

Der Langeoog-Killer würde bald schon einen anderen Namen bekommen, denn er hatte nicht vor, die Serie auf Langeoog fortzusetzen. Aber er würde weitermachen. Jetzt erst recht!

Was soll ich Aike Ruhr erzählen, fragte er sich. Jetzt, da er die Möglichkeit dazu hatte, schien ihm kaum etwas aus seinem Leben berichtenswert. Ja, es kam ihm jämmerlich vor, so als sei es gar nicht sein eigenes, sondern ein fremdes Leben, das er gelebt hatte, bis zu dem Tag, an dem er die Website mit den unfreiwillig fotografierten Frauen gefunden hatte.

Er beschloss, auf Rachefeldzug zu gehen. Sich selbst zum Instrument männlicher Rache zu machen. Sein Jagdrevier wäre in Zukunft genau diese Seite im Netz. Plötzlich schienen sie ihm alle zu gehören.

Je länger er darüber nachdachte, umso mehr wurden Sommerfeldts Bücher, die er einst so bewundert hatte, zu peinlichen Werken, die zwischen Selbstmitleid und totaler Überschätzung hin und her mäanderten. Er wollte es anders machen. Besser!

Er hatte nicht vor, seine Taten zu rechtfertigen. Wollte seine Morde nicht mit Moral aufladen. Kein: *Es ist doch besser so.* Kein: *Ich töte nur die Bösen.*

Nicht dieses verlogene Sommerfeldt-Zeug! Er wollte Aike Ruhr nicht durch Geschwätz überzeugen, sondern durch Taten. Seine Vergangenheit war vergangen. Er hatte keine Lust, darüber zu reden. Das war doch alles langweilig. Hier sollte keine Therapiestunde für vernachlässigte kleine Jungs stattfinden. Nein, Aike Ruhr sollte ja nicht glauben, dass hier jemand mit ihm sprach, der sich über seine schlimme Kindheit beschwerte, um sie dann wie ein Schutzschild vor sich her zu tragen.

Nein! So einer war er nicht. Solche Jammerlappen wurden nicht gefürchtet. Mit so einem hatte man höchstens Mitleid. Solche gescheiterten Existenzen bekamen am Ende Therapeuten, die ihnen für Geld zuhörten. Sozialarbeiter und Betschwestern fühlten sich für solche Leute zuständig. Aber er wollte lieber einem Henker ins Auge schauen als einem Seelenklempner.

Ein Hauch von Zweifel meldete sich bei ihm. Es gab keine Henker mehr in Deutschland, zumindest nicht offiziell. Da musste schon ein Polizist den Helden in sich zulassen und das Monster mit einer Kugel stoppen, oder besser, mit mehreren.

Aber er hatte das Gefühl, als sei das unmöglich. Ja manchmal, besonders nachdem er getötet hatte, kam er sich auf eine sehr robuste Art unsterblich vor. Es fühlte sich real für ihn an. Das Wort *unkaputtbar* nahm er gern für sich in Anspruch. Als würde eine höhere Macht ihn beschützen. Der liebe Gott mit seinen Engelchen war es ganz sicher nicht. Wenn schon, dann eher der Teufel.

Aike Ruhr war jetzt gut verschnürt und wurde langsam wach. Das wurde auch Zeit. Er wollte mit der nächsten Tat nicht allzu lange warten. Auf keinen Fall sollte erst Gras über die Geschichte wachsen. Das Sprichwort: *Man muss das Eisen schmieden, solange es heiß ist*, hörte er, als habe es gerade jemand zu ihm gesagt. Dabei waren er und Aike doch allein in diesem großen Haus, und in Aikes Mund steckte ein Knebel, der mit breitem Klebeband, das um seinen Kopf gewickelt war, festgehalten wurde. Wenn Aike wache Momente hatte, würgte er und versuchte, das Tuch auszuhusten. Aber das Klebeband hielt es fest in seinem Mund.

Der Langeoog-Killer, der nicht länger so heißen wollte, klickte sich auf der Homepage durch die Po-Bilder. Er musste klug aussuchen. Die Auswahl war groß. Wer die Wahl hat, dachte er, hat die Qual. Überhaupt musste er sich ständig für oder gegen etwas entscheiden. Wie sollte er sich Aike Ruhr vorstellen? Wie durfte der Journalist ihn nennen? Bei seinem richtigen Namen ja wohl kaum. Den hasste er, genauso wie Sommerfeldt seinen.

Im ersten Brief an Dr. Bernhard Sommerfeldt hatte er sich *K. Ernte* genannt. Er konnte jetzt nicht mehr genau sagen, warum. Er war einfach sehr aufgeregt gewesen. Langeoog-Killer wollte er auch nicht genannt werden. Der Name hatte zwar provinziellen Charme, legte ihn aber zu sehr auf ein Territorium fest. Jetzt musste er auch noch eine Frau aussuchen.

Er sortierte einige von vornherein aus, weil er deren Aufenthaltsort nicht kannte. Viele Fotos waren einfach anonym. Bei einigen aber wusste er mehr. Die Stadt, in der die Frauen wohnten, oder ihren Beruf. Bei einzelnen war ihm sogar die Arbeitsstelle bekannt.

Die Frauen, die von irgendwem zum Abschuss freigegeben worden waren und von daher viele Punkte brachten, eigneten sich für seine Pläne am besten. Da gab es dann auch Namen und Adressen.

Die hier zum Beispiel. 29 Jahre alt. Bianca Linde. Sie hatte es von der Kosmetikerin und Friseurin zur Maskenbildnerin geschafft. Ihr Exmann oder -freund bezeichnete sie als *Bitch, die Männer benutzt, nur um Karriere zu machen*. Er nannte sie auch *Blechmöse*. Ein Ausdruck, der in den Beschreibungen abgewiesener Männer häufiger auf dieser Homepage auftauchte, wie er rasch festgestellt hatte.

Sie wohnte in Wilhelmshaven. Das ging gerade noch.

Er sortierte alle aus, die zu weit weg wohnten. Er wollte nicht zu viel Zeit verlieren und sinnlos herumfahren. Hier auf der Homepage gab es gute Zielobjekte in Saarbrücken und St. Wendel, aber er hatte keine Lust, ins Saarland zu fahren. Viele waren aus dem Ruhrgebiet. Essen. Bochum. Dortmund. Unna. Gelsenkirchen. Schwerte. Aber auch einige aus Düsseldorf und Köln. Die schieden im Moment alle für ihn aus.

Am Ende seines Auswahlverfahrens blieben sechs übrig, die er sofort finden und erreichen konnte. Er kannte von keiner das Gesicht, aber von jeder einen Blick unter den Rock. Zwei waren aus Leer. Eine aus Aurich. Eine war aus Bayern, kellnerte aber auf Norderney und befand sich somit in seinem aktuellen Jagdrevier. Eine wohnte in Norden und dann noch eine, diese Bianca Linde, in Wilhelmshaven.

Er trank ein Glas Leitungswasser, wischte sich das Gesicht ab und ließ einen Plastikeimer halb voll Wasser laufen. Das würde Aike wecken. Er wollte nett zu ihm sein. Nicht zu nett, das konnte anbiedernd wirken, aber eben doch so nett, dass er bereit war mitzuspielen. Er hatte ihm immerhin einiges zu bieten: Ruhm. Ehre. Ja, Unsterblichkeit.

Er grinste bei dem Gedanken, dass vielleicht der frühe Tod zur Unsterblichkeit dazugehörte. Die Welt war eben voller Widersprüche. Mit ihnen klarzukommen, war die eigentliche Aufgabe, die jeder tagtäglich für sich selbst erledigen musste.

Er setzte wieder die Clownsmaske auf und ging zu Aike. Der saß gefesselt da und kniff die Augen zusammen, als er Schritte hörte. Gar nicht dumm, dachte der Langeoog-Killer, du willst mich nicht sehen, weil du weißt, dass ich dich töten muss, wenn du mein Gesicht kennst. Jeder Krimigucker weiß so etwas. Sage keiner, Fernsehen sei nicht lehrreich! Es kann dir in manchen Situationen sogar das Leben retten.

Wortlos schüttete er den Eimer über Aike aus. Der erschrak und blickte hoch.

Sein Entführer lachte: »Da hast du aber Glück gehabt, dass ich eine Maske trage, sonst müsste ich jetzt meine Stahlschlinge um deinen Hals legen. Das willst du doch nicht, oder?«

Aike schüttelte den Kopf. Er presste seine Augen wieder fest zusammen.

»Das musst du nicht. Im Gegenteil! Ich will, dass du genau hinschaust.« Er stieß Aike mit dem Fuß an: »Mach es dir bequem. Wenn du versprichst, keinen Ärger zu machen, könnte ich diesen lästigen Knebel aus deinem Mund nehmen und dir etwas zu trinken geben. Leitungswasser ist doch okay für dich, oder?«

Aike nickte heftig.

»Gut. Das werte ich jetzt mal als Zustimmung. Aber wenn du Stress machst, rumbrüllst oder so, werden dir sofort alle Privilegien gestrichen. Ist das klar?«

Wieder nickte Aike.

»Also gut. Dann will ich dir mal eine Chance geben.«

Er holte den Computer und wollte ihn so aufbauen, dass Aike den Bildschirm gut sehen konnte. Aber das gestaltete sich schwierig. Etwas passte immer nicht. Er wollte Aike zwingen zuzugucken. Mit dem Computer auf dem Boden ging das nicht. Wenn er auf dem Schreibtisch stand und Aike gefesselt auf dem Boden an der gegenüberliegenden Wand saß, war der Bildschirm zu hoch oder zu weit weg.

Er entschied sich, nicht die Position des Computers zu verändern, sondern Aikes. Der Computer blieb auf dem Schreibtisch stehen. Er wuchtete Aike auf den drehbaren Bürostuhl. Mit Klebeband befestigte er seine Arme auf den Lehnen. Jetzt konnte er ihn mühelos hin und her rollen.

Er war abgehetzt von der Arbeit und atmete schwer. Unter der Clownsmaske war es verdammt warm.

So ist mein ganzes Leben, dachte er. Ich mühe mich ab, um die Dinge so zu gestalten, wie sie mir am besten gefallen. Dabei mache ich es mir nicht einfach und wähle oft den schwierigsten Weg. Statt den Computer woandershin zu stellen, mühe ich mich mit diesem Kerl ab.

Er ermahnte Aike noch einmal, keinen Mist zu machen, und durchtrennte dann mit einem Messer die Klebebänder unterhalb seines linken Ohres. Er packte ein Ende und riss das Zeug von Aikes Gesicht.

Aike reckte den Kopf ruckartig hoch und spuckte das Tuch aus. Er japste nach Luft. Am Klebeband hingen Hautfetzen.

Er holte zwei Gläser Wasser aus dem Bad. Eins für sich und eins für Aike. Er hielt es ihm an die Lippen. Aike trank. Er tat es so ruhig und überlegt, dass nur ein paar Tropfen danebengingen. Dieser Mann wollte überleben und wusste, dass er Wasser brauchte. Wasser und Luft.

Aike sagte gar nichts. Er atmete jetzt nur, als könne man auf Vorrat Luft holen.

Gut, dachte sein Peiniger. Gut so. Wir werden miteinander klarkommen.

Er tippte auf der Computertastatur herum, bis auf dem Bildschirm sechs Fotos von Frauenpopos zu sehen waren.

»Du hast das große Glück, an meinen Taten teilnehmen zu dürfen. Ja, das wünschen sich viele Journalisten, ich weiß. Live dabei zu sein, das ist die heißeste Nummer, aber dir allein wird diese Gnade zuteil. Die anderen kommen alle erst am Morgen nach der Tat angesaust. Sie fotografieren sich dann die Finger wund und haben doch kein einziges vernünftiges verwertbares Bild. Dieser *Wir-kommen-wenn-alles-vorbei-ist-Journalismus* ödet doch alle an. Wer will so etwas denn noch lesen? Du, mein lieber Aike, kannst aber alles miterleben. Du darfst von Anfang an dabei sein. Ich darf doch du zu dir sagen, oder?«

Aike nickte und verlangte noch mehr Wasser. Er bekam es und trank gierig.

»Nich lang schnacken, Kopp in'n Nacken, so sagt man doch hier an der Küste«, lachte der Typ unter der Clownsmaske. Er sprach weiter, als würde er Aike ein großes Geschenk machen. Er spielte sich dabei als Lehrmeister auf, als sei Aike sein Schüler. »Weißt du, es beginnt nicht mit der Tat. Nicht einmal mit dem Plan! Es beginnt mit der Auswahl. Zuerst muss das Opfer ausgesucht werden. Man will ja nicht irgendwen killen. Die auserwählte Zielperson lässt hinterher Rückschlüsse auf den Täter zu. Hatte er einen schlechten Geschmack? Ist er ungebildet? Unbeherrscht? Und du darfst von Anfang an dabei sein und alles miterleben. Ja, ich will so weit gehen – du darfst es mitgestalten! Wir machen es geradezu interaktiv – so sagt man doch heute neudeutsch! Du darfst auswählen! Welche der sechs soll die Nächste werden? Du hast die Wahl ... Ich bin gespannt ...«

Aike konnte nicht glauben, was da gerade passierte. Halluzinierte er im Fieberwahn, oder verlangte dieser Irre tatsächlich von ihm, er solle das nächste Mordopfer aussuchen? Es wäre ihm lieber gewesen, Wahnvorstellungen zu haben. Aber die Schmerzen in seinem Gesicht und das Brennen in seiner Lunge sagten ihm, dass dies hier Wirklichkeit war.

»Denk jetzt als Journalist, Aike. Nun hast du die Gelegenheit, dich hineinzufühlen, wie das ist. Nicht einfach nur kalter

Beobachter zu sein, sondern aktiv Beteiligter. Na, ist das geil? Macht es dich an?«

»Nein«, sagte Aike Ruhr, »es widert mich an. Sie glauben doch nicht im Ernst, dass ich für Sie Ihr nächstes Opfer aussuche?! Überhaupt, was soll das sein? Die neue Art, Porträts zu machen?«

Die Clownsmaske verrutschte ihm, weil er eine unwirsche Handbewegung machte. Er hatte nicht mit so viel Frechheit und Widerstand gerechnet. Er fühlte sich abgelehnt.

Er tippte auf das erste Foto und versuchte, ruhig zu bleiben. Er wollte sich nicht von seinem Plan abbringen lassen. »Wie wäre es mit der? Nun zier dich nicht so, Aike! Würde es dir leichter fallen zu wählen, wenn du die Gesichter siehst statt der Ärsche?« Er lachte. »Was macht denn den Unterschied, Mensch? Zu manch hässlichem Gesicht gehört ein schöner Arsch und umgekehrt. Brauchst du die Namen? Willst du losen? Komm, entscheide dich. Eine muss sterben. Noch heute. Welche?«

Aike presste die Lippen fest zusammen. Er weigerte sich zu reden. So hoffte er, wenigstens Zeit schinden zu können. Minuten. Vielleicht Stunden. Wichtige Zeit, die die Polizei brauchte, um dieses Versteck ausfindig zu machen und das Haus zu stürmen. Er hoffte, dass sie nicht mehr lange brauchen würden.

Der Langeoog-Killer verspottete Aike. Er sprach mit mädchenhafter Stimme: »Du kannst dich nicht entscheiden? Soll ich dir mehr von ihnen zeigen?«

Aike platzte damit heraus: »Ich werde Ihnen nicht dabei helfen auszusortieren, wer leben und wer sterben soll!«

»Du willst nicht aussortieren … Soso … Es wird immer aussortiert. Nach Schulnoten. Nach Leistung. Nach Sympathie. Es geht überhaupt nicht anders. Als du deine Freundin ausgewählt hast, da hast du doch auch alle anderen erst mal aussortiert.«

Er spottete: »Oder hat sie dich ausgesucht?« Er tippte noch einmal gegen den Bildschirm: »Nun mach schon! Welche? Wenn du eine wählst, hast du deine Arbeit für heute geleistet. Den Rest erledige ich für uns. Und ich bestelle uns eine Pizza und auch noch mehr zu essen. Du hast doch Hunger, oder?«

Aike presste die Lippen wieder fest zusammen. Er hatte mörderische Kopfschmerzen und ein Stechen hinter dem linken Auge. Er versuchte, das zu ignorieren. Immerhin bekam er wieder gut Luft. Er konzentrierte sich darauf, Zeit zu gewinnen oder eine Möglichkeit zu finden, auf sich aufmerksam zu machen. Wenn es ihm gelingen könnte, auch nur für kurze Zeit die Herrschaft über den Computer zu gewinnen, würde er versuchen, einen Hilferuf abzusetzen. Damit tröstete er sich.

Aber erstens waren seine Arme an den blauen Bürostuhl gefesselt, der dem in seiner Redaktion glich, als sei er dort gestohlen worden, außerdem wusste er nicht, wo er sich befand. Er wusste nicht einmal, wohin er Hilfe rufen sollte.

Er bemühte sich, nicht in Verzweiflung zu versinken.

»Was bist du für ein Journalist? Willst du nicht von Anfang an dabei sein? Wie willst du dann jemals die Wahrheit schreiben über die Qual der Wahl? Wie willst du über ehrliche Emotionen berichten, wenn du sie doch selbst nie hattest? Investigative Journalisten müssen sich irgendwo einschleichen, um dabei zu sein. Du sitzt bereits mittendrin, wie die Made im Speck. Nun nutz deine Chance, Herrgott nochmal!«

Aike nahm all seinen Mut zusammen und sprach aus, was er dachte: »Sie brauchen Hilfe. Sie brauchen dringend Hilfe.«

Sein Peiniger drehte ihm abrupt den Rücken zu und dachte nach.

Ich habe ihn erwischt, dachte Aike. »Im Grunde wissen Sie, dass ich recht habe. Sie wissen genau, dass das, was Sie vorhaben, schlecht ist. Es wird Ihnen nicht helfen, egal, wie viele Menschen Sie umbringen. Wenn Sie Erleichterung suchen, dann ...«

Der Clown wirbelte herum und schlug wutentbrannt zu. Er wollte den Knebel wieder in Aikes Mund stopfen. Der wehrte sich nach Leibeskräften und presste die Zähne fest zusammen.

»Mach den Mund auf! Du sollst den Mund aufmachen!«, forderte der Clown.

Aike tat es nicht.

Erst der erneute Einsatz des Elektroschockers ließ Aikes Muskeln und damit seinen Widerstand erschlaffen.

Als er wieder wach wurde, saß er gefesselt und geknebelt auf dem Bürostuhl und es roch nach Oregano, Käse und Schinken. Neben dem Computer lag eine halbe Pizza.

»Du wolltest ja nicht«, spottete der Clown. »Aber wenn du dich jetzt nicht entscheidest, dann nehme ich halt einfach die Erste aus der Sammlung. Diese hier. Hat nicht den tollsten Arsch, aber wir sollten die Ansprüche nicht zu hoch schrauben. Sie heißt Vivien Thomzek und ist aus Leer. Wir wissen einiges über sie. Wir kennen nicht nur diesen kurzen Blick unter ihren Rock. Ihre Beine sind ja nicht gerade die schönsten. Sie joggt angeblich nach der Arbeit gerne an der Leda. Hoffentlich hilft's. Siehst du, ich habe sie auf Facebook gefunden. War gar nicht so schwer. Sie gibt hier so ziemlich alles von sich preis. Ihr Ex behauptet, sie hätte sein Leben zerstört. Keine Ahnung, wie sie das gemacht hat. Ist mir auch egal. Hier sind Fotos von ihr, wie sie im Hafen joggt. Und hier, schau mal, da sitzt sie im Restaurant *Schöne Aussichten*. Sie arbeitet als Verkäuferin in der Altstadt. Ich muss los, bevor die Läden schließen.«

Aike schüttelte den Kopf. Er wollte verhandeln, konnte aber leider durch den Knebel nicht mehr sprechen. Er hatte Mühe, Luft zu bekommen. Laut saugte er sie durch die Nase ein.

»So. Ich habe alles schön für dich vorbereitet. Du kannst auf dem Bildschirm die ganze Aktion miterleben. In Bild und Ton. Ich habe diese wunderbare Körperkamera. Schau mal. Toll, was es heutzutage alles gibt. Ich werde sie mit diesem Gummiband an meiner Stirn befestigen oder hier als Clip an meinem Hemd. Wenn ich es am Kopf trage, wird man mich ebenfalls für einen dieser bescheuerten Jogger mit Stirnband halten, und du kannst alles sehen, was ich auch sehe, nur eben mein Gesicht nicht. Aber dafür meine Hände.«

Er streckte seine Arme aus und tat so, als würde er jemanden würgen. »Du wirst live miterleben, wie ich sie erdrossele. Na, ist das nichts? Das ist doch praktisch eine Einladung zu einer Premierenfeier, und das Stück wird nur für dich gespielt. Du wirst später berichten können, was du erlebt hast, wie du dich dabei gefühlt hast. Die anderen können nur Vermutungen anstellen, wie es vielleicht gewesen ist. Aber du stellst mit deinem Wissen einen Holger Bloem locker in den Schatten. Der angebliche Spezialist für Serienkiller hat doch alles nur vom Hörensagen. Von Gesprächen mit Sommerfeldt und dieser total überschätzten Kommissarin Klaasen. Selbst ist er doch nie dabei gewesen, wenn jemand erledigt wurde.«

Er tätschelte Aikes Kopf und stupste ihn an, wie Mannschaftssportler sich vor dem Spiel ermutigen. »Du kannst mich sogar hören. Ich dich nicht, denn dein Mund ist ja zu. Aber ich sehe dich!«

Er zeigte stolz sein Handy, als hätte er die Technik selbst erfunden. Er tippte sogar gegen das Kameraauge über dem Computerbildschirm, um Aike zu zeigen, von wo aus er gefilmt wurde. Er sollte halt alles ganz genau wissen, um später, wenn er die Geschichte aufschrieb, keine Fehler zu machen.

»Ich muss los«, rief der Verrückte voller Tatendrang. Er zeigte auf Aike wie auf einen Freund, von dem man sich leider schon verabschieden musste, und versprach: »Wir bleiben in Verbindung. Und wir sehen uns!«

Vivien Thomzek verließ den Laden als Letzte. Sie hatte schon ihre Laufschuhe an. Die Turnschuhe waren neu. Auf die blauen Asics Running Shoes hatte sie lange gespart. Sie freute sich auf den Feierabend. Noch einmal vergewisserte sie sich, ob die Tür auch richtig zu war.

Schon kurz nach Geschäftsschluss starb die Innenstadt praktisch aus. Besonders an so einem warmen Sommerabend zog es die Menschen ans Wasser. Die Anziehungskraft der Leda wurde dann magisch, denn anders als in einem Fernsehkrimi suggeriert wurde, den sie neulich gesehen hatte, besaß Leer gar keinen Sandstrand am Meer.

Trotz der Hitze wollte sie laufen. Die neuen Schuhe wogen fast nichts. Es fühlte sich an, als würde sie nur mit Socken laufen. Seit sie jeden Abend joggte und an den Wochenenden schon morgens lief, hatte sie sieben Kilo abgenommen und ein ganz anderes Lebensgefühl. Selbst ihre Haut hatte sich verändert, war reiner geworden. Sie war weniger müde, nicht mehr so ausgelaugt, und ja, so komisch sie es selber fand, sie kam sich tatsächlich intelligenter vor. Interessierter an allen Dingen. Weniger dumpf und abgestumpft.

Sie freute sich darauf, im Restaurant *Schöne Aussichten* ein alkoholfreies Weizenbier zu trinken. Sie hoffte, draußen noch einen freien Platz zu ergattern, um dort den Blick auf den Hafen und den Wind genießen zu können.

Sie hatte eine harte Trennung hinter sich und von Männern erst mal die Nase voll. Sie musste die Erfahrung mit dem letzten erst verdauen, bevor sie bereit war, einem anderen eine Chance zu geben. Im Moment konzentrierte sie sich auf sich selbst. Auf ihre Gesundheit, ihren Körper und ihre Seele.

Sie hatte wieder begonnen, Romane zu lesen und die Filme zu gucken, die ihr gefielen. Viel zu lange hatte sie viel zu viel Rücksicht genommen und sich angepasst. Sie hatte die Bedürfnisse ihres Exfreundes über ihre eigenen gestellt, bis sie vergessen hatte, was ihre eigenen Bedürfnisse waren, ja bis sie sie sogar überhaupt nicht mehr spüren konnte.

Über diese Phase war sie inzwischen glücklicherweise hinweg. Sie wusste jetzt genau, wie sie den Tag verbringen wollte. Sie hatte aber noch keine Ahnung, wie sie die Zukunft gestalten sollte. Für eine Tagesplanung reichte es schon. Immerhin.

Vielleicht würde sie später noch einmal etwas ganz anderes machen. Sie ließ diese Überlegung inzwischen zu. Möglicherweise ganz raus aus dem Einzelhandel und studieren. Sprachen zum Beispiel oder Sport.

Sie bemerkte nicht, dass ihr jemand folgte. Er hatte auf der anderen Straßenseite gestanden, ihr den Rücken zugekehrt und in ein Schaufenster geguckt, als sie den Laden abschloss. Sie hatte ihn kurz gesehen. Von hinten. Ein Passant. Mehr war er nicht für sie.

Obwohl sie glaubte, im Moment für männliche Reize nicht zugänglich zu sein, war ihr seine sportliche Figur doch aufgefallen. Einen zweiten Blick war er ihr allerdings nicht wert.

Er folgte ihr mit gebührendem Abstand. Er lief nicht. Er ging. Er wollte sich nicht verausgaben und auch nicht auffallen. Er ging davon aus, dass er sie auf Nummer sicher hatte. Er wusste, wo sie wohnte. Sie lebte allein. Sie war in seinen Augen Freiwild. Leichte Beute.

Sie drehte irgendwann – schon außerhalb seines Blickfelds – um und lief ihm jetzt entgegen. Sie schenkte ihm keine Beachtung, sondern sah, als sie an ihm vorbeilief, auf ihren Schrittzähler.

Andere fanden das vielleicht langweilig, aber sie rannte immer dieselbe Strecke ab. Es waren gut tausend Schritte in die eine Richtung, dann zurück in die andere. Sie mochte es nicht so gern, sich weit weg zu bewegen. Sie brauchte die Sicherheit einer ständig erreichbaren Toilette. Einfach so am Wegrand hockte sie sich nicht hinter einen Baum. Überhaupt war sie eigen darin. Öffentliche Toiletten benutzte sie nicht gern. Es gab nur drei, vier Restaurants, da fand sie es ganz okay. Ansonsten ging sie lieber in ihren eigenen vier Wänden aufs Klo oder tagsüber im Geschäft.

Ihr Ex hatte sie oft deswegen verspottet und *penibel* genannt oder *Prinzessin auf der Erbse*. Sie hatte schon Partys verlassen und war nach Hause gegangen, weil sie so dringend musste. Meist trank sie deswegen kaum etwas, wenn sie irgendwo zu Besuch war, und galt daher als ungesellig. Es war nicht direkt eine Phobie, mehr so ein Unwohlsein auf fremden Toiletten.

In den *Schönen Aussichten* war es in Ordnung für sie. Aber wenn sie es schaffte, würde sie nach dem Weizenbier noch bis nach Hause laufen. Das wäre ihr am liebsten.

Sie hatte die Strecke inzwischen sechsmal zurückgelegt und tatsächlich einen freien Platz draußen bekommen. Langsam zog es die Menschen rein. Es frischte endlich auf, und zwei dunkle Wolken kündigten Regen an, den der Boden sehr nötig hatte. Auf einigen Grünflächen verdorrte schon das Gras.

Doch alle, die draußen saßen, sahen sich jetzt nach einem Platz im Gebäude um.

Er saß nur zwei Tische weiter.

Wilko Breuning wurde von seiner Anwältin abgeholt. Sie musterte Marion Wolters mit abschätzigen Blicken. Alles, was sie vorbrachte, war formal völlig korrekt. Es fiel kein böses Wort. Doch ihr Blick sagte: *Mein Gott, wann haben Sie denn zum letzten Mal in den Spiegel geschaut? Sind Sie gerne so dick?*

Marion fühlte sich aber keineswegs übergewichtig, sondern sehr wohl in ihrer Haut. Sie hatte keine Probleme mit ihrem Gewicht, wohl aber eins mit Frauen wie dieser Gunhild Grashoff. Das dunkelblaue Kostümchen Größe 36 trug sie wie eine Provokation. Dazu die High Heels, die ebenso wenig in die ostfriesische Polizeiinspektion passten wie ihr gesamtes Auftreten und ihre wippende Frisur, die aussah, als hätte man die Haare zusammengeklebt, damit ja keins ein Eigenleben führen konnte. Sie roch, als sei sie gerade aus einem Friseurgeschäft gekommen, wo man ihr ein paar Hundert Euro abgeknöpft hatte, um ihre widerspenstigen Haare in eine Art Stahlhelm zu verwandeln.

Sie war nicht von hier, sondern aus irgendeinem Schicki-Micki-Viertel einer Großstadt. Entweder hatte ihr Parfüm etwas von verbrannter Blumenwiese an sich, oder sie hatte vor der Tür noch schnell eine geraucht.

Sie ließ Marion spüren, dass sie eigentlich viel zu fein für den Job hier war und sich dazu nur aus unerfindlichen Gründen herabließ. Sie ging, nein, sie stolzierte mit Marion die Treppen hinunter zu den Zellen. Sie bewegte sich dabei so, dass sie vermied, irgendetwas zu berühren, als könnten überall in der Polizeiinspektion versteckte Viren oder Bakterien, die ansteckende Krankheiten übertrugen, lauern.

Marion schloss auf.

Gunhild Grashoff stand, nervös mit dem linken Fuß wippend, neben ihr.

»Geht es Ihnen gut?«, fragte Marion gespielt fürsorglich.

Die Anwältin guckte verständnislos.

»Ich meine«, fuhr Marion fort, »Sie sehen aus, als ob Sie jeden Moment ohnmächtig werden könnten. Sind Sie schwanger oder unterzuckert?« Wie aus dem Nichts zauberte Marion einen angeknabberten Schokoriegel hervor. »Wollen Sie vielleicht mal beißen? Nicht, dass Sie uns hier noch umkippen.«

Frau Grashoff zuckte angewidert zurück.

»Hilft«, behauptete Marion, biss demonstrativ ein gutes Drittel davon ab und hielt Frau Grashoff dann großzügig noch einmal den Rest hin. Als die nicht zugriff, schob Marion sich alles in den Mund und kaute.

Sie öffnete die Tür zu Wilko Breunings gekacheltem Raum. Er war blass und sah übernächtigt aus. Sein Gesicht zuckte nervös. Er hatte etwas von einem kleinen Jungen, der in die Arme seiner Mutter floh.

Gunhild Grashoff umschlang ihn, und er hob sie ein Stückchen hoch.

»Wenn ich es mir recht überlege«, sagte Marion zu sich selbst, »dann sehen Sie gar nicht unterzuckert aus, sondern eher unbefriedigt.«

Beide hatten es gehört. Breuning schimpfte: »Ich werde Sie alle verklagen, auf Schmerzensgeld und Schadensersatz!«

»Oh, hat Ihnen jemand wehgetan?«, fragte Marion Wolters.

Er hielt seine Anwältin jetzt im Arm, als müsse er sie beschützen. »Ihr Kollege …«, ihm fiel der Name nicht so schnell
ein, »der in mein Haus eingedrungen ist …«

»Ach, das war Ihr Haus?«, hakte Marion Wolters kritisch
nach.

Er ging nicht darauf ein. Stattdessen beschwerte er sich: »Er
hat mir gedroht!«

»Wer? Rupert?«

»Ja, so hieß der!«

Marion hob den Zeigefinger. »Dann wäre ich an Ihrer Stelle
ganz vorsichtig. Der ist dafür bekannt, dass er tut, was er an-
kündigt.«

»Hat er dir Prügel angedroht?«, fragte Frau Grashoff.

Breuning plusterte sich auf: »Er will mir diesen Dr. Sommerfeldt auf den Leib hetzen. Der macht nämlich für die hier die
Drecksarbeit.«

Marion Wolters staunte. »Ach, das haben Sie bestimmt
falsch verstanden, Herr Breuning. Dr. Sommerfeldt sitzt lebenslänglich. Unser Kollege hat vermutlich andeuten wollen,
dass Sommerfeldt Leute wie Sie nur zu gern gekillt hat. Deswegen genießt er ja so viele Sympathien in der Bevölkerung.«

An Frau Grashoff gewandt, sagte sie sehr ernst: »Er wird
Sie am Ende genauso vermöbeln wie alle anderen Frauen auch.
Falls Sie Hilfe brauchen, können Sie sich jederzeit …«

»Es reicht!«, zischte die Anwältin und stieg mit ihrem
Schützling die Treppe hinauf.

Marion Wolters blieb unten stehen und sah dem ungleichen
Pärchen hinterher. Sie rief: »Frau Grashoff? Die Nummer vom
Notruf ist 110!«

Aike Ruhr starrte auf den Bildschirm. Er kannte praktisch jeden Quadratmeter, den er sah. Den Leeraner Hafen. Die Innenstadt.

Vivien lief nicht mehr, sondern schlenderte jetzt nach Hause. Der Mörder überprüfte die Umgebung. Er drehte den Kopf von links nach rechts.

Aike wurde allein vom Hinschauen fast schwindlig. Das Bild verschwamm. Die Kamera wackelte. Er hörte den Atem des Mörders kurz vor der Tat.

Vivien befand sich im Herzen der Innenstadt. Sie ging durch die Rathausstraße. Sie beschleunigte ihre Schritte, denn es begann zu nieseln.

Er sprach jetzt zu Aike. Seine Stimme war anders als vorhin. Vielleicht lag es an der Übertragung, aber sicherlich nicht nur. Er hörte sich getrieben an. Abgehetzt. Da war ein Suchtdruck zu spüren, aber nicht wie bei Heroin- oder Crackabhängigen, eher wie bei jemandem, der halb wahnsinnig vor Hunger war und nun vor einem vollen Kühlschrank stand, den er aber nicht aufbekam.

»Es ist gefährlich hier. Solche Straßen sind einfach Mist. Hinter jedem Fenster kann einer sitzen und uns beobachten. Es ist auch noch viel zu hell. In dieser Scheiß-Jahreszeit ist es nicht nur viel zu warm, es wird auch zu spät dunkel.«

Aike spürte, dass der Mörder zögerte. Zu gern hätte er mehr Zweifel in ihn gesetzt und sie genährt, aber er konnte nicht sprechen, sondern nur durch die Nase ein- und ausatmen, was schon schwer genug für ihn war.

»Es ist nicht der richtige Ort, um es zu tun. Eigentlich ist es viel zu riskant. Aber siehst du das da, Aike? *Tatort Taraxacum.* Eine Krimibuchhandlung. Wenn das kein Hinweis des Schicksals ist ... Das hier heißt tatsächlich auch noch Tatort!

Ja, das ist ein würdiger Platz. Hier sollte die nächste Leiche gefunden werden. Was meinst du? Ach, verzeih, ich vergaß, du kannst ja gar nicht sprechen …«

Er lachte. Die Stimme veränderte sich. Je näher er der Ausführung seiner Tat kam, umso ruhiger wurde sie komischerweise. Aike hatte sich das genau andersherum vorgestellt.

Inzwischen werde ich schon längst vermisst werden, dachte er. Wie lange wird es dauern, bis die Polizei mich sucht?

Die junge Frau blieb vor der Buchhandlung stehen und sah sich die Auslagen an. Sie bückte sich vor der Eingangstür, um ein Plakat besser lesen zu können. Sie wollte mal wieder zu einer Krimilesung, und hier fanden oft welche statt.

Ihr Ex hatte sich nichts Langweiligeres als eine Lesung vorstellen können. Aber mit dem war sie ja auch zum Glück nicht mehr zusammen.

Hinter ihr zog jemand eine Stahlschlinge aus der Tasche. Sie bekam eine Bewegung mit. Nah. Viel zu nah!

Sie richtete sich auf und fuhr herum. Bevor sie den Silbernen Faden als tödliche Waffe ausmachen konnte, erblickte sie die Kamera auf dem Stirnband des Fremden. Der Mann lächelte, als hätte er vor, ihr etwas Gutes zu tun, als wolle er ihr ein Geschenk machen.

Sie riss die Arme hoch und den Mund auf. Ihr Kreischen fand mehr in ihrem Kopf statt als in der Realität. Noch während die Stahlschlinge in ihren Hals schnitt und sie keine Luft mehr bekam, hörte sie sich innerlich kreischen. Aber außer ihr nahm niemand in der Leeraner Innenstadt diese Schreie wahr.

Dr. Bernhard Sommerfeldt versteckte sein Handy nicht mehr, er erwartete eine Nachricht von Ann Kathrin Klaasen. Inzwischen konnte er es kaum noch abwarten. Er wollte endlich raus.

Er war ein bisschen nervös und fragte sich, ob er sich draußen in der freien Wildbahn noch immer so geschmeidig und unentdeckt bewegen konnte wie damals. Hatte das Gefängnis ihn träge gemacht und der Ruhm sein Gesicht zu bekannt?

Er musste sich selbst einem Test unterziehen und feststellen, ob er noch derselbe war. Er brauchte einen Unterschlupf. Sicher würde Ann Kathrin Klaasen versuchen, ihm bei der Suche nach einem Bett für die Nacht behilflich zu sein, doch er wollte sich unbeobachtet fühlen. Frei.

Er bekam keine Nachricht von Ann Kathrin Klaasen, wohl aber eine von *K. Ernte*.

Es war ein Foto der toten Vivien Thomzek. Sie lag im Eingang eines Geschäfts, das erkannte Dr. Bernhard Sommerfeldt auf Anhieb.

Beeil dich, Ann Kathrin, dachte er. Bitte beeil dich. Der Sauhund macht unbeirrt weiter.

Er spürte, dass es viel für ihn zu tun gab. Er würde schnell sein müssen, um die Zeit, bis er wieder gefasst werden würde, effektiv zu nutzen. Er lächelte über sich selbst. Noch war er ja gar nicht frei. Ironischerweise kam er aber mit jedem Mord des Langeoog-Killers genau diesem Ziel näher, denn der Druck auf die Polizei wurde erhöht.

Das Leben war voller Widersprüche …

Aike Ruhr hatte noch nie in seinem Leben etwas so Schlimmes erlebt und sich dabei gleichzeitig so machtlos gefühlt. Er zitterte vor Wut. Durch seine enorme Körperspannkraft schaffte er es, mit dem Bürostuhl auf und nieder zu hüpfen. Er wackelte hin und her, bis er schließlich mit dem Stuhl umfiel. Er versuchte, auch vom Boden aus einen Blick auf den Bildschirm zu werfen, aber egal, wie sehr er sich reckte und verrenkte, er lag dafür trotzdem zu ungünstig.

Aber er konnte die Stimme des Mörders hören. »He! Schreiberling! Wo bist du? Hat es dich umgehauen? *Tatort Taraxacum* wurde zum Tatort! Ist das nicht toll? Du bist doch ein Mann des Wortes, du müsstest doch etwas für Sprachspiele übrighaben, oder?«

Als Rieke Gersema, die Pressesprecherin der ostfriesischen Polizei, Ann Kathrin anrief, saß Ann zu Hause im Distelkamp im Schneidersitz auf dem Boden vor dem Sofa. Auf dem zweckentfremdeten Meditationskissen stand ihr Laptop.

»Warum«, fragte Rieke, »geben wir nichts über die Entführung von Aike Ruhr an die Presse? Ich werde das später den Medienleuten erklären müssen, Ann. Gerade wenn es einen der ihren betrifft, reagieren die meist sehr hektisch.«

Ann Kathrin hatte eigentlich keine Zeit für dieses Gespräch, und alles in ihr sträubte sich auch dagegen, es zu führen. Ihr Handy lag auf dem Teppich neben ihr. Der Lautsprecher war voll aufgedreht. So konnte sie mit Rieke reden und hatte doch beide Hände frei, um am Computer zu tippen. Rieke hörte die Tastatur klappern.

Ann Kathrin versuchte, ein beschleunigtes Verfahren zur

Genehmigung zu erwirken, um Sommerfeldt für einen Außentermin aus dem Gefängnis zu bekommen. Sie trickste herum. Sie kam sich schäbig dabei vor, wie sehr sie Kollegen, Justizvollzugsbeamte und Juristen betrog. Gleichzeitig hatte sie das Gefühl, keine andere Wahl zu haben.

»Liebe Rieke«, säuselte sie, »wenn der Täter aus der Zeitung erfährt, dass wir Bescheid wissen, wird er ahnen, dass Sommerfeldt mit uns zusammenarbeitet.«

Rieke, die keine Ahnung hatte, was Ann Kathrin, Weller und Rupert gerade planten, verstand nicht, was daran so schlimm sein sollte. »Na und? Deshalb kann ich doch die Presse informieren.«

Ann Kathrin spielte voll die Autoritätskarte der selbstbewussten Ermittlerin: »Nein!«

»Warum nicht, verdammt?«

»Weil ich es nicht für richtig halte«, sagte Ann Kathrin spitz. »Reicht dir das, Rieke?«

Manchmal machte Ann Kathrins Art Rieke richtig wütend, und sie verstand, warum die Kollegin Klaasen als wenig teamfähig galt. Für die einen war sie bewundernswert selbstbewusst, für die anderen einfach nur selbstherrlich. Für die Mutigen beschritt sie geradezu visionär neue Wege, für die Angepassteren spielte sie einfach nur verantwortungslos Roulette.

Rieke schwankte immer wieder, zu welcher Gruppe sie selbst gehörte. Einerseits hatte sie Ann viel zu verdanken, andererseits machte es ihr Angst, wie wenig sie sich an Spielregeln hielt. Rieke konnte sich nicht vorstellen, dass Ann Kathrin bis zu ihrer Pensionierung im Polizeidienst bleiben würde. Vielleicht würde sie irgendwann in die Politik wechseln. Ja, das hielt Rieke durchaus für eine Option.

Sie hatte Lust, es Ann Kathrin zu sagen. Die abweisend ausgesprochene Frage: »Reicht dir das, Rieke?« hing ja noch unbeantwortet zwischen ihnen.

Rieke rang noch um die richtigen Worte, da stellte Ann hart fest: »Ich muss jetzt Schluss machen.«

»Aber …«

Ann Kathrin klickte tatsächlich das Gespräch weg. Rieke war jetzt richtig sauer. Sie kannte ja den Grund für Ann Kathrins schroffe Reaktion nicht.

Auf Ann Kathrins Bildschirm war eine Nachricht von Dr. Bernhard Sommerfeldt aufgeploppt. Er hatte ihr ein Foto weitergeleitet: *Er macht weiter. Wenn Sie ihn stoppen wollen, Frau Klaasen, holen Sie mich hier raus,* schrieb Sommerfeldt.

Ann Kathrin konnte nicht sehen, wo genau die Leiche lag, aber eins war ihr klar: nicht in der freien Natur. Es war eine braune Eingangstür aus Holz zu sehen.

Ein Glück, dachte Ann Kathrin, wenigstens nicht in den Dünen. Hoffentlich nicht auf Langeoog.

Sie rief die Leitende Oberstaatsanwältin Meta Jessen an. Inzwischen duzten sich die zwei, zumindest bei privaten Gesprächen. Ann belog auch sie. Sie beruhigte ihr Gewissen damit, dass sie es nur tat, um Meta zu schützen. Später würde sie ihr natürlich die ganze Wahrheit erzählen. Sehr viel später.

Sie verpackte zwei Dinge in eine Nachricht: »Ich hab's dir gerade schon geschickt. Sommerfeldt will uns zu einer weiteren Leiche führen. Genau wie wir dachten: Er hat mehr Leute auf dem Gewissen, als wir ihm nachweisen konnten. Er macht ein Riesengeheimnis daraus, wo, aber ich glaube ihm. Und der Langeoog-Killer hat wieder zugeschlagen, fürchte ich.«

»Auf Langeoog?«, kreischte die Staatsanwältin, die den Anruf in ihrem Bett entgegengenommen hatte, wo sie zur Entspannung einen Liebesroman von Sylvia Lott las. Sie brauchte einen Moment, um in der schnöden Realität anzukommen.

»Nein«, sagte Ann Kathrin, »ich weiß nicht wo, aber er hat uns ein Bild zukommen lassen.«

Das war jetzt für Meta viel wichtiger als Sommerfeldts erweitertes Geständnis. So, wie Ann Kathrin es ausgedrückt hatte, ging Meta davon aus, dass der Langeoog-Mörder selbst das Foto geschickt hatte. Sie war sofort bereit, Ann Kathrins Ermittlungen in jeder Hinsicht zu unterstützen. Aber am nächsten Morgen hatte die Staatsanwältin leider einen Gerichtstermin.

Das gefiel Ann Kathrin. So bekam sie freie Hand und musste Meta Jessen nicht mitnehmen. Das erleichterte vieles. Normalerweise wäre die Staatsanwältin bei einer Tatortbesichtigung dabei gewesen. Ann Kathrin dachte lieber erst gar nicht darüber nach, wie sehr das die Situation kompliziert hätte ...

Keno von Meppen wusste, dass er nicht mehr fahren durfte, aber er rechnete nachts um vier in Leer nicht mehr mit viel Verkehr und erst recht nicht mit Verkehrskontrollen. Er hätte auch bei seinen Freunden in Rhauderfehn schlafen können, aber er scheute den Morgen nach der Party. Diese leeren Flaschen und Gläser. Die vollen Aschenbecher. Das Aufräumen. Das Schlangestehen vor der Badezimmertür. Nein, da wurde er doch lieber in seiner eigenen Wohnung wach.

Er fuhr öfter mal, wenn er nicht mehr ganz nüchtern war. Genauer gesagt, war er selten ganz nüchtern. Er nahm gerne morgens zu Hause, bevor er sich in den Büroalltag stürzte, ein kleines Gläschen Frühstückswein. Manchmal auch zwei. Sekt schlug ihm zu sehr auf den Magen.

Danach putzte er sich die Zähne, damit niemand etwas roch. Er brauchte auch zwei, drei Underberg, die er *Wunderzwerg* nannte, um durch den Arbeitstag zu kommen. Sein Rasierwasser war seiner Meinung nach kräftig genug, um das alles zu vertuschen.

Er parkte beim Restaurant *Waage* und ging den Rest zu Fuß. Er war froh, gefahren zu sein. Es war ja wieder mal alles gutgegangen.

Gut gelaunt schritt er die nasse Rathausstraße entlang, als er ein Bein aus dem Eingang des *Tatort Taraxacum* ragen sah. Er ahnte trotz seines benebelten Zustands, dass da etwas ganz und gar nicht stimmte. Vorsichtig näherte er sich auf knapp zehn Meter, weiter traute er sich nicht ran.

Die Frau lag komisch verrenkt da. Entweder war sie betrunken wie er eingeschlafen, dann würde sie morgen einen mordsmäßigen Kater haben, dachte er. Oder sie war krank. Dann wollte er ihr lieber nicht zu nahekommen. Vor ansteckenden Krankheiten hatte er Angst. Seine Leber und sein Herz waren eh nicht mehr ganz in Ordnung.

Sie trug Sportklamotten, das registrierte er interessiert. Vielleicht war das Ganze auch eine Werbeaktion vom *Taraxacum* für eine Veranstaltung. Er kannte Heike und Peter Gerdes, die Besitzer der Buchhandlung. Er hatte sogar den Kriminalroman *Langeooger Dampfer* von Peter Gerdes gelesen und mit ihm darüber diskutiert.

Er zögerte. Er wollte die Polizei nicht anrufen. Nicht in seinem Zustand. Sie würden vielleicht Fragen stellen: »Woher kommen Sie? Wo waren Sie vorher?«

Nein, er hatte einfach zu viel Alkohol im Blut.

Er ging zum Schaufenster. Dort hing ein Plakat. Er war immer noch weit genug von der Frau entfernt, um nicht hundertprozentig sagen zu können, ob dort ein Mensch lag oder eine drapierte Puppe.

Peter Gerdes brütete über dem Schluss einer neuen Geschichte, als das Telefon klingelte. Er befand sich gerade in einer sehr kreativen Phase und wollte in Ruhe schreiben. Er wunderte sich, wer um diese Zeit noch anrief. Natürlich ein Besoffener.

Er lallte etwas von »Leiche vor dem *Taraxacum* oder Werbegag«. Er könne keine Polizei rufen. Er habe ja schon einiges getankt.

Peter Gerdes wollte Genaueres wissen, hakte nach, aber da hatte Keno von Meppen das Gespräch schon abgebrochen.

Peter Gerdes erinnerte sich nicht an diesen Kunden. Er wollte eigentlich weiterschreiben, aber dann kam seine Frau Heike herein. Das Klingeln und das Gerede hatten sie geweckt.

Gemeinsam beschlossen sie, sich die Sache selbst anzugucken. Wenn alles nur ein blöder Scherz war, dann waren sie eben auf den Streich, *Tatort Taraxacum* sei zum Tatort geworden, hereingefallen. Das sahen beide ganz gelassen. Sie waren nicht nur die Inhaber der Buchhandlung, sie betrieben dahinter auch noch ein Café, organisierten die Ostfriesischen Krimitage und schrieben selbst viel beachtete Kriminalromane. Vielleicht war es ihre Autorenseele, die ihre Neugier antrieb und sie dazu brachte, selbst nachzusehen, statt einfach die Polizei zu rufen.

Ann Kathrin weckte Weller. Er sah so verwuschelt einfach zum Knutschen aus, fand Ann, noch mit dem Abdruck eines

Knopfes im Gesicht, auf dem er gelegen hatte. Sie beherrschte sich aber und wurde stattdessen dienstlich: »Showdown, Frank! Wir können den Doktor in Lingen abholen. Meta ist mit im Boot.«

Er knetete seine Wangen. »Jetzt? Mitten in der Nacht?«

Ann Kathrin war ihm viel zu euphorisch. So aufgekratzt, wie sie war, so müde war er.

Er suchte seine Uhr.

»Wir fahren los«, stellte Ann Kathrin fest. »Ich will um spätestens neun Uhr im Gefängnis sein. Wir stehen verdammt unter Zeitdruck, Frank. Wir werden zwei bis zweieinhalb Stunden brauchen.«

»Und Rupi? Was ist mit unserem Frühaufsteher? Ich denke, der soll mit?«, gähnte Weller und reckte sich.

Ann hatte schon ihr Handy am Ohr. Nach dem zweiten Klingeln ertönte Ruperts leicht genervte, irgendwie überhebliche Stimme. Sie hörte raus, dass er vor Grinsen kaum sprechen konnte: »Hier spricht ein automatischer Anrufbeantworter. Ich bin also nicht selber dran. Sie können mir nach dem Pfeifton leider keine Nachricht hinterlassen. Ich höre dies Ding nämlich nicht ab. Wenn ich nicht drangehe, dann habe ich wohl gerade etwas anderes zu tun und bin nicht da.«

»Na toll«, sagte Ann zu Weller. »Dieser dämliche Macho hat eine neue Ansage auf seinem Handy. Also, mehr eine Absage ... Abgrenzen kann der sich wirklich, das muss man ihm lassen. In der Beziehung können wir echt noch was von ihm lernen.«

Sie wollte das nicht zustande gekommene Gespräch gerade wegdrücken, da lachte Rupert laut: »Reingefallen, hahaha! Hat sich die schlaue Kommissarin von dem dämlichen Macho mal wieder reinlegen lassen!«

318

»Und jetzt findest du dich so toll, du könntest dich mal wieder selber küssen, oder?«, stichelte sie.

Heike und Peter Gerdes standen fassungslos vor ihrem Buchladen. Heike rief einen Notarzt, Peter die Polizei. Normalerweise war es um diese Zeit hier sehr ruhig. Die letzten Kneipenschlägereien waren längst beendet, der letzte Familienstreit beigelegt. Selbst die Einbrecher machten Feierabend.

Es meldete sich, für diese Zeit ungeheuer zackig, der frisch gebackene Polizeikommissaranwärter Linhart Löblein, der in Oldenburg an der Polizeiakademie gerade sein dreijähriges Studium absolvierte. Jetzt war das sechsmonatige Praktikum dran. Er war stolz darauf, heute in Leer am Telefon zu sitzen.

Vier Kollegen waren durch ein Magen-und-Darm-Virus ausgeknockt worden. Bei der engen Personaldecke eine Katastrophe. Löblein war praktisch mit seiner türkischstämmigen Kollegin alleine. Da die Polizei Niedersachsen seit einiger Zeit gern Menschen mit Migrationshintergrund einstellte, um den wachsenden interkulturellen Herausforderungen besser begegnen zu können, arbeitete er heute Nacht mit Leyla zusammen, die eine große Karriere vor sich hatte, weil sie nicht nur besser deutsch sprach als er, sondern auch noch türkisch, kurdisch und arabisch.

Er fühlte sich ihr unterlegen, und das war er auch ganz klar. Er hatte sich aber schon bei der ersten Begegnung in sie verliebt. Diese bernsteinfarbenen Augen. Dieses freie Lachen. Diese tiefschwarzen, langen Haare …

Sie war kollegial nett zu ihm, aber mehr auch nicht. Er wollte nicht als Baggertyp rüberkommen und tat deshalb, als würde er sie uninteressant finden, drehte aber in ihrem Beisein immer mächtig auf, um sie zu beeindrucken. Sie ahnte natürlich längst, dass er in sie verknallt war.

Er sprach extra laut, damit sie ihn hören konnte. Der Empfang war auf Leise gestellt.

»Einen Mord wollen Sie melden? Ja, wo sind Sie denn?«

Leyla schielte zu ihm rüber. Ein Mord? Das ließ auch die coolste Polizistin nicht unberührt.

Na bitte, geht doch, dachte er. Er war sich nicht sicher, ob er mit dem Anruf verarscht werden sollte oder ob das hier vielleicht sogar ein Test war. Er hatte von solchen internen Scherzen mit Polizeikommissar-Anwärtern gehört.

»Am Tatort? Ja klar sind Sie am Tatort. Aber wo ist das?«

Leyla stand auf und kam zu ihm rüber.

»Am *Tatort Taraxacum*? Was soll das denn sein, *Taraxacum*?«

Leyla flüsterte in sein rechtes Ohr: »Das ist Löwenzahn. Eine Pusteblume, du weißt schon.«

So, wie sie es sagte, klang es ungeheuer erotisch, fand Linhart. Er bekam feuerrote Ohren und das Gefühl, seine ganze Gesichtshälfte würde an der Seite glühen, an der er ihren Atem spürte.

»Eine Buchhandlung? In der Rathausstraße? Und wie ist Ihr Name?«

Leyla blieb bei ihm und nahm Stift und Zettel zur Hand.

»Peter Gerdes? Und Sie sind Kriminalschriftsteller?«

Linhart verzog den Mund und deutete Leyla an, dass er sich nicht so leicht hereinlegen ließ.

»Sie wissen schon, dass Sie mit Ihrem Anruf hier die Leitungen blockieren? Das ist kein guter Witz! Das ist sogar strafbar!«

Leyla stellte die Telefonanlage um. Sofort erschallte Peter Gerdes' Stimme überlaut. Leyla gefiel das. Jetzt bekam sie wenigstens alles mit.

Peter Gerdes schien plötzlich persönlich im Raum zu stehen.

»Strafbar?! Ja dann kommen Sie doch und verhaften mich! Ich stehe direkt vor meiner Buchhandlung.«

Linhart zuckte zusammen. Die Leute hatten einfach keinen Respekt mehr, dachte er.

»Ich kenne den Schriftsteller Peter Gerdes«, sagte Leyla sanft. »Er hat so einen eigenartigen Kommissar ... Stahnke ...«

Jetzt war Linhart restlos verwirrt. War das ein abgekartetes Spiel? Machte Leyla dabei mit, ihn durch den Kakao zu ziehen, oder sagte man in Ostfriesland, durch den Tee zu ziehen?

Wer liest, dachte Leyla, ist ganz klar im Vorteil.

»Okay«, sagte Linhart und versuchte, vor Leyla humorvoll dazustehen, »okay, das war jetzt echt witzig. Ich wäre fast darauf reingefallen ...«

Sie schob ihn sanft zur Seite, setzte sich auf seinen Stuhl und sagte: »Herr Gerdes? Wie kommen Sie darauf, dass die Person getötet wurde?«

»Da sind heftige Würgespuren am Hals und ziemlich viel Blut. Der Täter hat sie nicht einfach mit den Händen erwürgt.«

Linhart winkte ab und raunte Leyla zu: »Das hat er aus der Zeitung. Auf Langeoog war das so ... Da will sich einer wichtigmachen.«

Leyla fragte: »Ist in der Nähe noch jemand zu sehen?«

»Ja, meine Frau.«

»Ihre Frau?«

»Ja, meine Frau.«

»Ich meinte: Ist der Täter zu sehen?«

»Ja, soll ich ihn etwa gleich für Sie verhaften?«, schimpfte Peter Gerdes. Langsam reichte es ihm.

»Was ist das für ein Geräusch?«, fragte Leyla.

»Ein Krankenwagen. Meine Frau hat den Notarzt gerufen.«

Leyla sah Linhart ernst an. »Das ist echt«, stellte sie fest.

»Verdammt!«, fluchte Linhart. Er war sich selten im Leben so dämlich vorgekommen.

Ann Kathrin Klaasen stand auf dem Hof der Polizeiinspektion zwischen den Autos. Weller suchte etwas auf seinem Handy. Martin Büscher lief auf die beiden zu.

Ann Kathrin hatte ein gepanzertes Fahrzeug für den Gefangenentransport beantragt. »Täglich«, erklärte ihr jetzt der Kripochef, »werden mehrere Hundert Gefangene in Bussen durchs ganze Land kutschiert. Die einen werden verlegt, andere sind krank oder sollen bei einem Gerichtsprozess aussagen. Das geheimste Busunternehmen des Landes steuert täglich fast alle Gefängnisse an. Das machen die ganz harten Jungs. Sie sind sogar auf Angriffe mit Panzerfäusten vorbereitet, weil sie ja Leute aus dem organisierten Verbrechen …«

Ann Kathrin unterbrach ihn: »Bitte, Martin, keine Vorträge. Ich brauche einen sicheren Wagen, und zwar jetzt.«

Weller nickte und zeigte auf einen Bus, den er in Ordnung fand.

»Ich sage das alles nur«, maulte Büscher, »weil es für so etwas Profis gibt, denen noch nie einer weggelaufen ist. Wie wollt ihr denn dann begründen, dass ihr …«

Rupert stieß zur Gruppe hinzu. Er war gut gelaunt und hielt

ein Wurstbrot in der Hand, aus dem ein Stückchen Gurke herauswippte. Rupert kaute.

»Einzeltransporte zu Tatorten haben wir immer gemacht, um das Verbrechen zu rekonstruieren oder um eine Leiche zu finden.«

»Manchmal«, flocht Rupert ein, »waren es auch nur Leichenteile.«

Martin Büscher guckte Weller verzweifelt an. Offensichtlich hatte der Kripochef immer noch die Hoffnung, alles verhindern zu können.

»Ich denke«, sagte Weller demonstrativ staunend, »du weißt von all dem gar nichts, Martin.«

Rupert grinste: »Und wer nichts weiß, also auch keine Ahnung hat, der hält besser ...« Rupert stoppte sich selbst und milderte seinen Satz ab: »... hält sich besser raus.«

»Sagt später nicht, ich hätte es nicht wenigstens versucht. Ich habe sogar Ubbo Heide angerufen und ihn gefragt, ob er seinen Einfluss auf euch nicht geltend machen kann.«

Weller öffnete den Wagen und schlug vor: »Wir sollten jetzt ...«

Büscher beugte sich zu Ann ins Auto, direkt nachdem sie eingestiegen war. »Die Tat in Leer geht auch auf sein Konto?«, flüsterte er, als sei es ein Geheimnis.

»Davon gehen wir aus«, antwortete Ann, so dass überdeutlich wurde, sie wollte ihn loswerden. »Menschen«, fügte sie hinzu, »verhalten sich nun mal in Mustern.«

»Serienkiller«, korrigierte Rupert und stieg da ein, wo eigentlich der Gefangene sitzen sollte. Rupert überprüfte, ob dort alles in Ordnung war. »Und auch Serienkiller verhalten sich in Mustern«, wiederholte Rupert.

Ann Kathrin widersprach: »Menschen, Rupert. Menschen!«

Er schüttelte den Kopf. »Ich nicht.«

Ann Kathrin lachte.

Weller saß hinterm Steuer und stellte den Sitz auf seine Größe ein. »Nein«, spottete Weller, »du doch nicht, Rupert!«

Weller ließ den Wagen an. Martin Büscher stand da, als hätte er noch etwas auf dem Herzen. Er klopfte aufs Autodach: »Toi, toi, toi!«

Er sah aus, als sei er kurz davor zu heulen. Rupert dagegen freute sich auf das Abenteuer wie damals als Schüler auf die sturmfreie Bude und den Besuch seiner ersten Freundin. Er überprüfte seine Dienstwaffe.

Als Weller den Wagen vom Hof steuerte, fragte er: »Sind wir uns schon darüber einig, wie wir ihn entkommen lassen?«

Rupert guckte wie ein Gefangener durchs Gitter und schmunzelte: »Darüber sollen wir uns auch noch den Kopf zerbrechen? Ist das nicht sein Ding?«

»Ich bin davon überzeugt, das hat er auch längst getan. Er wird uns seinen Plan präsentieren, und wir müssen dann entscheiden, ob wir dabei mitspielen wollen«, sagte Ann Kathrin.

Weller kratzte sich: »Das gefällt mir nicht, Ann. Bist du wirklich sicher, dass wir die Sache noch im Griff haben?«

Rupert streichelte seine Heckler & Koch. »Mir wäre auch lieber, wir würden eine dieser Arschgeigen einlochen als eine freilassen.«

Sie hörten während der gesamten Fahrt Radio 21.

Dr. Bernhard Sommerfeldt klappte seinen dicken Roman laut zu und legte ihn mit der Titelseite nach unten vor sich auf den

Tisch, als Tanja Bottmer seine Zelle betrat. Sie wollte ihm die Nachricht überbringen, er werde gleich zu einem Ortstermin abgeholt.

Er hatte das verbotene Handy direkt neben sich liegen. Sie ignorierte es einfach und zeigte stattdessen auf das Buch: »Tolstoi?«, riet sie.

»Nele Neuhaus«, erwiderte er. Jetzt, da er kurz davor war, dieses Gefängnis zu verlassen, wollte er etwas lesen, das im Hier und Jetzt spielte, als könne der Roman ihm helfen, sich in der Realität zurechtzufinden.

Sie stand da und sah ihn an, als hätte sie etwas auf dem Herzen.

Er half ihr: »Nun?«

Sie begann: »Sie werden zu einem Ortstermin begleitet.«

Erfreut erhob er sich und steckte das Handy ein.

»Das kommt«, gab sie zu bedenken, »für alle etwas überraschend ... Wenn Sie wollen, dann ...« Es fiel ihr schwer, mit der Sprache herauszurücken.

»Ja?«

»Also, wenn Sie wollen, dann könnte ich ... Vielleicht fällt es Ihnen schwer, alleine mit den Polizisten ...«

Sommerfeldt lächelte gerührt: »Das ist aber nett von Ihnen, Tanja. Aber ich glaube, ich komme alleine ganz gut klar.«

Sie nahm es als Abweisung. Er sah es genau, aber er konnte darauf jetzt so gar keine Rücksicht nehmen. Er versprach: »Wenn ich wieder zurück bin, erzähle ich Ihnen genau, wie es war.«

»Ich muss Ihnen«, sagte sie, und es war ihr unglaublich peinlich, »Fuß- und Handfesseln anlegen.«

Er schien amüsiert. »Nur zu.«

»Sie sind doch kein Tier«, protestierte sie.

»Nun«, stellte er fest, »ich bin gefährlich. Ich habe mehr Menschen getötet als jedes Raubtier im Zoo.«

Sie war ihm dankbar, dass er versuchte, es ihr leicht zu machen. Trotzdem brach es ihr fast das Herz. Sie war kurz davor zu sagen: »Ich kann das hier nicht«, um dann für immer den Dienst zu quittieren.

Hinter ihnen schloss sich die Schleuse der JVA. Sie saßen im Auto. Vor ihnen eine Stahltür und hinter ihnen ebenfalls. Rupert wurde es sofort mulmig. Er war nicht gerne eingeschlossen. Er bekam dann rasch Atemprobleme.

Nein, dass es eine Phobie war, hätte er weit von sich gewiesen. Phobien waren aus seiner Sicht etwas für Frauen. Bei ihm war es einfach nur sein unbändiger Freiheitswille. Alles, was ihn einengte, lehnte er zutiefst ab und versuchte, es aufzubrechen. Die Ehe zum Beispiel. Er hatte nichts gegen die Ehe. Er fand, sie war eigentlich eine ganz gemütliche Einrichtung. Man wusste, wo man hingehörte, aber dass er deshalb nicht mit anderen Frauen schlafen sollte, fand er geradezu blödsinnig. Woher sollte er sich denn die neuen Anregungen holen, die ja schließlich Beate zugutekamen? Auch Gefängnisse fand Rupert wichtig. Irgendwo mussten die bösen Jungs ja hin. Aber er hielt sich nicht gerne in Gefängnissen auf. Vor die Wahl gestellt, in einer Gefängniskantine zu essen oder in *Gittis Grill*, hätte er sich immer für *Gittis Grill* entschieden.

»Was ist mit dir?«, wollte Weller wissen, der Ruperts Probleme kannte. »Du benimmst dich wie ein Tier im Käfig.«

»So fühle ich mich auch. Ich brauche dringend ein Bier und frische Luft.«

»Kriegst du, Rupert, kriegst du«, beruhigte Weller ihn, »aber nicht jetzt.«

Das Erste, was Ann Kathrin wahrnahm, als sie Sommerfeldt sah, war dieses triumphierende Lächeln. Ihn umgab der Nimbus des Erhabenen, so als würde er über den Dingen stehen. Sie hatte mal einen Show-Hypnotiseur erlebt, der Menschen auf der Bühne dazu brachte, sich lächerlich zu machen. Etwas davon hatte Sommerfeldt, so als könne er mit einigen Menschen, die für Suggestionen empfänglich waren, machen, was er wolle.

Anders als dieser unseriöse Hypnotiseur war Sommerfeldt aber so gar kein Showtyp. Er hatte Tiefe, und er wusste genau, was er tat. Oder er wirkte zumindest so. Die Hand- und Fußfesseln nahmen ihm nicht die Ehre. Er trug sie wie besonders wertvollen Schmuck, als sei er stolz darauf.

Rupert musste das jetzt erst mal sacken lassen. »Wie ein Herrscher, der sein Schloss verlässt«, staunte er.

»Ja«, grummelte Weller, »und wir fahren gerade die Kutsche vor. Dann öffne dem Herrn mal schön die Tür, Rupi, und mach brav einen Diener.«

»Ich trete ihm auch gerne in den Arsch, wenn es sein muss«, maulte Rupert.

»Reißt euch zusammen!«, ermahnte Ann Kathrin ihre Kollegen.

Rupert erlaubte sich einen Spaß. Er öffnete den Transporter, hielt Sommerfeldt die Tür auf und verbeugte sich tief. »Majestät, darf ich bitten?«

Tanja staunte.

Langsam, ja bedächtig, stieg Sommerfeldt ein. Er musste wegen der Fußfesseln kleine Tippelschritte machen, aber wie er es tat, hatte es etwas Freiwilliges an sich, so als würde er immer so gehen. Fast genierte man sich, in seiner Gegenwart anders zu laufen, so als sei seine Art die einzig richtige.

Tanja händigte Ann Kathrin die Schlüssel für Sommerfeldts Fuß- und Handschellen aus. Er setzte sich mit geradem Rücken hin. Sie stellte eine Tüte neben ihn. Ann Kathrin kontrollierte die Tüte. Es war nur Papier drin. Seine Kladde und zwei Bücher.

Mit wachen Augen blickte er sich im Wagen um. Was er sah, gefiel ihm. Er machte einen zufriedenen Eindruck.

»Wir bringen ihn«, log Weller, »heute Abend zurück.«

»Ja«, bestätigte Rupert, »wir behalten ihn nicht länger als nötig.«

Ann Kathrin registrierte, dass Tanja Bottmer Sommerfeldt fast verliebt ansah. Was hat dieser Mann an sich, fragte sie sich, dass Frauen so auf ihn abfahren? Sie selbst hoffte, dagegen immun zu sein. Ihre intakte Beziehung mit Frank Weller war dabei sicherlich hilfreich.

Als sie die Schleuse verlassen hatten, fühlte Rupert sich gleich besser. Sie saßen jetzt zu dritt vorne. Sommerfeldt hatte hinten mehr Platz für sich alleine als die drei vorne. Das passte Rupert nicht, aber er wollte auch nicht hinten bei Sommerfeldt Platz nehmen.

»So, jetzt lass uns eine gute Imbissbude ansteuern. Ich brauche 'ne Currywurst und ein Bier«, verlangte Rupert.

Weller ging zum Schein auf Rupert ein: »Sollen wir zu *Pommes Peter* nach Dorum fahren oder lieber zu *Gitti*? Die Entfernung müsste ungefähr gleich sein, oder was meinst du, Ann?«

Ann Kathrin sagte ernst: »Ein Gefangenentransport hält an keiner Imbissbude. Da gibt es weder eine Currywurst noch eine Pinkelpause. Das ist eine eiserne Regel! Die Gefahr, dass jemand eine Gefangenenbefreiung versucht, ist viel zu groß. Ein Gefangenentransport fährt ohne Unterbrechung vom Start zum Ziel.«

Das hörte Rupert überhaupt nicht gerne. Außerdem kam er sich hier vorne eingeklemmt vor. »Das gilt doch nicht für uns«, behauptete er.

»Warum nicht?«, fragte Weller.

»Na, weil wir ihn doch sowieso laufen lassen«, entgegnete Rupert.

Ann Kathrin drehte sich zu Sommerfeldt um: »Wir müssen erst darüber nachdenken, wie und wo wir es machen. Angeblich führen Sie uns zu einer Leiche. Sie gestehen einen weiteren Mord.«

Sommerfeldt war beeindruckt. »Das ist gut. Sehr gut. Wie wäre es, Sie würden mich nach Gelsenkirchen bringen? Ins Ruhrgebiet. Immerhin habe ich mich dort eine Weile im *Weißen Riesen* versteckt gehalten.«

»Das ist aber weit«, warf Weller ein.

»Es ist vor allen Dingen glaubhaft«, versicherte Ann Kathrin.

Rupert protestierte: »Ihr wollt doch jetzt nicht im Ernst bis runter in den Pott fahren, und das ohne Pinkelpause?! Ihr habt sie doch nicht mehr alle!«

Weller wollte beschwichtigen: »Von hier aus fahren wir knapp eine Stunde.«

»Zwei«, stellte Ann Kathrin klar. Sie wurde plötzlich unsicher. »Wie soll das überhaupt laufen?«

Sommerfeldt gab sich gelassen. »Also, ganz einfach. Euer Mann wird mich finden. Sobald es durch die Presse geht, wird er mich kontakten. Ich liefere ihn euch dann aus und fertig.«

Ann Kathrin räusperte sich. Sie wusste, dass es nicht so einfach werden würde, wie Sommerfeldt behauptete. »Ich gebe Ihnen 48 Stunden. Maximal! Dann ist das Experiment beendet, und wir sacken Sie wieder ein. Ist Ihnen das klar, Herr Doktor?«

Weller griff sich an den Kopf: »Wenn das hier schiefgeht ...«

Rupert lachte: »Wir lassen einen Serienkiller frei, um einen anderen einzukassieren. Was soll denn da schiefgehen?«

Weller blies heftig aus. Dann fragte er: »Ja, wohin denn jetzt? Gelsenkirchen oder *Gittis Grill* oder *Pommes Peter*? Mir ist das echt wurscht!«

»Gelsenkirchen«, sagten Ann Kathrin und Sommerfeldt gleichzeitig. Damit war die Entscheidung gefallen.

Rupert gab sich geschlagen. Sommerfeldt tröstete ihn: »Bei *Curry Heinz* gibt es auch eine gute Wurst. Der Laden hat sogar mal die Auszeichnung *Beste Currywurst Deutschlands* erhalten. Ist zwar schon eine Weile her, aber sie sind da immer noch sehr gut. Ich war während meiner Gelsenkirchener Zeit manchmal dort. Ist nicht weit von der Schalke-Arena entfernt. Die machen echt goldene Fritten und ...«

»Es reicht«, unterbrach Ann Kathrin. »Wird das hier eine kulinarische Reise? Wo gibt es die beste Currywurst oder so?!«

Rupert reagierte, als sei das eine echte Frage von Ann Kathrin gewesen. »Bei *Pommes Peter*«, antwortete er. »Ganz klar. Der schlägt selbst *Gitti*.«

Weller lenkte den Wagen auf die Autobahn. Er überprüfte den Sitz seiner Waffe. Wie zufällig griff er hin. Er sagte sich innerlich, dass sie einen der gefährlichsten Männer des Landes bei sich hatten. Er wollte auf jede Situation vorbereitet sein. Er hatte keine Ahnung, wie das hier weitergehen sollte, aber Ann

Kathrin galt ja als Meisterin der Improvisation. Sie versuchte, aus jeder Lage das Beste zu machen. Allerdings war Weller schon oft Zeuge davon geworden, wie so etwas bei ihr schiefgegangen war. Manche Dinge liefen einfach aus dem Ruder. Was sie gerade hier gemeinsam abzogen, hatte viel Potenzial einer Katastrophe in sich, fand er.

»Ich habe mich auf Langeoog immer frei gefühlt«, sagte Weller unvermittelt.

Sommerfeldt verstand das als Anspielung und reagierte: »Ich auch. Aber da ist *er* jetzt nicht mehr.«

»Wird er heute Nacht wieder zuschlagen?«, fragte Ann Kathrin Sommerfeldt, als müsse er es wissen.

Ohne die geringste sichtbare Gefühlsregung antwortete er: »Wenn wir ihn nicht vorher stoppen, ganz sicher. Aber wenn er weiß, dass ich frei bin, könnte das seine Pläne durcheinanderbringen. Er wird zuerst versuchen, mich zu treffen, denn«, jetzt lächelte Sommerfeldt, »die Möglichkeit, dass man mich wieder einfängt, existiert ja immerhin, während das nächste Opfer ihm nicht weglaufen wird. Und wenn man mich wieder einlocht, hat er seine Chance verspielt. Ich hoffe, ihm ist das klar.«

»Okay«, versicherte Weller, »ich hab's kapiert. Ich gebe Gas.«

»Habt ihr mir Waffen mitgebracht?«, fragte Sommerfeldt.

Weller flippte am Lenker aus: »Waffen? Glaubt der echt, dass wir ihm auch noch Waffen besorgen?«

»Meinen Ballermann kriegt er jedenfalls nicht«, verkündete Rupert trocken.

Sommerfeldt blieb ganz ruhig. »Ich will eure Knalldinger nicht. Ich hasse Lärm. Schon vergessen? Ich habe nie geschossen. Das tun nur taube Idioten.«

»Danke«, zischte Rupert, der sich gemeint fühlte.

»Was hat der gesagt?«, fragte Weller.

Sommerfeldt blieb ernst bei der Sache. »Ich soll einen hoch aggressiven, sehr gefährlichen Mann treffen. Und was ich ihm zu sagen habe, wird ihm nicht gefallen. Das soll ich unbewaffnet tun? Was seid ihr für Traumtänzer?«

»Wir werden dabei sein, wenn ihr euch begegnet. Das ist unsere Abmachung«, stellte Ann Kathrin klar.

»Und wir sacken ihn dann ein. Wir sind Profis«, behauptete Rupert nicht ohne Stolz.

Sommerfeldt nickte, machte aber ein Gesicht, als würde er den Kopf schütteln.

Der Langeoog-Killer war aufgeregt. Es lief nicht gut. Aike Ruhr wollte einfach nichts aufs Papier bringen. Hatte er ihn etwa nicht gut genug inspiriert? War Aike doch die falsche Wahl? Sollte er ihn einfach mit der Stahlschlinge ins Jenseits befördern und sich stattdessen das Original holen? Holger Bloem!

Er stellte sich vor, wie das wirken würde. Könnte man es als Eingeständnis seiner Niederlage werten?

Er brüllte Aike an: »Was soll das?«

Er war so nett zu Aike gewesen. Hatte ihm sogar ein Eis am Stiel gebracht. Vanille mit Schoko und Mandeln. Ein Stück kalte Pizza und Wasser hatte er auch bekommen. Also was schrieb der jetzt mit dem Füller auf den Block?

Es war eine talentlose Unverschämtheit.

Ja, er hatte ihm sogar einen Füllfederhalter besorgt, einen Kolbenfüller, so einen, wie Sommerfeldt ihn gern benutzte.

Der hatte die berühmte Trilogie komplett mit Tinte in Kladden geschrieben. So entstand richtige Literatur! Nicht am Computer.

Doch dieser Aike schrieb immer nur den gleichen Satz: *Ich muss tippen, sonst bin ich blockiert.*

Er hatte mit dem Satz fast die ganze erste Seite vollgeschrieben, wie ein Schüler, der eine Strafarbeit schreiben muss.

Er brüllte weiter: »Glaubst du, ich lasse mich von dir reinlegen? Was denkst du, wer du bist?« Er schlug ihn. »Du willst doch nur an den Laptop, damit du eine Nachricht absetzen kannst! Du arbeitest nicht mit mir, sondern gegen mich! Ich weiß genau, dass du normalerweise auch mit Stift und Papier arbeitest. Ich habe dich beobachtet. Verarsch mich also nicht! Das ist Arbeitsverweigerung!«

»Arbeitsverweigerung?«, hakte Aike nach. »Ich wusste nicht, dass wir einen Arbeitsvertrag miteinander haben ...«

Der Langeoog-Killer tigerte durch den Raum. Er trat gegen den Schreibtisch. Unter der Clownsmaske juckte es. Er hatte Lust, sie abzulegen und Aike damit gleichzeitig wortlos zu sagen: *Du wirst sterben. Das war's jetzt für dich ...*

Er tat es nicht. Noch hatte er Hoffnung, diesen renitenten Journalisten bändigen zu können. Der saß mit nur einer freien Hand auf dem Bürostuhl wie festgeklebt. Er hielt den Kolbenfüller wie eine Waffe zwischen den Fingern. Sein Blick sagte, dass er noch lange nicht gebrochen war. Da funkelte noch viel zu viel Energie. Wut. Lebensmut. Hoffnung.

Der ganze Prozess war viel zu zäh. Ermüdend und zeitraubend. Er musste Aike praktisch beim Schreiben beaufsichtigen. Allein lassen konnte er den mit einer freien Hand sowieso nicht. Er war viel zu renitent.

Mit dem Elektroschocker und der Stahlschlinge saß er bei

ihm und sah ihm zu. Aike stellte immer neue, unverschämtere Forderungen:

»Ich muss beim Schreiben frei atmen können, sonst fällt mir nichts ein.«

»Ich brauche genügend Flüssigkeit, sonst trocknet mein Gehirn aus.«

»Wenn ich solchen Hunger habe, kann ich an gar nichts anderes denken.«

»Bla Bla Bla.«

Er ging zu ihm und strafte ihn mit dem Elektroschocker ab. Der Kolbenfüller fiel auf den Boden. Er fesselte jetzt wieder beide Arme an die Lehne. Dabei hatte er eine Idee.

Als Aike wieder zu sich kam, war er so sehr eingeschnürt, dass ihm das Atmen schwerfiel. Sein Peiniger stand breitbeinig in der Mitte des Raumes: »Kennst du den Film *Misery*?«

Aike Ruhr riss die Augen weit auf und nickte vorsichtig. Er ahnte, was diese Anspielung für ihn bedeuten könnte.

Nun räumte der Mann, den er gerade noch hatte morden sehen, ein: »Ich kann nicht gerade behaupten, dein größter Fan zu sein, aber ich möchte es gerne werden …« Seine Stimme bekam etwas Hysterisches: »Ich habe den Film dreimal gesehen. Auf der großem Leinwand. Ja, ich war früher ein Kinogänger. Ich liebte es, mit vielen Leuten in einem dunklen Raum zu sein. Heute bin ich lieber allein. Im Film verunglückt ein erfolgreicher Autor und wird von einer Krankenschwester, Annie, gerettet. Sie ist ein fanatischer Fan. Sie lebt ganz allein, fernab von den nächsten Häusern. Ähnlich wie wir hier. Er ist ihr völlig ausgeliefert. Sie verlangt von ihm, das Ende seines Romans umzuschreiben, weil er ihre Lieblingsheldin umgebracht hat. Als er nicht spurt, weißt du, was dann geschieht?«

Aike kannte die *Stephen-King*-Verfilmung, und ein Schauer nach dem anderen lief ihm den Rücken runter. Er redete sich ein, hier doch nicht völlig in der Einöde gefangen gehalten zu werden. Immer wieder hörte er Autoverkehr. Oder bildete er sich das nur ein? Drehte er durch?

Sein Peiniger fuhr fort: »Sie bricht ihm die Fußgelenke mit einem Vorschlaghammer.« Als sei diese Vorstellung nicht schon furchterregend genug, malte er es geradezu genüsslich aus: »Eigentlich war das im Drehbuch ganz anders geplant. Die Szene wurde *Metzgerszene* genannt. Annie hat ihm in der ersten Fassung des Drehbuchs ein Bein abgesägt und dann die Wunde mit einem Propangasbrenner versengt. Aber die Weich-eier haben das geändert, statt Filmgeschichte zu schreiben. Die Leute wären reihenweise in den Kinosesseln in Ohnmacht gefallen, das kannst du mir glauben. Sie haben die Rolle großen Schauspielern angeboten. Sie haben alle wegen der *Metzgerszene* abgelehnt.« Er zählte sie an den Fingern auf: »Dustin Hoffman. Robert Redford. Robert de Niro. Al Pacino. Und, ich glaube, auch noch Michael Douglas. Ja, bestimmt haben sie es dem auch angeboten. Am Ende haben sie die Szene dann mit dem Vorschlaghammer gedreht. Aber wir können das hier in echt nachholen, sozusagen das Original verwirklichen. Ich muss dich dann auch nicht mehr fesseln. Es wird sozusagen viel bequemer für dich. Du könntest liegen. Ich besorge dir ein Bett. Du kannst doch im Bett schreiben, oder?«

Sie waren jetzt am Rhein-Herne-Kanal. Rupert hatte noch immer keine Currywurst bekommen.

»Hier kann der Wagen stehen bleiben«, schlug Sommerfeldt

vor. »Wir gehen einfach ein Stückchen in den Wald. Früher bin ich hier manchmal spazieren gegangen.«

»Und dann?«, fragte Rupert kritisch.

»Dort«, erläuterte Ann Kathrin, »wollte er uns angeblich zeigen, wo er eine Leiche vergraben hat. Wir buddeln ein bisschen im Boden herum, machen alles überprüfbar ... Es muss ganz realistisch aussehen.«

Sie verließen den Wagen. Ann Kathrin öffnete Sommerfeldts Hand- und Fußfesseln. Achtlos ließ er alles auf den Boden fallen. Er verlor augenblicklich das Interesse an Dingen, die ihn nicht direkt hinderten oder ihm nicht halfen, so schien es ihr. Er war ganz auf sein Ziel konzentriert.

Ann Kathrin händigte ihm die Tüte aus, die Tanja im Auto gelassen hatte. Darin waren seine Aufzeichnungen, von denen er sich nicht trennen wollte, und zwei Romane. Sein Handy hatte er immer noch in der Tasche. Er zog es heraus und kontrollierte, ob er eine Nachricht erhalten hatte.

Weller trug zwei Spaten. Am liebsten hätte er Sommerfeldt mit dem einen erschlagen und mit dem anderen verbuddelt. Beides tat er aber nicht.

»Und wie ist er uns dann entkommen?«, wollte Weller wissen und legte erneut eine Hand auf seine Waffe. Wieder beschlich ihn das Gefühl, sie heute noch einsetzen zu müssen.

»Vielleicht hatte ich dort aber gar keine Leiche vergraben, sondern nur eine Waffe.«

Rupert erschien der Gedanke gar nicht so dumm. »Und dann?«

»Nun, dann habe ich euch damit bedroht, euch entwaffnet und bin geflohen.«

Rupert lachte höhnisch. »Was soll das denn für eine tolle Waffe gewesen sein?«

»Wie viel Vorsprung geben wir ihm?«, fragte Weller Ann Kathrin. Sie sah Sommerfeldt an, und der antwortete ihr, als sei er gefragt worden: »Je früher es durch die Presse rauscht, umso eher wird er sich bei mir melden«, vermutete Sommerfeldt. »Er hat diesen Journalisten noch in seiner Gewalt. Und er würde gerne einen weiteren Mord begehen.«

Interessant, dachte Ann. Sommerfeldt versucht nicht, möglichst viel für sich herauszuhandeln. Er denkt wirklich daran, diesen Langeoog-Killer zu erledigen. Sie selbst erwischte sich dabei, dass sie *erledigen* dachte und nicht etwa *überführen.*

»Sagt ihnen«, schlug Sommerfeldt vor, »hier im Wald hätte eine Komplizin von mir mit einem Gewehr auf uns gewartet. Ich habe euch also in eine Falle gelockt. Meinetwegen können es auch zwei Komplizinnen gewesen sein. Ihr hattet keine Chance. Ich bin dann mit denen geflohen. Weißer Mercedes, Münchner Kennzeichen, vermutlich geklaut.«

»Das ist gar nicht schlecht«, sagte Rupert. »Gar nicht schlecht. Dann sind wir jedenfalls fein raus.«

»Fein raus?«, spottete Weller. »Wir stehen da wie die letzten Anfänger, die sich von einem Superhirn haben verarschen lassen.«

»Es sei denn«, hielt Ann Kathrin dagegen, »wir können kurze Zeit später der Öffentlichkeit den Langeoog-Killer präsentieren, der gerade in Leer zugeschlagen hat.«

»Eben«, lachte Sommerfeldt.

Sie waren jetzt schon so tief im Wald, dass sie von der Straße aus nicht mehr zu sehen waren. Der Wind trug den Lärm der Großstadt nur noch gedämpft durch die Blätter zu ihnen.

»Hier?«, fragte Weller und begann zu graben. Er wollte alles möglichst schnell hinter sich bringen.

»Muss ja nicht tief sein«, stellte Ann Kathrin fest.

Rupert lehnte es ab, überhaupt einen Spaten in die Hand zu nehmen. Er zeigte tiefer in den Wald und rief: »Guckt mal da, Leute!«

Weller sah nichts. »Wo? Was?«

Rupert grinste und tat, als käme dort wirklich jemand. »Ich glaube, Sommerfeldts schwer bewaffnete Amazonenarmee rückt an. Da sind ein paar ganz schön scharfe Schnitten dabei. Also, Geschmack hat er ja, der Herr Doktor, das muss man ihm lassen.«

»Okay«, sagte Sommerfeldt, »das reicht jetzt auch. Gebt mir eure Waffen.«

Sie taten es.

»Was machen Sie damit?«, fragte Ann.

»Ich werfe sie später da hinten irgendwo in den Wald.«

Sie schüttelte den Kopf. »Und wenn Kinder sie vor uns finden? Die könnten sich damit unglücklich machen.«

Rupert stöhnte. Aber Sommerfeldt sah das sofort ein. »Okay, ich werfe sie hinten in euer Auto.«

Ann Kathrin war zufrieden.

Sommerfeldt sammelte die Dienstwaffen ein und steckte sie in die Jutetasche zu seinen Aufzeichnungen. Ungläubig fragte er: »Und ihr habt echt kein Messer für mich mitgebracht?« Er schüttelte den Kopf.

Ann druckste herum und rückte dann ein Messer mit Hirschhorngriff heraus, das in einer schwarzen Scheide steckte. Sie blickte Weller um Verständnis heischend an und reichte es Sommerfeldt.

Weller protestierte staunend: »Ist das mein Hirschfänger?«

Ann Kathrin guckte auf den Boden.

»Den hat mein Vater mir geschenkt, als ich zwölf wurde … Das … das Messer bedeutet mir etwas!«

Ann Kathrin brachte als Entschuldigung nur einen Satz vor: »Du konntest deinen Vater noch nie leiden.«

»Aber das Messer schon«, maulte Weller.

»Ich habe so schnell nichts anderes gefunden. Ich konnte ihm doch schlecht unsere Küchenmesser mitbringen.«

Rupert versuchte einzulenken: »Hirschfänger? Das Ding fängt aber gar keine Hirsche. Das muss man nämlich selber tun.«

Sommerfeldt betrachtete die Waffe zufrieden. »Das ist ein billiges Stück. Dafür hat Ihr Vater nicht tief in die Tasche gegriffen. Aber ich fühle mich damit schon gleich viel wohler.«

»Na super. Da freuen wir uns jetzt aber alle«, zischte Weller zynisch.

Rupert wollte ihn trösten: »Wir müssen alle Opfer bringen.«

Sommerfeldt schob sich das Messer in die Hose und sagte: »So, jetzt gebt mir eure Portemonnaies.«

»Häh? Was?«, schimpfte Rupert.

»Ja. Was habt ihr gedacht? Dass ich ohne Geld und ohne Waffen als Schwarzfahrer in die Straßenbahn steige? Dass ich trampe oder was?«

Ann Kathrin fischte ihr Portemonnaie hervor, öffnete es und gab Sommerfeldt ein Bündel Geldscheine. Weller schätzte, dass es gut vier-, fünfhundert Euro waren. »So viel Bargeld hast du doch sonst nicht bei dir«, staunte er und ahnte, dass Ann Kathrin für Sommerfeldt die Haushaltskasse geplündert hatte. Er gab ihm sein Portemonnaie und schämte sich fast. 22 Euro 63. Sommerfeldt nahm sich alles, gab ihm aber dann das Portemonnaie zurück.

Rupert wollte immer noch nicht so recht. »Ja, ähm … Haben wir für so etwas nicht eine Bargeldkasse in der Polizeiinspektion?«

Ann Kathrin wies ihn zurecht: »Es gibt keine Kasse für Serienkiller, die auf freien Fuß gesetzt werden, Rupert. Das kann man nirgendwo abrechnen.«

»Ja, heißt das jetzt«, brummte Rupert, »ich zahle das hier praktisch privat?«

»Hm«, gab Ann zu.

Rupert machte noch einen Versuch: »Wissen Sie, Herr Doktor, wie viel so ein Landesangestellter verdient? Wenn ich Ihnen zeige, was ich herausbekomme, dann brechen Sie in Tränen aus.«

Aber ungerührt nahm Sommerfeldt 121 Euro 24 und fischte dann auch noch eine Kontokarte der Sparkasse Aurich-Norden aus Ruperts Portemonnaie.

Sommerfeldt wollte die Geheimzahl wissen.

»Von meiner Kontokarte?«, fragte Rupert.

Sommerfeldt sah ihn an. »Nein. Ich würde auch die Lottozahlen von nächster Woche nehmen.« Dann zeigte er auf Ann Kathrin. »Als Mann kann ich schlecht ihre benutzen. Oder sehe ich aus wie eine Ann Kathrin? Aber falls ich mal ein Ticket kaufen muss, ein Hotelzimmer buchen oder so, das geht heutzutage kaum noch ohne Kredit- oder Kontokarte.«

Ann Kathrin stupste Rupert an. Der stöhnte. »Das glaubt mir später keiner«, flüsterte er wie zu sich selbst und nannte ihm dann tatsächlich seine Geheimzahl.

Weller lachte: »Eins, zwei, drei, vier? Aber Rupert, das ist doch völlig bescheuert!«

»Aber ich kann es mir wenigstens merken«, verteidigte Rupert sich.

»Ich mir auch«, bestätigte Sommerfeldt.

Der Langeoog-Killer nahm seine Clownsmaske ab. Aike Ruhr bat: »Nein, nicht! Lassen Sie das!« Er tat es trotzdem.

Aike sah in ein Allerweltsgesicht. Der Mann war in seinem Alter. Vielleicht drei, vier Jahre älter. Er hätte in der Sparkasse hinterm Schalter stehen oder der freundliche Grundschullehrer sein können, bei allen Muttis beliebt.

Er sieht nicht aus wie ein Mörder, dachte Aike und fragte sich sogleich, wie denn ein Mörder wohl aussah. Er stellte sich vor, so jemand müsste etwas Getriebenes oder Hinterhältiges an sich haben. Dem war in diesem Fall nicht so. Konnte jemand, der so harmlos aussah, solche Abgründe in sich tragen und so schreckliche, völlig sinnlose Morde begehen?

»Wir werden«, sagte er in einem Ton, der jeden Widerspruch im Keim ersticken sollte, »wir werden ab jetzt ganz anders vorgehen, Aike.« Er zeigte auf seinen Gefangenen: »Du diktierst, und ich schreibe.«

Aike Ruhr guckte verständnislos.

»Ja, da staunst du, was, Schreiberling? Ist das nicht ein irrer Service? Du bist die erste Geisel mit einem eigenen Sekretär. Ich tippe alles gleich in die Maschine. Wenn du deine Arbeit gut machst, wenn du ein Meisterwerk ablieferst, wird dich das unsterblich machen. Du kannst ein Werk schaffen wie Truman Capote. Kennst du *Kaltblütig*?«

Aike nickte, aber der Mann mit dem Allerweltsgesicht belehrte ihn trotzdem: »Das Buch war eine Weltsensation. Aber Capote war eben auch eine ganz andere Klasse von Autor. Nicht so ein Stümper wie dieser Sommerfeldt. In *Kaltblütig* geht es um Richard Eugene Hickock und seinen Freund Smith, die in das Haus eines reichen Farmers eindringen und ihn und seine Familie töten.«

Jetzt begann Aike zu sprechen. Er wunderte sich selbst, wie

ruhig und klar er klang. Er spürte zwar ein Kratzen im Hals, vielleicht wegen der abgestandenen Luft im Raum oder weil er zu wenig Flüssigkeit getrunken hatte, doch seine Stimme war trotzdem kraftvoll, ja Respekt einflößend: »Capote war vielleicht ein Genie, aber er starb an seiner Drogensucht, und wenn ich mich recht erinnere, war er vorher mehrmals in Psychiatrien.«

Damit beeindruckte Aike sein Gegenüber durchaus. Der Langeoog-Killer setzte sich im Schneidersitz an der Wand auf den Boden. Den Laptop vor sich, forderte er: »Also, nur zu, Meister Ruhr. Sei besser! Drogen wie für Capote gibt's für dich hier nicht. Der ganze Mist, der Truman Capote zugrunde gerichtet hat, kann dir nicht passieren. Da passe ich schon auf dich auf. Nun los! Diktier mir. Formuliere einen guten ersten Satz. Die Hürde liegt hoch. Besser als Bloem oder Sommerfeldt zu sein ist einfach, aber besser als Truman Capote, das ist die Herausforderung. Sein erster Satz lautete: ›*Der kleine Ort Holcomb liegt in der Weizenhochebene von West-Kansas, einer abgeschiedenen Gegend, die selbst Einheimische als »hinterm Mond« empfinden.*‹ – Na los, das lässt sich doch übertrumpfen, oder? Sag etwas Ähnliches über Ostfriesland!«

Da Aike nichts sagte, ermutigte er ihn: »Nicht zu viel Respekt vor dem toten Meister. Holcomb hat viel mit den Käffern in Ostfriesland gemeinsam. Das ist flaches Land in West-Kansas. Man kann weit gucken, bis zum Horizont. Genau wie hier. Viele Kühe. Gutes Weideland. Na komm! Mach was draus!«

»Einen Scheiß werde ich!«, trotzte Aike mutig. Er hoffte noch immer darauf, dass die Polizei das Gebäude endlich stürmen würde.

»Ich habe mehr Leute getötet als Hickock und Smith, dieser Bettnässer. Außerdem habe ich nicht einfach aus schnöder Geldgier gehandelt wie die beiden.«

»Nein, ich vermute mal aus Frauenhass«, schlug Aike vor.

Der Mörder protestierte: »Nein, das stimmt nicht. Ich hasse Frauen nicht. Ich verehre sie ...«

»Komische Art von Verehrung«, stellte Aike fest. Sein Satz traf wie ein Faustschlag. Der Angesprochene griff sich sogar ins Gesicht, als wolle er ertasten, ob die getroffenen Lippen geplatzt seien oder die Wange vom Schlag anschwellen würde. Er sah seine Finger an und rieb die Kuppen gegeneinander. Er wunderte sich beinahe, dass kein Blut daran klebte, so sehr hatte Aikes Satz gesessen.

Er brauchte einen Moment, dann machte er einen weiteren Versuch, Aike zur Mitarbeit zu motivieren: »Ich weiß, es ist schwer und du hast Respekt vor dem Meister. Aber lass es uns versuchen. Komm, wir nehmen Capotes ersten Satz und formulieren ihn einfach neu. *Der kleine Ort Holcomb liegt in der Weizenhochebene von West-Kansas ...* Das lässt sich doch leicht übertragen, oder nicht? *Die kleine Insel Langeoog liegt in der Nordsee zwischen den ostfriesischen Inseln Baltrum und Spiekeroog ...«*

»Das ist stümperhaft. So arbeiten nur die miesesten Abschreiber«, behauptete Aike Ruhr. Wieder saßen seine Worte. Gekränkt wendete der Mörder sich ab. Wenn Aike sich nicht täuschte, wischte er sich sogar eine Träne ab. Oder war es Schweiß?

Behutsam legte der Killer den Computer ab, dann sprang er abrupt auf und schlug Aike ins Gesicht. »Weißt du«, fauchte er aggressiv, »warum Hickock und Smith die Familie umgebracht haben? Nicht weil ihnen zu wenig Geld im Safe war,

343

nein, sondern weil alle ihre Gesichter gesehen hatten, deshalb!«

Er schob Aike mit dem Bürostuhl quer durch den Raum und ließ ihn gegen die Wand donnern. Jetzt wusste Aike endgültig, dass der Mann keineswegs vorhatte, ihn am Leben zu lassen.

Wellers Sachen passten Dr. Bernhard Sommerfeldt besser als Ruperts. Jetzt stand Weller in seinen Boxershorts an einer Eiche. Er schaffte es nur knapp, sie zu umarmen. Seine Hände steckten ironischerweise in den Handschellen, die Weller immer mit sich führte. Er nannte sie *meinen Silberschmuck*. Er stand unbequem, aber es war warm, und Weller lehnte sein Gesicht gegen die Rinde. Nur wenige Zentimeter von seiner Nase entfernt führte eine Ameisenstraße lang.

Das Holz duftete angenehm, fand Weller und wunderte sich, dass er jetzt solche Dinge wahrnahm.

Sommerfeldt hatte Ann Kathrin viel rücksichtsvoller an einen Baum gekettet als ihren Mann Frank Weller. Sie saß auf dem weichen Waldboden und konnte sich mit dem Rücken anlehnen. Auch ihre Arme hatten viel mehr Spielraum.

Sommerfeldt legte ihr Handy so neben sie, dass sie es problemlos greifen konnte, versicherte sich aber trotzdem, ob alles okay für sie sei.

»Ja«, räumte sie ein, »ich kann es zwar nicht ans Ohr halten, aber wenn ich die Lautstärke voll aufdrehe, hört man mich auch so …«

Sommerfeldt war zufrieden. Er ermahnte sie, nicht zu lange mit dem Anruf zu warten. Sie sah ihn an, als würden die beiden sich prächtig verstehen.

Sommerfeldt fragte sie zweimal, ob es auch bequem für sie sei.

Rupert war nicht nur sauer wegen seiner Kreditkarte, sondern er empfand es auch als Erniedrigung, dass er offensichtlich als Letzter gefesselt werden sollte. Jeder Täter fixierte zuerst die Person, die er als die gefährlichste ansah. Den stärksten Gegner. Das war eine alte Polizeiregel: *Schalte zuerst den aus, der den härtesten Widerstand leisten könnte, denn er wird auf dich losgehen, sobald du ihm auch nur die geringste Gelegenheit dazu gibst.*

Sommerfeldt hatte erst Weller angebunden, dann Ann Kathrin. Rupert stand praktisch wartend herum. Er meckerte: »Mal ehrlich, Leute, mit dem Bart sieht unser Doktor aus wie ein alter Penner. Daran ändern auch Wellers spießige Klamotten nichts. Aus Scheiße kann man eben kein Gold machen.«

Vielleicht, hoffte Rupert, will er Rücksicht nehmen, weil ich einen Kopfverband trage. Aber ganz so war es dann doch nicht. Sommerfeldt baute sich vor Rupert auf und erklärte ruhig: »Wir wollen das alles doch realistisch aussehen lassen. Ich meine, wer will schon, dass ihr später Probleme bekommt, weil einer behauptet, das hier sei eine abgekartete Sache zwischen uns gewesen.«

Rupert nickte, denn das hörte sich für ihn vernünftig an.

Sommerfeldt holte nicht aus. Er bückte sich, als würde er seinen Schuh zuschnüren. Als er hochkam, schlug er ansatzlos einen Aufwärtshaken. Rupert sah sofort Sterne. Er brach zusammen.

Ann Kathrin nahm zur Kenntnis, dass Sommerfeldt ihn auffing und vorsichtig auf Moos bettete. Er blieb, fand sie, auch in dieser Situation ganz Gentleman. Er legte dem ohnmächtigen Rupert Handschellen an und verschwand im Wald. Zu Ann Kathrins Verwunderung nahm er nicht den Transporter. Er ließ ihn stehen.

Sie versuchte, sich in ihn hineinzuversetzen. Was wird er als Nächstes tun, fragte sie sich. Schon in kurzer Zeit wird er überall gesucht werden. Das weiß er. Er wird also zunächst einen sicheren Unterschlupf suchen. Das fällt ihm hier im Ruhrgebiet bestimmt nicht schwer. Vermutlich hat er noch ein paar Freunde, die ihm etwas schuldig sind, oder Fans, die ihm nur zu gerne weiterhelfen.

Sie hielt es für möglich, dass er ganz in der Nähe wirklich etwas vergraben hatte. Bei seiner Verhaftung hatte er zwar die Morde zugegeben, aber sicher nicht alle Geldverstecke verraten. In weiser Voraussicht hatte er ja Bankschließfächer in Uslar und Gelsenkirchen mit Goldmünzen und edlen Messern angelegt. Auch Bargeld hatte er an verschiedenen Stellen deponiert. Sicher gab es auch hier irgendwo Erdverstecke für seine Schätze.

In irgendeiner Wohnung würde er sich dann äußerlich verändern. Wellers Klamotten standen ihm zwar erstaunlich gut, doch sie vermutete, dass er bald schon in einem hellen Anzug mit edlen Schuhen herumlaufen würde. Er musste dann nur noch in seinem Unterschlupf auf eine Kontaktaufnahme warten.

Wenn er Wort hält, dachte sie, informiert er uns sofort, und wir haben den Langeoog-Killer schon bald. Wenn nicht, lasse ich ihn von Kevin Janssen orten und bringe ihn höchstpersönlich in die JVA nach Lingen zurück.

Rupert wälzte sich stöhnend, mit offenem Mund, auf den Bauch. Er spuckte Blätter und Blut aus, konnte sich aber nicht erklären, wie die Blätter in seinen Mund gekommen waren.

Er sah von unten zu Weller hoch, der immer noch die Eiche umarmte.

Rupert lachte: »Du siehst so scheiße aus, Weller, du müsstest dich sehen!«

»Ja, mach doch ein Bild für Facebook«, schimpfte Weller.

Seine Frau Ann Kathrin blieb ganz ruhig. Wir dürfen die Kollegen auch nicht zu schnell rufen, dachte sie. Schließlich hatten sie kein Interesse daran, dass Sommerfeldt tatsächlich gefasst werden würde. Er hatte erst noch seine Mission zu erfüllen.

»Weißt du, was ich mich frage?«, griente Weller in Ruperts Richtung. Dabei rieb er seine rechte Wange an der Baumrinde.

»Warum du nicht Indianerhäuptling geworden bist, Großaktionär bei Siemens oder Vorstandsvorsitzender der Deutschen Bank, sondern Polizist?«, riet Rupert.

Darauf ging Weller nicht ein. »Ich frage mich, warum du bei dieser Aktion überhaupt mitgemacht hast. Du hattest keinen Grund, dich da reinziehen zu lassen.«

Rupert spuckte noch einmal. Jetzt kamen nur noch Blut und Speichel, keine Blätter mehr. »Ohne mich kriegt ihr beiden Traumtänzer so was doch gar nicht hin.«

»Ach, komm, hör auf, sag mal die Wahrheit, Rupi.«

»Na ja, ich konnte euch doch nicht hängen lassen …«

Damit flößte er Weller Respekt ein. Weller wollte gerade sagen, dass man sich glücklich schätzen könne, wenn man solche Freunde hatte, da rückte Rupert mit der Wahrheit heraus: »Also gut. Ich wollte mir einfach den Gag nicht entgehen lassen …«

»Welchen Gag?«

»Na, ich stell mir das Gesicht von diesem Wilko Breuning vor …«

»Diesem Frauenschläger?«, fragte Weller, der den Zusammenhang nicht begriff.

Ann Kathrin schielte auf ihre Uhr. Das Warten fiel ihr schwer, und das Gerede der Männer ging ihr ziemlich auf den Keks.

»Ich hab dem doch erzählt«, gestand Rupert und bog sich auf dem Boden mit den Händen auf dem Rücken vor Lachen, »dass wir den Sommerfeldt ab und zu freilassen, damit der Typen wie ihn abstraft. Kannst du dir vorstellen, welchen Schiss der kriegt, wenn er durchs Radio oder Fernsehen mitkriegt, dass Sommerfeldt ausgebrochen ist?«

Rupert konnte vor Lachen gar nicht weiterreden. Sein Gesicht tat auch nicht mehr weh. Er fand alles nur noch komisch. Seine Lache steckte Weller an.

Ungläubig sah Ann Kathrin von einem zum anderen. »Euren Humor möchte ich haben«, sagte sie.

Auch das fanden Rupert und Weller unfassbar witzig. »Der schmeißt seinen Ausweis weg«, freute Rupert sich, »ändert seinen Scheiß-Namen und verlässt das Land. Wetten?«

Sommerfeldt lief ein Stück durch den Wald. Auf dem ersten Parkplatz versuchte er sein Glück bei vier, fünf Autos. Sie waren alle abgeschlossen. Er sah fast ein bisschen beleidigt zum Himmel hoch, wo Kumuluswolken sich zu einem riesigen Blumenkohl zusammenzogen, der sich mit ein bisschen Phantasie als lachendes Gesicht interpretieren ließ. Kaum aus dem Gefängnis, fühlte er sich wieder der Natur verbunden, ja so sehr als Teil von ihr, als könnten Wolken ihn auslachen und Bäume mit ihm sprechen.

Seine Sehnsucht zog ihn zum Meer, doch er hatte vorher noch ein paar Dinge zu erledigen. Er entschied sich, weil es schwer war, einen Wagen zu stehlen, für den öffentlichen Nahverkehr. Mit Bus und Bahn kam er gut vorwärts. Er stieg in raschen Wechseln um. Er wurde nicht erkannt. Noch glaubten die Menschen, er sei im Gefängnis. Außerdem schützte ihn der wüste Bart. Auf allen veröffentlichten Fotos hatte er ein glattrasiertes Gesicht.

Er gab sich in der Bahn Mühe, wie ein Penner zu wirken, der die gute Anzugjacke vermutlich geschenkt bekommen oder geklaut hatte. Er brummte vor sich hin und kratzte sich immer wieder. So sorgte er dafür, dass andere Fahrgäste Abstand zu ihm hielten. Die meisten waren aber ohnehin viel zu sehr mit sich und ihrem Alltagsstress beschäftigt, als dass sie Zeit gehabt hätten, sich um Mitfahrer zu kümmern.

Am Bahnhof in Gelsenkirchen stahl er sich ein Fahrrad und genoss es, durch die Stadt zu radeln und die Plätze zu sehen, die er von seinem letzten Aufenthalt her kannte. Auch wenn die Zeit drängte, fuhr er doch bei der Buchhandlung *Junius* vorbei, wo Ann Kathrin Klaasen ihn damals verhaftet hatte. Er freute sich, dass im Schaufenster seine drei Bücher lagen. Er verspürte den Impuls, hineinzugehen und sich bei der Buchhändlerin zu bedanken. Er tat es nicht. So unvernünftig war er nun doch nicht. Aber er entschied sich, der Buchhändlerin Sabine Piechaczek einen Strauß Blumen zu schicken. So viel Anerkennung musste doch sein.

Er radelte am *Weißen Riesen* vorbei. Wehmut befiel ihn. Er dachte daran, wie lange er sich in dem Hochhaus mit Blick über die Stadt versteckt hatte.

Was bin ich nur für ein sentimentaler Hund, dachte er.

Ja, es interessierte ihn, wer jetzt in seiner ehemaligen Wohnung lebte. Aber er würde es wohl nie erfahren. Er musste weiter.

Er hatte vor, Bärbel, seine ehemalige Therapeutin, in der Bismarckstraße zu besuchen. Es war inzwischen wieder ruhiger um sie geworden. Eine Weile hatte sie in Talkshows erzählt, er sei zu den Taten, die er gestanden hatte, gar nicht fähig. Sie bekam sogar eine eigene Radiosendung. Sie löste öffentlich Paarprobleme und sprach über Erziehungsfragen.

Sein Besuch würde ihr später bestimmt noch sehr nutzen und ihren Bekanntheitsgrad erneut erhöhen. Sie verstand es, durch den Kontakt zu ihm für sich einiges herauszuholen, ohne ihm dabei zu schaden.

Doch jetzt erwartete er einfach nur Hilfe von ihr. Er war sich völlig sicher, dass sie ihn schützen und ihm weiterhelfen würde. Es war eine klare Win-Win-Situation.

Sie empfing ihre Klienten immer zur vollen Stunde, und eine Sitzung dauerte grundsätzlich fünfzig Minuten. In den zehn Minuten dazwischen kochte sie sich einen Tee und erledigte all den Kram, der eben auch getan werden musste, wenn man selbständig war. Sie schrieb Rechnungen, Berichte, und manchmal las sie ein bisschen Fachliteratur. Diese zehn Minuten waren seine Chance. Während einer Sitzung ging sie weder ans Telefon noch zur Tür.

Er sah gerade eine verheulte Klientin bei ihr herauskommen. Sie putzte sich die Nase und stand auf der Straße, als sei sie aus einer anderen Dimension gefallen und hätte jetzt Mühe, sich in der Zivilisation zurechtzufinden. Solche Zustände kannte er auch von sich selbst.

Er klingelte, und Bärbel öffnete mit einem Kaffeepott in der Hand, aus dem Yogitee duftete. Es roch nach Fenchel, Kurkuma, Zimt und Ingwer. Sie reagierte überhaupt nicht erschrocken oder überrascht, sondern so, als habe sie damit gerechnet, dass er komme, ja, ihn erwartet.

Sie empfing ihn mit offenen Armen und bat ihn herein. »Ich habe gleich einen Klienten«, sagte sie, »aber danach bin ich frei bis heute Abend. Dann läuft mein Entspannungskurs in der VHS.«

Er kam gleich zur Sache. »Hast du Wunddesinfektionsmittel da und vielleicht auch eine sterile Pinzette oder ein Skalpell?«

»Bist du verletzt?«

»Nein, ich habe nur einen Splitter, hier zwischen Daumen und Zeigefinger. Er sitzt tief und muss raus.«

Sie fragte nicht weiter nach. »Desinfektionsmittel habe ich, aber natürlich kein Skalpell. Ich kann aber nach der Sitzung für dich in die Apotheke gehen und dir alles besorgen, was du brauchst.«

Ihr Klient kam ein paar Minuten zu früh. Sie führte ihn gleich in den Behandlungsraum, den Sommerfeldt ja nur zu gut selbst kannte. »Auf dem Sessel da«, raunte er ihr leise zu, »bin ich auch von dir gegrillt worden.«

»Ich grille meine Klienten nicht«, lachte sie. Sie war auf eine lebenslustige Art locker und ging, das kannte er ja an ihr, auch mit ungewöhnlichen Herausforderungen und Situationen um, als gehörten sie zur Normalität des Alltags.

Während sie mit ihrem Klienten an seiner Vaterproblematik arbeitete, bediente Sommerfeldt sich am Medizinschränkchen im Bad. Er hatte nicht vor, auf das Skalpell zu warten. Er entfernte sich in der kleinen Küche den Chip mit Wellers Hirschfänger. Er machte es über der Spüle. So fiel es ihm danach leicht, das Blut wegzuwischen.

Er sah das Messer an. »Das war deine Bluttaufe«, sagte er zu ihm. Er fand, er hatte es jetzt geadelt. Auch wenn es eigentlich nicht seinen Vorstellungen von einem guten Messer entsprach, so wollte er es doch in der nächsten Zeit nutzen. Es würde ausreichen, um ein paar Leuten mächtig Angst einzujagen. Am Ende war jede Klinge doch nur so gut wie die Hand, die sie führte.

Er schnitt damit mehrfach durch die Luft, als würde er versuchen, einen Kehlkopf zu durchtrennen. Dann übte er ein paar Attacken mit der Spitze. Seinen berühmten Herzstich durfte er nicht vermasseln. Die Welt war Präzision von ihm gewohnt. Er wollte nicht hinterher dastehen wie einer, der es verlernt hatte. Er war der Meister. Immer noch.

Er hatte den Chip nicht zerstört. Er überlegte, wohin damit.

Ann Kathrin, Weller und Rupert hörten zig Polizeisirenen und Martinshörner. Ann Kathrin konnte sogar zwischen den Blättern ein fernes Blaulicht sehen, aber die Kollegen fanden nicht zu ihnen. Einige liefen mit gezückter Waffe durch den Wald.

»Hier sind wir, ihr gottverdammten Penner!«, rief Rupert. Er stellte sich vor, gleich eine Currywurst zu bekommen und natürlich auch ein Bier.

Als die angerückten Kollegen endlich bis zu ihnen durchgedrungen waren, hoffte Ann Kathrin, dass ihre Geschichte glaubwürdig genug war. Sie bekam gerade Zweifel, und in ihr wuchs das Gefühl, einen riesigen Fehler gemacht zu haben.

Frank Weller verlangte eine Decke oder frische Klamotten. »Gleich«, prophezeite er, »wird es hier von Pressefotografen nur so wimmeln. Da möchte ich nicht in Unterhosen dastehen und Interviews geben.«

»Du wirst gar keine Interviews geben«, stellte Ann Kathrin klar.

»Och, warum denn nicht?«, maulte Rupert.

»Sommerfeldt ist geflohen. Das muss als Meldung reichen«, verlangte Ann Kathrin.

Ein uniformierter Kollege, der sich mit ihren Handschellen abmühte, staunte. »Ein Mann hat euch drei so fertiggemacht?«

Das fuchste Rupert nun wirklich. Er stellte klar: »Er nicht, sondern seine Amazonen! Drei, vier Vollweiber. Riesige Möpse. Riesige Ballermänner!«

»Rupert!«, mahnte Ann Kathrin.

Weller sagte: »Also, ich hab nur zwei gesehen. Sie machten auf mich einen ganz normalen Eindruck. Durchschnittsfrauen. Sie waren maskiert und hatten Gewehre.«

»Was für Gewehre?«, wollte der Kollege wissen, der Ann Kathrin endlich von den Handschellen befreit hatte.

Weller und Rupert antworteten gleichzeitig: »Halbautomatische russische Waffen«, behauptete Rupert. »Doppelläufige Schrotgewehre«, sagte Weller.

Ann Kathrin rief laut: »Ich glaube, meine Kollegen stehen noch unter Schock. Sie sollten jetzt gar nichts sagen. Wir brauchen dringend etwas zu trinken, und zumindest Rupert sollte von einem Arzt untersucht werden.«

Rupert winkte ab: »Nee, 'ne Currywurst wäre mir lieber.« Er wendete sich an den Kollegen aus Nordrhein-Westfalen: »Hier gibt's doch bestimmt 'ne anständige Currywurst, oder?«

»Ich bin seit vier Wochen vegan«, antwortete der.

»Du verarschst mich doch!«, lachte Rupert.

»Du kennst meine Frau nicht«, stöhnte der Kollege. »Ich stand vor der Wahl. Vegan oder Scheidung.«

»Und da hast du dich für vegan entschieden?«, staunte Rupert. Sein Befreier nickte. Rupert pfiff anerkennend: »Dann würde ich deine Frau wirklich gerne mal kennenlernen. Das muss ja eine besonders scharfe Schnitte sein ...«

»Ja«, grinste der Uniformierte, »schärfer als jede Currywurst.«

Eigentlich war Gunhild Grashoff Wilko Breuning viel zu dünn. Ihr Körper hatte etwas Mädchenhaftes. Man konnte ihm viel nachsagen, und seine sexuellen Neigungen mochte so mancher ablehnen. Aber auf Kinder stand er nun wirklich nicht. Nein, er wollte richtige Frauen. Es gefiel ihm auch, wenn sie ein paar Pfund zu viel drauf hatten. Besonders, wenn sie sich deswegen schämten. Komischerweise glaubte die spindeldürre Rechtsanwältin, obwohl Größe 36 noch an ihr schlabberte, sie sei immer noch zu dick.

In ihrer Wohnung fühlte er sich nicht wohl. Er verbrachte sonst gerne viel Zeit in den Räumen seiner jeweiligen Partnerinnen. Es war doch etwas anderes, ob sie sich gemeinsam in einem anonymen Hotelzimmer trafen oder ob er die Möglichkeit hatte, sich praktisch in ihrer Privatsphäre zu suhlen. Überall stand immer etwas herum, das seinem Urteil ausgesetzt war. Er konnte alles sehen, anfassen und bewerten. Manche Frauen mussten jeden Mist, der sie umgab, kommentieren, als gäbe es kaum eine Entschuldigung für die Fotos, die Möbel, die Bücher, ja selbst die Kacheln im Bad und die Teppiche am Boden waren für viele Anlass, sich zu schämen.

»Ich weiß, du magst Hellblau nicht, aber das Bad war schon so, als ich eingezogen bin.«

»Der Schrank ist von meiner Großmutter. Es war ihr wichtig, dass ich ihn mitnehme.«

»Ja, ich fand die Uhr auch spießig, aber …«

Er hörte ihnen gerne zu, wenn sie sich so abmühten, in seinen Augen gut dazustehen. Bei Gunhild war das anders. Sie hatte ihre Wohnung eingerichtet wie ein auf Funktionalität getrimmtes Büro, mit dem Charme einer Fabrik. Alles war in Schwarz oder Weiß gehalten. Einige Sachen waren auch grau. Dazu viel in Metalloptik. Umgeben von unverputzten Wänden und Böden aus Beton, fühlte sie sich offensichtlich wohl. Die Pendelleuchten an der Decke waren wie einige Griffe und Armlehnen aus teilverrostetem Metall.

Neben der Tür hingen zwei gekreuzte Samuraischwerter an der Wand. Das Ganze hatte etwas Einschüchterndes an sich, so als solle man beim Betreten daran erinnert werden, wie schnell man einen Kopf kürzer gemacht werden konnte.

Außerdem mochte Gunhild wohl unbehandeltes Massivholz. Alles war so absichtlich unabsichtlich herausgestellt und zusammengewürfelt, auf geplante Weise unfertig.

Wer so wohnt, dachte er, muss nicht ganz dicht sein. Sie wirkte in diesen Räumen aber geradezu elfenhaft.

Sie hatte ihn schon mehrfach rausgepaukt. Sie fuhr auf seine grobe Art total ab. Von netten Männern mit guten Manieren und vielversprechenden Zukunftsaussichten hatte sie wohl die Nase voll. Sie war bereit, sich auf ihn einzulassen. Er hatte ihre devote Ader schon beim ersten Treffen erkannt. Vermutlich hatte sie damals selbst noch keine Ahnung davon gehabt. Am Ende der Geschichte würde sie geschockt sein, heulen und ihn nie wiedersehen wollen. Das kannte er. Aber noch war es nicht so weit. Je mehr sie ihn kennenlernte, umso mehr lernte sie auch sich selbst kennen.

In dieser unbewohnbaren Wohnung wollte er nicht lange bleiben. Da war ja jeder vermoderte Weltkriegsbunker gemütlicher. Nein. Sie kochte kein romantisches Mehr-Gänge-Menü, wie andere Frauen es taten, wenn sie ihn zu sich einluden. Sie stand am Entsafter und jagte Broccoli, Möhren und Äpfel durch die Maschine.

»Das ist ein Slow-Juicer«, sagte sie geradezu verheißungsvoll. Da er darauf nicht mit der erhofften Begeisterung reagierte, führte sie aus: »Die meisten Entsafter sind viel zu grob und zerhacken wertvolle Bestandteile. Alles wird durch zu hohen Druck auch viel zu heiß, und die Zellen im Gemüse werden zerstört oder verletzt. Bei mir dauert es zwar etwas länger, aber dafür bleiben alle Vitalfunktionen erhalten. Durch das schonende Verfahren bleiben die Mineralstoffe, Enzyme und Vitamine im Saft.«

Wenn ihn etwas nicht interessierte, dann dieser Entsafter. Er hatte auch keine Lust, ihr beim Gemüsezerhacken zu helfen. Welche Frau sollte denn auf einen Mann scharf sein, der nach Broccoli mit Apfelgeschmack roch?

Er ging stattdessen in das sogenannte Wohnzimmer, das in seinen Augen eher ein Un-Wohnzimmer war, und suchte auf dem großen Flachbildschirm ein geeignetes Fernsehprogramm. Das Sofa war noch unbequemer, als es aussah, und dazu gehörte schon etwas.

»Warum sitzt du nicht beim Fernsehen auf dem Nagelkissen eines Fakirs?«, fragte er spitz, »das wäre doch noch gemütlicher.« Aber sie hörte ihn nicht, weil der Slow-Juicer so laut war.

Das erste Bild ließ ihn an seinem Verstand zweifeln. Das da war der Typ, der ihm gedroht hatte. Dieser verrückte Bulle. Es war eine Art improvisierte Pressekonferenz. Breuning verstand nicht alles, was dort gesagt wurde, aber eins war ihm gleich klar: Dr. Bernhard Sommerfeldt, der Serienkiller, war frei.

Wilko Breuning zweifelte einen Moment an seinem Verstand. Er brüllte: »Stell den grässlichen Lärm ab und komm sofort hierher!«

Gunhild war Sekunden später bei ihm, aber was sich für sie wie ein ungewöhnlicher Auftakt des Vorspiels angehört hatte, war ganz anders gemeint gewesen. Wilko sah aus wie ein Mann, der kurz davor war, sich vor Angst in die Hosen zu machen. Den dominanten Partner beim S/M konnte er jedenfalls so nicht abgeben.

Er drehte die Lautstärke voll auf. Ein Reporter, der ein bisschen aussah wie der junge Elvis, aber mit Schnauzbart, sprach direkt in die Kamera. Dadurch kam er für Wilko Breuning so rüber, als würde er ihn persönlich ansprechen: »Der bekannte Serienkiller Dr. Bernhard Sommerfeldt ist heute bei einer Outdoor-Ortsbesichtigung am Rhein-Herne-Kanal aus dem Polizeigewahrsam entkommen. Mindestens zwei schwer bewaffnete Helferinnen waren an der Gefangenenbefreiung beteiligt. Der als Dr. Bernhard Sommerfeldt bekannte Schwerverbrecher wurde in Bamberg geboren. Er heißt mit bürgerlichem Namen Johannes Theissen. Er hat einige Jahre als Hausarzt in der ältesten ostfriesischen Stadt, in Norden, praktiziert. Noch heute genießt er bei vielen seiner ehemaligen Patienten ein hohes Ansehen. Es gibt regelrechte Sommerfeldt-Fanclubs. Nun haben es wohl einige Fans mit der Verehrung zu weit getrieben. Durch das umsichtige Handeln der Polizeikräfte wurde niemand verletzt.«

Plötzlich stand dieser Rupert mit geschwollener Nase und Kopfverband neben dem Reporter. Er schob ihn aus dem Bild und schimpfte: »Niemand wurde verletzt? Hallo? Bin ich niemand?«

Die Kamera blendete weg.

»Sie haben es tatsächlich getan«, stöhnte Gunhild Grashoff. »Sie hetzen dir dieses Monster auf den Hals. Was ist nur aus unserem Rechtsstaat geworden? Die haben den freigelassen! Das mit der Gefangenenbefreiung ist doch eine Inszenierung. Aber denen werde ich es zeigen, mein Lieber. Keine Angst! Ich beschütze dich!«

»Du mich?«

»Ja, ich dich.«

»Aber der hat sechs Leute umgebracht. Einige behaupten, die Dunkelziffer sei noch viel höher. Der ist so etwas wie der Vollstrecker der ostfriesischen Polizei.«

»Hier bei mir in Oldenburg, mein Schatz, bist du erst mal sicher. Und jetzt kriegen sie es mit mir zu tun. Ich bin nicht einfach irgendeine Anwältin, mein Lieber. Ich bin eine Einser-Juristin. Beide Staatsexamen mit ›Sehr gut‹! Ich hatte Angebote von den besten Kanzleien und bin dann aber nach Oldenburg. Ich habe fast alle Prozesse gewonnen. Ich gelte als …«

Er unterbrach sie unwirsch. Seine Stimme war aber jetzt weniger laut. Er guckte, als würde er dem Tod schon ins Auge schauen: »Ich glaube kaum, dass diesen Sommerfeldt deine Noten sehr beeindrucken.«

Eins war klar: An Sex war jetzt überhaupt nicht mehr zu denken.

Polizeichef Martin Büscher verfolgte die Aktion am Fernsehen, telefonierte gleichzeitig mit den Kollegen im Ruhrgebiet und schluckte Tabletten, die angeblich gut gegen zu viel Magensäure waren. Aber seit er sie nahm, stieß er ständig sauer auf. Sein Vorgänger, Ubbo Heide, hatte in solchen Fällen Marzipanseehunde von ten Cate geschlachtet und gegessen wie andere Leute frisches Brot.

Marion Wolters stellte eine Rechtsanwältin zu ihm durch, die sie als *impertinente Person* bezeichnete. Gunhild Grashoff sprach in kurzen Sätzen. Alles klang ein bisschen abgehackt, ja atemlos: »Ich fordere sofortigen Polizeischutz für meinen Mandanten Wilko Breuning.«

»Polizeischutz? Ja, gehört Ihr Mandant denn einem gefährdeten Personenkreis an?«

»Ob er gefährdet ist?«, kreischte sie. »Dr. Bernhard Sommerfeldt will ihn umbringen!«

»Wie kommen Sie denn darauf? Sommerfeldt hat meines Wissens immer nur Männer getötet, die Frauen misshandelt haben.«

»Ja, genau. Deshalb rufe ich ja an«, gestand sie.

Martin Büscher schwieg.

Sie holte tief Luft und keifte: »Ihr Kommissar Robert hat gedroht, Sommerfeldt freizulassen …«

»Rupert«, stellte Martin Büscher klar. »Er heißt Rupert.«

»Ich bringe Sie alle vor Gericht!«, drohte Gunhild Grashoff.

Büscher versuchte, auf sie einzuwirken: »Gute Frau, denken Sie doch mal nach. Wenn es stimmen würde, was Sie sagen, dann wäre Polizeischutz doch geradezu kontraproduktiv. Warum sollten wir einen Mörder freilassen, der Ihren Mandanten umbringen soll, und dann gleichzeitig Ihren Mandanten vor diesem Mörder schützen? Dann wäre doch ein privater Sicherheitsdienst für Sie viel sinnvoller. Es gibt da sehr gut ausgebildete Leute. Allerdings sind die nicht ganz billig.«

Es tat ihm schon leid, das gesagt zu haben, da seufzte sie: »Sie haben recht. Danke für den Hinweis.« Sie japste nach Luft und sprach es aus wie eine furchterregende Drohung: »Ich habe die *Crazy Devils* verteidigt.«

»Die Rocker-Gang?«

»Ja, die. Ich werde sie um Hilfe bitten …«

»Ja«, versicherte Martin Büscher ironisch, »das sind wirklich Vertrauen erweckende Jungs. Mädchenhandel. Drogenschmuggel. Zwangsprostitution. Die helfen Ihnen bestimmt gerne weiter.«

»Ich habe den Boss persönlich zweimal rausgehauen.«

»Na, dann kann Ihnen ja praktisch nichts mehr passieren.«

Sie legte auf. Büscher nahm noch eine Kautablette und rief dann Rupert an. Das Ganze konnte ihnen in der Öffentlichkeit schnell um die Ohren fliegen. Er informierte Rupert, der sich schlapp lachte. Er konnte gar nicht aufhören zu kichern, war kaum in der Lage zu sprechen, so sehr tobte sein Zwerchfell. Das einzige Wort, das er herausbekam, war: »Köstlich!«

»Das unterscheidet uns, Rupert. Du hast einfach Spaß am Leben. Du lachst über Dinge, die mir Sorgen bereiten, ja Kopfweh machen und Magendrücken. Stell dir das doch mal in der Außenwirkung vor. Eine Anwältin bittet die *Crazy Devils* um Hilfe, weil sie denen mehr traut als uns. Rocker beschützen einen Menschen vor der Polizei …«

Rupert lachte noch lauter: »Nicht vor der Polizei! Vor Sommerfeldt!«

»Ja, und was ist daran so witzig?«, fragte Büscher.

Rupert amüsierte sich: »Die Crazy *Devils!* Auf die ist Sommerfeldt besonders heiß. Mädchenhandel! Zwangsprostitution!«

»Vor Gericht«, sagte Büscher, »haben damals alle Zeugen

und mutmaßlichen Opfer ihre Aussagen, die sie bei der Polizei gemacht hatten, revidiert. Die Rocker wurden freigesprochen.«

Rupert freute sich: »Na, das wird unserem Doktor ja bestimmt schwer imponieren. Wir wissen doch alle, wie die Typen Zeugen einschüchtern und mit Gewalt ihre Interessen durchsetzen. Aber wenn einer die engagiert, um sich vor Sommerfeldt zu schützen, das ist dann doch ein bisschen, als würde man Schafe zu den Wölfen treiben.«

»Wie meinst du das?«

Rupert haute es hart heraus: »Sommerfeldt wird sie nach Größe und Bauchumfang geordnet bei denen in den Vorgarten legen ... Nachdem er sie aufgeschlitzt hat – versteht sich ...«

»Heißt das ...«, wollte Büscher wissen, ohne die Andeutung auszuformulieren.

»Nein«, beruhigte Rupert ihn, »natürlich heißt es das nicht. Wir haben, wie du weißt, andere Pläne mit Sommerfeldt. Also, alles easy.«

»Alles easy?«, fragte Büscher zurück. Es hörte sich für ihn fast wie ein Code an, den er selbst nicht ganz verstand.

»Ja, alles easy. Ich hab diesem Breuning nur mal ein bisschen Angst gemacht.«

»Ja«, gestand Büscher grimmig, »Spaß muss sein.«

Er legte auf und ging zum Fenster. Er atmete tief durch. Er ahnte, dass er bis zur Pensionsgrenze nicht durchhalten würde. Irgendwann musste jemand anders diesen Schleuderposten übernehmen und Chef der ostfriesischen Kriminalpolizei werden. Ihm stand es bis zur Unterlippe.

Bärbel war viel nervöser als er. Sie zeigte ihm im Internet die Reaktionen auf seine Flucht. Er bemühte sich, ein Pokerface aufzusetzen, während er auf den Bildschirm sah.

Sie las ihm vor. Die einen schimpften auf die *dumme* oder *hilflose* Polizei, die sich mal wieder *von dem Schwerverbrecher Sommerfeldt* habe vorführen lassen. Andere vermuteten eine Komplizenschaft zwischen dem *falschen Doktor* und der ostfriesischen Polizei. Speziell der Name Ann Kathrin Klaasen fiel in dem Zusammenhang gern.

In mehreren Beiträgen wurde der Journalist Holger Bloem gleich zu Ann Kathrin Klaasens Ehemann gemacht. Gemeinsam mit Sommerfeldt hätte sie Millionen durch Buch- und Filmverträge verdient. In den sogenannten Sommerfeldt-Fan- oder -Unterstützerinnengruppen wurde ihm unverhohlen Beifall geklatscht.

Bärbel las Kommentare vor, während er, die Füße gegen die Sessellehne gestützt, Kaffee schlürfte und zuhörte.

Bleib, wo du bist, Bernhard! Sie haben keine Ahnung, wo du dich versteckst.

An alle brutalen Ehemänner und Frauenschläger: Sommerfeldt ist wieder auf freiem Fuß! DAS WISST UND ZITTERT!

Hol dir zuerst meinen Ex, Bernie. PN an mich …

Lieber Doktor Sommerfeldt, ich habe Möglichkeiten, dich zu verstecken. PN an Uschi.

Mein Mann ist auf Montage. Er kommt erst Mitte nächsten Monats zurück.

Wir haben auch Platz, und eine Sauna im Keller.

Wir ebenfalls.

Bärbel wirkte fast ein wenig eifersüchtig. Sie sprach es aus wie ein Lob, in dem Tadel gleich mitschwang: »Du bist ein Frauenheld.«

Sie glaubte, ein Video anzuklicken, in dem eine weitere Verehrerin ihm ihre Hilfe anbot. Doch stattdessen ploppte die empörte Gunhild Grashoff auf, die vorwurfsvoll behauptete, die ostfriesische Polizei setze diesen Sommerfeldt als Vollstrecker ein. Ihr Mandant sei bedroht.

Dr. Bernhard Sommerfeldt registrierte, dass das Video in Oldenburg gedreht worden war. Er erkannte den Straßenzug. Ganz in der Nähe, im Stadtteil Ofenerdiek, hatte er sich mal versteckt.

»Warum grinst du so?«, fragte Bärbel.

»Ach nichts ... Es ist doch ein schönes Gefühl, so viele Fans zu haben«, antwortete er.

»Ja, und jetzt bist du frei und hast Zeit, sie alle in Ruhe zu besuchen ...«

Er gab ihr recht: »Ja, aber ich habe andere Pläne.«

Sie setzte sich auf den Tisch. Ein bisschen wirkte sie jetzt wie ein großes Stück Kuchen auf ihn.

»Ich brauche ein Auto. Nur für einen Tag, höchstens zwei. Ein Prepaid-Handy und ...«, er lächelte, »einen Schleifstein.«

»Schleifstein?«

»Ja, für mein Messer.« Er zeigte ihr Wellers Hirschfänger.

»Das lässt sich machen. Du kannst meinen Wagen haben. Der Golf hat zwar nur noch drei Monate TÜV, aber sonst ist er völlig in Ordnung. Mein Handy bekommst du natürlich und ...« Sie stand auf, ging zum Schrank und wühlte in der Schublade. »Das hier habe ich zum Messerschärfen.«

Er sah sich das Gerät an. »Was soll das sein?«

»Ein Messerschärfer. Habe ich mal auf dem Markt gekauft, weil hier alles stumpf war. Man steckt die Klinge rein und zieht sie einfach durch.«

»Damit«, behauptete er, »machst du auch die letzte Klinge

kaputt. Nein, das hat hier einen völlig falschen Winkel. Es sind fünfzehn, vielleicht zwanzig Grad. Man braucht aber mindestens vierzig. Bei japanischen Messern muss man noch mal ganz anders …«

Sie unterbrach ihn: »Jaja, schon gut. Ich besorge dir einen richtigen Schleifstein.«

Er fühlte sich zufrieden wie nach einem leckeren Essen, aber noch nicht befriedigt wie nach gutem Sex. Er war auf eine satte Art hungrig, auf eine ruhige Weise voller Tatendrang.

»Was hast du vor?«, fragte sie. Es tat ihr gut, dass er sie ins Vertrauen zog.

»Nun, ich muss zeigen, dass ich wieder im Spiel bin, sonst denken die Leute, ich sei einfach nur auf der Flucht.«

»Und das bist du nicht?«, fragte sie ungläubig.

»Nein, ich praktiziere wieder …« Er schwieg vieldeutig.

Sie beugte sich vor: »Und das heißt?« Da er nicht antwortete, ergänzte sie: »Du machst wieder Hausbesuche?«

Er lächelte und fühlte sich von seiner ehemaligen Therapeutin verstanden.

Aike Ruhr spürte genau, dass er zwar einerseits völlig in der Hand dieses verrückten Killers war, aber andererseits auch Macht über ihn hatte. Ja, er war ihm ausgeliefert, aber dieser Verbrecher war abhängig von seiner Meinung. Aike wusste, dass er diese Trumpfkarte sehr vorsichtig und geschickt spielen musste. Ständig drohte der Durchgeknallte damit, ihn zu töten und durch Holger Bloem zu ersetzen.

»Bloem«, sagte Aike, »kann Ihnen doch gar nicht gerecht werden. Der steht viel zu sehr unter Sommerfeldts Einfluss.

Wenn Bloem Ihre Geschichte aufschreibt, wird Sommerfeldt groß, und Sie werden immer kleiner werden. Sommerfeldt ist für Bloem der absolute Meister, da haben Sie gar keine Chance.«

Der Mörder mit der Stahlschlinge funkelte Aike an: »Bloem ist parteiisch. Von dem kann ich in dieser Frage keine Objektivität erwarten. Das stimmt schon. Weißt du, warum Sommerfeldt ausgebrochen ist, mein Freund?«

Aike schüttelte den Kopf. Er schöpfte Hoffnung. Es gab eine Chance für ihn, diesen Serienkiller mental zu besiegen.

»Weil er sich mit mir messen will. Er hat Angst, ich könnte ihm den Rang ablaufen.«

»Wird es«, fragte Aike, »eine Art Duell zwischen euch beiden geben?«

Der Mörder dachte länger über die Antwort nach, setzte zweimal gestisch an, schwieg dann aber, als würde er seine Gedanken verlieren. Seine Blicke jagten suchend durch den Raum, obwohl sich nichts bewegte. Doch er wirkte, als würde er etwas sehen, das von einer Ecke in die andere huschte.

»Ich werde«, sagte er mit fiebrigen Augen und Speichelbläschen auf den Lippen, »mir heute die Kleine aus Norden holen. Und die lege ich dann in Leer bei *Bücher Borde* in den Eingang.« Er wölbte stolz seine Brust. »Der Langeoog-Mörder hat ein neues Jagdrevier. Zwei tote Frauen im Eingang einer Buchhandlung. Beide in Leer. Das wird den belesenen Sommerfeldt fuchsen.« Er zeigte Aike das Bild auf dem Computer. »Hier, schau sie dir an. Das ist ihr Arsch. Und heute Abend wirst du ihr Gesicht sehen, wie sie nach Luft schnappt und nicht glauben kann, dass es sie erwischt hat. Sie trainiert im *Butterfly-Fitness-Studio* in Lütetsburg. Sie fährt mit dem Rad hin und auch wieder zurück nach Norden in die Ostermarscher Straße. Ja! Sie wohnt gar nicht weit von uns entfernt. Ich könnte sie auch hierher zu dir bringen und sie direkt vor deinen Augen töten. Aber ich glaube, so eine Ehre steht dir erst zu, wenn du ein paar gute Zeilen zu Papier gebracht hast, Schreiberling!«

Aike wollte es nicht unversucht lassen: »Sie müssen nicht weitermorden. Ich habe genug gesehen, um über Ihre Taten zu schreiben. Ich glaube, ich könnte noch viel mehr aus der Geschichte herausholen, wenn Sie jetzt Abstand von der nächsten Tat nehmen … So könnten Sie beweisen, dass Sie Sommerfeldt überlegen sind. Ja, Sie haben die Möglichkeit, Leben zu nehmen, aber im Gegensatz zu Sommerfeldt sind Sie ein großzügiger Mensch. Sie nehmen Abstand von der Option. Verzichten zugunsten der jungen Frau.«

Es kam Aike so vor, als würde er ihn erreichen. Der Mörder starrte ihn an. Etwas arbeitete in ihm. Das war in seinem Gesicht deutlich zu sehen. Hoffnungsvoll fuhr Aike fort: »Sie könnten zeigen, dass Sie großzügig sind. Ein Herz haben. Wahre Helden lassen Gnade walten. Härte braucht nur der, der Angst vor Schwäche hat … Ich habe mal, als ich noch in Bochum studiert habe, eine Schlägerei miterlebt, da lag am Ende einer besiegt auf der Straße. Der andere hat ihn dann ins Gesicht getreten, und damit hat er in den Augen der Umherstehenden sich selbst um den Sieg gebracht. Richtige Sieger wissen, wann sie gewonnen haben, und hören dann auf. So hat er am Ende den Kampf moralisch verloren.«

Aike hatte eine irritierende Augenbewegung mitbekommen, als er Bochum erwähnte. Dieser Mann hatte zweifellos irgendeine Beziehung zu Bochum.

Der Langeoog-Killer griff sich mit einer Hand in die Haare und zerrte über den Ohren daran.

Hab ich ihn, fragte Aike sich, so sehr erreicht, dass er sich Haare ausreißt? Goethes Satz: *Zwei Seelen wohnen, ach, in meiner Brust, die eine will sich von der andern trennen,* ging ihm nicht mehr aus dem Kopf.

Wenn ich die richtige Saite in ihm zum Klingen bringe, den gesunden Teil der Seele anspreche, falls er so etwas überhaupt noch hat, dann kann ich vielleicht das Blatt zum Guten wenden, hoffte Aike.

Tatsächlich riss der Täter sich ein Büschel Haare aus, schien es aber nicht zu bemerken. War er grundsätzlich schmerzunempfindlich, oder befand er sich nur augenblicklich in einem so hohen Erregungszustand, dass er nicht spürte, was er sich selbst antat?

»Du hast in Bochum studiert?«, fragte er.

Aike nickte und hoffte, dass der Verrückte gute Erinnerungen mit der Stadt verband. »Ja«, sagte Aike, »ich bin hier geboren, aber zum Studieren nach Bochum gegangen.«

»Ich habe dort auch studiert.«

»Im Ernst? Sie haben in Bochum studiert? Was denn?«

»Völlig sinnlosen Scheiß.«

Aike versuchte, über den Scherz zu lachen. »Ja, was denn?«

»Jura.« Er machte eine Handbewegung, als könne man nichts Dümmeres im Leben tun. »Vielleicht werde ich, wenn ich das in Leer beendet habe, nach Bochum zurückgehen und da weitermachen. Langeoog. Leer. Bochum. Ich könnte mich vom hohen Norden langsam in den Süden vorarbeiten. Bamberg muss nicht allein Sommerfeldts Terrain bleiben.«

Er versank in Gedanken. Aike vermutete, dass er Bilder sah, vielleicht Stimmen hörte. Er kommunizierte mit sich selbst, und er schien mit sich im Streit zu liegen. Er wirkte unzufrieden, ja aggressiv.

»Was meinen Sie damit – es beenden zu wollen? Was wollen Sie beenden?«

Er lachte. Es klang, als würde jemand ersticken und hätte gleichzeitig Spaß dabei. Völlig irre. »Es ist«, klärte er Aike triumphierend auf, »eine Trilogie.«

»Eine Trilogie? So wie Sommerfeldt eine Romantrilogie geschrieben hat?«, hakte Aike nach.

Der Mörder bäumte sich gegen die Frage auf. »Nein! Es sind jeweils drei Morde an einem Ort. Nicht einfach nur Geschreibsel. Kapiert?«

Aike tat, als sei damit alles klar und als würde er den Wahnsinn intellektuell schlüssig finden. »Und Sie wollen in Bochum weitermorden?«, wollte er wissen.

»Ja. Was hältst du davon? In Bochum habe ich meinen zweiten Mord begangen. Damals habe ich noch geübt.« Wieder lachte er. »Ich war ein Anfänger. Ich habe nur so rumgemurkst. Man muss ja auch erst Erfahrungen sammeln. Sommerfeldts erste Morde waren auch stümperhaft. Das gibt er ja selbst zu.«

»Es besteht«, fragte Aike fassungslos, »wirklich eine Art Wettstreit zwischen Ihnen beiden?«

Der Mörder holte zu einer theatralischen Geste aus, als würde er zu vielen Menschen sprechen und hätte Angst, von denen, die ganz hinten stehen, nicht verstanden zu werden: »Das ganze Leben ist ein Wettstreit. Welches Spermium erreicht die Eizelle und darf Mensch werden? So gesehen sind ja alle von uns Gewinner, die sich gegen zig Millionen Gegner durchgesetzt haben.« Plötzlich sah er Aike an, als würde ihm bewusst, dass er sich nicht auf einem freien Platz befand und zu Volksmassen sprach, sondern in diesem engen Raum nur Aike als Gegenüber hatte. Seine Stimme wurde leiser, ja milder: »Überleg doch mal, mein lieber Aike. Es ist ein mörderischer Wettkampf. Der Run auf die besten Futterstellen. Es geht um den wärmsten Schlafplatz. Danach kämpfen wir um Frauen. Immobilien. Wer hat das tollste Auto, den schönsten Garten, das klügste Kind? Alle wollen das geilste Leben und die größte Anerkennung! Es ist ein ständiger Verteilungskampf um die besten Plätze.«

»Manche«, behauptete Aike, »wollen einfach nur in Frieden ihr Leben leben.«

»Nein«, brüllte sein Peiniger, »nein! Das ist eine Lüge! Lüge! Lüge!«

Er wurde Donald genannt, weil er so einen Entengang hatte und seine Oberschenkel gegeneinanderklatschten, wenn er eine Treppe hochwatschelte. Gehen war nicht so sehr sein Ding, dafür fuhr er wie ein Teufel Motorrad. Bei den *Crazy Devils* galt er mit seinen neun Monaten Knast, die er abgesessen hatte, praktisch als unbescholten und wurde deshalb von einigen *der Messdiener* genannt und nicht ernst genommen. Er mochte diesen Namen nicht.

Neben ihm sah Gunhild Grashoff aus wie ein unterernährtes dreizehnjähriges Mädchen, das Mamis Sonntagskostüm trug. Donald wog rund hundert Kilo mehr als die Anwältin, hatte aber durchaus Respekt vor ihr.

Donald und Bruce waren wie Fix und Foxi, praktisch immer zusammen. Sie teilten sich alles, auch ihre Frauen, und es gab Frauen, denen gefiel das durchaus.

Bruce hatte dicke Muskeln, war drahtig und trainierte seit seiner Jugend in einem Oldenburger Karateclub, daher sein Streetname Bruce, von *Bruce Lee*. Er war zwei Meter vier groß, und wäre er nicht so faul gewesen, hätte er als Basketballer eine große Zukunft gehabt.

Bruce las gern. Hauptsächlich Kriminalromane, was aber außer Donald niemand wissen sollte, weil Lesen unter den *Crazy Devils* als unmännlich galt.

Um mitreden zu können, ließ Donald sich die Bücher vorlesen. Schließlich brauchte Bruce einen Gesprächspartner.

Donald hatte ständig Stöpsel in den Ohren und war geradezu zu einem Hörbuchspezialisten geworden. Einige Sprecher nervten ihn, weil ihre Stimmen nicht zum Text passten, und einige Hörbuchlabel besetzten die Sprecher wohl nach ihrem Kino- und Fernsehgeschmack. Aber wer auf der Leinwand gut wirkte, konnte noch lange nicht gut sprechen. Bei einigen Hörbüchern entstanden in Donalds Kopf einfach keine Bilder. Die Figuren wurden nicht lebendig, und dann fühlte Donald sich vom Künstler hängen gelassen.

Andere dagegen nahmen ihn mit in ihre Welt, interpretierten die Figuren so, dass sie lebendig wurden, und lösten damit in seinem Kopf eine Bilderflut aus. Dann schloss er gern die Augen und hörte zu, ließ sich in eine literarische Welt entführen. Später konnte er dann mit Bruce über seine Hörerlebnisse reden.

Bruce sagte gern: »Irgendwann schreibe ich auch mal ein Buch. Das wird ein Bestseller!«

Der Boss hatte sie zu diesem Einsatz eingeteilt, und sie wussten beide nicht genau, ob es sich um eine Ehre handelte oder eine Schande. Lachte der restliche Bikerclub über sie, weil sie diese durchgeknallte Nudel von Anwältin beschützen sollten, die sich einbildete, ihr Lover solle von Dr. Bernhard Sommerfeldt ermordet werden? Oder gab es eine reale Bedrohung? Dann allerdings war dieser Job hier eine Auszeichnung, so wie ein Orden, der verliehen wurde. Jeder kannte Dr. Bernhard Sommerfeldt. Einen gefährlicheren Mann gab es nicht.

Donald steckte praktisch mitten in Sommerfeldts Geschichten, hatte sich die ersten zehn Stunden Hörbuch reingezogen, wie er es nannte, als sie den Auftrag bekamen. Die ganze Sache war ihnen lästig. Klar erfüllte man einen Auftrag, wenn er vom Boss kam. Ehrensache. Aber so, wie der Boss es gesagt hatte, klang Spott mit: »Bitte sorgt dafür, dass meiner Freundin Grashoff und ihrem Stecher nichts passiert. Sie vertraut den Cops nicht. Kann ich ja verstehen, hahaha.«

Dafür, dass sie der Polizei nicht vertraute, bekam sie bei den Clubmitgliedern Beifall. Aber so, wie der Boss *meine Freundin* ausgesprochen hatte, nahm er weder sie noch die Bedrohung ernst.

»Wenn es wirklich darum ginge, Sommerfeldt aufzuhalten, wäre der ganze Club hier«, behauptete Bruce, der die Sommerfeldt-Trilogie geradezu gefressen hatte. Er las gern Bücher, in denen Gangster die Hauptrolle spielten. Das Problem bei den meisten Krimis war für Bruce: Er konnte sich mit keinem Ermittler identifizieren.

Gunhild Grashoff fanden beide völlig unattraktiv. Sie war ihnen zu dünn, zu gebildet und zu vorlaut. Donald, der Hörbuchfan, fand zudem ihre Stimme unerträglich.

Noch schlimmer war es in der Wohnung. Diese klinische Sauberkeit machte beide nervös. Die Sitzmöbel, die nicht gerade zum gemütlichen Verweilen einluden, geschweige denn zum Rumfläzen, gehörten nach Meinung der beiden ohnehin auf den Sondermüll. Bruce hatte gebrummt, da sei es im Knast ja schöner gewesen und die Einrichtung wesentlich geschmackvoller.

Er hatte lange in Aurich, später dann in Emden, gemeinsam mit Donald in einem illegalen Bordell gewohnt und dort für Ruhe und Ordnung gesorgt. Jemand von Donalds Statur musste selten zuschlagen, um einen renitenten Gast zur Ruhe zu bringen. Meist reichte es, wenn Donald im Türrahmen erschien und freundlich fragte: »Gibt es hier ein Problem?«

Rauchen durften sie in Grashoffs Bunker auch nicht. Die *Crazy Devils* waren nicht daran gewöhnt, dass ihnen eine Frau etwas verbot oder erlaubte. Aber da sie den Boss vor Gericht rausgehauen hatte, genoss sie gewisse unverschämte Privilegien.

Die zwei *Devils* standen also bei dem schönen Wetter die meiste Zeit vor der Tür und rauchten, während sich drinnen Wilko Breuning bei seiner Geliebten versteckte, die ständig mit Presseleuten telefonierte und von einem *Skandal* sprach.

Breuning überlegte, ob er seine Frau Jutta oder wenigstens ihre beste Freundin Irmi anrufen sollte. Das alles war ihm auf den Magen geschlagen. Er wollte bemuttert werden. Er brauchte jetzt eine Frau, die für ihn magenfreundlich kochte, ihm Kamillentee machte und Mut zusprach. Auch war seine Wäsche durchgeschwitzt, und Gunhild sah nicht so aus, als hätte sie Lust, zu waschen und zu bügeln. Jutta benutzte immer ein besonderes Waschmittel, weil er sonst Nesselfieber bekam. Aber er hatte den Namen des Mittels vergessen. Juttas umsichtiges Handeln hatte ihn vor unangenehmen Hautreaktionen auf irgendwelche Chemikalien bewahrt. Es führte kein Weg daran vorbei: Er musste Jutta mit frischer Wäsche hierherzitieren.

Irgendwie gefiel es ihm nicht, wenn Jutta und Gunhild aufeinandertrafen. Es war ihm auf eine unerklärliche Art peinlich. Bei anderen Frauen hatte ihm das nie etwas ausgemacht. Im Gegenteil, es gefiel ihm, seiner neuen Eroberung seine devote

Ehefrau vorzuführen, so als sollte sie sich ein Beispiel an ihr nehmen.

Aber das mit Gunhild war irgendwie anders. Er fühlte sich ihr unterlegen, und ihre schnippische Art zu telefonieren nervte ihn. Sie sprach über ihn wie über ein schlecht erzogenes Kind, das sie betreuen musste. Außerdem ging es ihm überhaupt nicht gut. Ja, verdammt, es fiel ihm schwer, den Gedanken zu denken, aber er hatte Angst. Richtige Angst. Er, der sich so gern an der Angst von Frauen weidete, hatte jetzt Durchfall und Magenkrämpfe, weil dieser Doktor frei herumlief.

Donald staunte. Dieser Sommerfeldt kam tatsächlich. Er schlich sich nicht maskiert von hinten an. Er kraxelte nicht über die Dächer, versteckte sich nicht in Hinterhöfen. Nein. Er fuhr vor. Auch nicht mit einer Luxuslimousine, wie man es bei Popstars erwarten könnte, sondern er kam mit einem alten, silbergrauen Golf. Das Gelsenkirchener Kennzeichen hing schief daran. Auf der schmutzigen Karosserie pappten Anti-Atom-Aufkleber.

Sommerfeldt stieg aus, blickte sich ohne Eile um und ging gemessenen Schrittes auf die beiden *Crazy Devils* zu.

Sie sahen sich an. Sie vergewisserten sich gegenseitig, dass sie nichts geraucht hatten, was das Bewusstsein verändert haben könnte.

Donald räusperte sich, kriegte aber kein Wort heraus. Bruce stand neben ihm und wölbte die Brust. Immerhin, das bekam er hin. So machten die zwei auf die meisten Menschen einen furchterregenden Eindruck. Doch Sommerfeldt reagierte anders, als die zwei es gewohnt waren. Er schien Spaß daran zu haben, sie zu sehen. Er guckte Bruce amüsiert an und lachte. Dabei stieß er Donald an: »Frisst der Speckbauch dir alles weg, Kleiner? Du hast ja nix auf den Rippen.«

Bruce schluckte und fragte Donald: »Beleidigt der uns gerade?«

Sommerfeldt wartete keine Antwort ab, sondern sagte freundlich, aber bestimmt: »Macht mal Platz, Jungs. Ich muss da durch.«

Sie blieben stehen. Donald stoisch. Bruce verlegte sein Gewicht nervös von einem Fuß auf den anderen.

»Kommt, Jungs, macht keinen Ärger«, schlug Sommerfeldt vor. »Guckt mal, ihr seid nur zu zweit. Die haben euch alle im Stich gelassen, stimmt's?«

Donald nickte. Bruce spürte so ein Kribbeln in der rechten Hand. Das war oft so vor einem Faustkampf. Er kratzte mit den Fingernägeln der linken den Handrücken der rechten.

»Tja«, bedauerte Sommerfeldt, »so ist das. Wenn man die Kumpels mal braucht, dann verziehen sie sich. Ihr seid also jetzt das Kanonenfutter …«

»Sind wir nicht«, behauptete Bruce. Sein Gesicht war dabei blasser als sonst.

»Ja, was machen wir denn da?«, fragte Sommerfeldt. »Werden wir vor Gericht eine Feststellungsklage veranlassen, um es herauszufinden? Ach, wisst ihr was, das dauert mir zu lange. Sollen wir es vielleicht gleich hier entscheiden? Wollt ihr bei dem schönen Wetter den Heldentod sterben?«

»Sind Sie«, fragte Donald, der sonst eigentlich alle Menschen penetrant duzte, »sind Sie wirklich Dr. Bernhard Sommerfeldt?«

»Ja, der bin ich.«

Donald zog umständlich seine Jacke aus. »Würden Sie«, fragte er, »mir meine Kutte signieren?«

»Ich soll was?«, staunte Sommerfeldt ehrlich. Er rechnete

mit irgendeiner Finte und war bereit, augenblicklich seine frisch geschliffene Klinge einzusetzen.

Donald klärte den Doktor auf: »Ich habe Ihre Hörbücher gehört.«

»Und ich alle drei Bücher gelesen«, bestätigte Bruce.

»Nun«, dachte Sommerfeldt laut, »man kann sich seine Fans nicht aussuchen. Ich habe sie mir anders vorgestellt.«

»Wen? Uns?«

»Nein, meine Fans.«

»Ja«, freute Bruce sich, »wir sind nicht gerade Pastorentöchter.«

»Interessanter Vergleich«, erwiderte Sommerfeldt.

Donald hielt ihm jetzt die Jacke hin, und auch Bruce zog seine Kutte aus.

»Ich habe«, gestand Sommerfeldt, »weder Autogrammkarten noch Stifte dabei. Wir könnten«, schlug er vor, »reingehen. Die haben bestimmt irgendeinen wasserfesten Stift.«

»Ja, äh ...« Es war beiden Rockern peinlich. Auf der einen Seite versagten sie hier grauenhaft, andererseits waren sie stolz auf sich. Das hier war kein Fake. Sommerfeldt war tatsächlich da.

»Sie werden doch jetzt hier keinen Ärger machen?«, fragte Bruce vorsichtig nach.

»Keine Angst, ich tue euch beiden nichts. Setzt euch in Ruhe hierhin und raucht eine oder geht eine Runde um den Block. Es dauert nicht lange.«

Beide taten, was er sagte. Bruce ging, Donald setzte sich auf die Treppe.

»Komm, Mensch«, forderte Bruce. Er half Donald hoch. Sie gingen zu ihren Motorrädern. Sommerfeldt nahm ihre Jacken mit und klingelte.

Weil Gunhild noch telefonierte und dabei auf und ab ging, wobei ihre Absätze nerv tötende Klack-Klack-Geräusche machten, öffnete Wilko Breuning die Tür einen Spalt. Er glaubte wohl, seine zwei Leibwächter seien mit dem Rauchen fertig.

Sommerfeldt trat gegen die Tür. Sie krachte gegen Breunings Stirn. Der fiel um. Schon war sein Besuch im Haus.

»Moin. Mein Name ist Dr. Bernhard Sommerfeldt.«

Gunhild Grashoff ließ erschrocken das Handy sinken. Der Redakteur, mit dem sie gerade sprach, wurde so zum Zeugen des Geschehens.

»Steh auf, Jammerlappen«, forderte Sommerfeldt und stupste Breuning mit dem Fuß an. Der raffte sich auf.

»Er ist gekommen, um uns zu töten!«, kreischte Gunhild. Ihr war bewusst, dass der Redakteur mithörte.

Sommerfeldt warf die Rockerkluft über ein Sitzmöbel und ging auf Gunhild Grashoff zu. Wortlos hielt er seine Hand auf. Sie wusste, was er wollte, und gab ihm das Handy.

Sie staunte, dass er Wilko einfach unbeachtet hinter sich am Boden liegen ließ. Hatte er keine Angst, von hinten attackiert zu werden? Oder wollte er vielleicht genau das provozieren?

Sommerfeldt sprach ins Handy: »Ich bin nur gekommen, weil ich einen Stift brauche, um ein paar Autogrammwünsche zu befriedigen ...« Er warf das Handy achtlos auf einen Sessel, der so unbequem aussah, als solle Sitzen wehtun.

Jetzt hatte Wilko sich aufgerafft, nahm eins der beiden Samuraischwerter von der Wand und griff an. Er holte zu einem heftigen Schlag gegen Sommerfeldts Kopf aus.

Gunhild zuckte zusammen und hob die Hände, als hätte sie Angst, sie könne selbst getroffen werden.

Wenn Sommerfeldt das Geräusch hinter seinem Rücken

nicht längst wahrgenommen hätte, so wäre er durch ihre Re-aktion auf die drohende Gefahr aufmerksam geworden. Er sprang nach rechts und wirbelte herum. Das Schwert durch-schnitt über ihm die Luft. Der Schwung des eigenen Schlages brachte Breuning ins Straucheln.

Sommerfeldt trat gegen Wilkos Knie, und schon lag er zum zweiten Mal am Boden. Das Samuraischwert rutschte in Gun-hilds Richtung. Sie bückte sich danach.

»Das ist jetzt nicht dein Ernst«, hoffte Sommerfeldt. Er zog den Hirschfänger und stellte sich breitbeinig über Wilko Breuning. Der krabbelte auf dem Rücken liegend rückwärts und hatte jetzt etwas von einem riesigen Insekt an sich, das auf den Rücken gefallen war. Ein Käfer. So erinnerte er Sommer-feldt an Franz Kafkas *Die Verwandlung*. Die Metamorphose von Gregor Samsa hatte Sommerfeldt immer fasziniert. Er zi-tierte die ersten Sätze:

»Als Gregor Samsa eines Morgens aus unruhigen Träumen erwachte, fand er sich in seinem Bett zu einem ungeheuren Ungeziefer verwandelt. Er lag auf seinem panzerartig harten Rücken und sah, wenn er den Kopf ein wenig hob, seinen ge-wölbten, braunen, von bogenförmigen Versteifungen geteilten Bauch, auf dessen Höhe sich die Bettdecke, zum gänzlichen Niedergleiten bereit, kaum noch erhalten konnte. Seine vie-len, im Vergleich zu seinem sonstigen Umfang kläglich dünnen Beine flimmerten ihm hilflos vor den Augen.«

Dabei schob er sehr vorsichtig die Klinge des Hirschfängers in Wilkos Nase. Er zwang ihn so, langsam aufzustehen.

Gunhild Grashoff lief nervös mit dem Schwert herum, traute sich aber nicht, Sommerfeldt damit zu schlagen, was ihr leicht möglich gewesen wäre, aber garantiert Wilko die Nase gekostet hätte.

»Leg dieses Mordinstrument weg«, riet Sommerfeldt ruhig der aufgeregten Anwältin. »Du machst dich damit unglücklich. Besorg mir lieber einen Edding.«

Sie ließ das Samuraischwert sinken und fragte ehrlich erstaunt: »Was soll ich?«

Wilko Breuning zappelte an der Messerspitze. Er hatte seine Augen so weit aufgerissen, dass der Eindruck entstand, sie könnten gleich einfach rausfallen und über den Boden kullern.

Sommerfeldt konkretisierte seine Aufforderung: »Ich brauche einen Stift. Aber nicht irgendeinen edlen Füller, sondern einen, mit dem ich die Jacken signieren kann.«

»Sie geben«, fragte Gunhild Grashoff entgeistert, »unseren Leibwächtern Autogramme?«

»Hätte ich sie lieber umbringen sollen?«, erwiderte Sommerfeldt.

»Meine Nase, meine Nase«, jammerte Wilko.

»Tut das weh?«, erkundigte Sommerfeldt sich.

Breuning hätte fast unwillkürlich genickt. Erst im letzten Moment beherrschte er sich, weil schon eine kleine Bewegung ausreichte, um seine Nase aufzuschlitzen.

Gunhild Grashoff war in Prozessen eine harte Gangart gewöhnt. Sie galt als kalt, berechnend, gnadenlos ihren Vorteil suchend. Jeden kleinen Fehler der Gegenseite ausnutzend, beugte sie das Recht im Sinne ihrer Klienten, so gut es nur ging. Manche sagten ihr nach, dass sie drauf stand, gefürchtet, ja gehasst zu werden. Sie buhlte nie darum, Everybodys Darling zu sein. Doch jetzt war sie kurz vor einem Nervenzusammenbruch. Die Situation überforderte sie.

Sie sah sich selbst wie von außen, als würde sie einen Film betrachten, in dem sie mitspielte. Sie sah, wie sie das Samuraischwert auf den Boden warf und zum Schreibtisch lief. Sie tat, was ihr Gegner wollte, und das widersprach ihr zutiefst. Sie hatte doch den Grundsatz: *Tu nie, was die Gegenseite dir vorschlägt, denn es nutzt nicht dir, sondern nur ihnen.*

Doch jetzt erhob sie keinen Einspruch, machte keinen Gegenvorschlag, sondern tat einfach, was Sommerfeldt sagte. Sie öffnete die Schreibtischschublade und hörte hinter sich Sommerfeldt ruhig sprechen: »Falls da drin eine Waffe liegt und du sie auf mich richtest, Schätzchen, hängt sein Gehirn am Schaschlikspieß. Ist das klar?«

Sie hob beide Hände hoch und versicherte: »Da drin sind nur Schreibutensilien.«

»Wie schön für dich«, freute Sommerfeldt sich. »Dann geh jetzt mal da weg und lass uns das machen.«

»Nicht so schnell«, zeterte Wilko Breuning. »Meine Nase, meine Nase!«

»Ach, hast du Probleme mit der Nase?«, fragte Sommerfeldt nach und bewegte sich langsam auf den Schreibtisch zu. So, dachte Sommerfeldt, sehen Schreibtische von Menschen aus, die nicht wirklich arbeiten. Das Ding ist mehr ein Möbelstück, eine Art misslungenes Kunstwerk, das suggerieren soll, hier wohnt einer, der lesen und schreiben kann. Er wettete allerdings mit sich selbst, dass ihr Büro ganz anders aussah. Vermutlich chaotisch.

In der Schreibtischschublade, in die jetzt Blut aus Wilkos Nase tropfte, lagen mehrere Textmarker. Rot, gelb und blau. Aber auch schwarze und weiße Eddings. Sommerfeldt nahm den schwarzen heraus und probierte ihn zunächst auf Wilkos Stirn aus. Er malte mit drei Strichen ein großes A.

»Mir wird schlecht«, behauptete Breuning.

»Der schreibt nicht richtig. Guck mal, man kann das A gar nicht lesen. Entweder taugt der Stift nicht, oder du hast schlechte Haut. Ich wollte eigentlich *Arsch* auf deine Stirn schrieben, aber das *rsch* krieg ich nicht mehr hin.«

An Gunhild Grashoff gewandt, sagte er: »Du musst dir mal neue Stifte kaufen, die sind ja schon ausgetrocknet. Wann hast du die denn zum letzten Mal gebraucht?«

»Der weiße«, behauptete sie, »ist ganz neu.«

Sommerfeldt nahm den weißen Stift. Wilko Breuning wackelte. Dabei schlitzte seine Nase ein. »Hey, hey, hey«, mahnte Sommerfeldt ihn, »du wirst doch jetzt nicht schlappmachen, alter Knabe. Ich denk, du stehst auf Schmerzen?!« Als würde es ihm erst jetzt einfallen, ergänzte er: »Ach, klar, ich vergaß – du fügst sie lieber anderen zu, als dass du sie selber spürst.«

Wilko Breuning wurde ohnmächtig. Sein Blut spritzte aus der Nase gegen den Schreibtisch und brachte ein bisschen Farbe auf die unverputzten Betonwände.

Schon war Gunhild Grashoff bei ihnen. Sie half Sommerfeldt, Wilko auf den Boden zu legen.

»Stabile Seitenlage«, scherzte Sommerfeldt. »Haben Sie bestimmt auch im Erste-Hilfe-Kurs gelernt, was? Jetzt ist der mir umgekippt … Eigentlich wollte ich ihn erstechen, aber wenn er so leblos daliegt, dann geht das nicht. Ich hatte auf einen Kampf gehofft …«

»Warum wollen Sie ihn töten? Hat die ostfriesische Kripo Ihnen den Auftrag erteilt?«

»Nein«, lachte Sommerfeldt, »das nun wirklich nicht. Aber wissen Sie, ich muss jemanden umbringen.«

»Warum?«

»Nun, damit man weiß, dass ich wirklich wieder draußen bin.«

Jetzt, da er mit ihr redete, kam sie zunehmend in die Rolle

der Anwältin zurück. Sie kniete links neben Wilko, Sommerfeldt rechts. Er wischte sein Messer an Breunings Hemdsärmel ab.

»Ich verstehe«, sagte sie. »Sie wollen ein Statement setzen.« Sommerfeldt nickte.

»Aber dazu«, fuhr sie fort, »müssen Sie ihn nicht töten. Es reicht, was Sie getan haben. Ich kann der Presse das erklären. Ich habe«, sie zeigte auf das Handy, »einen Journalisten am Telefon. Ich habe beste Kontakte zur Presse, ich …«

»Ich auch«, grinste Sommerfeldt. »Vielleicht haben Sie recht. Ich kann das Würstchen am Leben lassen. Sie werden bestimmt davon berichten, dass ich da war.«

»Oh ja! Darf ich einen Krankenwagen rufen? Schauen Sie nur, wie er aussieht, er verblutet uns ja!«

Sommerfeldt grinste. »Ganz die Anwältin, was?«

Mit einem Seufzen reckte Wilko Breuning sich hoch. Er schien überhaupt nicht zu wissen, wo er sich befand und was geschehen war. Er starrte Sommerfeldt aus irren Augen an.

»Deine Anwältin ist gut«, sagte Sommerfeldt und klatschte ihm aufmunternd auf die rechte Wange. »Sie hat dir gerade das Leben gerettet. Ich hoffe, sie schickt dir dafür eine gesalzene Rechnung, Arschloch. Ich komme wieder, und wenn ich bei deiner Ehefrau einen einzigen blauen Fleck finde, und sei es nur, sie hat sich gestoßen oder ist zufällig die Treppe runtergefallen, wirst du herausfinden, ob es ein Leben nach dem Tod gibt. Die Frage hat dich doch bestimmt schon immer interessiert, oder? Du bist ganz kurz davor, es zu erfahren. Aber wenn du es schaffst, Kafkas *Verwandlung* auswendig zu lernen und ein besserer Mensch zu werden, hast du eine Chance, noch ein paar Jahre zu leben. Bisschen Sport, weniger Pasta, dafür mehr Gemüse, könnten schon helfen. Natürlich musst du den Alk weglassen, sonst wird das nichts. Haben wir uns verstanden?«

Wilko Breuning nickte, während weiterhin Blut aus der Wunde an seiner Nase tropfte.

Sommerfeldt stand auf, ging zu den Jacken und signierte sie mit dem weißen Edding. Er schrieb unter den Namen *Crazy Devils: Dr. Bernhard Sommerfeldt.*

Er ging zur Tür, winkte noch einmal, als würde er ein Kaffeekränzchen verlassen und hätte vergessen, sich von jedem Einzelnen zu verabschieden.

Draußen standen Donald und Bruce bei ihren Motorrädern. Sie ließen die Tür nicht aus den Augen. Den beiden war mulmig zumute. Sie freuten sich einerseits über die Jacken, die Sommerfeldt ihnen zuwarf, andererseits war ihnen klar, dass es Ärger mit dem Boss geben würde.

»Leben sie noch?«, fragte Donald ängstlich.

Sommerfeldt nickte. »Sicher. Ich habe nur etwas klargestellt. Er muss in nächster Zeit ein bisschen was auswendig lernen. Ihr könnt ihm dabei helfen. Das ist sozusagen eine lebensrettende Maßnahme.«

Sommerfeldt war bei ihnen und zeigte auf die Motorräder: »Welches davon ist das beste?«

Natürlich ist für jeden Biker seine Maschine die eigentliche Braut seines Lebens. Normalerweise hätte jeder jetzt die Vorzüge seines Stahlrosses gepriesen, doch beiden war klar, dass sich hinter dieser Frage mehr verbarg. Sie drucksten herum, was sonst gar nicht so ihre Art war.

Sommerfeldt begann, sie regelrecht ins Herz zu schließen, weil sie so unbeholfen dastanden. »Okay«, entschied er, »ich nehme die da«, und zeigte auf Donalds Harley. Sie machte einen recht bequemen Eindruck.

Sommerfeldt warf ihm den Schlüssel für Bärbels Golf zu: »Du kannst solange meine Kiste fahren. Am besten informiert ihr nicht sofort die Polizei. Bei einer Verfolgungsjagd kann so ein Motorrad schwer leiden. Wenn ich aus der Gefahrenzone bin, stelle ich dein Schätzchen ohne den geringsten Kratzer ab und informiere den Club, wo es steht. Einverstanden?«

Donald nickte. Noch vor einer halben Stunde hätte er im Brustton der Überzeugung behauptet, jeden zu töten, der seine geliebte Harley und ihn trennen wollte. Undenkbar, die Maschine zu verkaufen. Ein Sakrileg, sie zu verleihen.

Jetzt sah er Sommerfeldt aufsteigen und hatte noch das Gefühl, glimpflich davongekommen zu sein.

»Der Boss«, sagte Bruce, »wird mächtig sauer sein. Wir haben unsere Aufgabe nicht erfüllt. Ich bin mir nicht sicher, Herr Doktor, ob Sie eine Ahnung haben, was so etwas für uns bedeutet.«

»Schöne Grüße an euren Boss«, lachte Sommerfeldt. »Ich weiß, wo er wohnt, und ich habe sowieso noch etwas mit ihm zu besprechen. Sagt ihm, er soll die Mädchen anständig behandeln, sonst werde ich ärgerlich, und daran hat ja vermutlich keiner hier ein Interesse, oder?«

Donald schluckte. Dass jemand dem Boss drohte, war eine vollkommen neue Situation für ihn. Er wusste, dass er nicht wagen würde, dem Boss davon zu berichten. Er sah Bruce an. Der presste seine Zähne so fest aufeinander, dass sie knirschten.

»Tschüss, Freunde«, rief Sommerfeldt, »haltet euch tapfer, nicht dass ich Klagen höre!« Dann trug ihn die röhrende Maschine davon.

Bruce und Donald sahen ihm hinterher. Sie wussten, dass sie die Geschichte, so, wie sie passiert war, niemandem erzählen konnten. Sie mussten sich etwas Neues ausdenken, etwas, das sie nicht lächerlich aussehen ließ.

Gunhild Grashoff öffnete die Tür und winkte ihnen. Sie hielt sich am Türrahmen fest. Sie stand nur auf einem Bein. Sie sah mitleiderregend aus und überhaupt nicht mehr wie die Schreckschraube, die sie vorher gegeben hatte. Ihre Haare standen ab, als seien sie elektrisch geworden. Sie zitterte und hatte eine Laufmasche am Knie.

Sommerfeldt fuhr an Hannah Grüns Haus vorbei. Hier hatte er sich kurzfristig versteckt gehalten. Er hoffte, dass es Hannah gut ging. Sie hatte einen besseren Mann verdient als ihren Erwin. Sie wäre gerne eine Gangsterbraut gewesen, aber konnte doch aus ihrer anerzogenen Hülle nicht raus. Er hingegen fühlte sich jetzt frei.

Er staunte über sich selbst, wie leicht ihm alles fiel. Es war, als würde er nur eine Rolle spielen. Er fühlte sich zurückversetzt in die Zeiten seiner Anfänge, als er eine Teufelsmaske aufgesetzt und gespürt hatte, dass er mit der Maske freier war, zu einem anderen wurde.

Wir spielen immer nur Rollen, dachte er. Als Johannes Theissen war ich ein armes Würstchen, fremdbestimmt, bis ich nicht mal mehr wusste, was das sein soll: ein eigener Wille. Als Dr. Sommerfeldt weiß ich genau, was ich will, und setze das auch durch.

Als er vor den beiden Rockern gestanden hatte, war er sich unverletzbar, ja, unkaputtbar vorgekommen. Wie die Comicfiguren, die er in seiner Kindheit so geliebt hatte. Als Comicfigur kann man vom Dach fallen, schlägt unten auf, entknittert sich und geht weiter.

War er zur Comicfigur geworden? Bis zur literarischen Figur hatte er es jedenfalls schon gebracht.

Was passiert mit mir, fragte er sich, wenn ich so etwas tue? Er vermutete, dass sein Herz nicht raste, sein Puls nicht in die Höhe schoss. Im Gegenteil. Als er die Messerspitze in Breunings Nase schob, hatte er keine Aufregung gespürt, sondern tiefe Gelassenheit.

Ann Kathrin Klaasen erfuhr es von den Oldenburger Kollegen und las die Meldung laut vor: »Ein Mann, der sich als Dr. Bernhard Sommerfeldt ausgab, ist in ein Haus in Ofenerdiek eingedrungen und hat Herrn Wilko B. aus Esens schwer mit dem Messer verletzt. Zwei zufällig anwesende Mitglieder der Motorradgruppe *Crazy Devils* eilten dem Attackierten zu Hilfe und retteten ihm vermutlich durch ihr beherztes Handeln das Leben. Sie schlugen den mutmaßlichen Dr. Sommerfeldt in die Flucht. Er ließ sogar das Fahrzeug, mit dem er gekommen war, stehen und floh zu Fuß. Das Fahrzeug, ein silbergrauer Golf mit Gelsenkirchener Kennzeichen, hat er vermutlich von einem Parkplatz gestohlen.«

Weller hatte die Füße auf dem Schreibtisch, trank einen doppelten Espresso und aß ein Stück Apfelkuchen mit Sahne, das Jörg Tapper vom Café ten Cate für seine Freunde zur moralischen Unterstützung vorbeigebracht hatte.

»Wenn das stimmt«, sagte Weller, »dann war es nicht Sommerfeldt.«

»Und wenn er es war«, ergänzte Ann Kathrin, »dann hat es sich ganz sicher anders zugetragen, als die Kollegen hier beschreiben.«

»Jedenfalls«, sagte Weller mit vollem Mund, »werden diese beiden Rocker jetzt zu Helden werden. Ich wette, sie werden ein Porträt in der Lokalzeitung kriegen und im Internet gefeiert werden.«

Ann Kathrin tippte kurz auf ihrem Handy herum und zeigte Weller ein Bild: »Guck mal, da sind sie auf Instagram. Ihr Bild hat bereits 215 Likes.«

Weller wischte sich mit dem Handrücken Sahne von den Lippen. »Donald und Bruce. Na, die sehen ja genauso aus, als hätte Sommerfeldt Angst vor ihnen.«

Rupert stolperte herein: »Habt ihr gehört«, fragte er, »Sommerfeldt ist wohl im Knast eingerostet, oder was. Er hat sich von zwei so Motorradfreaks fertigmachen lassen.«

Der Geruch des Apfelkuchens war dann für Rupert wichtiger als die eigentliche Nachricht. Er trat nah an Weller heran und fragte: »Isst du das alles auf?«

Weller zeigte auf das Tablett, das Jörg vorbeigebracht hatte, und sagte: »Bedien dich. Er hat uns acht Teile vorbeigebracht, und Ann Kathrin macht sowieso gerade eine Diät.«

»Ist auch besser so«, kommentierte Rupert und nahm sich eine mit Sahne gefüllte Marzipantulpe. Gerade als er hineinbiss und Sahne an der Nase kleben hatte, betrat Kripochef Martin Büscher ihr Büro. »Jetzt haben wir den Salat. Wisst ihr, was euer Sommerfeldt gemacht hat?«

»Es ist nicht *unser* Sommerfeldt«, wehrte Ann Kathrin sich.

»Er hat sich genau den Typen gegriffen, dem Rupert damit Angst gemacht hatte, dass …« Büscher sprach nicht weiter. Er biss sich auf die Unterlippe und sah weg, als hätte er Mühe, sich zu beherrschen, und würde Rupert am liebsten eine reinhauen.

»Das war doch nur ein Scherz«, beschwichtigte Rupert. »Der macht ein bisschen Wirbel um sich, damit alle wissen, dass er frei ist und immer noch der Alte. Aber …«

Ann Kathrin unterbrach ihn, bevor er sich in Widersprüche verstricken konnte: »Rupert hat im Grunde recht«, sagte sie. Weller verschluckte sich fast. Solche Sätze hörte man nicht oft von Ann Kathrin. »Er hat ein paar böse Buben aufgemischt, damit die Presse berichtet und die Geschichte seiner Flucht glaubhaft wird. Innerhalb der nächsten Stunden wird unser Langeoog-Killer sich bei ihm melden.«

»Ja«, sagte Büscher, blickte jeden Einzelnen an und nickte, als müsse er sich ihre Gesichter merken und hätte Angst, sie sonst zu vergessen, »das hoffe ich für euch. Bringt das hier zu einem guten Abschluss, und dann will ich nie wieder etwas darüber hören.«

Rupert machte eine Geste, als ob er noch etwas sagen wollte. Ann Kathrin hoffte für alle, dass er den Mund hielt. Sie deutete ihm an, er solle jetzt lieber alles auf sich beruhen lassen.

Büscher fragte: »Ja, Rupert, ist noch was?«

Rupert deutete auf das Tablett von ten Cate: »Möchtest du vielleicht ein Stück Kuchen? Die Marzipantulpen sind ganz wunderbar. Den Apfelkuchen hat Weller ja schon aufgegessen.«

Büscher warf einen Blick auf die Teilchen. Eigentlich wollte er nichts nehmen, aber dann konnte er doch nicht widerstehen, griff sich ein Stück Baumkuchen in schwarzer Zartbitterschokolade, biss rein und verließ ohne ein weiteres Wort das Büro.

Weller stupste Rupert an: »Danke, dass du meinen Kuchen verschenkst.«

Rupert zuckte mit den Schultern.

»Stärkt euch«, schlug Ann Kathrin vor. »Ich fürchte, es wird eine lange Nacht werden.«

Er hatte Aike Ruhr wieder gefesselt und geknebelt vor den Bildschirm gesetzt. Er war voller Tatendrang, freute sich auf das, was jetzt kam. Er spielte sogar mit dem Gedanken, Sommerfeldt einzuladen, dabei zu sein. Die Idee erschien ihm nur zu platt. So einfach wollte er es ihm nicht machen. Er sollte erraten, wo der nächste Treffpunkt war. Wenn sich jemand in diesem Spiel auskannte, dann doch wohl Dr. Bernhard Sommerfeldt.

Dass er heute schon dazustoßen würde, konnte der Langeoog-Killer sich nicht vorstellen. Doch beim nächsten Mord würde Sommerfeldt vermutlich glauben zu wissen, wo die Musik spielte. Aber ich bin immer für eine Überraschung gut. Immer dann, wenn du glaubst, du hättest mich verstanden, könntest mich einschätzen, ja, ich sei berechenbar geworden, tue ich etwas Unvorhergesehenes. Heute werde ich mir Vanessa Schneider holen.

Er sagte es immer wieder vor sich hin. Er begann, ihren Vornamen zu summen und zu singen: »Vanessa, Vanessa, Vanessa …« Der Gedanke, die Tat mit Aikes Auto zu begehen, gefiel ihm. Noch stand Aikes Wagen hier in der Garage. Er hatte vor, sie nach dem Besuch des Fitnessstudios in Lütetsburg abzufangen und dann ihre Leiche nach Leer zu bringen, um sie bei *Bücher Borde* in den Eingang zu legen. Die Gefahr, dass hierbei jemand den Wagen beobachtete, sich vielleicht gar an ein Nummernschild erinnerte, oder dass das Fahrzeug von irgendwelchen Videoüberwachungskameras registriert wurde, war groß. Es würde gleich einiges klarstellen, wenn die Polizei wüsste, dass alles mit Aike Ruhrs Wagen gemacht worden war. Er war der Täter, nicht Sommerfeldt. Und er hatte Aike in seiner Gewalt.

Es bestand die Möglichkeit, dass Aike Ruhrs Wagen zur

Fahndung ausgeschrieben worden war. Aber dieses Risiko war er bereit einzugehen.

No risk, no fun, sagte er sich. Allein beim Gedanken daran spürte er dieses Kribbeln auf der Haut, diese Lebendigkeit. Er wurde von einer kraftvollen Energie durchströmt. Was er machte, stellte ihn außerhalb der menschlichen Gemeinschaft und erhob ihn gleichzeitig über diese Affenherde. Ja, so fühlte es sich für ihn an.

Er zeigte ihnen, dass er keiner von ihnen war, auch nicht in ihren Kreis aufgenommen werden wollte. Er schiss auf ihre Lebensberechtigungsscheine, Steueridentifikationsnummern, Schulabschlüsse und spießigen Spielregeln. Er war ein Löwe mitten unter Lämmern. Und heute würde er eins reißen. Es war sein Recht. Der natürliche Verlauf der Welt. Es gab Raubtiere, und es gab Beutetiere.

»Vanessa«, summte er immer wieder. »Vanessa.«

Dein Tod wird auch eine Demütigung für diese hochmütige Kommissarin Ann Kathrin Klaasen, die sich damit brüstet, Sommerfeldt zu Fall gebracht zu haben, dachte er. In mir, Frau Klaasen, hast du deinen Meister gefunden. Du weißt genau, aus welcher Herde ich mir meine Opfer aussuche. Du kennst die Homepage. Du hast die Liste. Aber du bist nicht in der Lage, sie zu schützen. Ihr seid alle nur Versager. Leute wie du, Ann Kathrin, können nur glänzen, solange sie sich mit dem Mittelmaß abgeben. In mir findest auch du deinen Meister.

Das muss doch ein irres Gefühl sein zu wissen, was passieren wird, und es nicht verhindern zu können. Zu gern würde ich dein Gesicht sehen, Ann Kathrin. Noch denkst du, dass du mich jagst. Dabei treibe ich längst deine gesamte Polizeitruppe vor mir her. Wenn wir fertig miteinander sind, ist nicht nur dein Sommerfeldt erledigt, Ann Kathrin, sondern auch du.

Wenn ich diese Schlagzeilen lese, diesen ganzen Mist, den Holger Bloem über dich verbreitet hat, diese Lobhudeleien ...

Deutschlands erfolgreichste Fahnderin

Vor ihr ist kein Serienkiller sicher

Niemand hat mehr Schwerverbrecher hinter Schloss und Riegel gebracht als Ann Kathrin Klaasen

Auch der falsche Doktor ging Ann Kathrin Klaasen ins Netz

Und wo bist du jetzt, Ann Kathrin? Wo stocherst du im Nebel? Ja, für einen Sommerfeldt reichen deine beschränkten Möglichkeiten vielleicht aus. Wie groß wird mein Triumph sein, wenn du ihn wieder einfängst, während ich weitermache ...

Ich kann deinen Zorn spüren, Ann Kathrin, und auch deinen, Sommerfeldt. Ich zeige der ganzen Welt, wie mittelmäßig ihr seid. Wenn die Sonne niedrig steht, werfen auch Zwerge lange Schatten.

Wenn ich hier fertig bin, dann habe ich dich, Dr. Bernhard Sommerfeldt, wieder auf das zurechtgestutzt, was du wirklich bist: der jämmerliche Johannes Theissen aus Bamberg, der nichts im Leben richtig hingekriegt hat. Du hast es nicht mal geschafft, dein Studium zu beenden, stattdessen aber den Millionenbetrieb deines Vaters ruiniert. Als falscher Arzt bist du berühmt geworden, als richtiger hättest du es nie geschafft.

Und du, liebe Ann Kathrin, wirst am Ende wieder das sein, was du in Wirklichkeit immer gewesen bist: eine kleine Provinzpolizistin.

Und jetzt hole ich mir Vanessa.

Vanessa Schneiders Kinderwunsch war übermächtig. Schon als sie in der Grundschule war, hatte sie nicht einfach mit Puppen gespielt wie die anderen, sondern sich immer wieder ein Kissen unter ihren Pullover gestopft und schwanger gespielt. Wenn sie ihre Puppe im Arm hielt, wurde sie in ihrer Vorstellung lebendig, hatte Gefühle, konnte fröhlich und traurig sein, ja, mit ihr kommunizieren. Sie war ein Teil von ihr.

Andere wollten Tierärztin werden, Filmschauspielerin, Forscherin, mehrere in ihrer Klasse Meeresbiologin – sie hatte nur einen Wunsch: Mutter zu werden. Doch der war ihr bis jetzt versagt geblieben, denn dazu brauchte sie einen Mann.

Nun war sie eine schöne, hochattraktive Frau, mit langen Beinen, einem Hüftschwung, der Männer nervös machte, und hatte ein gewinnbringendes, anmutiges Lächeln. Ihr ganzes Wesen war sanft, ja zart. Männer, die um sie warben, gab es genug.

Viele wollten gern mit ihr ins Bett, doch sie wollte nicht einfach ein bisschen Samen, sie wollte einen richtigen Vater für ihr Kind. Den suchte sie genau aus. Verlässlich sollte er sein, solide. Am besten monogam. Einen, der stolz darauf war, Versorger zu sein. Doch davon gab es nicht viele.

Ja, sie wollte auch heiraten, eine richtige Ehe führen. Am liebsten in einem freistehenden Einfamilienhaus, mit einem Garten, der groß genug war, damit auch die Nachbarkinder zum Spielen rüberkommen konnten. Sie wollte Kuchen backen, für gesundes Essen sorgen. Sie stellte sich einen Kirschbaum vor, der tiefrote, fast schwarze, süße Früchte trug. Manchmal träumte sie davon, in ihrer Einbauküche zu stehen und Kirschmarmelade zu kochen. Sie wollte gern eigene Tomaten pflanzen, vielleicht in einem kleinen Gewächshaus.

Sie wünschte sich eine Zukunft mit zwei Kindern, am liebsten einem Jungen und einem Mädchen. Sie wollte mit ihnen Kirschen entsteinen und Krabben pulen. Ganz banale Tätigkeiten.

Wenn Vanessa ihren Freundinnen von ihren Sehnsüchten erzählte, erntete sie manchmal Spott, wurde spießig genannt. Ihr Wunsch, wie sie leben wollte, wurde als traditionell abgefertigt. Dabei spürte sie doch, dass auch ihre Freundinnen ähnliche Wünsche hatten, sich die aber nicht zugestanden.

Nun führte sie ein völlig anderes Leben als das, was sie sich einst erträumt hatte. Sie trainierte fleißig im *Butterfly*, tat an der Latissimus-Maschine einiges für ihren Rücken, Bauch-Beine-Po-Übungen gehörten zu ihrem Lebensrhythmus wie das Fahrradfahren. Sie ernährte sich nach dem 16/8 Prinzip, was ihr leichtfiel. Sie ließ einfach jeden Morgen das Frühstück ausfallen, aß aber gut zu Mittag und zu Abend.

Mit jedem neuen Mann kaufte sie sich ein neues Paar Schuhe. Zu einem Date gehörte praktisch ein Schuheinkauf, nur dass die Schuhe meist viel länger hielten als die Beziehungen. Spätestens dann, wenn es begann, ernsthaft zu werden, wenn sie von ihren Plänen erzählte, wurden die anfangs so begeisterten, leidenschaftlichen Männer verhaltener. Nicht dass sie direkt Reißaus nahmen, nein, das war es nicht. Doch sie hatten noch andere Pläne und baten sie, das alles hinauszuschieben. Ja, es war natürlich eine tolle Idee, ein Haus und Kinder, so richtig sesshaft werden, eine normale Familie – das konnten sich viele auch vorstellen, oder sie heuchelten es sehr geschickt. Aber eben noch nicht jetzt. Erst musste die Energie für einen weiteren Karriereschritt aufgebracht werden. Außerdem fiel es den meisten schwer, sich auf einen Ort festzulegen. Sie kamen sich flexibel vor, ja, wie Abenteurer, wenn sie davon sprachen, dass sie jetzt noch nicht genau wüssten, ob sie für die Firma zwei Jahre nach Mailand gehen müssten, nach Frankfurt oder London.

Für Vanessa aber waren sie Sklaven, die ihre Lebensentscheidungen von den Chefs und deren Firmenpolitik abhängig machten. Für Titel, Anerkennung und ein paar Zahlen auf dem Konto gaben sie Freiheiten auf, verkauften ihre Träume für Plunder.

Inzwischen war sie fünfunddreißig. Da sie gesund lebte und trainierte, ging sie für fünfundzwanzig durch, und dazu brauchte sie nicht viel Schminke. Dass sie manchmal von Männern angegraben wurde, die gerade erst ihr Abitur gemacht hatten, schmeichelte ihrem Ego, aber mit denen ließ sie sich nicht ein. Sie war auf der Suche nach einem richtigen, gestandenen Kerl. So hatte sie es mal gesagt, bei Sonnenschein, mit einem Latte Macchiato in der Hand, im Kreise ihrer Freundinnen. Und sie war dafür belächelt worden.

Ihre Freundin Imken hatte den Satz wiederholt: »Du willst einen richtigen, gestandenen Kerl. Das ist so, als würdest du heutzutage versuchen, im Freizeitpark ein Mammut zu jagen. Die sind ausgestorben, Vanessa. Ausgestorben!«

Selbst ihren Beruf hatte sie darauf ausgerichtet, im Zweifelsfall von zu Hause arbeiten zu können. Sie war Webdesignerin geworden, und das ließ sich gut im Homeoffice organisieren. Sie machte Websites und gestaltete den Internetauftritt für Hotels und Geschäfte. Auch eine Kinderbuchautorin zählte zu ihren Kunden und hatte in ihr den Wunsch geweckt, ebenfalls Kinderbücher zu schreiben. Das wäre es doch! Umgeben von den eigenen Kindern an einer Geschichte zu arbeiten und die den Kindern dann vorzulesen. Sie sah schon die Begeisterung in den Augen ihrer noch nicht geborenen Kinder vor sich.

Gerade war sie wieder mal auf so einen Sonnyboy hereingefallen, der ihr verschwiegen hatte, dass er in Dinslaken eine Frau und zwei Kinder hatte. Er war mit ihr zwar nicht verheiratet, weil er »diese bürgerliche Institution Ehe« ablehnte, doch sie lebten zusammen in einer, wie sie beim letzten Streit erfahren hatte, An-Aus-Beziehung. Sie schafften es immer zwei, drei Monate miteinander, dann verkrachten sie sich so sehr, dass er wieder auszog. Zu einem Kumpel oder in sein ohnehin viel zu großes Elternhaus, in dem seine Mutter seit dem Tod des Vaters allein lebte. Weil ihre Knie nicht mehr mitspielten, stand die gesamte obere Etage seit Jahren leer. Im Grunde bewohnte sie auch den Rest des Hauses kaum noch, bewegte sich zwischen Küche und Schlafzimmer hin und her. Er hätte sie gern in ein Seniorenheim gebracht und das Haus verkauft, doch dagegen sperrte sich die alte Dame.

Er hieß Gunnar, konnte unheimlich charmant sein, war Vermögensberater, allerdings ohne eigenes Vermögen, und hatte nach der ersten Nacht versucht, ihr eine Hausratversicherung anzudrehen. Vanessa hatte einen Lachkrampf bekommen.

Jetzt war sie gerade wieder solo, und dann machte sie besonders gerne etwas mit ihren Freundinnen.

Imken hatte auch den bösen Satz gesagt, dass bei ihr die Uhr ja jetzt ticke und dass das jeder Mann merken würde. Kein Wunder, dass sie dann Reißaus nähmen.

Vor Wut darüber hätte Vanessa Imken fast die Freundschaft gekündigt. Sie trafen sich immer noch beim Sport und gingen auch einmal die Woche zusammen essen, doch ihre Freundschaft hatte einen tiefen Riss bekommen.

Imken sah das sowieso alles ganz anders und wollte ihr Leben auf keinen Fall mit irgendeiner »quengeligen Brut« belasten. »Ein Kind«, sagte sie, »ist schlecht für die Beziehung, schlecht fürs Portemonnaie, du kommst nicht mehr dazu, dein eigenes Ding zu machen, und sprichst ein paar Jahre in dieser Idiotensprache.« Leise fügte sie hinzu: »Und kennst du irgendwelche Paare, die nach der Geburt ihres Kindes noch guten Sex haben? Guten, wohlgemerkt. Nicht so müdes Herumgebumse, damit sie es auch mal wieder getan haben ...«

Imken konnte Sachen sagen, da sträubten sich bei Vanessa die Nackenhaare. Irgendwie war Imken genau die Person, die Vanessa nie werden wollte.

Heute wollten sie nach dem Sport gemeinsam im *Möwchen* essen gehen. Vanessa hoffte, ein unverfängliches Thema zu finden. Zum Glück kam Simone noch mit, nur mit Imken alleine hätte sie es nicht ausgehalten. Normalerweise gingen sie zu viert aus, aber Jennifer hatte abgesagt. Immer, wenn eine von ihnen einen neuen Kerl am Start hatte, häuften sich die Absagen der frisch Verliebten. Es galt als ausgemacht, niemals einen Typen mitzubringen. Es sollte ja ein Mädelsabend werden, und sie wollten verhindern, dass sie zueinander in Konkurrenz gerieten. Das, so fanden alle, wäre das Letzte.

Er fuhr auf dem Parkplatz neben dem *Butterfly* ganz hinten durch. Hier war Aikes Wagen von der Straße aus praktisch nicht einsehbar. Gut ein Dutzend Fahrzeuge verstellten den Blick.

Er ging ein paar Meter in Richtung Golfplatz spazieren. Er durfte sich nichts anmerken lassen. Er würde sich ihr problemlos nähern können. Sie kannten sich vom Sehen. Vor mehr als drei Monaten hatte er hier einen Vertrag abgeschlossen.

Er war nicht oft zum Training gegangen, doch er wollte sich fit halten. Einer wie er brauchte seine Muskeln. Einmal war er mit Vanessa und ihren drei Freundinnen in der Sauna gewesen. Sie hatten sich, nachdem er hereingekommen war und sie mit einem »Moin« begrüßt hatte, ungeniert weiterunterhalten. Es war um das Für und Wider von E-Bikes gegangen. Imken hatte behauptet, das sei doch nur etwas für alte Leute. Vanessa hatte heftig widersprochen und behauptet, seitdem sie ein E-Bike fahre, würde sie das Rad viel öfter benutzen und für viel längere Strecken, denn auch bei Gegenwind mache ihr das Radfahren nichts mehr aus.

Gegenwind, lästerte Simone, sei praktisch das Bergauffahren von Ostfriesland. Darüber hatte er gelacht, und die Frauen sahen zu ihm rüber, als würden sie ihn mit dem Lachen praktisch in ihren Club aufnehmen.

Es würde also kein großes Problem werden, sich Vanessa zu nähern. Er wollte nur nicht der Letzte sein, mit dem sie gesehen wurde. Er musste sie irgendwie isolieren.

Er ging noch ein wenig in Lütetsburg spazieren und sah einigen Golfern zu. Es waren Anfänger, die hier den Abschlag übten und sich dabei, wie er fand, ziemlich ungeschickt anstellten.

Die Frauen hatten ihre Räder vor dem Sportcenter abgestellt. Er wog ab, was dagegen sprach, etwas mit ihrem Fahrrad anzustellen. Er konnte die Luft aus dem Reifen lassen, ihn mit dem Messer richtig zerstören und ihr dann anbieten, sie im Auto mitzunehmen. Doch das konnte nicht unbemerkt und unbeobachtet geschehen. Direkt danach wäre klar, dass er der Entführer war. Nein, es musste einen besseren Weg geben.

Er ging ins Sportzentrum, setzte sich zunächst vorne ins Café, trank ein großes Glas Wasser, aß einen Eiweißriegel und ließ sich einen Milchkaffee machen. Von all dem bekam Aike

Ruhr noch nichts mit. Der Langeoog-Killer konnte ja schlecht mit der Kamera auf dem Kopf im *Butterfly* herumsitzen. Aber auf dem Display seines Handys beobachtete er Aike.

Vielleicht, dachte er, habe ich ihn ein bisschen zu fest geknebelt und gefesselt. War er ohnmächtig geworden? Bekam er keine Luft mehr? Hatte er einen Herzinfarkt bekommen? Dafür war er doch eigentlich viel zu jung. Stellte der sich nur so an? Wollte er dadurch, dass er einen auf toter Mann machte, ihn von seiner Tat abbringen? Er war kurz davor, zurückzufahren und nach Aike zu sehen, aber dann würde er Vanessa möglicherweise verlieren.

Was bist du für ein gerissener Hund, Aike, dachte er. Du versuchst es echt mit allen Tricks. Er saß sehr unbequem da, den Kopf im Nacken, halb auf der Schulter, als seien die Muskeln erschlafft und er in sich zusammengesackt. Eine Atmung war nicht auszumachen. Aber nach einer Weile blinzelte Aike auf den Bildschirm.

Na klar, freute der Langeoog-Killer sich, natürlich geht die Neugier mit dem Journalisten durch. Einerseits willst du mich reinlegen, andererseits willst du aber auch nichts verpassen.

Er wertete Aikes Blinzeln als Bestätigung dafür, dass dessen Ehrgeiz geweckt worden war. Natürlich wollte er seinen großen Erfahrungsbericht schreiben. Er war klug genug zu wissen, dass dies die Chance seines Lebens war. Eine große, einzigartige Möglichkeit, etwas Herausragendes zu leisten. Um über etwas Ungewöhnliches berichten zu können, musste man erst mal in so eine Situation kommen. Ohne Krieg keine Kriegsberichterstattung. Ohne Gefahr keine Helden. Ohne Drachen keine Drachentöter.

Er zahlte und zog sich um. »Moin, Heiner, lange nicht gesehen. Ich trainiere jetzt immer freitags«, sagte ein junger Mann.

Unter seinem T-Shirt bildete sich eine trainierte Brust ab. Sein Bizeps sprengte fast die Ärmel des Shirts. Auf der Straße hätte er ihn nicht erkannt. Er hatte ihn *Heiner* genannt, und so wurde er daran erinnert, dass er sich unter diesem Namen hier eingetragen hatte. Heiner Ludwig. Den Namen konnte er sich gut merken, es war ein Klassenkamerad von ihm gewesen. Einer, den er gehasst hatte. Heiner war in allem besser gewesen als er, nicht nur in jedem Schulfach. Heiner hatte die tolleren Klamotten, das teurere Fahrrad, die schärfere Freundin und genug Geld für die Karten der angesagtesten Konzerte.

Nein, er wollte nie sein wie Heiner. Er fand, dass Leute wie Heiner überflüssig waren. Am liebsten hätte er sie vernichtet, aber es gab zu viele davon. Er konnte sie nicht alle töten. Männer hatte er dann einfach links liegen lassen und sich auf Frauen konzentriert.

Er suchte sich eine freie Maschine, ging zur Bank, um eine Langhantel zu drücken. Imken scherzte: »Na, Heiner, was gegen den Bauch tun?«

Erschrocken zog er seinen Bauch ein und fühlte sich gleich mies. Erstens, weil sie offensichtlich wahrnahm, dass er zugenommen hatte, was ihm selber entgangen war, und dann, weil sie ihn ebenfalls Heiner nannte. Verflucht, dachte er, weiß hier jeder alles über mich? Wird hier mein Bauchumfang gescannt? Haben die Karteikarten, auf denen meine Veränderungen eingetragen werden?

So sehr er sich gerade dagegen auflehnte und es ihn sauer machte, so sehr streichelte es auch sein Ego. Offensichtlich hatte sie ihn ja beim letzten Mal sehr genau angesehen und ihn im Gedächtnis behalten.

Ungeniert betrachtete er nun ihren Körper. Er schätzte sie

auf Ende dreißig, Anfang vierzig. Wenn heutzutage im Fitnesscenter eine Frau aussah wie Anfang dreißig, war sie vermutlich Mitte vierzig.

War sie interessiert an ihm?

Er konnte sich jetzt auf nichts einlassen. Er musste sein Ding durchziehen, musste jede Ablenkung vermeiden. Das alles war doch schon schwierig genug.

Aus Gesprächsfetzen bekam er mit, dass die Frauen noch gemeinsam ins Restaurant *Möwchen* auf der Norddeicher Straße wollten. Dort gäbe es ganz besondere Steaks, lange abgehangenes Färsenfleisch.

Simone lästerte: »Von der Ferse?«

»Färsenfleisch«, erklärte Imken, während sie auf dem Stepper arbeitete, »ist anders als das vom Jungbullen. Eine Färse ist ein schon geschlechtsreifes weibliches Rind, das aber noch nicht gekalbt hat.«

»Eine Teenagerkuh? Da kann ich mich ja voll mit identifizieren«, lachte Simone.

Imken erläuterte: »Ich esse ja praktisch nur noch Fisch, Fleisch und Gemüse.«

»Stimmt«, lachte Vanessa. »Beim letzten Mal hat sie ein 400 Gramm Rumpsteak verputzt.«

»Das ist jetzt der letzte Schrei«, bestätigte Imken. »Das Fleisch muss lange abhängen, bis die Steaks rausgeschnitten werden.«

»Praktisch kurz vor der Verwesung wird es gegessen, aber ich sage euch, Leute, köstlich!«

Sie waren so fröhlich, sie waren so unbekümmert. Sie glaubten, weil sie Sport trieben und auf ihre Ernährung achteten, würden sie ewig jung und schön bleiben und nicht krank werden. Wahrscheinlich strebten sie geradezu Unsterblichkeit an.

Aber eine von ihnen würde heute noch vor ihren Herrgott treten, sofern es da oben im Himmel so einen Bewohner gab.

Jetzt wusste er, wo er sie abfangen konnte. Sie würden also zu dritt zum *Möwchen* radeln. Von dort aus hatte Vanessa es nicht weit bis zur Ostermarscher Straße. Auf dem kurzen Weg musste er sie irgendwo in einem unbeobachteten Moment erwischen.

Ich werde anhalten, dachte er. Ich werde sie etwas fragen, und dann schubse ich sie vom Rad. Ich werfe ihr Fahrrad in die Wiese und bringe sie zu mir. Ich töte sie direkt vor Aikes Augen, und dann erst fahre ich sie nach Leer.

Nein, er würde nicht im *Möwchen* essen gehen. Das wäre dann doch zu viel. Er entschloss sich, daneben auf dem Parkplatz vom Hotel zu parken.

Als er das Fitnessstudio verließ, kaufte er sich noch zwei Energieriegel. Ihr habt es gut, dachte er. Ihr kriegt ein abgehangenes Steak und ich … ich esse diesen Industriemüll hier.

An diesem warmen Sommerabend saßen auch draußen vor dem *Möwchen* an den Tischen viele Leute. Es roch nach Fisch, gebratenem Fleisch und über allem lag ein Hauch von Curry und Kokos, wenn der Wind ein kühles Lüftchen brachte.

Die Freundinnen hatten zwar drinnen einen Tisch reserviert, fanden aber draußen noch Platz, und so sehr auch alle auf die schlanke Linie achteten, wussten sie doch einen guten Weißwein aus Franken zu schätzen, stießen die kühlen Gläser gegeneinander und prosteten dem Leben zu.

Er beobachtete sie von weitem. Das Wort *Henkersmahlzeit* setzte sich in seinem Gehirn fest: Vanessa genießt ihre Henkersmahlzeit. Im Grunde wäre jede ihrer Freundinnen genauso gut gewesen, doch er wollte eine von der Homepage, eine von der berühmten Arsch-Seite.

Über Vanessa hatte jemand, der sich *Tarzan 51* nannte, geschrieben, sie sei *ein gottverdammtes, arrogantes Miststück. Sie genießt es, Männer scharf zu machen und dann im Regen stehen zu lassen. Sie hat alles getan, um von mir beachtet zu werden, und als sie mich endlich soweit hatte, hat sie mir die kalte Schulter gezeigt. Vorsicht, Männer! Sie ist eine frigide Fallenstellerin.*

Ihm waren diese Urteile völlig egal. Jeder Mensch hatte irgendeinen, den er hasste und dem er die Pest an den Hals wünschte. Warum auch immer ... Menschen waren eben so. Es war doch leichter, jemand anderen zu hassen als sich selbst. Alles, was er an sich selbst nicht mochte, bekämpfte er gern bei anderen.

Vanessa hatte sich ein 200-Gramm-Steak bestellt. Imken blieb bei ihrem 400-Gramm-Steak und hatte es genauso schnell aufgegessen wie Vanessa ihr halb so großes. Dabei schloss sie ständig die Augen und stöhnte.

Wenn sie im Bett genauso viel Lärm macht, schreit sie bei einem Orgasmus die ganze Straße zusammen, grinste er. Es gefiel ihm, sich die Frauen beim Sex vorzustellen und sich zu fragen, wie ihre Gesichter aussahen, wenn sich die Stahlschlinge um ihren Hals zuzog. Die anderen drei würden in diesen Genuss wohl nicht kommen, denn noch arbeitete er die mit Aike besprochene Liste ab. Ja, er hielt sich gern an Absprachen.

Auf Nachtisch verzichteten sie glücklicherweise, obwohl Simone damit liebäugelte, ein Vanilleeis mit heißen Kirschen zu bestellen. Im letzten Moment entschied sie sich dann aber, wie die anderen, für einen Espresso. Die Bedienung bot ihnen noch einen Verdauungsschnaps aufs Haus an. Zu seinem Erstaunen sagten alle drei Ja dazu.

Heute würde er die Kamera gar nicht brauchen. Er bekam schon feuchte Hände. Immer wieder betastete er die Griffe der Stahlschlinge.

Ihre Fahrräder standen keine fünf Meter von seinem Auto entfernt. Als sie sich verabschiedeten, machte Imken noch einen Vorschlag. Ob sie nicht noch Lust hätten, mit ihr ins *Mittelhaus* oder ins *Cage* zu fahren. Simone wollte stattdessen lieber ins *Wolberg's*, um noch einen Cocktail zu nehmen.

Och ne, dachte er, bitte, jetzt ist es doch genug, Mädels. Könnt ihr nicht endlich mal aufhören? Er war es leid zu warten. Sein Hass wuchs mit jeder Sekunde, die er länger zur Untätigkeit verdammt war. Aber dann hatte er Glück. Simone und Imken entschieden sich, noch gemeinsam etwas zu trinken, Vanessa dagegen behauptete, sie höre ihr Bett schon rufen und morgen müsse sie früh raus.

Die Sonne ging unter. Der Himmel färbte sich für kurze Zeit glutrot.

Hier trennten sich also ihre Wege. Er ließ den Wagen an und wartete noch einen Moment. Als Vanessa von der Norddeicher in die Ostermarscher Straße abbog, folgte er ihr. Die Straße war leer.

Sie richtete ihre Aufmerksamkeit nach links. Der Himmel hatte so faszinierende Farben, zwischen nachtblau, karminrot und einem Gelb, das wie Goldstaub wirkte. Auch er musste dagegen ankämpfen, sich zu sehr ablenken zu lassen. Die Bahnschranke senkte sich, fast so, als sollten die Menschen innehalten und das Naturschauspiel beobachten. Für ihn war das günstig.

Er sprach sie nicht an. Er nutzte nicht die Möglichkeiten, die sich ihm boten, weil sie einander bekannt waren. Nein, er stieg einfach aus und presste ihr wortlos das chloroformgetränkte Tuch aufs Gesicht. Einen Moment zappelte sie. Sie schlug sogar nach ihm, erwischte seine Stirn, aber dann erschlaffte ihr Widerstand.

Er schob sie auf die Rückbank, warf ihr Fahrrad in die Wiese, und noch bevor der letzte Zug aus Norddeich-Mole vorbeigetuckert kam, saß er schon wieder im Auto.

Immer wieder musste er nach hinten schauen. Es ärgerte ihn, aber er hatte Angst, die Betäubung könne nicht lange genug anhalten. Sie war nicht gefesselt, sie lag einfach auf dem Rücksitz. Was, wenn sie sich aufraffte? Sie hätte die Möglichkeit, ihn von hinten zu würgen, ja, ihm ins Lenkrad zu greifen.

Er schimpfte mit sich selbst. Er war einfach zu unvorsichtig.

Er schaltete das Radio ein. Er wusste nicht, warum. Es war *Radio 21*. Er hörte Annette Radüg zu, als könne sie ihm eine wichtige Information geben, die den Rest seines Lebens verändern würde.

Er hatte es nicht weit. Schon stand der Wagen in der Garage. Jetzt wollte er alles nur noch schnell hinter sich bringen. Er hatte Angst, dass Aike wieder irgendwelche Tricks versuchen würde, um ihm den Spaß zu nehmen oder ihn durcheinanderzubringen. Nein, so viel Macht wollte er diesem Journalisten nicht geben. Es wäre ein Leichtes für ihn gewesen, Vanessa jetzt hochzubringen und direkt vor Aikes Augen zu ermorden. Aber er setzte stattdessen die Kamera auf seine Stirn, und dann schüttelte er Vanessa. Sie sollte wach werden. Sie sollte sehen, was mit ihr geschah.

Doch sie reagierte nicht.

Er nahm den Gartenschlauch und spritzte sie damit nass,

während sie auf der Rückbank lag. Der kalte Strahl holte ihre Lebensgeister zurück. Sie reckte ihm die Hände entgegen, sie wehrte sich, sie kreischte, sie strampelte. Sie versuchte, an der anderen Seite auszusteigen.

Er ließ den Schlauch los. Das Wasser schoss weiterhin heraus. Er packte ihre Beine und zog sie zu sich. Ja, sie war wirklich durchtrainiert, aber da das Chloroform seine lähmende Wirkung noch nicht völlig verloren hatte, gelang es ihr nicht, ihre volle Kraft zu entfalten. Sie schlug, kratzte, biss, schimpfte ihn ein krankes Arschloch.

Vielleicht hatte sie irgendeinen Selbstverteidigungskurs mitgemacht oder kannte es aus Filmen. Sie versuchte, ihm in die Augen zu stechen. Sie formte Mittel- und Zeigefinger zu einem V und führte so zwei Stöße in sein Gesicht aus. Einmal traf sie seine Nase und seine Lippen, ein zweites Mal wäre es ihr fast gelungen, ihm die Fingernägel in beide Augen zu jagen.

Sie kämpften jetzt im Auto miteinander. Es war nass, und es war eng.

Sie hatte begriffen, dass von der Stahlschlinge eine tödliche Gefahr ausging. Sie tat alles, um sie abzuwehren. Sie schützte ihren Hals mit den Händen. Er brach ihr zwei Finger, doch sie traf mit ihrem Knie seine Magengrube, dann seine Leber.

Er hatte mal gehört, dass eine kranke Leber keine Schmerzen bereite, aber ein Schlag auf die Leber konnte schlimmer sein als ein Tritt in die Weichteile.

Er jaulte vor Schmerz, und ihm wurde schwindlig. Sollte diese Wildkatze tatsächlich in der Lage sein, ihn zu besiegen? Nein, das konnte nicht sein. Er fand es schon demütigend, dass sie ihm solche Schwierigkeiten machte. Am liebsten hätte er sich die Kamera vom Kopf gerissen. Das musste Aike nun wirklich nicht sehen. Was sollte er denn darüber schreiben?

Dass der gefürchtete Killer den Kampf gegen eine junge Frau verlor?

Dann endlich schaffte er es, die Schlinge um ihren Hals zu legen und zuzuziehen.

Sie wusste, dass es jetzt um sie geschehen war. Er sah es in ihren Augen. Und genau das sollte Aike auch sehen.

Ann Kathrin und Weller wollten zu Hause im Distelkamp in ihre Gartensauna und die Sorgen und den Frust der letzten Tage rausschwitzen. Die Fasssauna war schon auf 82 Grad hochgefahren. Weller stand nackt mit seinem großen Saunatuch auf der Terrasse, sah in den Sternenhimmel und schnüffelte. Irgendwo musste jemand draußen eine Zigarre rauchen. Weller glaubte sogar, am Duft des Qualms zu erkennen, dass es eine kubanische war.

»Riechst du es, oder wünschst du es dir nur?«, fragte Ann Kathrin.

»Nein, ich rieche die Sonne Kubas. Und die Zigarre ist handgedreht.«

»Klar«, lachte Ann Kathrin, »und der Raucher ist ein Karnevalsprinz aus Köln, der sechs Richtige im Lotto hatte. Jetzt sag mir seine Schuhgröße und ob er glücklich verheiratet ist.«

Ihr Handy machte Seehundgeräusche. »Och nee«, bat Weller. »Bitte jetzt nicht. Lass uns erst in die Sauna gehen. Menschen können nicht immer nur arbeiten.«

Sie sah aufs Display. »Es ist Kevin Janssen.«

»Ach, Lisbeth ruft um diese Zeit an?«, wunderte Weller sich und ahnte, dass es um eine wichtige Information ging.

Schon hatte Ann das Handy am Ohr. »Ja?«

»Ich will euch ja nicht stören, aber ich dachte, ich sollte Ihnen das sagen. Also, die Dinge entwickeln sich auseinander.«

»Auseinander?«

»Ja. Nach meinen Daten ist sein Handy in Gelsenkirchen Bismarck, doch er selbst hält sich in Oldenburg auf.«

»Das wissen wir«, sagte Ann Kathrin. »Er hat sich seines Handys natürlich entledigt, aber sein Körperchip verrät uns seinen Standort. Dass er in Oldenburg zugeschlagen hat, wissen wir. Er macht ein bisschen Ärger, damit der Langeoog-Killer ihn ...«

Weller verbeugte sich ironisch vor Ann Kathrin wie ein Lakai, der eine Tür für die Herrschaften öffnen will. »Ja, hereinspaziert, meine Damen und Herren«, flötete er, »hier werden Ihnen sämtliche Geheimnisse verraten.«

Sie war ihrem Mann dankbar, dass er sie gestoppt hatte. Es war ihr peinlich, dass sie sich so sehr verplappert hatte. Mit ein paar netten Worten verabschiedete sie sich von Kevin und bedankte sich für seinen Hinweis.

»Wer hat denn gesagt, er soll nicht mehr wissen als eben nötig? Wir wollten doch niemanden ins Vertrauen ziehen. Ist das jetzt alles Schnee von gestern?«

Sie lehnte sich an Franks Schulter. »Tut mir leid, ich hab mich benommen wie eine Idiotin. Ich kann einfach nicht mehr. Ich bin durch.«

»Schön, dass du dir das eingestehst. Dann lass uns jetzt in die Sauna gehen, Liebste. Der Druck der letzten Tage war enorm.«

Selbst in der Sauna hatte sie Mühe runterzukommen. Sie wirkte auf Weller, als wollte sie jeden Moment aufspringen und rauslaufen. Vielleicht spürte sie, dass nur wenige Hundert

Meter Luftlinie von ihr entfernt Vanessa Schneider um ihr Leben kämpfte.

Vanessas letzter trauriger Gedanke war, dass sie es jetzt nie erleben würde: dieses Gefühl, Mutter zu sein.

Der Mond wurde von einer Wolke verdeckt.

Er parkte auf einem kleinen Parkplatz neben *Bücher Borde*, hinter dem Philippsburger Park in Leer, neben einem weißen Mercedes A-Klasse. Hier war er einmal bei *Märchen und Musik im Park* zu Gast gewesen. Er fand die Veranstaltung damals großartig. Menschen brachten sich ihre Stühle mit, es kostete keinen Eintritt, Märchenerzähler waren da, Seifenblasenkünstler zauberten ihre bunten Kunstwerke. Augenblicksexistenzen. Hier bei *Bücher Borde* hatte er sich Stifte gekauft und eine Kladde, wollte seine eigenen Aufzeichnungen beginnen, doch war im Tun grauenhaft gescheitert.

Was er sich so toll vorstellte, hatte in der Praxis überhaupt nicht funktioniert. Jeder Satz kam ihm dumm vor, albern, widerlegbar, unecht. Er gestand sich zu, Sommerfeldt dafür zu bewundern, dass er den Mut hatte, Sätze zu formulieren und einfach stehen zu lassen. Nein, das konnte er selber nicht.

Gab es so etwas wie Talent? Hatte er das nicht? War er einfach nur zu selbstkritisch? Immer wieder riss er Seiten heraus, zerstörte, was er gerade erst geschaffen hatte, versuchte es mit Stiften in allen Farben und gab am Ende doch auf.

Nein, ein Journalist musste her. Ein Schriftsteller. Ein Künstler. Ein Wortakrobat. Er brauchte einen, der es für ihn in Worte fasste.

Am liebsten hätte er Sommerfeldt selbst dazu überredet,

doch er wusste, dass das Quatsch war. Der würde doch immer nur sich in den Vordergrund schieben, während einer wie Bloem von der Schönheit einer Landschaft erzählen konnte, dass es einen beim Lesen anrührte. Sich selbst nahm er dabei zurück. Ja, genau so einen brauchte er. Und er hoffte, sich in Aike Ruhr nicht vergriffen zu haben.

Er hatte die hintere Tür schon geöffnet. Vanessas Beine hingen bereits aus dem Auto. Sie verlor einen Schuh. Er zog ihn ihr wieder an. Er fand, sie solle gut aussehen und nicht wie ein weggeworfenes Möbelstück.

Er glaubte, völlig allein zu sein. Hier, so nah am Park, um diese Zeit, da sah nur der Mond zu. Doch dann nahm er eine Bewegung wahr. Es hätte ein Vogel sein können, ein Tier. Etwas war zwischen den Bäumen. Etwas Lebendiges.

Er war bereit, jeden Mitwisser zu töten. Auf keinen Fall würde er sich das hier kaputtmachen lassen. Mittendrin, jetzt, da alles so gut lief.

Er versuchte, etwas zu erkennen. Der Wind spielte in den Bäumen. Da war ein Blätterrauschen. Trotzdem wusste er jetzt, dass sich dort jemand befand. Nicht weit von ihm. Vielleicht fünfzehn oder zwanzig Meter entfernt. Jemand, der nicht gesehen werden wollte.

Hatte er eine Person mit den Scheinwerfern aufgeschreckt, als er den Wagen hier abgestellt hatte? Wurde er schon die ganze Zeit beobachtet?

Er lauschte. Wenn dort jemand war, hatte der dann schon die Polizei gerufen? Konnte man sehen, dass er eine Leiche auf dem Rücksitz liegen hatte?

Der ostfriesische Wind vertrieb die Wolken, und das Mondlicht gab dem Park etwas Märchenhaftes. Für einen Moment sah es aus, als könnten hier Trolle wohnen, Zwerge und Elfen.

Dann sah er das Pärchen, und das Pärchen sah ihn. Was sie dort machten, ging keinen etwas an. Sie fühlten sich von ihm gestört. Sie entschieden sich wohl, an einem anderen Ort weiterzumachen, und kamen auf ihn zu.

Er musste schnell reagieren. Er tat es, ohne nachzudenken. Es gab nur zwei Möglichkeiten: Entweder, er musste beide töten, oder sie durften die Wahrheit nicht herausfinden. Also tat er so, als würden er und Vanessa das Gleiche tun wie das Pärchen dort in den Büschen.

Er legte sich auf sie und küsste sie. Er betastete ihre feuchte Brust und wühlte in ihren Haaren.

Sie waren jetzt neben ihm. Er hörte, wie eine Wagentür geöffnet wurde. Die Frau kicherte. Der Mann prustete.

Der Langeoog-Killer hatte das Gefühl, dass die zwei länger verweilten als nötig. Beobachteten sie ihn, während er sich mit der Leiche auf dem Rücksitz herumwälzte?

Er traute sich nicht hochzugucken. Ein Blick in ihre Augen hätte unweigerlich einen Kampf auf Leben und Tod nach sich ziehen müssen.

Endlich sprang der weiße Mercedes an. Er hörte die Reifen auf dem Kies.

Was, fragte er sich, wenn sie genau mitgekriegt haben, was hier los ist? Was, wenn sie an der nächsten Ecke anhalten und die Polizei rufen?

Er stieg aus. Er war nass. Er wischte sich mit den Händen über die Kleidung. War das jetzt hier unheimlich clever, oder hatte er sich total stümperhaft benommen? Wie würde Aike Ruhr es werten? Als einen cleveren Schachzug eines ausgekochten Profis oder als amateurhaftes Herumgeeiere? Wie hätte Sommerfeldt entschieden? Hätte er die beiden einfach kaltgemacht?

Er musste grinsen. Nein. Zumindest die Frau wäre vor Sommerfeldt sicher gewesen. Genau das konnte er ja nicht.

Jetzt ärgerte er sich, dass er das Pärchen nicht getötet hatte. Hätte er nicht genau dadurch seine Überlegenheit Sommerfeldt gegenüber beweisen können? Für einen Moment spielte er mit dem Gedanken, hinter den beiden herzufahren, sie irgendwo zu stellen und nacheinander zu töten. Aber er hatte bis jetzt seine Opfer immer alleine gestellt. Ein Raubtier isolierte seine Beute aus der Herde und schlug erst dann zu. So hatte er es immer getan. Alles andere war viel zu riskant.

Er bog sich durch. Da war ein Ziehen im Rücken. Außerdem war seine Blase voll. Aber er durfte jetzt keine Verzögerung mehr zulassen.

Ralf Borde hatte ein ganzes Schaufenster mit ostfriesischer Kriminalliteratur gestaltet. Das war inzwischen ja geradezu ein eigenes Genre geworden, und im Mittelpunkt standen wieder die Bücher von Sommerfeldt. Dem konnte man hier wohl nirgendwo entgehen.

Er zerrte die nasse Leiche aus dem Auto. Er nahm keine Trophäe für die nächste mit. Er hatte es nicht mehr nötig, seine Arbeiten zu signieren. Sie sprachen für sich selbst. Die Auswahl der Orte, der Rhythmus seines Tuns, das alles ergab einen Gesamtzusammenhang. Das musste reichen.

Er versuchte, sie im Eingang so zu drapieren, als sei sie eine umgefallene Schaufensterpuppe. Er war zufrieden mit seiner Arbeit. Er schoss noch zwei Fotos, um seine Tat zu dokumentieren. Eines war für Sommerfeldt, aber das würde er jetzt noch nicht abschicken.

Polizeikommissaranwärter Linhart Löblein freute sich, als Leyla ihn anrief. Sie war um kurz vor sechs losgefahren, weil ein Zeitungszusteller gemeldet hatte, dass eine betrunkene hilflose Frau im Eingang bei *Bücher Borde* läge.

Linhart war immer noch verliebt in Leyla, und im Rahmen seines sechsmonatigen Praktikums saß er in der Polizeiinspektion Leer neben ihr am Telefon. Er hatte vor, sein Studium an der Polizeiakademie Oldenburg zu Ende zu bringen. Der Polizeidienst war noch viel spannender, als er ihn sich vorgestellt hatte. Er hatte hier nicht nur seine Berufung gefunden, sondern auch noch die Frau seines Lebens. Nur wusste sie ihr Glück noch nicht wirklich zu schätzen. Schlimmer noch: Sie nahm ihn nicht ernst.

Alle wussten, dass er verliebt in sie war. Das setzte ihn mächtig unter Druck. Er hatte schon oft im Leben etwas angefangen und dann aufgegeben, wenn es schwierig wurde, anstrengend oder sich etwas anderes anbot, das verlockender aussah, einfacher zu erreichen war und nicht so nervig. Er war ein guter Kurzstreckenläufer, aber der Marathon des Lebens lag ihm nicht.

Doch diesmal, das hatte er sich ganz fest vorgenommen, diesmal würde er durchhalten! Ganz bestimmt! Ja, er würde Kommissar werden und mit ein bisschen Glück auch Leylas Lebenspartner. Er wollte sie nicht nur einfach flachlegen, wie so manch anderer, nein, er wollte sie wirklich, stellte sich ein Leben mit ihr vor.

Ein Magen-und-Darm-Virus hatte die Reihen in der Polizeiinspektion Leer ausgedünnt. Am Hafenkopf mussten sie mit knapp der Hälfte des Personals auskommen. Aus Emden waren zwei Mann Verstärkung gekommen. Norden hatte genug mit sich selbst zu tun, und in Aurich wütete das Virus ebenfalls. Außerdem war viel Personal im Sommer auf den ost-friesischen Inseln, um da in der heftigsten Touristenzeit den Dienst zu verstärken.

So kam es, dass Linhart jetzt in Leer nicht nur Überstunden schob, sondern auch voll eingesetzt wurde, als sei seine Ausbildung bereits abgeschlossen. Normalerweise fuhren Polizeibeamte – schon aus Gründen des Selbstschutzes – immer zu zweit raus. Selbst diese Grundregel setzte das Virus kurzfristig außer Kraft.

Es war noch nicht ganz sechs Uhr, und Leyla meldete sich schon. Selbst jetzt klang ihre Stimme erotisch, fand Linhart.

»Da liegt keine besoffene, hilflose Person im Eingang der Buchhandlung. Die Frau ist tot, Linhart. Tot! Und wenn du mich fragst, sie sieht aus wie die Tote vor dem Taraxacum.«

»Auch in Joggingklamotten?«

»Nein, Mensch, aber jemand hat ihr den Hals zugeschnürt.«

»Und jetzt?«, fragte er und kam sich dämlich dabei vor, denn er wusste genau, was er zu tun hatte. Doch sie machte ihn nervös, denn zwischen ihnen stand immer noch diese nicht wirklich ausgesprochene Liebeserklärung, die er ihr nur zu gern gemacht hätte. Ihm fehlten einfach die richtigen Worte. Warum, dachte er, lernt man so etwas nicht in der Schule?

Er hatte sich sogar einen Band mit Liebesgedichten gekauft, in der Hoffnung, dort auf gute Ideen zu kommen. Im letzten Moment, als er an der Kasse stand und die junge Buchhändlerin ihn anlächelte, genierte er sich und ließ das Ganze als Geschenk einpacken. Sie tat es sehr geschickt und schmunzelte dabei: »Ich hoffe, Ihre Freundin mag Gedichte.«

»Ich auch«, hatte er geantwortet und dann sogar ein Trinkgeld gegeben, worauf die nette Verkäuferin irritiert reagierte. »Das ist eigentlich in Buchhandlungen unüblich«, sagte sie und fügte lächelnd hinzu: »Kellner bekommen Trinkgeld, Friseure ... Überall sind die Leute großzügig, aber bei uns ...«

»Wird Zeit«, erwiderte er, »dass sich daran etwas ändert.«

Er erschrak, da er nicht wusste, wie lange er in Gedanken versunken jetzt schon am Telefon gesessen hatte. Er hoffte, dass Leyla nichts bemerkt hatte. Noch einmal wiederholte er seine letzten Worte: »Und jetzt?«

Leyla stutzte und seufzte. Sie wirkte erschüttert. Sie sprach zwar mehrere Sprachen fließend und war eine taffe, emanzipierte Frau, aber sie stand nicht ständig am frühen Morgen vor einer frisch ermordeten Person.

»Soll ich kommen?«, fragte er mitfühlend. Sie spürte seine heldenhafte Hilfsbereitschaft, fand sie irgendwie süß, aber auch ein bisschen aufdringlich.

»Nein«, sagte sie, »du sollst die Stellung halten und mir die Spusi schicken. Der Tatort muss gesichert werden und ...«

»Ich weiß«, rechtfertigte er sich, und zum Glück konnte sie seine schweißnasse Stirn nicht glänzen sehen.

»Aber wenn es der Würger war, dann ...«

Leyla sah sich um. Sie war nervöser, als sie zugab. Sie mimte nur am Handy die coole Polizistin.

Sie nahm den nahen Park jetzt als bedrohlich wahr, obwohl sie dort sonst gern spazieren ging und auch bei *Märchen und Musik* jedes Mal dabei gewesen war. Ein Mord veränderte alles, erschütterte die Menschen in der Tiefe ihrer Seele. Auch das Gefühl, das man zu einer Landschaft oder einem Ort hatte, veränderte sich. Ihr Sicherheitsgefühl war dahin, das registrierte sie genau.

Zuletzt hatte sie so etwas bei einem Besuch in Istanbul erlebt, allerdings ganz ohne Leiche. Sie hatte sich einer Demonstration für demokratische Rechte für die Kurden angeschlossen. Plötzlich hatte sie, die Polizistin, die anwesende Polizei nicht als Freund und Helfer empfunden, sondern als einschüchternd, ja, bedrohlich. Ein kurdischer Schriftsteller, den sie sehr schätzte, saß im Gefängnis. Sie war mitgegangen und hatte mit der Menge seine Gedichte rezitiert, deren Poesie ihr dabei noch viel intensiver erschienen war, je mehr Leute die Gedichte auswendig mitsprachen.

Es war nichts Schlimmes geschehen. Alles verlief gewaltfrei. Im Nachhinein wertete sie das als wertvolle Erfahrung für sich, und doch hatte es sie zutiefst erschüttert zu erleben, dass sie ein Polizeiaufgebot als so unangenehm empfunden hatte. Nicht als Schutz, sondern als Einschüchterungsversuch.

Ein Schauer lief ihr noch jetzt über den Rücken, wenn sie daran dachte. Sie fühlte sich plötzlich einer Willkür ausgeliefert, und Willkür war das Gegenteil von Recht und Ordnung.

Sie versuchte, die Erinnerung abzuschütteln. Sie brauchte jetzt einen klaren Kopf.

»Pass auf dich auf«, mahnte Linhart. »Vielleicht ist er noch in der Nähe.« Er schluckte schwer. »Du hättest gar nicht erst alleine losfahren dürfen, Leyla.«

»Ja, heul doch«, entgegnete sie härter, als sie wollte. »Hätte ich kranke Kollegen mitnehmen sollen? Hätte, hätte, Fahrradkette!«

»Ich mache mir doch nur Sorgen um dich«, rechtfertigte er sich. »Ich mag dich nämlich …«

»Sag mal, gräbst du mich hier jetzt gerade an?«

»Nein, ich … ich mach mir wirklich Sorgen. Er ist ein Frauenmörder!«

»Ja, danke, genug geturtelt. Jetzt tu deine Pflicht. Das kleine Einmaleins. Habt ihr doch bestimmt in Oldenburg gelernt, oder?«

Er blies heftig aus und tat, was sie von ihm verlangte.

Sie überprüfte den Sitz ihrer Dienstwaffe. Sie ließ eine Hand auf dem Griff. Das beruhigte sie. Sie spürte in sich die Bereitschaft, von der Waffe Gebrauch zu machen, aber sie war froh, dass es ihr erspart blieb. Sie sicherte sich, indem sie mit dem Rücken zur Schaufensterscheibe neben der Leiche breitbeinig stehen blieb und die Gegend scannte. Sie sagte sich, dass ihr nichts entgehen dürfe.

Endlose neun Minuten vergingen, bis sie die ersten Kollegen sah. Erst in dem Moment wurde ihr bewusst, dass sie die ganze Zeit die Zähne fest aufeinandergebissen hatte. Ihre Kiefermuskulatur war schmerzhaft verkrampft.

Bevor Weller und Ann Kathrin zur Norder Polizeiinspektion radelten, fuhren sie erst einmal an den Deich. Aus den Wiesen stieg noch Nebel. Ein von keinerlei menschlichem Lärm unterbrochenes Vogelgezwitscher begleitete die beiden. Stumm standen sie auf der Deichkrone und blickten aufs Meer. Juist und Norderney lagen in greifbarer Klarheit vor ihnen.

Wenn ein Maler, dachte Weller, das so auf die Leinwand pinseln würde, wie es jetzt vor uns liegt, würden seine Bilder als unrealistischer Kitsch gelten. Er empfand großes Glück, hier im Weltnaturerbe zu leben. Er atmete tief durch.

Ann Kathrin hielt ihr Gesicht in den Nordwestwind und drehte den Kopf immer wieder, so dass der Wind sie kämmen konnte. Er war ihr Lieblingsfriseur.

Sie hatten nicht gefrühstückt. Der Ausblick hier war morgens für Körper und Seele besser als jedes noch so gut belegte Brötchen.

Sie hatten ihre Handys, als sie das Haus verließen, auf lautlos geschaltet und sich gegenseitig versichert, sich nicht vom
Gehetze der Welt jagen zu lassen, bevor sie am Deich richtig
Luft geholt hatten. Sie kamen sich dabei fast wie Verschwörer
vor, die einem geheimen Plan folgten. Sie hielten sich daran.
Es gab ihnen ein merkwürdiges Gefühl von Freiheit und Au-
tonomie.

Sie radelten über die Norddeicher Straße und wurden mehrfach von Menschen gegrüßt, die ihnen fremd waren. Ann und
Weller nickten freundlich, sprachen aber mit niemandem. Sie
fuhren an der ehemaligen Praxis von Dr. Bernhard Sommerfeldt vorbei. In beiden stiegen Gedanken an alte Zeiten hoch.

Weller drehte sich zu Ann Kathrin um und sah ihr ins Gesicht. Sie lächelte wissend. Ja, auch das Duell mit Sommerfeldt
hatten die beiden überlebt. Und ein neues stand möglicherweise bevor.

Sie mussten sehr auf sich achten, um sich bei all dem als
Paar nicht zu verlieren. Weller hatte das Gefühl, jede Krise,
durch die sie gingen, würde sie beide nur noch näher zu-
sammenschweißen. Ann Kathrins Exmann Hero hatte ihnen
mehrfach vorgeworfen, sie hätten eine *schrecklich symbioti-
sche Beziehung*. Doch Weller konnte daran nichts Schlimmes
finden. »Jedenfalls ist sie jetzt meine Frau und nicht mehr
deine«, hatte er stolz geantwortet.

Sie fuhren über den Markt und stellten ihre Fahrräder an
der Polizeiinspektion zwischen zwei Dienstfahrzeugen ab. Als
Weller Martin Büscher sah, wusste er sofort, dass der Tag
nicht so schön weitergehen würde, wie er begonnen hatte. Büscher machte ein ernstes, ja besorgtes Gesicht. Er bat die beiden gleich durch in sein Büro. Rupert war schon da und stand
mit trotzig verschränkten Armen am Fenster.

Direkt ihm gegenüber stand ein Pärchen, das auf den ersten Blick nicht zusammenpasste. Sie hatten nur eins gemeinsam: Sie sahen übernächtigt aus. Der Mann trug einen schlecht sitzenden Anzug, die Jacke und das Hemd verknittert. Man musste keinen geschulten Ermittlerblick haben, um zu erkennen, dass er die Nacht in diesem Anzug verbracht hatte, möglicherweise im Stehen an einer Theke oder sitzend im Auto. Seine Krawatte hing am Hals, als sei sie ihm nur lästig, und er würde sie am liebsten wegwerfen.

Die Frau neben ihm trug einen dunkelgrauen Hosenanzug mit ausgebeulten Knien. Ihre Frisur war für ostfriesische Verhältnisse viel zu ordentlich, die Goldkette an ihrem rechten Arm zu protzig. Auf die Pflege ihrer Fingernägel hatte sie viel Zeit verwendet, allerdings war das schon eine Weile her. An der rechten Hand splittete der Nagellack bereits ab.

Ann Kathrin musterte die beiden mit kritischem Blick. Bevor sie etwas sagen konnte, stellte Büscher die zwei vor: »Wir haben ein Problem. Das sind Manuela Becker und Georg Linden.«

Die Frau versuchte sofort zu übernehmen. Sie ließ Martin Büscher nicht ausreden. Ihre Stimme hörte sich an, als hätte sie lange Zeit zu viel geraucht und zu viel getrunken, oder bei ihr war eine heftige Sommergrippe im Anmarsch.

»Wir gehören zur internen Ermittlungsgruppe. Uns sind einige Auffälligkeiten zu Ohren gekommen.«

Rupert sah aus, als müsse er sich jeden Moment übergeben. Er hoffte, dass Ann Kathrin eine scharfe, klare Antwort finden würde, und überließ ihr in dem Fall gerne mal den Vortritt, denn er fürchtete, wenn er mit dem, was er dachte, herausplatzen würde, könnte das für alle schlimme Folgen haben.

»Interne Ermittlung?«, fragte Ann Kathrin, als habe sie nicht richtig verstanden. »Das ist eine ehrenvolle Aufgabe«, fuhr sie fort, »und es ist schön, dass sie von außen übernommen wird, damit nicht Kollegen innerhalb der Behörde gegeneinander ermitteln müssen. Man würde uns ja sofort Vetternwirtschaft vorwerfen. Was ist Ihnen denn«, sie betonte die Worte herausgestellt spitz, »zu Ohren gekommen?«

Georg Linden antwortete auf die Frage, die Ann Kathrin Frau Becker gestellt hatte: »Sie stehen unter dem Verdacht, Dr. Bernhard Sommerfeldt bei der Flucht behilflich gewesen zu sein beziehungsweise seiner Flucht Vorschub geleistet zu haben.«

»Ach«, fragte Weller, »stehen wir?«

Rupert rechnete damit, dass Weller dem Ermittler einfach eine reinhauen würde, doch Weller blieb ganz ruhig. »Sehen Sie«, sagte Frank Weller, »wir stehen hier mächtig unter Druck. Zwei Serienkiller laufen bei uns frei herum. Der Langeoog-Mörder und Dr. Bernhard Sommerfeldt. Wir haben jetzt wirklich andere Probleme. Ich schlage vor, Sie schieben Ihre Ermittlungen auf, bis wir die wichtigen Sachen hier geklärt haben und dann treffen wir uns alle in Ruhe und ...«

Frau Becker fuhr dazwischen: »Am besten zu einem Stückchen Kuchen im Café ten Cate oder was?«

»Das ist doch mal ein guter Vorschlag«, sagte Weller und tat, als hätte er die Aggressivität der Frage überhört.

Büscher setzte sich. Er fühlte sich wie ein alter Mann. Sein Kreislauf spielte nicht mehr so richtig mit. Er sah auf den Bildschirm seines Computers. Die Meldung aus Leer kam gerade herein. »Er hat«, sagte Büscher trocken, »wieder zugeschlagen. In Leer.«

»Vor dem *Taraxacum*?«, fragte Ann Kathrin und griff sich an den Magen.

»*Bücher Borde*«, erwiderte Büscher.

Die interne Ermittlerin sah ihren Partner an. Aus dem Blick wurde für Ann Kathrin klar, dass sie die Chefin war, er aber gerne den Boss spielte.

»Heute Nacht«, sagte Ann Kathrin, »wird er noch einmal töten.«

Weller nickte und zeigte es mit den Fingern, als würden die anderen es sonst nicht kapieren: »Dreimal.«

»Aber diesmal«, grummelte Rupert, »nicht am selben Ort.«

»Er weicht von seinem Muster ab«, überlegte Büscher.

»Nein«, sagte Ann Kathrin, »keineswegs. Zwei Buchhandlungen.«

Die beiden internen Ermittler fühlten sich nicht mehr ernst genommen. Niemand kümmerte sich um sie. Sie waren es gewohnt, dass sie da, wo sie auftauchten, sehr ernst genommen wurden. Es standen jedes Mal Karrieren auf dem Spiel. Hier wurden sie zu Zaungästen degradiert.

»Das heißt …«, sagte Büscher nachdenklich.

Ann Kathrin kämmte sich die Haare mit den Fingern hinter die Ohren. »Das heißt, er wird heute Nacht noch einmal zuschlagen. Vor einer anderen Buchhandlung in Leer.«

»Bei Thalia«, konstatierte Weller und führte aus: »Das war früher die Buchhandlung Eissing. Thalia hat den Laden übernommen. Ist auf der Einkaufsstraße.«

»In der Mühlenstraße«, erklärte Rupert.

»Es gibt noch eine weitere Buchhandlung«, ergänzte Weller. »Thalia hat noch eine zweite im Emspark aufgemacht, gegenüber vom Restaurant Middle East.«

»Ist er wirklich so dumm, dass er Dinge tut, die wir vorausberechnen können?«, fragte Büscher.

»Bis jetzt«, sagte Ann Kathrin, »ist er jedenfalls damit durchgekommen. Er will uns vorführen.« Sie sah zu den beiden internen Ermittlern. »Und innerhalb unserer eigenen Behörde scheint es ihm ja wohl gelungen zu sein.«

Manuela Becker forderte hart: »Unser Gespräch ist noch nicht beendet. Sie können jetzt nicht einfach irgendeinen neuen Fall bearbeiten. Zunächst mal müssen wir klären, was mit Dr. Sommerfeldt ...«

»Das ist nicht irgendein Fall«, fuhr Weller sie an, »es ist der fünfte Mord einer Serie, und wir würden gern den sechsten verhindern!«

Manuela Becker spielte mit ihrer Goldkette, als könne sie daraus Kraft saugen. »Sie sind raus aus dem Spiel, haben Sie das noch nicht kapiert? Wir können Sie jederzeit vom Dienst suspendieren.«

»Freistellen oder suspendieren?«, fragte Ann Kathrin.

Rupert hatte keine Ahnung, worin der Unterschied bestehen sollte. Es war ihm auch egal.

Weller lachte: »Ja, klasse, Leute! Wir sind so kurz davor, den Fall zu lösen, und dann kommt ihr und mischt euch ein? Es wäre nicht das erste Mal, dass Ann Kathrin beurlaubt, ja ohne Dienstwaffe, einen Fall löst. Wollt ihr das diesmal wieder so haben? Ich kann ja mal bei der Presse anrufen, zum Beispiel bei Holger Bloem, und ihn fragen, wie der das findet.«

»Wir werden jetzt«, stellte Manuela Becker fest, als sei es eine unumstößliche Tatsache, »mit jedem von Ihnen ein Einzelgespräch führen. Sie werden uns das Protokoll unterschreiben, und danach entscheidet die Staatsanwaltschaft, ob Sie weiter Ihren Dienst vollziehen oder ...«

»Einen Scheiß werden wir«, bellte Weller. Er bekam einen Hustenanfall.

Ann Kathrin drehte sich zur Tür. Frau Becker stellte sich ihr in den Weg. »Wo wollen Sie hin, Frau Klaasen?«

Mit Blick auf die abgesplitterten Fingernägel der internen Ermittlerin lächelte Ann Kathrin milde: »Keine Angst, ich fahre nicht ins Nagelstudio. Ich fahre nach Leer. Miefige, kleinkarierte Polizeiarbeit.«

»Für Leer«, wendete Manuela Becker ein, »sind Sie gar nicht zuständig. Sie haben jetzt, verdammt nochmal, mir Rede und Antwort zu stehen!«

Ann Kathrin verließ den Raum. Weller folgte ihr mit triumphierendem Lächeln.

»Nun seien Sie doch vernünftig«, sagte Frau Becker zu Rupert und versuchte, wenigstens ihn am Gehen zu hindern. Rupert sah sie kalt an. »Wir haben für euer Pillepalle jetzt keine Zeit.«

Georg Linden hielt Rupert am Ärmel fest. Rupert blickte ihm fest in die Augen: »Lass mich los, Pappnase. Geh nach Hause. Entstaub deine Akten. Lass deinen Anzug bügeln und«, Rupert tätschelte sein Gesicht, »iss mal wieder was Anständiges, Fischbrötchen oder 'ne Currywurst. Das erdet und hilft einem, klar zu denken.«

Manuela Becker rief ihnen durch den Flur hinterher: »Sie können doch jetzt nicht so einfach ...«

Ohne sich umzudrehen, zeigte Rupert ihr den erhobenen Stinkefinger.

Büscher versuchte, die internen Ermittler zu beschwichtigen: »Die sind wie die Jagdhunde. Die haben eine Witterung aufgenommen. Da kann man die jetzt nicht von abhalten. Die wollen unbedingt ...«

»Es gibt Regeln«, stellte Becker klar. »Die gelten hier genauso wie überall im Land.«

»Ja«, stöhnte Büscher, »erzählen Sie denen das mal«, und zeigte zum Flur.

Dr. Bernhard Sommerfeldt war nach seiner alten Methode vorgegangen. Er hatte sich im Internet eine noch freie Ferienwohnung in Norddeich ausgesucht, mit Südbalkon, wenige Gehminuten bis zum Deich, voll eingerichtete Küche, Vogelhäuschen im Vorgarten und Parkplatz hinterm Haus. Nichts Besonderes, nichts Exklusives, davon gab es Hunderte in Norddeich. Diese hier stand noch für drei Tage bis zur nächsten Vermietung leer. Ideal für ihn.

Er konnte im Internet jederzeit überprüfen, ob die Wohnung neu vermietet werden würde oder nicht. Die Gefahr, dass er hier auffiel, war gleich null.

In der Ferienwohnung gegenüber wohnte eine Familie, die er am Dialekt sofort als Nordrhein-Westfalen identifizierte. Die Tochter, er schätzte sie auf achtzehn, höchstens zwanzig Jahre, hatte die ganze Zeit einen Kopfhörer auf den Ohren, hörte über ihr Handy Musik, las dabei in einem E-Book und rauchte ihre E-Zigarette. Der Qualm roch nicht nach Tabak, sondern nach Vanille, Schokolade und Mandeln, als würde sie nicht rauchen, sondern Kuchen essen. Vermutlich war Qualm nicht mal der richtige Ausdruck für das, was sie aus dem Stift heraussog und dann aus ihrer Lunge blies.

Sie wirkte völlig in sich selbst versunken und schottete sich von der Außenwelt ab. Auf dem Balkon direkt neben seinem lag sie in ihrem gelb-schwarzen Bikini, der sie ein bisschen wie die Biene Maja aussehen ließ, und drehte sich nur ab und zu um. Sommerfeldt hatte Mühe, dass nicht der Arzt mit ihm durchging, denn die junge Frau unterschätzte offensichtlich die Sonne. Der kühle Wind täuschte über die Intensität der UV-Strahlung hinweg. Ihr Rücken sah schon ganz schön verbrannt aus. Das musste vom Vortag stammen, denn es war erst knapp elf Uhr, als Sommerfeldt den Sonnenbrand entdeckte.

Ihre Mutter, ihr Vater und ihr Freund machten lieber lange Spaziergänge am Deich und hatten sich auch Fahrräder geliehen. Sie waren, wie Sommerfeldt in seiner Gelsenkirchener Zeit die Ruhris kennengelernt hatte: fröhlich, laut und geradeheraus.

Der junge Mann trug eine Kiste Bier in die Ferienwohnung. Sommerfeldt nahm Gesprächsfetzen auf. Es ging wohl um ein Fußballspiel, Dortmund gegen Schalke. Der Vater sprach von einer *Entscheidungsschlacht* und von der *verbotenen Stadt*. Für die Gelsenkirchener war das Dortmund, für die Dortmunder Gelsenkirchen.

Irgendwie fühlte Sommerfeldt sich plötzlich zu Hause. Die Zeit im *Weißen Riesen* in Gelsenkirchen, wo er sich für lange Zeit wohlgefühlt und versteckt hatte, kam zu ihm zurück. In der Buchhandlung Junius hatte Ann Kathrin Klaasen ihn gestellt.

Während er seinen Gedanken nachhing, erreichte ihn eine Nachricht des Langeoog-Killers per E-Mail: *Du bist wieder im Spiel? Was ist aus dir geworden? Warum hast du diesen Wilko verschont? Altersmilde? Oder hast du es einfach nicht mehr drauf? Dir zu Ehren habe ich ein neues Kunstwerk geschaffen.*

Sommerfeldt öffnete die Anlage und sah die tote Vanessa Schneider im Eingang bei *Bücher Borde*. Das Bild war so aufgenommen, dass Sommerfeldt auch die Buchauslage im Schaufenster sehen konnte. In dem Moment wurde ihm etwas klar.

Er wusste, dass es unvernünftig war, doch er rief Weller an. Man muss Prioritäten setzen, dachte er.

Weller und Ann Kathrin befanden sich im Hinterzimmer der Buchhandlung Borde. Sie sprachen mit dem Besitzer Ralf Borde und seiner Frau Kirsten. Die beiden wirkten gefasst, servierten Kaffee und gaben bereitwillig Auskunft. Ralf Borde erzählte, dass sie das Ganze mal als Werbegag gestaltet hätten, mit einer Leiche im Schaufenster. Aber das war schon lange her und hatte hiermit sicherlich nichts zu tun.

Ann Kathrin und Weller waren dankbar für den Kaffee, und Weller ließ sich auch zu einem Käsebrötchen überreden. Kirsten bot ihnen sehr besondere Eier an. Es waren cholesterinarme Eier von ihren eigenen Grünlegerhühnern mit türkisfarbenen Schalen. Da griff dann auch Ann Kathrin zu.

Wellers Handy spielte *Piraten Ahoi!* Ralf Borde lächelte: »Das Lied hat Bettina Göschl mal bei uns bei einer Kinderveranstaltung gesungen …«

Weller hatte das Handy am Ohr und wunderte sich, als er Sommerfeldts Stimme hörte: »Kann ich mal Ann Kathrin sprechen?«

Der Mann hatte sich nicht vorgestellt. Das war auch nicht nötig.

Weller sah seine Frau an. Sie hob abwehrend die Hand, sie rechnete damit, dass Martin Büscher versuchen würde, sie nach Norden zurückzuholen.

»Ich würde an deiner Stelle rangehen, wenn mich ein Serienkiller anruft«, sagte Weller trocken.

Kirsten Borde, die gerade dabei war, ein Ei abzupellen, schien mitten in ihrer Handlung zu gefrieren. Auch Ralf hielt die Luft an.

»Welcher?«, fragte Ann.

»Der Doktor«, antwortete Weller und reichte ihr das Handy. Sie hielt es an ihr Ohr, meldete sich verhalten mit »Moin« und zog sich aus dem Raum zurück, um ungestört telefonieren zu können.

»Das ist der ungewöhnlichste Anruf, von dem ich je gehört habe«, sagte Ralf Borde und wiederholte aus dem Gedächtnis: *Ein Serienkiller ist am Telefon. – Welcher denn?*« Er schüttelte den Kopf. Seine Frau pellte jetzt das Ei weiter ab, biss aber nicht hinein, sondern legte es auf einen Teller.

»Kann ich davon ausgehen«, fragte Weller, »dass das hier unter uns bleibt?«

Die beiden lächelten. Kirsten Borde beruhigte Weller: »Ja, klar, das glaubt uns doch sowieso keiner.«

Ann Kathrin ging mit dem Handy am Ohr neben dem Haus im Schatten der Bäume auf und ab. Sie hörte Sommerfeldt zu.

»Er macht mich nicht einfach nach, aber meine Taten üben eine Faszination auf ihn aus. Er versucht, eine Nähe dazu herzustellen. Deshalb fühle ich mich vielleicht auch verantwortlich. Wir werden ihn kriegen, das verspreche ich. Es ist kein Zufall, dass der neue Mord vor einer Buchhandlung geschehen ist.«

»Was wollen Sie damit sagen?«

»Sie haben mich, Frau Klaasen, in Gelsenkirchen in einer Buchhandlung verhaftet. Dort fand praktisch meine Karriere aus seiner Sicht ein Ende. Er will eine Beziehung herstellen, sich ebenfalls als kulturbeflissen zeigen, als Leser, als einer, für den Buchhandlungen etwas Wichtiges sind. Er will, dass wir ihn für belesen halten, und vielleicht ist er es auch. Jedenfalls kennt er meine Romane. War es nicht auch so, dass Sie und Ihre Leute Buchhandlungen, Stadtbibliotheken und Theater als mein Bewegungsmuster erkannt haben?«

Sie musste zugeben, dass da etwas dran war. Allerdings konnte sie noch keinen praktischen Nutzen aus dieser Erkenntnis ziehen.

Sie sagte vorwurfsvoll: »Sie halten sich nicht an die Absprachen. Sie haben sich des Chips entledigt ...«

»Stimmt«, lachte Sommerfeldt, »damit fährt jetzt ein Rocker durch die Gegend. Ich habe den Chip in seiner Jacke deponiert. Verzeihen Sie bitte, Frau Klaasen, aber das ist eine kleine Vorsichtsmaßnahme, falls man Ihnen den Fall abnimmt. Wir wollen doch beide nicht, dass Ihre Kollegen mich einkassieren, bevor ich meine Mission zu Ende gebracht habe.«

An seiner Argumentation war etwas dran. Trotzdem konnte sie ihm nicht die Führung des Einsatzes überlassen. Sie bestand darauf: »Es ist gegen unsere Absprachen. Ich wollte immer wissen, wo Sie sich aufhalten und ...«

»Ich rufe Sie sogar an. Ich nehme mal an, ich muss Ihnen das Bild von der Leiche nicht mehr schicken?«

»Nein, wir sind bereits dort.«

»Er verändert sein Verhalten, Frau Klaasen. Er hat mir das Bild nicht sofort geschickt. Ich habe keinen Vorsprung mehr vor Ihrer Ermittlungsarbeit. Sie sind schon vor Ort, und jetzt erst erreicht mich das Foto. Vorher hat er sich anders benommen. Mich hat er zuerst informiert. Sie mussten es selbst herausfinden. Er will nicht mehr, dass ich einen Vorsprung habe. Und er nimmt auch keine Trophäen mehr, stimmt's?«

»Ja«, gab sie zu.

»Er will uns in Atem halten. Er will uns verwirren. Und er ist verdammt unter Druck und hat es sehr eilig. Er will mich treffen, aber gleichzeitig fürchtet er die Auswirkungen dieses Treffens.«

»Meinen Sie, er ahnt, dass wir ihn hoppnehmen wollen?«, fragte Ann Kathrin Klaasen besorgt.

»Ich glaube nicht. Die Idee, dass wir zusammenarbeiten, hört sich viel zu verrückt an.«

Ann Kathrin stimmte zu: »Das ist unser Vorteil. Wo sind Sie, Doktor Sommerfeldt?«

»Ich bin ganz nah an ihm dran.«

»Konkreter?!«

Sommerfeldt lachte: »Versuchen Sie nicht, mein Handy zu orten. Machen Sie nicht die ganze Aktion kaputt. Gefährden Sie nicht unseren Erfolg, Frau Klaasen. Er wird heute Abend versuchen, mich zu treffen.«

»Wie kommen Sie darauf? Ich denke, er hat sich noch nicht gemeldet.«

»Nein, aber er weiß, wo sämtliche Polizeikräfte heute Abend sein werden.«

»Wo?«

»In Leer, rund um die Thalia-Buchhandlungen. Stimmt's? Es gibt zwei davon in Leer. Die im Emspark ist besonders schwierig zu erreichen. Das ist ja praktisch im Gebäude.«

Ann Kathrin staunte, wie genau Sommerfeldt die Überlegungen der Polizei nachvollziehen konnte. Fast kam es ihr vor, als könne er ihre Gedanken lesen.

»Und dort wird er aber nicht sein?«, fragte sie.

»Wenn alle Kräfte in Leer gebunden sind, hat er woanders freie Bahn. Ich schließe aber nicht aus, dass er einen Plan hat, wie er Sie alle an der Nase herumführen und verspotten kann. Das wäre es doch, wenn sämtliche Einsatzkräfte die Buchhandlung belagern, und es gelingt ihm trotzdem, dort sein Ding durchzuziehen. Erinnern Sie sich nur an Langeoog …«

»Da waren wir nicht vorbereitet.«

»Und Sie glauben, Sie sind jetzt vorbereitet?«, hakte er kritisch nach.

»Sind wir nicht?«, fragte Ann Kathrin zurück.

»Was Sie Vorbereitung nennen, macht Sie doch nur berechenbar. Im Grunde entscheidet er, was Sie als Nächstes tun, nicht Sie. Merken Sie das, Frau Klaasen? Das kenne ich irgendwoher. So habe ich es selber auch mit der Polizei gemacht.«

»Danke für die Blumen.«

»Wir sollten uns einfach immer ganz offen die Wahrheit sagen. Das ist für unsere Beziehung gut.«

Ann Kathrin wollte gegen das Wort *Beziehung* protestieren, ließ es dann aber. Sie sah einem Eichhörnchen zu, das hoch über ihr ein Vogelnest plündern wollte, doch zu seiner großen Enttäuschung war das Nest bereits leer.

»Ich hoffe«, sagte Sommerfeldt und klang ehrlich besorgt, »dass Sie Ihre Dienstwaffe bei sich tragen und dass Weller in Ihrer Nähe ist. Er sieht zwar harmlos aus, aber ich weiß, dass er im Zweifelsfall durchziehen kann. Zumindest wenn es um Sie geht oder seine Kinder.«

»Was wollen Sie damit sagen?«, fragte Ann Kathrin.

»Sie haben mich verhaftet, Frau Klaasen. Könnte unser Mann einen größeren Sieg einfahren, als dass er Sie ...«

»Sie glauben«, fragte Ann Kathrin, »er hat es auf mich abgesehen?«

»Er will mir beweisen, wie gut er ist.«

Das Eichhörnchen hüpfte zu einem anderen Ast. Ann Kathrin wusste nicht, ob sie ihm auf der Suche nach Nahrung Erfolg wünschen sollte oder lieber nicht.

»Ich melde mich wieder«, versprach Sommerfeldt und drückte das Gespräch weg.

Ann Kathrin ging noch ein paar Schritte auf und ab, atmete

tief durch und begab sich dann in die Buchhandlung zurück. Ihr Kaffee dort war inzwischen kalt geworden.

Holger Bloem hatte den ganzen Vormittag an einem Artikel über falsche Feuerwehrleute geschrieben, die in Ostfriesland ihr Unwesen trieben. Sie klingelten bei Feriengästen und behaupteten, die Feuermelder überprüfen zu müssen. Die arglosen Touristen ließen sie rein. Einmal in der Wohnung, konnten sie sehr brutal werden.

Zunächst hatte nur einer das Opfer abgelenkt, während der andere Wertgegenstände stahl. Aber wahrscheinlich weil ihre Masche so erfolgreich war und sie niemand stoppte, wurden sie immer dreister. Sie verlangten Geld, machten ihren Opfern Angst. Einer siebzigjährigen Frau, die behauptete, kein Bargeld im Haus zu haben, hatten sie in den Unterleib getreten.

Holger war besonders sauer darüber, dass jemand das gute Image der Freiwilligen Feuerwehr für seine Raubzüge nutzte, und er wollte nicht nur über die Bande berichten, sondern gleichzeitig einen großen Artikel über die Arbeit der Freiwilligen Feuerwehr machen und dort ein paar Akteure interviewen. Sie gehörten für ihn zu den eigentlichen Säulen dieser Gesellschaft.

Sommerfeldts Anruf erreichte Holger Bloem in *Gitti's Grill*. Er hatte gerade Mittagspause. Holger ließ die Pommes wieder auf den Teller zurückfallen.

Sommerfeldt begann ohne Umschweife: »Niemand soll sagen, ich würde nicht an meine alten Freunde denken. Ich glaube, ich habe eine Information, die für einen Journalisten ziemlich wichtig ist. Es interessiert dich doch bestimmt, was als Nächstes passiert?«

»Wo sind Sie?«, fragte Bloem und schob den Teller von sich weg. Er blickte sich um. Er wollte nicht, dass Gäste, die in der Nähe saßen, jetzt mithörten. Er liebte es nicht, in der Mittagspause gestört zu werden, doch das hier war etwas ganz anderes.

»Wo ich bin?«, lachte Sommerfeldt. »Nun, so weit geht die Freundschaft nun auch nicht. Aber unser Mörder will uns etwas sagen.«

»Nämlich?«, fragte Holger Bloem

»Wir sollen die nächste Leiche im Eingang einer Buchhandlung erwarten.«

»Ja, der Gedanke liegt nahe«, gab Holger Bloem zu und fuhr mit einer Frage fort: »Wird er sich eine neue Buchhandlung aussuchen oder wie in Langeoog wieder ...«

Sommerfeldt ließ ihn nicht ausreden: »Nein, nicht wieder genau am gleichen Ort. Er ist vom Langeoog-Konzept runter.«

»Das heißt also schon wieder in Leer? Aber in einer anderen Buchhandlung?« Holger Bloem dachte laut weiter: »Er schlägt als Nächstes vor einer der beiden Thalia-Filialen zu?«

»Zuschlagen wird er vermutlich woanders, das ist zu riskant. Aber er wird eine Leiche dort ablegen.«

»Im Emspark oder ...«

»Das kann ich dir nicht sagen. Es gibt eine fünfzig-fünfzig-Chance für einen guten Journalisten, dabei zu sein.«

»Wo würden Sie es machen?«

Sommerfeldt fühlte sich durchaus geschmeichelt. »Du bist ein gerissener Hund.«

»Nein. Gute Journalisten wissen, wie man Fragen stellt.«

»Ich würde es nicht in der Filiale machen, in der früher die Buchhandlung Eissing war.«

»Warum nicht?«

»Auf den gegenüberliegenden Häusern können überall Scharfschützen postiert werden. Der Laden ist leicht einsehbar und spielend zu überwachen. Er weiß, dass die Polizei mit seinem Auftauchen rechnet. Das ist ja ein Teil des Spiels.«

»Das heißt, im Emspark?«

»Ja, auf den ersten Blick ist das die schwierigere Situation. Wie will er aus dem Gebäude wieder rauskommen? Ich habe keine Ahnung. Aber ich bin mir sicher, dass er einen Plan hat. Es sei denn …«

»Ja, was?«, wollte Holger wissen.

Der Maurermeister Peter Grendel kam rein und bestellte sich einen Mantateller. Er winkte Holger zu.

»Es sei denn, er macht ganz etwas anderes und will nur, dass wir denken …«

Holger Bloem pfiff leise durch die Zähne. »Mit anderen Worten, wir wissen gar nichts.«

»Doch«, widersprach Sommerfeldt, »wir wissen, was wir denken sollen. Entweder, er tut genau das und sagt dann: *Ätsch, was seid ihr für Idioten! Ich kann unter euren Augen machen, was ich will.* Oder …« Sommerfeldt schwieg.

»Oder was?«, hakte Bloem nach. Erst jetzt sah er, dass einige Pommes von seinem Teller heruntergefallen waren. Er musste in der Aufregung wohl dagegengestoßen sein. Sein Essen wurde langsam kalt, aber er bereute es nicht.

»Er will uns als Idioten vorführen und allen zeigen, dass er besser ist als ich.«

»Sie wurden«, ergänzte Holger Bloem, »in Gelsenkirchen in einer Buchhandlung hoppgenommen. Glauben Sie, dass er das auch vorhat? Will er sich in einer Buchhandlung verhaften lassen? Am besten auch noch von Ann Kathrin Klaasen?«

Sommerfeldt dachte über Bloems Frage kurz nach. Sie verunsicherte ihn. »Kann sein«, gestand er, »darauf bin ich noch gar nicht gekommen. Verrückt genug ist er ja wahrscheinlich.«

Holger Bloem führte seine Gedanken weiter aus: »Ja, wenn er glaubt, dass sein Spiel aus ist und er ohnehin über kurz oder lang überführt wird, dann wäre das doch ein krönender Abschluss. Drei tote Frauen auf dem Flinthörn, drei tote Frauen vor einer Buchhandlung in Leer und dort wird er von Ann Kathrin Klaasen einkassiert.«

Um Holger Bloems These zu bestätigen, sagte Sommerfeldt: »Man hat mir sechs Morde nachgewiesen. Und sechs habe ich zugegeben.«

Holger Bloem bekam plötzlich einen mörderischen Hunger. Er musste einfach etwas essen. Er griff mit den Fingern ein paar Pommes, zog sie durch die Mayonnaise, stopfte sie sich in den Mund und sagte kauend: »Aber in Wirklichkeit waren es mehr.«

»Oh ja«, antwortete Sommerfeldt nachdenklich. »Ein paar mehr waren es schon. Und jetzt, wo du es so sagst, bei ihm bestimmt auch.«

Ohne sich zu verabschieden, klickte Sommerfeldt das Gespräch weg.

Eigentlich hatte Holger Bloem vorgehabt, heute Abend zusammen mit seiner Frau Angela, Peter und Rita Grendel und Bettina Göschl zu einem Folkabend ins *Dock N° 8* zu gehen. Sie hatten den Platz schon vor Wochen reserviert. Aber er ahnte, dass seine Freunde dieses Musikevent ohne ihn feiern mussten.

Er schrieb eine WhatsApp-Nachricht an alle. Statt im *Dock*

N° 8 saß Holger Bloem schon ab 17 Uhr im Restaurant *Middle East*. Er hatte einen Platz, von dem aus er den Eingang der Buchhandlung beobachten konnte. Bei sich, nur durch ein darübergelegtes Ostfriesland Magazin locker verdeckt, seine Nikon. Was immer hier heute Abend geschah, würde ihm sicherlich nicht entgehen.

Die Situation war völlig verrückt, wie eine Erinnerung an einen nicht enden wollenden Albtraum. Trotzdem hatte Aike die Hoffnung nicht aufgegeben. Noch immer konnte er die Situation beeinflussen. Er fühlte sich dem Killer mental überlegen. Er brauchte diese Annahme, um nicht durchzudrehen. Er blies sie für sich zur Gewissheit auf.

Er ist verrückt, sagte er sich. Ich nicht! Ich habe da draußen eine Menge Freunde. Er ist der einsamste Mensch, den ich kenne.

Die Stahlschlinge baumelte wie eine locker gebundene Krawatte um Aikes Hals. So hatte er ihn mehrfach fotografiert und dabei aufgefordert, in die Kamera zu lächeln. Er hatte gestrahlt. »So wirst du als mein neuer Biograph in die Geschichte eingehen.«

»Ich bin nicht Ihr Biograph. Ich bin Ihr Ghostwriter«, verbesserte Aike. Damit brachte er den Mörder zum Nachdenken. Aike stellte klar: »Als Ihr Biograph würde ich selbst recherchieren und Ihre Geschichte dann aus meiner Sicht aufschreiben. Als Ihr Ghostwriter schreibe ich es so, wie Sie es haben wollen. Ich formuliere praktisch Ihre Gedanken.«

Er sah aus dem Fenster, während er Aikes Worte hörte. Dabei guckte er alle paar Sekunden auf sein Handy. Er erwartete eine Nachricht, ja, er fieberte ihr entgegen. Doch sie kam nicht.

»Ist ein Biograph besser als ein Ghostwriter?«, fragte er mit jungenhafter Stimme.

»Nun, von einem Biographen erwartet der Leser mehr Objektivität, während ein Ghostwriter eigentlich nur ein Auftragsarbeiter ist. Eine Art Lohnschreiber.«

»Der Biograph wird ernster genommen, stimmt's?«

»Zweifellos.« Aike reckte sich, um seine unbequeme Sitzhaltung zu verbessern. Die Stahlschlinge an seinem Hals und die Griffe machten dabei Geräusche, die ihn erschaudern ließen.

Der Mörder nahm den Laptop, setzte sich und bog seine Finger durch, bis sie knackten. »Lass uns keine Zeit verlieren. Diktiere mir.«

»Es ginge schneller, wenn ich selber tippen könnte. Ich bin das gewohnt.«

»Fang nicht wieder damit an. Ich trau dir nicht. Noch nicht. Du musst erst mal etwas Gutes abliefern.«

Aike begann und hatte seinen Peiniger direkt mit dem ersten Satz an der Angel: »Er war nicht wie Dr. Sommerfeldt. Punkt. Er war entschieden besser. Punkt. Nein! Ausrufungszeichen.«

Aike hörte das Klappern der Tastatur. Der Kerl tippte nicht, er hackte den Text in die Maschine. Da war viel Wut und Entschlossenheit. Es ging ihm alles nicht schnell genug. Er wusste, dass die Zeit gegen ihn spielte. Der gesamte Polizeiapparat war aufgescheucht und hinter ihm her.

»Weiter! Schneller! Das ist gut! Das ist wirklich sehr gut!«

»Er hat den Mord zur Kunstform erhoben, und deswegen will ich ihn hier Meister nennen«, diktierte Aike.

Das gefällt dem Drecksack, dachte Aike. Schmeichle ihm.

Solange er tippt, bringt er niemanden um. Du kannst ihn genauso fesseln, wie er dich gefesselt hat, nur dass du keine Stricke brauchst und kein Klebeband. Du schaffst es mit Worten.

Ja, verdammt, er musste an die Magie seiner eigenen Sätze glauben. Nur so konnte er es schaffen.

»Nein«, sagte Aike, um Zeit zu gewinnen, »nein, ich glaube, wir fangen doch besser anders an.«

»Was? Anders? Aber ich hab das schon geschrieben!«

Aike versuchte, laut zu lachen. Es klang zum Glück nicht so künstlich, wie er befürchtet hatte. »Das ist ein ganz normaler Prozess. Was glauben Sie, wie oft Bloem seine Sätze umformuliert? Auch Truman Capote hat ewig an *Kaltblütig* geschrieben. Es ist ein dünnes Buch, aber … es steckt viel Arbeit drin.«

»Weiter. Diktier mir einfach weiter. Das ist gut. Sehr gut. Glaub an dich!«

»Nein. Schreiben heißt Umschreiben. Ich ringe oft um die richtigen Worte. Den passenden Ausdruck. Das stimmige Bild. Man kann nicht einfach die erstbesten Worte nehmen, die einem in den Sinn kommen.«

Er wirkte jetzt auf Aike wie ein an den Fingernägeln kauender Schüler, der Angst vor der nächsten Prüfung hatte und überhaupt nicht wie ein Meister.

Der richtige erste Satz, so schoss es Aike durch den Kopf, hätte lauten müssen: Er war ein kranker Versager, der gern ein großer Meister gewesen wäre. Nur tief in sich drin kannte er die Wahrheit. Er hasste alle Menschen, weil er fürchtete, dass sie irgendwann die Wahrheit über ihn herausfinden würden. Frauen hasste er besonders, denn er hatte Angst vor ihnen.

Aike behielt diese Gedanken zum Glück für sich, sonst hätte

er die nächsten Minuten nicht erlebt. Stattdessen schlug Aike vor: »Was halten Sie davon, wenn wir mit einem *Nein* beginnen?«

»Mit einem *Nein*?«

»Genau. *Nein*. Nein, er war keine Sommerfeldt-Imitation. Oder sollen wir besser *Kopie* sagen?«

Er schüttelte wild den Kopf. »Nein! Das will ich nicht! Der andere Anfang ist viel besser. Ich will diese ganze Diskussion nicht!«

»Stimmt. Wir sollten mit einer simplen, unumstößlichen Wahrheit beginnen.«

»Nämlich?«

»Ihrem Namen und Ihrem Geburtsort.« Aike führte es aus: »Er hieß ... und er wurde in ... geboren.«

»Das ist doch langweilig. Das liest niemand weiter.«

»Stimmt. Fangen wir also heftiger an. Machen wir Spannung! Gehen wir gleich in die Vollen. Erschrecken wir den Leser. Zum Beispiel so: Er tötete am liebsten mit einer Stahlschlinge.«

»Ja!«, freute er sich. »Ja, das ist gut!«

Aike vertraute darauf, ihn so noch Stunden beschäftigen zu können. »Oder wollen wir mit der Art und Weise beginnen? Er tötete am liebsten lautlos ...«

»Mir auch recht.«

»Ja. Beides ist gut. Aber was ist besser? Lautlos oder mit einer Stahlschlinge?«

»Kann man nicht beides sagen? Er tötete am liebsten lautlos mit einer Stahlschlinge?«

Aike protestierte. »Nein, das geht überhaupt nicht. Das ist zu platt. Das lässt keinen Spielraum. Der Text muss doch auch ein Geheimnis haben. Muss Fragen bei den Leserinnen und

Lesern wecken. Warum lautlos? Wie geht das? Wer ist er überhaupt und warum tut er es?«

Der Mörder stellte den Computer zur Seite und stöhnte: »Ist das immer so schwierig? Macht Holger Bloem sich auch solche Gedanken?«

»So«, versprach Aike, »entsteht ein Kunstwerk. Der erste Satz ist enorm wichtig. Und nicht nur der.«

»Das sieht nach verdammt viel Arbeit aus«, beschwerte sich der Möchtegernmeister.

Aike gab ihm recht: »Stimmt. Talent allein reicht nicht aus. Es kommt immer noch viel Schweiß und Sitzfleisch dazu.«

Aike befürchtete irgendeine Teufelei von seinem Gegner. Wenn er nicht weiterwusste und seine eigene Begrenztheit spürte, tat er gern anderen Menschen weh, das wusste Aike.

»Also«, fragte Aike, »wie beginnen wir? Ich habe Vorschläge gemacht, aber Sie entscheiden.«

»Nein, ich … ich will keinen Ghostwriter. Ich will einen richtigen Biographen.«

»Also gut«, willigte Aike ein, »dann beginnen wir aus der subjektiven Sicht des Erzählers: ›Ich bin sein Gefangener. Während ich das hier schreibe, hängt die Stahlschlinge um meinen Hals, mit der er bereits fünf Menschen getötet hat. Ich hoffe, dass ich nicht das sechste Opfer werde. Ich schreibe hier folglich um mein Leben. Ich war nie besser. Er nennt sich *Der Meister,* und ein Meister ist er auch. Er hat mich auserwählt. Mich. Und das macht mich stolz. Ja, stolz.‹«

Aike holte tief Luft und blickte nicht ohne Sorge auf seinen mörderischen Sekretär, doch der tippte voller Hingabe.

»Sollte ich statt auserwählt besser auserkoren sagen?«, fragte Aike nach.

»Kannst du den letzten Satz noch mal wiederholen? Ich

komme gar nicht so schnell mit. Mensch, wenn du in Fahrt kommst ... Junge, Junge ... Das wird ein Text! Ja, ich glaube, als Biograph bist du besser als jeder Ghostwriter. Mir gefällt dein subjektiver Blick.«

Das dachte ich mir, du Mistkerl. Es gefällt dir, wenn ich so über dich rede. Du bist geradezu verliebt in das Bild von dir, das ich dir anbiete ...

Aike hatte Magenschmerzen und fragte sich, wie lange er das hier noch durchhalten konnte. Beeilt euch, Leute, dachte er. Holt mich hier raus, bevor der Verrückte die Schlinge zuzieht. Ich weiß nicht, wie lange ich das noch schaffe.

In Leer warteten auf Dächern und hinter Fensterscheiben Scharfschützen aus Bremen, Hamburg, Nordrhein-Westfalen und Niedersachsen auf ihren Einsatz. Für jede Buchhandlung – nicht nur die zwei Thalia-Läden – war ein Einsatzteam eingeteilt worden. Sondereinsatzkräfte, bestens geschult, um einen schnellen Zugriff durchzuführen, stimmten koordiniertes Handeln ab. Zu jedem Team gehörten auch zwei Mitglieder des SEK.

Linhart Löblein beneidete diese Leute. Sie waren nicht älter als er, aber wesentlich trainierter, und er sah es in ihren Augen: Sie waren auch entschlossener.

Die Staatsanwaltschaft war überall mit dabei. Obwohl die Polizeikräfte es zu unterbinden suchten, waren doch einige Journalisten vor Ort. Nicht jeder gab sich gleich als solcher zu erkennen.

Stefan Bergmann, der Chefredakteur der Emder Zeitung, flanierte als Buchkäufer durch die Läden, einen Bildband über

Ostfriesland unterm Arm. Er sah aus wie ein Tourist. Er kaufte in jedem Laden etwas, studierte überall die Spiegel-Bestsellerliste und nickte im Emspark seinem Kollegen Bloem nur kurz und unauffällig zu, als er ihn im *Middle East* hinter der Scheibe sitzen sah.

Wenn der Täter oder ein Helfershelfer schon vor Ort waren, dann konnte ihnen die besondere Situation, die durch die Polizeikräfte entstanden war, eigentlich nicht entgangen sein, dachte er. Diese gespielte Normalität, die trotzdem von einer gewissen Nervosität grundiert war ... Die spürbare Ruhe vor dem Sturm. Es war, als würden sich alle auf eine erneute Sturmflut vorbereiten und betont lässig jede Panik vermeiden, obwohl der Deich bereits an vielen Stellen von der letzten Flut schlimme Schäden, ja Brüche aufwies.

Ann Kathrin, Weller und Rupert kamen sich im Grunde überflüssig vor. Es sah ganz so aus, als würde der große Showdown hier praktisch ohne sie stattfinden. Sie standen nur im Weg und fühlten sich ein bisschen, als seien sie bereits durch die innere Ermittlungsgruppe kaltgestellt worden.

... Und dann veränderte ein Anruf aus dem Ammerland alles. In der *Bäckerei Ripken*, wo noch in Holzöfen mit Eichen- und Buchenholz gebacken wurde, was der Gourmet Weller natürlich wusste und gleich zum Besten gab, war einem Kunden eine Stahlschlinge aus der Hosentasche gefallen, an der Blut klebte. Zwei Gymnasiastinnen hätten daraufhin zu kreischen begonnen. Der Mann sei geflohen, aber der Bäckereifachverkäuferin bekannt.

Ann Kathrin, Weller und Rupert saßen draußen vor dem *Café Taraxacum* und beratschlagten, was angesichts der vielen Kollegen, die sich in Leer auf die Füße traten, zu tun sei, als die Nachricht bei Ann eintrudelte. Sie las Büschers Nachricht vor.

Die Meldung aus Apen ließ Rupert grinsen. »Die Bäckerei-fachverkäuferin kennt den Mann also ... Na, das ist ja sehr konkret. Wir wissen zwar jetzt nicht, wie er heißt, aber dass sie Bäckereifachverkäuferin ist, wissen wir, und sogar, dass die Mädels zum Gymnasium gehen. Mensch, das ist doch mal eine richtige Meldung. Frag doch mal, in welche Klasse die am Gymnasium gehen und vielleicht auch wie ihr Notendurch-schnitt ist. Das hilft uns bestimmt!«

Weller trank seine Kaffeetasse leer und stand auf. Er guckte, als sei für ihn alles klar. »Es sind nur zwanzig Minuten bis Apen.«

»Man kann es auch in fünfzehn schaffen«, behauptete Ann Kathrin.

»Hier werden wir sowieso nicht gebraucht«, behauptete Weller.

Rupert gab ihm recht: »Der ist ein ganz gerissener Hund. Lockt alle hierhin, in das schöne Städtchen an der Leda, und schlägt dann im Ammerland zu.«

Auch Ann Kathrin erhob sich. Sie ging ins Café, um dort die Rechnung zu begleichen.

Rupert flüsterte Weller zu: »Alter, das ist unsere Chance. Die stehen sich hier alle die Beine in den Bauch, und wir kas-sieren den Schweinehund ein.« Rupert rieb sich die Hände.

»Du meinst echt, das könnte unser Mann sein?«, fragte Weller.

Rupert nickte. »Zeig mir ein Foto von den Gymnasiastin-nen, und ich sag dir sofort, ob er es ist. Ich kenne seinen Frau-engeschmack.«

Ann Kathrin kam zurück. Sie schüttelte ihre Haare, als hätte sich darin etwas verfangen. Das machte sie manchmal, wenn sie mit einer Entscheidung rang. Sie zog die Männer mit sich.

Sie hatte Sorge, an den anderen Tischen könnten Gäste sonst zu viel mitbekommen.

Draußen auf der Rathausstraße steckten die drei die Köpfe zusammen. Ann ging in der Mitte und hatte um jeden Mann einen Arm gelegt. Sie zog sie näher zu sich. Die drei sahen aus, als hätten sie eine nicht ganz alltägliche, aber durchaus gut funktionierende Liebesbeziehung.

»Die Sache ist heiß«, sagte Ann. »Er führt uns an der Nase herum. Er will noch heute zuschlagen. Ich glaube, da sind wir uns einig. Kann gut sein, dass er sich eine der Gymnasiastinnen als nächstes Opfer ausgeguckt hat. Vielleicht finden wir sie sogar auf der berühmten Homepage. Er muss nur erst eine von den beiden isolieren.«

Rupert gab an: »Genau das habe ich deinem Ehemann auch gerade erklärt.«

Weller protestierte nicht dagegen, obwohl, so wie Rupert das Wort *Ehemann* aussprach, wurde es schon fast zur Beleidigung.

Schon saßen sie im Wagen. Weller übernahm das Steuer, weil er der Meinung war, Rupert fahre wie eine gesengte Sau. Das sagte er auch, und Ann Kathrin wusste genau, was Weller damit meinte. Wenn sie in Eile waren, und das waren sie meistens, kannte Rupert nur Gas, Hupe und Blaulicht.

Ann Kathrin telefonierte mit Martin Büscher über die Freisprechanlage: »Wir sind unterwegs, Martin. Bitte informiere die Kollegen im Ammerland. Sie sollen nicht übereilt handeln. Unser Mann ist hoch aggressiv und rechnet mit der Möglichkeit einer Verhaftung. Er weiß, dass er dann die Freiheit nicht wiedersieht. Er wird heftigen Widerstand leisten und, wie ich ihn einschätze, versuchen, so viele wie möglich mitzunehmen. Die Verhaftung könnte in einen erweiterten Selbstmord ausarten.«

Rupert wusste nicht, woher Ann Kathrin zu dieser Annahme gekommen war. Er lachte demonstrativ: »Aber nicht mit seiner Stahlschlinge.«

»Ann«, ermahnte Büscher die Kommissarin in einem Ton, der sie daran erinnern sollte, dass er immer noch der Chef war. »Ann, die Kollegen dort vor Ort sind auch richtige Polizisten. Lass sie das doch bitte selber erledigen. Ihr solltet euch hier besser den Fragen der internen Ermittler stellen.«

Rupert spottete laut: »Das sagt der Boss nur, weil die Pfeifen bei ihm im Büro rumlungern und mithören. Das meint der nicht wirklich so.«

»Rupert«, schimpfte Büscher, »die Kollegen lungern hier nicht rum. Sie sitzen mir gegenüber und machen sich Gedanken über euer eigenmächtiges …«

»Sag ich doch«, grinste Rupert.

Büscher machte noch einen Versuch: »Die Kollegen sind nicht unsere Feinde.«

»Aber unsere Kollegen sind sie auch nicht«, maulte Weller.

Büscher schimpfte: »Fang du nicht auch noch an, Frank. Frau Becker und Herr Linden wollen euch nicht am Zeug flicken. Sie handeln völlig korrekt …«

»Wir auch«, rief Weller so laut, dass Ann Kathrin sich wegdrehte. Sie räusperte sich: »First things first, Martin«, sagte sie und zeigte nach vorn auf die Straße, damit Weller sich wieder auf den Verkehr konzentrierte. »Es ist nicht auszuschließen, dass er sich in Apen das nächste Opfer holen wollte, um die Leiche dann in Leer abzulegen. Vanessa Schneider hat er auch nicht in Leer, sondern in Norden geschnappt. Er weitet sein Jagdrevier aus, Martin, das müssen wir berücksichtigen.«

Ann Kathrin wurde das Gespräch zu schwierig. Sie hatte

keine Lust, sich mit Büscher zu unterhalten, wenn Manuela Becker und Georg Linden von der Inneren mithörten.

Büschers Aufforderung, sie mögen zurückkommen und den operativen Einsatz den zuständigen Kollegen überlassen, nahmen Weller und Rupert nur kopfschüttelnd zur Kenntnis. Sie dachten nicht daran zu tun, was der Chef von ihnen verlangte.

Ann Kathrin rief ins Handy: »Ich verstehe dich nicht, Martin?!? Was hast du gesagt? Die beiden netten Leute von der Inneren sind schon gefahren? Schade, wir hätten so gerne mit ihnen gesprochen. Hallo? Martin? Ich verstehe dich nicht, die Verbindung ist hier so schlecht. Martin?! Wen soll ich grüßen?«

Sie drückte das Gespräch weg. Rupert fand das prima. Er lobte sie, dann widmete er sich ganz fasziniert dem Display seines Handys. Er sah sich dort Sommerfeldts Facebook-Fanseiten an. Seit er als *Rita Süßmuth II* in einer Fangruppe Mitglied war, konnte er Einträge ohne jede Beschränkung lesen.

In der Fangruppe war es noch viel heftiger als auf der öffentlichen Fanclubseite. Rupert hatte sich schon einiges auf dem Bildschirm seines Handys angeguckt und konnte es jetzt nicht länger für sich behalten: »Hört euch das mal an, Leute: *Seit Dr. Sommerfeldt wieder in der freien Wildbahn ist, benimmt sich mein Mann ganz anders. Er bleibt abends der Kneipe fern, und ich bekomme sogar Blumen statt Prügel, Komplimente statt Herumgebrülle.*«

»Hat das jemand über Sommerfeldt geschrieben?«, fragte Ann.

»Ja. Es geht noch schöner weiter. Hier schreibt eine Inge Tolle: *Mein Chef, die geile Pottsau, tatscht praktisch alle Mitarbeiterinnen an. Er wahrt keine Grenzen. Es ist ein Machtspiel! Er wollte auch mir an die Wäsche. Ich hab ihm gesagt: Wollen Sie wirklich, dass ich das meinem Hausarzt erzähle? –*

Ich glaube, er weiß, dass ich hier in der Fangruppe bin. Mädels, ihr hättet den sehen sollen! Der ist richtig handzahm geworden, seitdem der gute Sommerfeldt draußen ist … Ich trage jetzt zum Schutz diesen Button hier. Wir haben viele davon gemacht und geben sie gegen eine Spende ab, mit der wir den Anwalt finanzieren wollen, der den Doktor rauspaukt. Obwohl er den jetzt gar nicht mehr braucht, weil er ja schon draußen ist.«

Rupert reichte sein Handy lachend nach vorne. »Guckt es euch an!«

Auf dem Bildschirm war ein Anstecker mit Sommerfeldts Gesicht drauf zu sehen. Ann Kathrin betrachtete den Button verwundert. Weller schielte nur kurz hin, weil er am Lenkrad saß.

Ann Kathrin wollte vorlesen, was auf dem Button stand. »Die Schrift sieht aus, wie mit Blut geschrieben. Auch so verlaufen …«

»Ja, was steht denn da?«, fragte Weller.

»Ich habe einen guten Hausarzt.«

Rupert fummelte mit beiden Händen Ann Kathrin vor dem Gesicht herum. Er wischte über das Display. Ein weiteres Bild erschien. Auf dem zweiten Button stand: *Braucht nicht jede von uns so einen guten Hausarzt?*

Rupert hatte seine Freude daran. Das war ganz genau sein Humor. »Der macht«, freute Rupert sich, »den bösen Jungs mehr Angst als wir alle zusammen. Das sollte uns zu denken geben.«

Weller kokettierte damit, dass Rupert noch zum Sommerfeldt-Ultra werden würde, doch Ann Kathrin dämpfte die Stimmung: »Obwohl du nicht vergessen solltest, Rupert, dass er dir ganz schön eine reingehauen hat.«

»Ja gut«, sagte Rupert, »er geht mit Männern weniger zimperlich um als mit Frauen. Aber ...« Rupert sprach nicht weiter. Er suchte nach Worten, fand aber keine, die er bedenkenlos hätte aussprechen können. Er wollte sich nicht Ann Kathrins Tadel einfangen.

Sie half ihm auf die Sprünge: »Im Grunde beneidest du ihn, weil er eine solch durchschlagende Wirkung aufs weibliche Geschlecht hat, stimmt's?«

Sie hatte keinerlei Vorwurf in der Stimme, und das tat Rupert gut.

Weller bestätigte: »Ja, davon kann unsereins nur träumen, was, Rupert?«

Rupert steckte sein Handy ein. »Ich weiß, dass er ein Verbrecher ist. Aber der Typ hat auch was, das müsst ihr doch zugeben. Trotz alledem.«

Ann Kathrin hielt vor der *Bäckerei Ripken*. Der Vorfall hatte viele Menschen angelockt. Sie standen in zwei Trauben, die sich deutlich durch ihre Altersstruktur unterschieden, links und rechts neben dem Eingang und diskutierten. Es roch so gut, dass Weller sofort Hunger bekam.

»Jedes Café, jede Konditorei, jede Bäckerei«, sagte Weller, »riecht anders.«

»Jede Frau auch«, murmelte Rupert.

Weller sog Luft durch die Nase ein. »Ich kann dir sofort sagen, ob ich bei ten Cate bin, bei Remmers, bei Grünhoff oder bei Aggi ... Überall gibt es einen ganz speziellen Duft, der ist unverwechselbar.«

»Ja«, schwärmte Rupert, »Beate riecht ja auch anders als Susi, Jutta oder die Kim. Manchmal hängt der Duft bei den Frauen in den Haaren. Bei anderen ist er am Halsansatz oder zwischen den Brüsten besonders intensiv.«

»Jetzt reicht's, Jungs«, ermahnte Ann Kathrin die beiden.

Ann Kathrin und Weller gingen in die Bäckerei.

Rupert fragte die Herumstehenden, ob jemand etwas gesehen hätte. Die Gruppe älterer Mitbürger interessierte ihn weniger. Er wandte sich lieber an die Jugendlichen. Nach seiner Erfahrung waren die gesprächiger und gaben bereitwilliger Auskunft, denn manch einer tat sich gerne wichtigtuerisch hervor, um die anderen zu beeindrucken. Dabei musste Rupert als Polizist nur sogenannte Knallzeugen, die etwas gehört, aber nichts gesehen hatten, von den echten Zeugen unterscheiden. Meist klärte sich so etwas fast von selbst, da vertraute Rupert ganz dem Gruppenprozess. Denn wer etwas Falsches sagte oder etwas erfand, wurde schnell von anderen vorlaut korrigiert. Das hoffte Rupert zumindest.

Aus Gründen, die er sich selbst nicht erklären konnte, fand Rupert die Aussagen junger Mädchen mit Tops und Spaghettiträgern grundsätzlich interessanter als die von Jungs in schmuddeligen T-Shirts.

Mia-Antje, ein Mädchen von geschätzt fünfzehn, höchstens sechzehn Jahren, mit fliehendem Kinn und einem Siebziger-Jahre-Haarschnitt, der gar nicht zu ihr passte, drängte sich vor. Ihre türkisgrünen Augen hatten etwas, das Rupert dazu brachte, sich kurz Sorgen um sie zu machen. Da war so ein fiebriger, nervöser Glanz, den er von Leuten kannte, die auf Droge waren. Dazu passte auch ihr aufgekratztes Herumgewibbele. Alle Körperteile waren in Bewegung, aber nicht sehr koordiniert. Sie hüpfte von einem Bein aufs andere, und ihre Hände fuhren vor Rupert durch die Luft, als suche eine Kickboxerin eine Möglichkeit, einen Treffer durch seine Deckung zu platzieren.

»Mach mal hier nicht so eine Welle, Kleine! Tief durchatmen und dann langsam mit der Wahrheit herausrücken, das ist jetzt die Devise«, riet Rupert.

»Ich wusste immer, dass der Ragnar nicht ganz dicht ist. Der ist voll unheimlich, ist der …«

»Aber echt«, bestätigte ihre schielende Freundin. Rupert konnte sie nicht angucken. Er neigte dazu, Menschen in die Augen zu schauen, wenn er mit ihnen sprach. Aber sie schielte so sehr, dass es ihm nicht wirklich gelang, und er hütete sich davor, stattdessen auf ihren Busen zu glotzen.

»Wer ist denn dieser Ragnar?«, fragte Rupert.

Ein junger Mann, der offensichtlich intensiv Muskeltraining betrieb und auch Wert darauf legte, dass jeder seine Muckis bemerkte, drängte sich aus der Gruppe vor und legte einen Arm um Mia-Antje. Er tat, als müsse er sie vor Rupert beschützen, was ihr aber gar nicht gefiel. Sie schüttelte ihn unwirsch ab. Er tönte: »Das ist ein Vollhonk!«

»Vollhonk? Kannst du das präzisieren, Tarzan?«, fragte Rupert.

»Ja, also eben ein Vollhonk.«

»Ein Vollhonk ist ein Vollpfosten«, erläuterte Mia-Antje.

»Klar«, sagte Rupert. »Logisch. Hätte ich auch selbst drauf kommen können.« Er sprach die beiden jungen Damen an und ignorierte den Bodybuilder. »Hat der Sie belästigt?«

Mia-Antje stieß Tarzan mit beiden Händen gegen die Brust. »Der?«, lachte sie.

»Nein, ich meine Ragnar Vollhonkpfosten«, erklärte Rupert.

»Der ist ein Perverser«, rief jemand aus der Menge und tat dann, als sei er es nicht gewesen.

»Wer den ranlässt, lässt auch 'n Hund ran«, spottete Mia-Antje.

»Was stimmt denn nicht mit dem?«, wollte Rupert wissen.

»Na, der ist voll eklig, hat Mia doch gesagt«, behauptete die schielende Freundin.

»Nein, ich glaube, sie hat *unheimlich* gesagt«, korrigierte Rupert.

Er wollte jetzt Ragnars vollen Namen wissen, aber damit rückte niemand raus. Das bedeutete zunächst noch gar nichts. Jugendliche kannten oft selbst von ihren Freunden nur den Vor- oder gar den Spitznamen. Natürlich wusste Rupert, dass er zunächst die Personalien der Zeugen hätte aufnehmen müssen, aber er wusste auch, dass die meisten Menschen vorsichtig mit ihren Aussagen wurden, ja, verstummten, sobald eine Amtsperson ihren Namen und ihre Adresse notieren wollte. Der gezückte Block und der Stift in der Hand waren die beste Methode, wenn man Menschen zum Schweigen bringen wollte. Deshalb war Ruperts Taktik: Fragen stellen. Antworten provozieren. Zuhören und dabei die Gesichter merken.

In der Bäckerei unterhielt Ann Kathrin sich mit dem Kollegen Thilo Baum. Er war ein guter Mann, kurz vor der Pensionierung. Er hatte zwei Scheidungen überlebt und zwei Krebserkrankungen. Er galt als geheilt und war trotz der harten Schicksalsschläge ein freundlicher Mensch geblieben.

Die zwei kannten sich und schätzten sich.

Weller interessierte sich mehr für die ausgestellten Backwaren. Die Mandelhörnchen fand er verlockend, und es wurde gerade Flammkuchen aus dem Backofen geholt. Eine Orgie für Wellers Nase! Er konnte den Flammkuchen schon schmecken und schluckte. Aber der war leider schon bestellt und wurde an Weller vorbei ins Café getragen.

Thilo Baum zeigte Ann Kathrin eine durchsichtige Plas-

tiktüte. Darin hatte er das Beweisstück gesichert: die Stahlschlinge, an der Blut klebte.

»Die Kollegen«, sagte er, »sind nach Hengstforde zu Ragnar.«

»Du kennst ihn?«, fragte Ann.

Thilo nickte. »Klar. Hier kennt doch jeder jeden. Ragnar
Quam. Ein Eigenbrötler. Nicht sehr beliebt. Aber harmlos.«
Thilo wiegte den Kopf hin und her, als müsse er seinen Satz
neu überdenken. »Kann, wenn er zu viel Doornkaat getrunken
hat, auch schon mal laut werden. Aber im Grunde immer alles
im erträglichen Rahmen.«

»Familie?«

»Junggeselle, Mitte fünfzig.«

Ann Kathrin guckte zu ihrem Mann Frank. »Bist du noch
mit im Spiel?«

»Ja klar. Ich dachte nur … ich hätte eigentlich gerne …«

Ann Kathrin tippte Thilo an: »Bring uns hin. Den Rest er-
zählst du uns im Auto.«

Weller hatte es nicht ganz so eilig. Wenn die Zeit nicht für
einen Flammkuchen reichte, dann wollte er doch zumindest
etwas Süßes. Er zeigte auf das Mandelhörnchen.

Die Bäckereifachverkäuferin zwinkerte ihm zu und reichte
es ihm. »Ich habe Sie gerufen«, sagte sie stolz.

»Mich?«, fragte Weller.

Sie lächelte verlegen. »Nein, nicht Sie direkt. Die Polizei.«

»Ach so«, sagte Weller und tat enttäuscht. Er zahlte und
biss gleich das Schokoende ab.

Ann Kathrin und Thilo saßen schon im Auto, als Weller aus
der Bäckerei kam. Ann Kathrin winkte Rupert herbei. Der war
gar nicht so leicht von den hübschen Zeuginnen loszueisen. Er
hatte sich sogar schon Fotos der hübschen Gymnasiastinnen

zeigen lassen, hinter denen Ragnar angeblich her gewesen war, als ihm die Stahlschlinge aus der Tasche fiel.

Im Auto zeigte Weller kauend auf die Stahlschlinge in der Plastiktüte, die Thilo Baum sorgfältig auf den Knien hielt, wie eine alte Dame eine Handtasche mit wertvollem Inhalt.

»Das ist ein Stahlvorfach«, behauptete Weller. Dabei flogen Krümel und Mandelsplitter von Wellers Lippen auf Thilos Schulter.

»Ein was?«, hakte Ann Kathrin nach.

»Ein Stahlvorfach. Verwendet man beim Angeln. Wenn man Raubfische jagt und Angst hat, dass sie die Schnur durchbeißen könnten, dann befestigt man an der Angelschnur so ein Vorfach, daran dann den Haken mit dem Köder.«

»Stimmt«, bestätigte Rupert. »Saustabil, diese Teile. Reiß- und bissfest.«

Für Ann Kathrin war das eine Art Männerwissen. Angeln war ihr fremd, obwohl sie ihren Vater als kleines Mädchen mehrfach zum Fischen begleitet hatte. Aber sie wäre auch nie zur Jagd gegangen. Sie konnte zwar mit Schusswaffen umgehen, aber sie mochte sie nicht. Die Heckler & Koch war für sie ein notwendiges Übel. Eine Dienstwaffe halt. Sie kannte einige Waffennarren. Sie waren ihr suspekt.

Ein Polizeiwagen parkte vor dem Haus. Die Tür zum Gebäude stand offen. Weller und Rupert überprüften ihre Waffen. Es hätte keinen von ihnen gewundert, die beiden Ammerländer Kollegen tot im Hausflur zu finden.

Rupert sicherte Weller, und der stürmte gebückt bis zum Haus. Dann rannte Rupert an ihm vorbei, rein ins Gebäude.

Die Außenfassade hatte seit längerem einen Anstrich nötig, wie Ann Kathrin feststellte. An der Wetterseite wuchs Moos in den Ritzen. Die Dachrinne hing an zwei Stellen geknickt nur noch locker am Dach. Hier war jemand nicht mit Reichtum gesegnet und auch handwerklich offensichtlich nicht besonders begabt.

Die Fenster waren fast blind. Eine Salz- und Staubschicht hatte sie weiß-gelblich eingefärbt. Eine Scheibe war mit Zeitungspapier von innen zugeklebt und ein Riss in der Scheibe mit Pappe abgedichtet worden.

Den Vorgarten, der früher vermutlich einmal gut gepflegt worden war, wie Ann Kathrin vermutete, hatten Hagebuttensträucher erobert. An die Hauswand gelehnt, fand sie mehrere blaue Müllsäcke, in denen Wäsche und Plastikmüll zusammengeknuddelt waren. Rosen wucherten an der Wand hinter den Müllsäcken neben der Tür hoch, aber das Gitter bog sich oben durch, als sei ihm die Blütenpracht zu schwer geworden, um sie zu halten.

Ein Vogelhäuschen machte einen unbewohnten Eindruck. Das Dach war zerstört, als hätte jemand mit einem Hammer mehrmals draufgehauen.

Neben dem Haus, bei der Garage, stand ein rostiger Grill voll kalter Asche. Als Rost waren die Speichen eines Fahrrads verwendet worden.

Auf Ann Kathrin machte das alles den Eindruck beginnender Verwahrlosung. Sie befürchtete, es mit einer schwer gestörten Persönlichkeit zu tun zu haben. Zumindest aber mit einem Menschen, der die Kontrolle über sein Leben verloren hatte. Oder dort wohnte jemand, dem es inzwischen gleichgültig war, was die anderen Leute über ihn dachten.

Ann Kathrin lief einmal ums Haus. Sie wollte verhindern, dass er durch eine Haustür oder ein Fenster hintenheraus fliehen konnte. Es war, als würde das Gebäude das Böse geradezu ausdünsten. Je näher sie dem Haus kam, umso kälter wurde ihr.

Im hohen Gras stieß sie mit dem Fuß gegen einen alten Lederschuh. Das Gefühl, in den blauen Müllsäcken hinter dem Haus könnten sich Leichenteile befinden, beschlich sie. Sie beherrschte sich und öffnete keinen der Säcke. Stattdessen sicherte sie die Hintertür. Die bestand nur aus zusammengezimmerten Brettern.

Ann Kathrin hörte Rufe im Haus. Glas zerbrach. Jemand schrie. Sie glaubte, die Stimme ihres Mannes herauszuhören, verstand aber nicht, was er wollte.

Ann Kathrin stieß die Tür auf und lief an langen Stahlregalen vorbei durch einen dunklen Raum, der muffig roch. Sie hörte Rupert fluchen.

Sie nahm ihre Dienstwaffe in beide Hände und bewegte sich vorwärts. Sie hörte jetzt nur noch ihren eigenen Atem und ihr Herz klopfen. Alle anderen Geräusche waren wie verschluckt von den Wänden des Hauses oder vom Rauschen des eigenen Blutes. Ann Kathrin wusste, dass sie die Geräusche ausblendete, dabei wollte sie doch genau das Gegenteil – alles genau wahrnehmen. Es war jetzt lebenswichtig.

Was ist los mit mir, fragte sie sich. Werde ich panisch? Ich höre nur noch mich selbst.

Sie blieb vor der Tür stehen. Sie lehnte sich dagegen und ließ die Waffe kurz sinken. Sie wischte sich mit dem Handrücken über die Stirn. Sie schwitzte ihre Wäsche in Sekunden durch.

Was ist los mit mir, fragte sie sich. Werde ich krank? Habe ich gerade eine Panikattacke?

Sie versuchte, sich zusammenzureißen. Sie nahm die Waffe wieder in beide Hände und stürmte vorwärts. Sie hörte Rupert erneut fluchen: »So eine verdammte Scheiße!«

Sie durchquerte noch einen Flur, dann sah sie das Desaster.

Ein Aquarium war umgekippt. Zwischen Glassplittern zappelten bunte Zierfische auf dem feuchten Orientteppich um ihr Leben. Es gab noch vier weitere Aquarien im Zimmer. Die standen sicher. Sie waren gut beleuchtet und gepflegt. Zauberhaft gestaltete Unterwasserwelten mit untergegangenen Schiffen, zerbrochenen Töpfen, künstlichen Höhlen, voller Pflanzen.

Ragnar Quam und zwei uniformierte Polizisten sammelten Fische auf und retteten sie, indem sie die Tiere in die Aquarien warfen. Weller und Rupert standen belämmert herum. Thilo Baum wusste auch nicht so recht etwas mit sich anzufangen und sah peinlich berührt aus.

In der Mitte eines ovalen Tisches stand ein großer Aschenbecher. Darin verglomm eine selbstgedrehte Zigarette. Neben dem Aschenbecher lag ein Päckchen Tabak, und auf dem Tisch standen zwei Kaffeebecher und eine Flasche Corvit. Der Weizenkorn war billiger als Doornkaat, kam aber auch aus dem Hause Doornkaat.

Ann Kathrins Vater hatte ihr gern gesagt: »Solange wir uns Doornkaat leisten können, kommt mir kein Corvit ins Haus.« Er hatte klare Schnäpse gemocht.

Was hätte er zu dieser Situation gesagt, fragte Ann Kathrin sich.

Ragnar Quam, mit wirren Haaren, schimpfte mit einem Polizisten: »Nicht da rein! Das ist ein siamesischer Kampffisch, Mensch! Der attackiert die Buntbarsche sofort. Den kannst du nicht mit beliebigen Fischen vergesellschaften. Der bekämpft sie bis zum Tod!«

Der Polizist hielt den zappelnden hellblauen Fisch mit den überlangen Flossen in der Hand und fragte: »Ja, wohin denn jetzt mit dem?«

»Zu den Welsen. Mit denen kommt er klar.«

Weller bückte sich und versuchte, auch einen Fisch zu retten. Es war ein kleiner Neonfisch, aber der hopste Weller wieder aus der offenen Hand. Rupert verdrehte die Augen.

An den Wänden über den Aquarien hingen ausgestopfte Fischpräparate. Zander. Hechte. Eine Bachforelle.

Ann Kathrin ahnte, dass sie in der falschen Wohnung waren. Das hier war nicht ihr Mann. Dieser Ragnar war vielleicht ein Spinner, aber kein Killer. Der Mörder, hinter dem sie her waren, den schätzte sie ganz anders ein. Der hatte eine niedrige Frustrationsschwelle und war hoch aggressiv. Ein Eindringen in seine Räume, eine Verletzung seiner Gewohnheiten oder gar die Zerstörung von etwas, das ihm gehörte, hätte er mit einem gewaltvollen Wutausbruch beantwortet. Ragnar Quam blieb erstaunlich ruhig, obwohl jemand hier sein großes Aquarium zerstört hatte.

Der Polizist, der den siamesischen Kampffisch retten wollte, erklärte sich Ann Kathrin gegenüber. Er presste die Worte heraus, als würde ihm das Sprechen schwerfallen: »Das ist Hechtblut an dem Vorfach. Er hat es uns erklärt. Das ist kein Mordinstrument, sondern …«

Ragnar Quam wandte sich Ann Kathrin, Rupert und Weller zu. »Schöne Sauerei haben Sie da angerichtet. Das war ein 250-Liter-Aquarium.«

»Wir ermitteln« sagte Rupert wie zur Entschuldigung, »in einem Mordfall.«

Weller hatte den Neonfisch wieder in der Hand und fragte: »In welches Becken darf der denn rein?«

Ragnar zeigte auf das Aquarium und rief: »Da müssen noch mehr sein! Mindestens ein Dutzend. Das ist ein Schwarmfisch.«

Ragnar kniete jetzt mit nassen Knien auf dem Boden und

langte unters Sofa, wo Fische zappelten. »Ich war«, erklärte er dabei, »zum Angeln. Am Süßwasserwatt des Aper Tiefs. Ich habe einen 92-Zentimeter-Hecht gefangen. Wir sind hier nur knapp fünfzig Kilometer von der Nordsee entfernt. Wir haben sogar Ebbe und Flut im Tief. Bei Ebbe beißen sie besonders gut.«

»Stimmt«, bestätigte der Kollege, der gerade den Kampffisch in das passende Becken entließ. »Das ist hier eine wasserreiche Gemeinde. Ich persönlich fische immer am Augustfehn-Kanal. Wir sind hier mitten im Zuflussgebiet der Ems.«

An Ragnars Anglerweste erkannte Ann Kathrin das Abzeichen des Sportfischereivereins Apen.

»Ich habe mir nur noch Weißbrot geholt. Mir ist das Stahlvorfach aus der Hose gefallen, und plötzlich fingen diese Gören an zu schreien. Und dann habe ich die Nerven verloren und bin abgehauen.«

»Wir sollten gehen«, schlug Ann Kathrin vor.

»Warum?«, protestierte Rupert. »Weil der ein Aquarium hat? Ist das jetzt ein entlastendes Argument?« Rupert regte sich auf und steigerte sich immer weiter rein: »Ich meine, Leute, ich will Alibis sehen. Eine DNA überprüfen und so. Ich brauche harte Fakten. Es ist mir scheißegal, ob der Zierfische züchtet oder Briefmarken sammelt. Hitler war Vegetarier. Nichtraucher. Antialkoholiker. Und immer lieb zu Schäferhunden. Trotzdem hat der Arsch Millionen auf dem Gewissen. Die Hobbys sagen nichts über einen Menschen aus!«

»Ja, vielleicht hilfst du hier mal mit, statt Volksreden zu halten«, fauchte Weller. »Wer hat denn das Aquarium umgeworfen, du oder ich?« Weller versuchte, weitere Neonfische aufzusammeln. Sie hopsten vor ihm weg, als hätten sie Angst, von ihm gefressen zu werden.

Rupert hatte keine Lust, auf dem Boden zwischen Splittern in einer Pfütze herumzukriechen und sich die Klamotten zu versauen. Er ging stattdessen in den Flur. Dort stand eine Tür offen. Rupert warf einen Blick in den Raum und was er dort sah, veranlasste ihn, sich die Sache näher anzugucken.

Ann Kathrin forderte ihn auf zurückzukommen, aber er hörte nicht auf sie. Deshalb stieß sie die Tür hinter ihm auf.

Rupert stand in Ragnar Quams Heimkino. Ein fensterloser kleiner Raum, in dem sich zwei große Bildschirme befanden, zwei Sessel, die aussahen, als seien sie aus einem Kinofundus, und zwei übereinandergestapelte Kästen Bier.

Rupert begutachtete fachmännisch ein Regal mit Pornofilmen. Es waren mindestens zweihundert.

»Ist ja verrückt«, lachte Rupert, »der hat noch alte VHS-Kassetten und natürlich auch jede Menge DVDs. Dabei streamt doch heutzutage jeder seine Pornos im Netz. Aber der ist noch old school. Oder sogar ein richtiger Sammler.«

Ann Kathrin wollte Rupert da wegziehen. Sie sah überhaupt nicht ein, warum sie ihm beim Betrachten der Pornosammlung zusehen sollte.

Weller rief aus dem Nebenraum: »Hier unterm Schrank ist ein Wels, der lebt noch!«

Rupert schüttelte Ann Kathrin ab: »Wer guckt sich denn immer in jeder Wohnung zunächst das Buchregal an, weil ein Bücherschrank …«, er äffte sie nach, »wie ein Fingerabdruck der menschlichen Seele ist?«

»Ja, Rupert. Ein Bücherschrank. Aber keine Pornofilmsammlung.«

»Irrtum, Madame.« Rupert stellte sich anders hin und hielt zwei Kassetten hoch: »Was siehst du da?«

»Nenn mich nicht Madame!«

»Okay. Aber was siehst du da?«

Wellers Jubelschreie drangen zu ihnen: »Ich hab ihn! Ich hab ihn!«

»Ich guck mir mit dir hier keine Pornofilme an«, stellte Ann Kathrin klar.

»Solltest du aber. Der Kerl ist unschuldig, Ann.«

Sofort weckte Rupert Ann Kathrins Interesse. Er triumphierte: »Man sieht genau, worauf der steht. Hier sind keine Kinderpornos. Keine Gewaltfilme. Keine Würge- oder Foltervideos. Keine langbeinigen, schmalbrüstigen Teenies, sondern nur mollige Frauen mit großen Möpsen. Der mag Oral- und Analsex, aber immer in seiner Altersklasse, und alle Frauen sind eher Plussize-Modelle. Der Doktor würde sagen, sie sind übergewichtig. Aber der Kenner sagt: Sie haben einfach geile Rundungen.«

»Du meinst …«

»Ja, ich meine«, betonte Rupert, »der steigt keinen schlanken Gymnasiastinnen nach. Alle ermordeten Frauen waren dem schlicht zu dünn …«

Ann Kathrin zeigte Rupert ihre Anerkennung, wollte jetzt aber trotzdem gehen. Rupert folgte ihr.

Der glückliche Weller kam aus der Aquarienausstellung hinter ihnen her. Er klopfte sich Glassplitter von den Hosenbeinen. »Ich habe«, sagte er stolz, »Fische gerettet.«

»Toll«, lobte Rupert ihn übertrieben. »Da sind wir jetzt aber alle mächtig stolz auf dich.«

Weller zeigte mit dem Daumen hinter sich. »Als Vanessa Schneider getötet wurde, hat der Angelverein seine Jahreshauptversammlung gehabt und Ragnar Quam war …«

»Ich weiß«, bestätigte Ann Kathrin, »er ist es nicht.«

»Ja, sag ich doch«, sagte Rupert.

Im Auto bemerkte Weller, wie erschöpft Ann Kathrin aussah. Er fuhr. Rupert saß hinten und scrollte wieder durch Sommerfeldts Fanseiten.

»Was ist mit dir, Ann?«, fragte Weller besorgt.

»Ich bin fertig, Frank. Ich habe gerade Angst vor mir selbst bekommen. Ich bin so fixiert darauf, den Kerl zu fassen, dass ich mir selbst nicht mehr über den Weg traue.«

»Wie?«

Sie zählte auf: »Wir haben Sommerfeldt freigelassen! Das war unverantwortlich, Frank ... Wir glaubten, es im Griff zu haben, aber das haben wir nicht. Wir sind in eine narzisstische Falle gelaufen. Wir haben uns selbst maßlos überschätzt. Wir sind nicht die Superbullen, für die wir uns halten.«

Weller wollte sie beruhigen. »Ann, wir ...«

»Ach, ist doch wahr! Ich sehe einen verwilderten Garten, ein paar Mülltüten und ein Haus mit ungeputzten Fenstern und glaube gleich, da wohnt ein Irrer. Ich kann meinen Instinkten nicht mehr trauen, Frank. Zwischen Intuition und Wunschdenken ist nämlich ein ganz großer Unterschied. Wir lassen uns im Moment aber nur vom eigenen Wunschdenken treiben.«

»Ach, Quatsch. Wir wollen ihn bloß überführen. Was ist daran schlecht?«

Rupert hatte Spaß an der Fanseite. Er hörte den beiden gar nicht richtig zu. Für ihn war das ein typisches Gespräch zwischen Eheleuten. Man musste froh sein, wenn kein Streit daraus wurde. Jetzt bloß kein Beziehungsgespräch, dachte er. So etwas fand er immer ganz fürchterlich, und er kannte Beates Stimme, wenn es begann. Genau so hörte Ann Kathrin sich gerade an, und genau so sah sie auch aus.

Weller sagte: »Er bringt uns alle an den Rand, Ann. Er

ist wahrlich eine große Herausforderung.« Er berührte ihre Hand. Er lenkte jetzt nur noch mit links. »Willst du überhaupt mit nach Leer? Du brauchst ein bisschen Ruhe. Wann hast du zum letzten Mal eine Nacht durchgeschlafen? Ich meine, mehr als drei, vier Stunden.«

»Leer?!«, spottete sie. »Glaubst du tatsächlich, er schlägt in Leer zu?«

»Nein, ich glaube, er macht mit uns einfach, was er will. Er findet es bestimmt ganz toll, dass vier Sondereinsatzkommandos dort auf ihn warten. Das ist der ganz große Bahnhof für so'n kleinen Wichser wie ihn. Das streichelt sein Ego.«

»Ich steige aus, Frank. Man muss wissen, wann es vorbei ist. Ich fange an, schlimme Fehler zu machen, und ich ziehe euch alle da mit rein.«

Es hörte sich für Weller sehr grundsätzlich an, so als würde sie den Dienst quittieren wollen und richtig hinschmeißen. Er baute ihr eine Brücke, um es ein bisschen kleiner zu machen. Er kannte solche Gefühle, wenn er selbst völlig in einer Sackgasse angekommen war und glaubte, alles falsch zu machen.

»Ein Blick aufs Meer, sagte Ubbo immer, relativiert alles. Soll ich dich nach Hause bringen? Zum Deich oder einfach in den Distelkamp?«

Vielleicht, dachte Weller, ist es auch gut, wenn sie sich mit einer ihrer Freundinnen aussprechen kann. Bei Monika Tapper, Rita Grendel oder Bettina Göschl. Ann war einfach zu viel unter Männern, fand Weller plötzlich. Ein Gedanke, der ihm vorher noch nie gekommen war.

Sie drückte seine Hand, fühlte sich verstanden, legte dann aber seine Hand sanft wieder aufs Lenkrad zurück. Das bedeutete so viel wie: Pass jetzt gut auf uns auf.

»Ja«, gestand sie, »ich will nur noch zurück in den Distelkamp. Fahrt ihr ruhig nach Leer. Ich nehme von da den Zug nach Norden.«

»Sommerfeldt, Sommerfeldt«, lästerte Rupert, »du könntest Weiber haben …« An Weller und Ann Kathrin gewandt, sagte er: »Wisst ihr, was ich glaube, warum wir von dem guten Doktor nichts hören?« Er beantwortete seine Frage selbst, weil Weller und Ann Kathrin nicht reagierten. »Er will uns überraschen. Er packt sich diesen Scheiß-Killer, bevor er erneut zuschlägt. Ja, ich glaube, in der Frage ist unser Frauenheld sehr ehrgeizig. Der möchte ihn uns noch heute liefern. Der will die Serie unterbrechen, das habe ich so im Urin.«

»Ich hoffe«, gestand Weller, »dass er besser ist als wir.«

Er hatte keine Zeit mehr für Aike Ruhrs Suche nach einem guten Anfang. Das alles kam ihm jetzt nur noch vor wie Geschreibsel. Gestelzte Lügen. Vielleicht musste er es doch selbst machen. Ganz authentisch und in seiner eigenen Schreibe. Er spürte, dass er nur Angst hatte, sich mit Dr. Bernhard Sommerfeldt messen zu müssen. Auch literarisch.

Er empfand seine Morde als besser. Präziser. Und in einer viel schnelleren Taktung. Sommerfeldt hatte keinen Rhythmus vorgegeben, machte es irgendwann, irgendwie. Aber er war wie ein guter Musiker. Er blieb im Takt. Trotzdem fürchtete er sich davor, literarisch gegen Sommerfeldt zu verlieren. Der war doch in der Kulturszene eine anerkannte, ja beliebte Figur. Eine Größe geradezu. Ihn umgab ein geheimnisvoller Nimbus. Sein Schweigen gab zu Interpretationen Anlass. Sein Verschwinden nährte Hoffnung auf eine neue Tat.

Warum, fragte sich der Langeoog-Killer, der so gerne *Meis-*

ter genannt worden wäre, warum habe ich keine Fanclubs auf Facebook?

Ihm wurde ganz anders, wenn er diese Einträge las. Hier zum Beispiel hatte eine junge Frau, die sich *Mel Ly W.* nannte, ein Foto von sich veröffentlicht. Sie hatte ein geschwollenes Gesicht, ein blaugeschlagenes Auge und eine dicke Lippe. Darunter stand: *In unserer Ferienwohnung in Bensersiel haben zwei nette junge Männer geklingelt. Von der Freiwilligen Feuerwehr. Sie hatten höfliche Umgangsformen. Der eine hat praktisch nicht geredet, der andere gesagt, sie müssten die Feuermelder in jedem Zimmer überprüfen. Ich Idiotin habe sie reingelassen. Nein, vergewaltigt haben sie mich nicht. Aber meinen rechten Arm gebrochen und mir mehrmals ins Gesicht geschlagen. Den Rest des Urlaubs habe ich in Arztpraxen und beim Zahnarzt verbracht. Fast achthundert Euro haben sie mitgenommen. Meine Urlaubskasse. Danke, ihr Schweine! Das hab ich mit meinem 450-Euro-Job verdient, um mir diesen Urlaub gönnen zu können. Meinen Schmuck haben sie mitgenommen (Ahnung haben sie nicht, es war nur billiger Modeschmuck, aber an einigen Stücken hängt mein Herz). Mein Handy und meinen Laptop haben sie jetzt, mit all meinen Daten drauf. Ich hoffe, Sommerfeldt kriegt euch, ihr Schweine! Er ist wieder frei, und Typen wie euch verhilft er gerne zu einem Gespräch mit eurem Schöpfer.*

Warum, fragte er sich, gestaltet niemand eine Homepage für mich? Warum habe ich keine Fanseiten auf Facebook? Noch nicht!

Doch schon heute könnte alles anders werden. Ja, heute würde er sein kriminelles Kunstwerk zum ersten wirklichen Höhepunkt führen. Heute würde er sich Ann Kathrin Klaasen holen. Er wollte die berühmteste Kommissarin dieses Landes ermorden. Die Kommissarin, der Sommerfeldt sich ergeben hatte.

Am liebsten würde er ihn dabei zusehen lassen, wie Ann Kathrin langsam erdrosselt wurde. Das würde ein für alle Mal klarmachen, wer von ihnen der Meister war.

Aike sollte alles miterleben. Wenn das nicht genug Input für seine Kreativität war und ihm nicht half, ein großartiges Werk zu verfassen, dann könnte er ihn gleich mit entsorgen.

Wie würde Sommerfeldt wohl reagieren, wenn er das Bild einer gefesselten Ann Kathrin Klaasen bekam? Würde er sich als Serienkiller lächerlich machen und die Polizei rufen? Nein, so dumm war er nicht. Er käme garantiert in total egomanischer Selbstüberschätzung sofort angerauscht … Aber dann würde er versuchen, ihren Tod zu verhindern? Würde er es selbst erledigen wollen, um sich den Orden an die Brust zu heften?

Er stellte sich vor, wie er Sommerfeldt ermutigte, es zu tun, und der weinerlich mit der Stahlschlinge dastand und jammerte, weil es ihm nicht gelang, die Schlinge um Ann Kathrin Klaasens Hals zuzuziehen.

Ja, das würde alles zwischen ihnen klarmachen.

Er schmunzelte. Ja, darauf freute er sich wie ein Kind auf Weihnachten.

In Leer warteten sie jetzt garantiert auf ihn. Den Fehler vom Flinthörn wollten die Versager von der Kripo garantiert nicht wiederholen. Die Blamage von Langeoog würde noch lange am Image der ostfriesischen Polizei haften, wie das eines des Missbrauchs überführten Priesters an dem der katholischen Kirche.

Es war nicht weit bis zum Distelkamp. Er kannte Ann Kath-

462

rin Klaasens Dienstplan gut, doch er selbst hatte ihn durch seine Taten durcheinandergebracht. Die Kommissarin kannte das Wort Achtstundentag vermutlich, doch es hatte für sie keine Bedeutung. Er konnte sich nicht vorstellen, dass sie sich jemals daran gehalten hatte. Für sie gab es nur gelöste oder eben ungelöste Fälle.

Er fuhr nicht mit dem Wagen hin. In der kleinen Straße fiel ein fremdes Fahrzeug sofort auf.

Er radelte hin. Er trug einen dunkelblauen Kapuzenpullover und eine Sonnenbrille. Wenn sich später jemand an ihn erinnerte, dann höchstens an seine neonfarbenen Turnschuhe.

Hier sah alles friedlich aus. Bettina Göschl probte ein neues Lied bei offenem Fenster. Kinder aus der Nachbarschaft standen im zaunlosen Vorgarten und sangen mit. Die Sängerin erschien am Fenster und winkte den Kindern. Diese ganze Siedlung wirkte auf ihn wie Astrid Lindgrens *Bullerbü*.

Er hasste diese Idylle. Er würde sie zerstören wie ein Tsunami den Urlaubsmorgen im Strandcafé.

Ann Kathrin Klaasen kam mit einem Taxi. Das verblüffte ihn. Er vermutete, sie sei vom Bahnhof hergefahren. Er sah sie bezahlen. Zehn Euro. Und sie sagte: »Stimmt so.«

Entweder kam sie aus der Innenstadt oder vom Bahnhof. Das stimmte dann vom Preis her. Warum hatte sie sich nicht von Kollegen nach Hause fahren lassen? Standen die so sehr unter Druck, dass sie keinen freien Wagen mehr hatten? Waren die alle in Leer?

Er schmunzelte in sich hinein. Er kam sich vor wie ein Varietézauberer, der einen großen Zaubertrick vorbereitete, um sein Publikum zu verblüffen.

Er stand bei der schulterhohen Hecke. Als die Kommissarin zahlte, sah er in ihr Gesicht. Sie war am Ende. Fix und fertig.

So, dachte er, sehen Verlierer aus. Boxer, kurz bevor sie k. o. gehen. Langstreckenläufer, die wissen, dass sie keine Kraftreserven mehr haben und nun die Schritte des Verfolgers hinter sich näher kommen hören.

Ihre Haare klebten strähnchenweise zusammen, und ihre Haut wirkte aschfahl. Ihr ganzer Körper sah erschöpft aus, als seien alle Energie und Spannkraft aus ihm gewichen.

Fast hätte er sich gewünscht, sie fitter anzutreffen. Es sollte nicht so aussehen, als hätte er sie nur geschafft, weil sie so angeschlagen war. Nein! Sie durfte jetzt nicht schlappmachen. Sie sollte nicht krank sein. Hatte man sie nach Hause geschickt? War sie krankgeschrieben, während in Leer eine große Polizeiaktion lief?

Er fühlte sich betrogen, so als könne das seinen bevorstehenden Triumph schmälern.

Er sah ihr zu, wie sie im Haus verschwand. Das Taxi fuhr zurück. Hatte der Fahrer gewartet, bis sie sicher in den eigenen vier Wänden angekommen war? Oder hatte er nur schnell seine E-Mails gecheckt?

Für ihren Mann Frank Weller hatte er nur Verachtung übrig. Spürte der nicht, dass seine Frau in Gefahr war?

Du solltest besser auf sie aufpassen, dachte er. Du wirst es dir nie verzeihen, alter Knabe, denn ich werde sie dir wegnehmen. Noch heute Nacht.

Er fuhr mit dem Rad zurück. Er würde mit dem Auto wiederkommen, um sie sich zu holen. Er wollte bis zum Anbruch der Dunkelheit warten. Er war sich sicher, dass Weller nicht so rasch wiederkommen würde. Der lag garantiert voller Jagdfieber in Leer vor einer Buchhandlung auf der Lauer.

Ann Kathrin begann sich schon im Flur auf dem Weg ins Bad auszuziehen. Sie riss sich die Kleidung regelrecht vom Leib. Sie kam sich vor, als ob sie stinken würde. Die Stoffe waren klebrig und feucht. Sie spürte die kühlen Fliesen unter ihren nackten Fußsohlen. Allein das tat schon gut.

Sie entschied sich dagegen zu duschen. Sie ließ sich lieber ein Bad ein. Sie schüttete eine Essenz ins Wasser, die sie von ihrer Nachbarin Bettina Göschl zum Geburtstag bekommen hatte. Es stand etwas drauf von *Ruhe und Entspannung.* Genau das brauchte sie jetzt. Sie war so hibbelig, so voller Ungeduld, aber gleichzeitig auch so schrecklich müde.

Sie lief nackt in den Garten. Es war gut, das Gras unter den Füßen zu spüren und den sanften Wind auf der Haut. Sie breitete die Arme aus, als könnte sie den Wind umarmen. Sie schloss unterm Kirschbaum die Augen und stellte sich vor, auf der Deichkrone zu sitzen, vor sich die Nordsee bei Flut. Die Imagination war so intensiv, dass sie glaubte, das Meer zu hören. Während im Badezimmer das Wasser in die Wanne plätscherte, befand sich ihr Körper im Garten, aber ihr Geist war in Norddeich am Meer.

Sie hörte eine Möwe schimpfen und hätte nicht sagen können, ob das Raubtier auf dem Garagendach herumstolzierte oder nur in ihrer Phantasie.

Über ihr flog ein Schatten Richtung Bahnschienen. Eine Möwenfeder segelte in den Garten.

Sie stand eine Weile so, dann riss sie erschrocken die Augen auf. Herrje, das Badewasser! Vor ihrem inneren Auge ergoss sich bereits eine Welle aus dem Badezimmer in den Flur.

Ann Kathrin lief ins Bad. Das Wasser stand schon bis zum Wannenrand. So konnte sie gar nicht einsteigen. Sie musste erst Wasser ablaufen lassen.

Sie checkte kurz ihr Handy, bevor sie sich ins seidenweiche Wasser begab, das nach Lavendel und Bergamotte roch. Sie tauchte tief ein. Es war ein gutes Gefühl, auch mit dem Gesicht im Wasser zu verschwinden. Wie eine Erinnerung an vorgeburtliche Geborgenheit. Die Badewanne als Mutterleib. Sie hörte sogar ein Herz pochen. Es war aber nicht das ihrer Mutter, sondern ihr eigenes.

Prustend tauchte sie auf. Sie beschloss, nach dem Bad nicht direkt ins Bett zu gehen, sondern noch einmal zum Deich zu fahren, nach Juist und Norderney rüberzugucken und die Seele baumeln zu lassen.

Dieser Beruf, dachte sie, macht einen kaputt, wenn man nicht auf sich aufpasst. Aber welcher Beruf machte das nicht?

Sie war vielfach innerlich nicht abgegrenzt genug. Sie spielte die Coole, die alles professionell sah und sich voll im Griff hatte. Aber sie war in Wirklichkeit ganz anders. Sie ließ die Dinge zu nah an sich ran, konnte nicht die Akten zuklappen und Feierabend machen oder gar Urlaub. Nein. Sie musste erst den Fall lösen, die Sache zu Ende bringen. Sie empfand jedes weitere Opfer als Anklage gegen sich selbst.

Habe ich Idiotin wirklich Sommerfeldt freigelassen, fragte sie sich und betrachtete sich dabei im Spiegel wie eine Fremde, die nackt und nass in ihrem Badezimmer stand. Wie lange habe ich ihn damals gejagt? Er hat monatelang mein Denken, ja mein ganzes Leben dominiert. Er schuldet mir unzählige Telefongespräche mit meinem Sohn, in denen ich Eike nicht wirklich zugehört habe, weil ich geistig woanders war.

Seinen Geburtstag hatte sie verpasst, weil Sommerfeldt in Gelsenkirchen gesehen worden war. In der Stadtbibliothek. Angeblich hatte er sich ein Sachbuch – nein, keins über Serienkiller, sondern eins von Harald Welzer – ausgeliehen: *Alles könnte anders sein. Eine Gesellschaftsutopie.*

Sie hatte es dann gelesen, und ja, das passte zu Sommerfeldt. Er war ein Serienkiller, der sich mit Soziologie, Psychologie und vor allen Dingen mit Literatur beschäftigte.

Woher nahm sie die Gewissheit, dass es bei dem Langeoog-Killer anders war? Er kam ihr oberflächlicher vor. Nur auf Wirkung bedacht. Alles war Effekthascherei.

Sie ärgerte sich über sich selbst. Noch bevor sie sich nach dem Bad richtig abgetrocknet hatte, war sie gleich schon wieder geistig bei den zwei Serienmördern. Bei dem großen ungelösten Fall.

Sie musste an den Deich. Die Badewanne reichte nicht, um runterzukommen. Heute musste es schon die Nordsee sein.

Sie würde das Rad nehmen. Gab es etwas Entspannenderes als eine Radtour zum Deich?

Sie wollte ihr Handy einstecken, doch es war, wie der in Serie gegangene Vorwurf, wie der materialisierte Schrei: *Kümmere dich gefälligst um mich! Schau mich an! Alles, was ich dir zu sagen habe, ist wichtiger als du selbst und deine Gedanken.*

Sie verordnete sich eine Handypause. Dieses Scheißding würde sonst den Versuch machen, zwischen sie und die Entspannung am Meer ein paar unglaublich wichtige Informationen zu stellen.

Nein, sie brauchte jetzt Zeit für sich. Sie war nicht länger bereit, sich von der Welt verrückt machen zu lassen.

Sie radelte zur einsamen Stelle am Deich, wo sie gern ihren Gedanken nachhing. Sie stellte ihr Rad bei dem Schild in der Tunnelstraße ab, das Hundebesitzer darauf hinwies, wie gefährlich freilaufende Hunde auf dem Deich für trächtige Mutterschafe sein konnten. Sie setzte sich zwischen Schafskötteln auf der dem Meer zugewandten Seite des Deiches ins Gras. Ein paar Büschel hatten die Schafe wie grüne Inseln stehen lassen. Den Rest drumherum abgeknabbert.

Ob das Gras da nicht schmeckt, fragte sie sich. Allein die Frage tat schon gut. Immerhin hatte sie nichts mit Serienkillern oder dem nächsten Opfer zu tun.

Sie atmete tief ein und genoss die Ausdünstungen des Watts. Diese jod- und salzhaltige Luft konnte sie geradezu kauen. Hierher kamen die Menschen, um ihre Lungenkrankheiten zu heilen oder ihrer Haut Gutes zu tun. Die Heilungsprozesse bei Neurodermitis und Asthma waren allgemein anerkannt. Aber Ann Kathrin glaubte, dass hier etwas anderes, fast Magisches geschah. Der intensive Kontakt zur Naturgewalt des Meeres, zum Wechsel der Gezeiten, das wirkte tief hinein in die wunden Seelen der zivilisationsgeschädigten Menschen und stärkte sie von innen heraus. Ja, das glaubte sie. Hier begriff der Mensch wieder, dass er Teil der Natur war und nicht nur des Straßenverkehrs. Hier, mit dem freien Blick bis zum Horizont, war niemand mehr nur eine Steuer- oder Sozialversicherungsnummer. Hier, an dieser Nahtstelle zwischen Meer und Festland, kehrte bei vielen Menschen die Seele wieder in den Körper zurück. Hier wurde man wieder eins. Versöhnt mit sich selbst.

Ein kleiner Krebs krabbelte über ihre rechte Hand. Sie ließ ihn gewähren.

Sie legte sich ins Gras und verschränkte die Hände hinter dem Kopf. Der Nordwestwind trieb ein paar Schäfchenwolken in ihre Richtung. Die Windräder produzierten in diesen Tagen gemächlich mehr Strom, als das Land brauchte.

Ann Kathrin ließ die Seele baumeln und sah den Wolken

nach. Die Möwenschreie hörten sich wie Willkommensrufe an. Irgendwo weiter östlich schnatterten aufgeregte Wildgänse.

Sie verlor jedes Zeitgefühl, und das tat gut. Erst als sie zu frieren begann, raffte sie sich auf und stieg wieder aufs Rad. Ein Marienkäfer mit sieben Punkten hatte sich in ihrem Haar verfangen und fiel heraus, als sie sich gegen den Wind stemmte und heftig in die Pedale trat. Er landete auf ihrem Unterarm. Von dort startete er mit erstaunlicher Geschwindigkeit. Er flog davon, als wolle er ihr den Weg zeigen.

Sommerfeldt drängte sich zurück in ihr Bewusstsein. Sie fragte sich, warum er sich nicht meldete. Wollte er sie reinlegen, oder war es längst zu einer Begegnung zwischen dem Langeoog-Killer und dem Doktor gekommen? Lag Sommerfeldt schon irgendwo erdrosselt in einem Straßengraben?

Der Gedanke missfiel ihr. Sie erwischte sich dabei, dass sie sich Sorgen um ihn machte. Dieser Frauenmörder war geradezu besessen von Sommerfeldt. Er tötete Frauen, weil Sommerfeldt das nicht konnte oder zumindest nie getan hatte. Er schickte Sommerfeldt Fotos, weil er seine Anerkennung suchte. Er machte es wie Sommerfeldt lautlos, aber mit einer anderen Waffe. Es ging um Nähe und gleichzeitig um Abgrenzung wie praktisch in jeder Beziehung, dachte sie. Er wollte sein wie Sommerfeldt und doch ganz anders.

Sie radelte auf der Norddeicher Straße nach Hause. Sie kam an Sommerfeldts alter Praxis vorbei. Hier hatte alles begonnen. Hier hatte er als beliebter Hausarzt gearbeitet. Das Haus und der Garten waren verwaist. Es hatte zwei Versuche gegeben, die Praxis neu zu vermieten. Jemand wollte sogar eine Pizzeria daraus machen oder ein Pfannkuchenhaus, das wusste sie nicht mehr so genau. Das Gebäude stand seit langem leer.

Jetzt, da sie darauf zu fuhr, war es wie ein Gedankenblitz,

der durch den ganzen Körper fuhr und fast weh tat. Er war hell und völlig logisch. Sie wunderte sich, warum sie nicht längst darauf gekommen waren. Das war das ideale Versteck des Killers. Wo sonst sollte er sein? Er, der an Sommerfeldts Stelle treten wollte, nahm natürlich dessen ehemalige Operationsbasis als Unterschlupf, so wie jeder neue amerikanische Präsident, dem es gelungen war, den alten zu stürzen, in die Präsidentenvilla ins Weiße Haus einzog.

Ein Vulkan von Gedanken und Gedankenfetzen ergoss sich in ihr. Es war, als würde ihr Kopf platzen. Sie wusste nicht, wie sie auf den amerikanischen Präsidenten und das Weiße Haus gekommen war. Aber Sommerfeldts alte Praxis kam ihr plötzlich genauso umkämpft vor, und von dort ging etwas Böses aus, ohne jede Frage.

Sie stellte ihr Rad ab und näherte sich zu Fuß. Ihr Herz raste. Sie traute sich selbst nicht über den Weg. Sie war so voller Zweifel … Gingen gerade wieder die Pferde mit ihr durch, wie vorhin, als sie den verwilderten Garten sah und gleich glaubte, dort wohne ein psychisch Kranker, der Leichenteile in Müllsäcken hinterm Haus stapelte?

Sie hatte ihr Handy zu Hause gelassen. Aber sie wusste, auch wenn es gegen alle Regeln verstieß, sie hätte die Kollegen trotzdem nicht angerufen. Sie wollte sich erst überzeugen, ob an ihrem Verdacht auch etwas dran war. Sie wollte es nicht noch einmal riskieren, sich zu blamieren.

Sie kletterte über den Zaun in den Garten und zog sich am Garagenfenster hoch. Tatsächlich stand ein Auto in der Garage. Komisch bei einem unbewohnten Haus.

Der Wagen war zugelassen. Sie konnte sehen, dass er Nummernschilder hatte, aber sie konnte aus ihrer Position die Nummernschilder nicht lesen.

Nein, klingeln würde sie nicht. Sie war ja nicht verrückt.

Sie schlich zur Terrasse. Sie wollte dort durch das große Fenster einen Blick ins Haus werfen, dann zum Distelkamp zurückfahren, Weller informieren, vielleicht auch noch Rupert und mit vereinten Kräften das Haus durchsuchen.

Sie zuckte zusammen. Entweder tobte da oben unterm Dach ein Marder herum, oder sie hatte gerade in der oberen Etage ein menschliches Geräusch gehört. War dort ein Stuhl gerückt worden?

Dr. Bernhard Sommerfeldt stand in seiner Ferienwohnung am Fenster und sah nach draußen. Bunte Drachen und Riesenkraken flatterten am blauen Himmel.

Er wäre am liebsten in Norddeich am Hafen spazieren gegangen. Gern hätte er im *Regina Maris* gegessen. Das letzte Steak dort hatte er in guter Erinnerung. Er mochte es blutig. Auch ein Deichlamm wäre ihm jetzt recht gewesen, doch das aß er am liebsten im *Smutje,* wo er zum ersten Mal den Unterschied zwischen Lamm und Deichlamm geschmeckt hatte.

Gegenüber dem Gebäude parkte ein Mercedes Benz Pick-up, der schon bessere Tage erlebt hatte. Zwei junge Männer stiegen aus und kamen aufs Gebäude zu. Sie trugen Uniformen der Freiwilligen Feuerwehr. Sie guckten aber für Feuerwehrleute merkwürdig verstohlen um sich, so als hätten sie Angst, gesehen zu werden.

Die Familie nebenan war ohne ihre Tochter zum Abendessen gegangen. Sie wollte lieber mit ihrer Freundin telefonieren, und das konnte Stunden dauern.

Natürlich hatte Sommerfeldt in der Facebookgruppe und

auch bei den *Norddeich-Verrückten* von den Fake-Feuerwehr-leuten gelesen, und er wusste auch, was sie *Mel Ly W.* angetan hatten. Es amüsierte ihn, dass sie nun, nachdem sie Benser-siel abgegrast hatten, ausgerechnet in Norddeich weitermach-ten.

Bevor sie klingeln konnten, winkte er ihnen vom Balkon aus zu und fragte: »Wo brennt es denn?«

»Wir müssen die Feuermelder überprüfen.«

»Ach, das dachte ich mir«, lächelte Sommerfeldt. Er wollte dem jungen Mädchen nebenan den Stress ersparen, deshalb log er: »Nebenan ist niemand. Die sind wohl zum Essen gefah-ren. Aber ich lasse Sie gerne rein.«

Er drückte die Tür auf. Er freute sich auf die beiden. »Kom-men Sie nur rein, meine Herren«, schlug er vor, »ich habe Sie erwartet.«

Weller fühlte sich mies. Er wurde mit dieser Zerrissenheit nicht fertig. Er hatte das dringende Gefühl, jetzt bei seiner Frau sein zu wollen. Er stellte sich vor, ihr den Kopf zu massieren und später vielleicht die Füße. Mit ihr Musik zu hören und ein Glas Rotwein zu trinken. Er wollte aber auch bei diesem Ein-satz in Leer dabei sein und dort nichts verpassen.

Selbst in Leer hatte er die Schwierigkeit, sich zu entscheiden, vor welche Buchhandlung er sich auf die Lauer legen sollte. Er wählte die Thalia-Filiale im Emspark. Er gestand es sich nur heimlich ein, er würde mit niemandem darüber reden, aber er traute den Instinkten der Chefredakteure mehr als den Erfah-rungen der Einsatzleiter.

Er hätte das nicht begründen können. Es war eine Bauchentscheidung. Aber wo Holger Bloem war, spielte meist die Musik. Er hatte schon vor Jahren einen Kranich fotografiert, der im Moor an einer Leiche herummachte. Fast schon verdächtig oft war Holger Bloem mit seiner Kamera im entscheidenden Moment zur Stelle gewesen.

Wenn Weller sich nicht täuschte, hatte er gerade auch noch Stefan Bergmann, den Chefredakteur der Emder Zeitung, gesehen. Unwahrscheinlich, dass der hier zufällig shoppen ging. In Emden gab es genug gute Einkaufsmöglichkeiten. Dafür musste er nicht nach Leer fahren.

Weller schickte alle fünfzehn Minuten eine Nachricht an seine Frau. Mal nur ein Herzchen, mal einen Kuss, dann wieder einen Hinweis darauf, hier sei alles ruhig, und er glaube nicht mal, dass heute in Leer noch etwas passieren werde.

Da Ann nicht antwortete, ging er davon aus, dass sie schlafend im Bett lag. Er gönnte ihr die Ruhe von Herzen.

Rupert langweilte sich auch nicht. Er wechselte Nettigkeiten mit seinen verschiedenen Freundinnen und Affären, und ab und zu schrieb er auch seiner Frau Beate, sie sei die Beste. Das meinte er durchaus wörtlich.

Dann sah er etwas im Internet auf Sommerfeldts Fanseite, das er unbedingt Weller zeigen musste. Sie hatten sich eigentlich verabredet, jeder an einem anderen Standort zu warten, doch Rupert konnte das hier nicht einfach für sich behalten. Er fuhr vom *Taraxacum* zum Emspark.

Nein, er flanierte nicht über den großen Parkplatz. Er wollte langsam gehen, schlendern, wie diese Genießer, die endlos Zeit hatten. Er lief zwischen den Autos her und fragte sich, wie es wohl wäre, wenn der Täter hier einfach eine Leiche im Kofferraum ablegte. Vermutlich mit einem Buch in der Hand, das er vorher bei Thalia gekauft hatte …

Wenn das so ist, dachte Rupert, dann bringt es gar nichts, dass da drinnen ein Sonderkommando auf ihn wartet. Vielleicht hat er die Leiche längst hier abgelegt.

Doch das alles vergaß Rupert, weil er Weller etwas zeigen wollte, das er bedeutsamer fand. Er stellte sich im *Middle East* neben Weller und schob ihm das Handy rüber. Rupert war so aufgeregt, dass er Holger Bloem, der mit dem Rücken zu ihnen stand, nicht mal bemerkte.

»Guck mal. Ich bin ja im Sommerfeldt-Fanclub. Der Doktor hat sich gerade persönlich gemeldet.«

Weller starrte ungläubig auf das Display. Unter *Mel Ly Ws* Post hatte Sommerfeldt ein Foto eingestellt. Da saßen zwei Männer von der Freiwilligen Feuerwehr in ihren Uniformen auf einem Sofa. Sommerfeldt, der unter seinem Namen hier offen agierte, fragte knapp: *Sind sie das?*

Die Antwort von *Mel Ly W.* lautete schon Sekunden später: *Ja, genau das sind sie.*

Als Nächstes hatte Sommerfeldt ein Video hochgeladen. Darunter stand: *Sie haben dir etwas zu sagen, Mel Ly W.*

Rupert spielte das Video für Weller ab. Die zwei jungen Männer saßen jetzt in Unterwäsche auf dem Sofa. Ihre Haltung ließ vermuten, dass ihre Hände hinter ihrem Rücken gefesselt waren. Sie machten einen weinerlichen, ja verängstigten Eindruck. Sie jammerten: »Es tut uns leid! Wir wollten das nicht! Wir bitten Sie um Entschuldigung!«

Sommerfeldts Stimme kam aus dem Off: »Nein, das war nichts, Jungs, das müsst ihr noch einmal machen. Und zuerst nennt ihr eure Scheiß-Namen. Man muss sich doch vorstellen, wenn man mit einer Dame reden will.«

»Ich … ich heiße Jürgen Hering …«

»Nicht lügen! Ich habe eure Ausweise, denkt dran.«

»Ich heiße wirklich so. Und ich wollte mich entschuldigen. Es tut mir aufrichtig leid.«

Sommerfeldt fuhr ihn an: »Man kann sich nicht selbst entschuldigen, du Depp! Man kann nur den anderen um Verzeihung bitten. Dadurch ist man aber nicht automatisch frei von Schuld. Verstehst du das?«

Der eine schwieg und glotzte nur, der andere weinte dicke Tränen. »Ich ... ich bitte um Verzeihung! Wirklich, ich meine das ernst, ich ...«

Er wusste nicht weiter. Sommerfeldt half ihm: »Willst du vielleicht ein besserer Mensch werden?«

»Ja, genau! Ich will ein besserer Mensch werden, ich wollte sowieso mit all dem aufhören ...«

Der andere guckte ihn an und staunte. Er hörte das offensichtlich zum ersten Mal.

Das Video stoppte. Weller sah Rupert an. Der sprach es aus wie einen lang ersehnten Triumph, auf den er lange hingearbeitet hatte: »Er hat sich die Schweine gegriffen!«

»Er wird sie töten«, sagte Weller und klang wenig begeistert.

»Nein«, behauptete Rupert, »vielleicht müssen sie auch nur irgendwelche Gedichte auswendig lernen, oder er schlitzt ihnen die Nasenflügel auf oder so ...«

So, wie Rupert aussah, wusste er nicht, was schlimmer war: Gedichte auswendig lernen oder ...

Holger Bloem stand neben ihnen. Erst jetzt, als er sich räusperte und umdrehte, nahm Rupert ihn wahr.

»Ihr habt Kontakt zu Sommerfeldt?«, fragte Bloem.

»Ich nicht«, antwortete Weller. »Nur Rupert. Er ist in seinem Fanclub.«

Rupert schüttelte den Kopf, nickte dann aber. »Das werden Sie doch nicht so schreiben?«, fragte er vorsichtig.

Bloem grinste. »Ich bin an einer Geschichte dran über diese falschen Feuerwehrleute und über die sprecht ihr doch gerade, oder?«

»Ich fürchte«, sagte Rupert, »wenn Sie ein Interview mit denen wollen, müssen Sie sich beeilen. Unser Doktor fackelt mit so Typen nämlich nicht lange.«

Er hatte vor, sie sich bei Dunkelheit im Distelkamp zu holen. Aber dann wurde alles viel einfacher. Sie kam zu ihm. Er sah sie im Garten. Er blickte vorsichtig in die Ferne. Andere Polizisten waren weit und breit nicht zu sehen.

Sie benahm sich fast schuldbewusst, wie jemand, der ein Grundstück unbefugt betreten hatte und nicht entdeckt werden wollte. So, wie sie herumlief, war er damals im Ruhrgebiet über Zäune in Hinterhöfen geklettert, wenn ein Ball auf dem falschen Grundstück gelandet war. Einmal hatte ein zorniger alter Mann einen Schäferhund auf ihn gehetzt. Er konnte Schäferhunde bis heute nicht leiden.

Er würde keinen Hund auf die Kommissarin hetzen. Er nahm die Stahlschlinge und stupste Aike Ruhr an: »Sie kommt zu mir. Überleg dir schon mal, wie du das später nennen willst, Dichterling. Bitte schreib nicht ›Zufall‹. Zufall klingt so banal. Ist es schicksalhaft? Göttliche Fügung? Teufels Hand? Oder nur die abgrundtiefe Blödheit einer Kommissarin, die sich maßlos überschätzt, weil ihr niemand jemals Grenzen gesetzt hat? Entscheide dich! Es geht nicht nur um Worte, Aike, es geht immer darum, die richtige Entscheidung zu fällen. Weißt du doch.«

Er lief die Treppe runter und stellte der Kommissarin eine

Falle, die so simpel war, dass sie vermutlich darauf hereinfallen würde. Er öffnete die Tür und lehnte sie nur an, so als habe jemand in der Eile vergessen abzuschließen.

Sie wird in ihrer Eitelkeit glauben, dass der verwirrte Täter einen Fehler gemacht hat, dachte er. Sie wird diesen Fehler gnadenlos ausnutzen wollen und sich dabei großartig fühlen. Überlegen. Genau das ist ihr Fehler.

Er versteckte sich im Raum neben der Eingangstür. Da, wo früher mal Dr. Bernhard Sommerfeldts Wartezimmer gewesen war. Jetzt stand hier eine Menge Kram herum. Teilweise noch von Sommerfeldt, aber auch von den Nachmietern, die hier geschäftlich gescheitert waren. Ein Bettgestell lehnte hochkant an der Wand. Stühle waren aufeinandergestapelt. Durchgeweichte Pappkartons bildeten einen schiefen Turm, der jeden Moment einzustürzen drohte. Der Druck eines Holzschnitts von Gölzenleuchter hing schräg an der Wand. Sommerfeldts Nachfolger hatten sich wohl nicht groß für Kunst interessiert und den Wert des Bildes unterschätzt.

Komm nur, dachte er, komm nur, du süße kleine Kommissarin. Ich warte auf dich. In mir findest du deinen Meister.

Ann Kathrin wunderte sich. Die Tür war tatsächlich nur angelehnt. Hatte sie das vorhin übersehen? Der Wind drückte gegen die Tür und ließ sie klappern.

In Ostfriesland war so etwas gar nicht so selten. Menschen verschlossen ihre Türen nicht unbedingt, dort, wo jeder jeden kannte. Aber Serienkiller verhielten sich normalerweise anders als harmlose Bürger, die nichts zu verbergen hatten und ihren Nachbarn trauten.

Alle Serienmörder, die Ann Kathrin bisher kennengelernt hatte, waren hochintelligente Menschen, aber völlig verrückt. Sie wussten, dass sie wahnsinnig waren, und verhielten sich daher unauffällig. Trotzdem fielen sie auf, denn ihre geheuchelte Normalität war eben nur geheuchelt. Wenn an der schönen Oberfläche nur ein bisschen gekratzt wurde, begann es mächtig zu stinken.

Ann Kathrin trat vorsichtig ein. Es roch nach abgestandener Luft, alten Essensresten – Pizza vermutlich. Vielleicht lag auch irgendwo verfaulender Biomüll herum. Im Sommer ging so etwas schnell.

Fliegen brummten. Instinktiv bewegte sie sich auf die Treppe zu, noch bevor sie dieses erstickte Stöhnen zum ersten Mal hörte. Es war eine männliche Stimme, gedämpft durch einen Knebel im Mund. Sie nahm tiefes Lufteinsaugen durch die Nasenlöcher wahr. Jemand versuchte zu schreien, schaffte es aber nicht.

Nein, sie zog nicht ihre Waffe. Sie telefonierte auch nicht die Kollegen herbei. Ihr Handy und ihre Dienstwaffe lagen im Distelkamp. Dies hatte ein kurzer Entspannungsbesuch am Deich werden sollen.

Sie sicherte sich nicht einmal, indem sie zunächst einen Blick in jedes Zimmer warf, an dem sie vorbeikam. Sie folgte einfach nur dem Geräusch, das sie oben gehört hatte.

Bevor sie die Treppenstufen erreichte, flog hinter ihr eine Tür auf. Sie fuhr herum und erkannte ihren Fehler, hier so ungeschützt hereingelaufen zu sein.

Sie wich der Stahlschlinge aus und platzierte einen Fußtritt gegen sein rechtes Knie und einen Faustschlag gegen seinen Kopf. Sie traf ihn am Kiefer. Jetzt schmerzte ihre rechte Hand. Sie war es nicht gewohnt zu boxen, aber der Treffer hatte ihn verunsichert. Er griff sich an die schmerzende Stelle. Damit verlor er für einen kurzen Moment die Deckung, und sie landete einen Handkantenschlag gegen seinen Hals. Er taumelte.

Sie musste ihm die Stahlschlinge abnehmen ... Sie griff beherzt zu. Wenn er ein Messer in der Hand gehabt hätte, wäre sie in der Lage gewesen, ihn zu entwaffnen. Aber im Kampf gegen so eine Schlinge war sie ungeübt.

Es gelang ihm, sie um ihr Handgelenk zu ringeln und dann zuzuziehen. Sie brüllte vor Schmerz.

Er riss ihren gefesselten Arm hoch und brachte sie so zu Fall. Er ließ von ihr ab. Sie hoffte, eine kurze Ruhepause zu haben. Sie versuchte, sich von der Stahlschlinge, die tief in ihr Handgelenk schnitt, zu befreien. Doch er fischte eine zweite aus seiner Tasche. Sie hörte nur ein Surren neben ihrem linken Ohr. Schon zog sich die kalte Schlinge um ihren Hals zu.

»War das schon alles, Frau Kommissarin? Dieser jämmerliche Auftritt hier? Mehr haben Sie nicht drauf?«

Er tastete sie nach Waffen ab und staunte. »Heute keine Heckler & Koch? Kein Handy? Was soll das? Sind Sie privat hier?«

Sie hätte gern geantwortet. Sie verstand sich darauf, mit Schwerverbrechern zu reden und zu verhandeln. Aber die Schlinge um ihren Hals nahm ihr die Luft.

Dr. Bernhard Sommerfeldt fühlte sich so richtig in seinem Element. Natürlich hätte er die zwei falschen Feuerwehrleute töten können. Es wäre ein Leichtes für ihn gewesen. Aber sie waren aus seiner Sicht nur kleine Fische. Eine Fingerübung für ihn. Mehr nicht.

Heute gab es ein Drachenfest am Norddeicher Strand. Er konnte die Musik bis hierhin hören, und die großen Drachen sah er auch über den Häusern schweben. Besonders der riesige Krake gefiel ihm gut.

Er stellte sich vor, die zwei Ganoven in ihrem Auto zum Volksfest zu fahren und bei den Würstchen- und Bierbuden freizulassen. Natürlich nackt. Aber er entschied sich dagegen. Stattdessen fesselte und knebelte er sie und legte sie im Kinderzimmer schlafen. Nein, nicht in den Betten. Darunter.

Er ließ auch noch die Rollläden runter und schaltete das Licht aus. Bevor er die Tür schloss, sprach er zu ihnen genauso, wie er es in seiner Kindheit immer gehasst hatte. Er benutzte dabei die Worte seiner Mutter: »So, und jetzt ist es hier mucksmäuschenstill. Ich will kein Wort mehr hören, sondern nur noch ganz, ganz leises Atmen ...«

Er traf sogar die Tonlage seiner Mutter, und ein Schauer lief ihm den Rücken runter, als er seine Stimme hörte. Es war, als wäre sie in ihm und würde aus ihm sprechen. Ja, es kam ihm so vor, als würde er sie nicht einfach nachmachen, sondern in sich zum Leben erwecken. Als habe er sie in sich gehabt, und sie hätte auf diesen Moment gewartet.

Es war für ihn mindestens genauso gruselig wie für die beiden falschen Feuerwehrmänner. Er kämpfte dagegen an, sich wieder klein und abhängig zu fühlen wie in seiner Kindheit. Nein! So wollte er nicht mehr sein! Nie wieder! Dann lieber zurück ins Gefängnis. Er wollte der große Dr. Bernhard Sommerfeldt sein. Geachtet oder gefürchtet, das war gar nicht so wichtig. Hauptsache, er hatte die Handlungsführung in seinem eigenen Leben in der Hand und war nicht verdammt dazu, als Marionette an den Fäden eines unsichtbaren Spielers zu zappeln.

Er verspürte den Drang, an einer einsamen Stelle, fernab

von all den fröhlichen Touristen, ins Watt zu laufen. Hinein in die Stille. In die Totenstille im Watt.

Er stellte sich vor, wie es wäre, sich frischen Meeresboden mit den Fingern ins Gesicht zu reiben. Ja, das Gesicht voll hineinzudrücken in den Schlick.

Oh, wie hatte er das nach den Morden genossen, wenn er eins dieser Subjekte aus der Welt radiert hatte, wie ein Architekt einen falschen Strich aus einem ansonsten perfekten Entwurf.

Schon während er aus einem dieser aufgeblasenen Drecksäcke die Luft ließ, sehnte er sich nach der Stille im Watt. Er wollte sich nackt im Matsch suhlen und anschließend vom Meerwasser in einem Priel gereinigt werden. Es war wie ein Ritual, wie eine Menschwerdung. Ja, diesen befreienden Moment sehnte er herbei.

Aber diese beiden Gangster hatten einfach nicht genug Format, um ihn wirklich zu Sommerfeldt werden zu lassen. Nein, es verschaffte kaum Befriedigung, sie zu töten. Er war heute auf Großwildjagd. Danach würde er ins Watt laufen. Das Mondlicht warf auf den feuchten Meeresboden bei Ebbe manchmal ein ganz besonderes Licht. Nie würde er es vergessen. Es war geradezu wegweisend. Er konnte dem Mondlicht folgen, ohne zum Himmel zu gucken. Es ließ die feinkörnigen Sedimente im Watt glitzern. Es war, als käme das Leuchten aus dem Inneren der Perlmuttsplitter. Nasser Sand mutete bei Vollmond wertvoller an als Diamanten.

Er sah auf sein Handy. Was ist? Warum meldest du dich nicht? Riechst du Lunte? Weißt du, dass ich nicht gekommen bin, um dir einen Orden zu verleihen? Tief in dir drin musst du es doch ahnen: Dies wird ein Duell. Oder bist du so dumm, dass du glaubst, du könntest mich für dich gewinnen?

Sommerfeldt lachte laut, als hätte man ihm einen Witz erzählt. Jetzt war die einengende Energie seiner Mutter wie verflogen. Sie hasste alles Schmutzige. Dreck. Staub. Bakterien. Es reichte aus, an ein Bad im Watt zu denken, und sie verzog sich schon aus seinem Leben. So gern, wie sie ihn kontrollierte, so einfach war es auch, sie loszuwerden. Allein deshalb schon liebte er das Watt.

Aike Ruhr hörte den Kampf zwischen Ann Kathrin und dem Langeoog-Mörder, der eine Etage tiefer stattfand. Die Tür zum Flur stand offen. Aike konnte die ersten Treppenstufen sehen. Er hatte versucht, die Kommissarin zu warnen, doch gefesselt, mit einem Knebel im Mund und einem kaum zu unterdrückenden Würgereiz im Hals, war das nicht leicht.

Jetzt war er ganz still. Er atmete nur vorsichtig und hoffte, sich nicht übergeben zu müssen. Er kämpfte gegen ein Schwindelgefühl. Er hatte Angst, mit dem Lappen im Mund und dem Teppichklebeband auf den Lippen, an seinem eigenen Erbrochenen zu ersticken.

Er hörte, wie sie die Treppe heraufgeschleift wurde. Die Töne wurden in seiner Vorstellung zu Bildern, die vermutlich an Grausamkeit die Wirklichkeit fast noch übertrafen. Aike ging davon aus, dass die Kommissarin noch lebte. Würde er sich sonst die Mühe machen, sie zu ihm hochzubringen?

Es war nicht leicht für ihn. Er stöhnte und fluchte dabei. Aike glaubte herauszuhören, dass der Mörder verletzt war. Oder war das nur sein eigenes Wunschdenken?

Als Aike ihn dann endlich sah, blickte er nicht in ein hassverzerrtes Gesicht, so wie er es sich vorgestellt hatte, sondern in das eines glücklichen Menschen. Er behandelte die wehrlose, vermutlich ohnmächtige Kommissarin ruppig, sah dabei aber aus wie ein zärtlicher Liebhaber. Hier stimmte einfach gar nichts. Nichts passte zusammen. Ohne jedes Wort begriff jeder, der das miterlebte, dass er eine gespaltene Persönlichkeit vor sich hatte.

Der Eindruck prägte sich Aike tiefer ein als alles andere. Der Anblick von jemandem, der abgründig Böses tat und dabei liebevoll lächelte.

Ann Kathrins Kopf baumelte am Hals hin und her. Die Griffe der Stahlschlinge berührten den Boden. Ihr Körper war erschlafft. Trotzdem hoffte Aike, sie würde noch leben. Sie durfte einfach nicht tot sein!

Etwas in Aike wuchs. Sein eigenes Leid schien ihm fast bedeutungslos zu werden. Er wollte der Kommissarin helfen. Der tapfere Ritter in ihm verlangte eine Heldentat, doch die Realität hielt ihn auf einen Stuhl gefesselt fest.

Er musste zusehen, wie die Kommissarin ebenfalls auf einem alten Sitzmöbel gefesselt wurde. Der Mörder lockerte die Schlinge an ihrem Hals, bis sie einfach nur noch herabhing wie eine Krawatte, deren Knoten aufgebunden worden war. Die Griffe der Schlinge baumelten vor ihren Brüsten.

Der Mörder schlug ihr ins Gesicht: »Werd wach! Komm, mach jetzt bloß nicht auf krank!«

Ann Kathrin Klaasen reagierte nicht.

Er brüllte sie an: »Bitte beehren Sie uns mit Ihrer Aufmerksamkeit, Frau Kommissarin!«

Da sie nicht wach wurde und so jede Mitarbeit verweigerte, begann er, sie hinzudrapieren, wie es ihm gefiel, als sei sie eine Schaufensterpuppe und kein lebender Mensch. Er ordnete ihre Kleidung, kämmte ihre Haare und drückte mit den Fingern in ihrem Gesicht herum, als wolle er ihr ein Lächeln ins Gesicht modellieren.

Sie öffnete die Augen, als er versuchte, ihre Mundwinkel hochzuziehen.

Aike sah den blutigen Ring um ihren Hals. Als sie ihr Kinn hochreckte, liefen breite rote Bäche aus dem Schnitt, den die Stahlschlinge an ihrem Hals hinterlassen hatte.

Ann Kathrin suchte Blickkontakt zu Aike. Er wollte sie nur zu gern aufmunternd angucken. Er sah die Angst in ihren Augen und das freundliche Lächeln des Mannes, in dessen Gewalt sie sich beide befanden. Der kämmte noch eine Strähne aus Ann Kathrins Stirn, bevor er mehrere Fotos von ihr machte.

Sie saß mit dem Rücken zum Fenster. Er suchte die beste Perspektive für ein Bild. Er wollte nicht einfach irgendein Foto. Er kniete sich sogar hin, um ihr Gesicht besser abzulichten.

Mit mir, dachte Aike, hat er sich weniger Mühe gegeben. Sie ist wirklich eine ganz besondere Person für ihn.

Der Langeoog-Killer betrachtete jetzt die Bilder auf seinem Handy. Er war recht kritisch. Er entschied sich nach längerem Abwägen aber doch für eins und versendete es. »So«, sagte er zu Ann Kathrin, »und nun wollen wir mal sehen, wie lange der Doktor braucht, bis er bei uns ist ...«

Er streichelte über sein Kinn und verzog die Lippen: »Ich wollte«, sinnierte er, »eigentlich eine Art Schnitzeljagd mit ihm veranstalten. Aber ich weiß nicht, ob er humorvoll genug für so etwas ist. Vielleicht findet er es ja auch kindisch. Er wird uns finden, oder was glauben Sie, Frau Klaasen?«

Sie wunderte sich, dass sie überhaupt sprechen konnte, aber sie erkannte ihre Stimme nicht. Sie hörte sich an, als habe sie gerade eine schwere Operation überlebt. Nur leider lag sie nicht gut umsorgt in einem Intensivbett der Ubbo-Emmius-

Klinik, sondern war an einen Stuhl gefesselt ihrem Peiniger ausgeliefert.

»Geben Sie auf. Meine Kollegen wissen, wo ich bin. Ein Mobiles Einsatzkommando hat das Gelände bereits umstellt. Sie haben keine Chance«, krächzte sie.

Er begann, sie höhnisch auszulachen.

Sie bemühte sich, mit kratziger Stimme weiterzureden: »Machen Sie uns los und verlassen Sie das Haus mit erhobenen Armen. Es wird später im Prozess für Sie sprechen, wenn Sie von der Tat zurückgetreten sind, bevor massive Polizeikräfte ...«

Es langte ihm. Er stopfte ihr einen Lappen in den Mund. Es war ein feuchtes, schmutziges Spültuch. Blauweiß kariert. Ein Ende hing aus Ann Kathrins Mund wie eine verlängerte Zunge.

Er streichelte Aike über den Kopf. »Siehst du, mein Lieber, so ist das. Sie blufft, aber sie macht es nicht gut. Sie wird allgemein überschätzt, findest du nicht auch? Sommerfeldt und Holger Bloem haben einen Mythos aus ihr gemacht.« Er breitete die Arme aus, als ob er zu einem großen Publikum reden würde: »Und weißt du auch wie, Aike?«

Aike Ruhr schüttelte den Kopf und gab dem Mörder damit die Gelegenheit, seine Weisheiten zum Besten zu geben. Solange er zu uns sprechen will, dachte Aike, muss er uns leben lassen. Daran hielt er sich fest. Viel mehr hatte er nicht mehr.

»Das musst du als Schreiberling doch eigentlich wissen: Der Antagonist definiert den Protagonisten.«

Aike guckte, als hätte er keine Ahnung, und gab den Wissbegierigen, um den Mörder zu motivieren weiterzureden. Bald, so hoffte Aike, wird die Polizei tatsächlich das Haus stürmen. Sehr bald.

»Deshalb«, so fuhr der Mörder aufgeregt fort, »hat Bloem

Sommerfeldt als den gefährlichsten Mann der Republik bezeichnet. Je größer der Antagonist, umso toller wirkt nämlich der Held in der Geschichte. Sprich, in dem Fall unsere eigentlich ganz mittelmäßige Provinzpolizistin hier. Aber Holger Bloem hat aus jedem Killer, der ihr zugelaufen ist wie ein Schoßhündchen, einen hochgefährlichen Mann gemacht. Einen, den nur sie stellen konnte. Hast du das mit dem Antagonisten, über den sich der Protagonist definiert, kapiert, Aike?«

Aike tat, als hätte er noch Erklärungsbedarf, machte ein fragendes Gesicht und zuckte mit den Schultern.

Nur zu gern fuhr der Mörder fort: »Nun, stell dir die Geschichte vom Ritter vor, der um die Hand der Prinzessin anhält. Natürlich muss er erst einen Drachen töten. Je größer und gefährlicher dieser Drache ist, umso toller wird der Ritter, wenn er ihn erledigt ...« Er holte tief Luft. Es war ihm wichtig, dass auch Ann Kathrin ihm zuhörte. Er wollte in den Augen seiner Gefangenen glänzen. »Und stellt euch vor, er würde keinen Drachen töten, sondern ein kleines, weißes Kaninchen erschlagen. Ist er dann immer noch der Held? Nein! Wird die Prinzessin ihn heiraten? Nein! Im Gegenteil, sie wird ihn verabscheuen. Deshalb muss das kleine, zahme Kaninchen zum zähnefletschenden Monster aufgeblasen werden. Nur so können harmlose Spießer zu Helden werden.« Er fuchtelte vor Ann Kathrins Gesicht herum. »Nicht wahr, Frau Klaasen? Aber ich bin ein wirklicher Drache. Ich bin das echte Monster. Nicht das aufgeblasene weiße Kaninchen. Deshalb drehen alle so am Rad.«

Er zupfte an Ann Kathrins Haaren herum und bewegte sich, als stünde er auf einer Bühne und würde vom Publikum bewundert und gefeiert werden. »Ich bin der richtige Drache! Ich! Mit Sommerfeldt hast du nur ein Kaninchen erlegt. Was glaubst du, wenn er jetzt kommt, was hat er dann vor? Will er sich endlich für die Schmach, die du ihm zugefügt hast, rächen? Oder wird er gar versuchen, dich zu retten, um bei Mama auf lieb Kind zu machen? Wird er versuchen, beim Staat um Gnade zu buhlen? Seht nur, ich habe eure berühmte Kommissarin gerettet … Oder macht er hier reinen Tisch und verschwindet als Legende?«

Ann Kathrin funkelte ihn zornig an. Sie hätte ihm gerne eine Antwort gegeben, aber nicht mit einem schmutzigen Spültuch im Mund.

Dr. Bernhard Sommerfeldt hielt es nicht länger in der Ferienwohnung. Er fühlte sich hier fast so sehr zur Untätigkeit verurteilt wie in Lingen im Gefängnis, nur dass er dort mehr Bücher zur Verfügung hatte. Hier im Buchregal für Gäste fand er längst nicht alles, was er brauchte. Immerhin Bildbände von Holger Bloem und Martin Stromann und auch ein paar Reiseführer. Aber er brauchte Romane. Nur gut erzählte Geschichten brachten ihn ins Gleichgewicht. Romane ließen in ihm die Hoffnung zurück, jede Krise sei doch zu irgendetwas gut.

Er lauschte an der Tür. Die gefesselten Jungs unter dem Bett waren mucksmäuschenstill.

Er entschied sich, auf die Drachenwiese zu gehen. Zunächst wollte er einfach nur so nah wie möglich ans Meer. Aber dann zogen ihn die Musik, die Lichter und die Menschen doch an. Es war ein irres Gefühl, sich hier frei unter all den Touristen zu bewegen. Das Fest zog auch viele Einheimische an. Er erkämpfte sich geduldig einen Platz am Bierstand und bestellte aus der dritten Reihe ein großes Helles. Der Duft von gegrillten Würstchen wehte zu ihm rüber. Fett tropfte auf glühende Holzkohle.

Es war ein schönes Gefühl für ihn, sich unerkannt zwischen so vielen fröhlichen Menschen zu bewegen. Am Schwenkbratengrill standen der Maurermeister Peter Grendel und seine Frau Rita. Bei ihnen Jörg und Monika Tapper vom Café ten Cate. Jörg entdeckte Dr. Sommerfeldt und ging auf ihn zu. »Prost, Bernd«, sagte er. »Komm mit zu uns, sonst glaubt mir das doch keiner, dass ich dich hier getroffen habe.« Er zog ihn mit sich. »Komm, ich geb eine Bratwurst aus.«

Peter Grendel, ein Kerl wie ein Kleiderschrank, mit Händen wie Bratpfannen, stellte sich gleich so hin, dass Sommerfeldt gegen viele Blicke einigermaßen abgeschirmt wurde. Monika Tapper, die früher in ihrem Café mit dem Stammgast Sommerfeldt gern über Kriminalromane diskutiert hatte, trat ganz nah an ihn heran und raunte: »Sie wissen aber schon, dass man nach Ihnen fahndet, oder?« Peter Grendel scherzte: »Ja, ich glaube, das ist ihm nicht entgangen.«

Jörg Tapper drückte ihm eine Bratwurst im Brötchen in die Hand. Rita Grendel fischte Senf von der Theke. »Senf?«, fragte sie. Sommerfeldt nickte und hielt ihr das Brötchen mit der Wurst hin. Rita drückte eine ordentliche Portion Senf darauf.

Die selbstverständliche Herzlichkeit, mit der er hier empfangen wurde, rührte ihn. Er trank aus Verlegenheit einen Schluck und biss in die Wurst.

»Eigentlich«, schlug Jörg vor, »müssten wir diesen Moment festhalten.«

»Ja, willst du jetzt hier Selfies machen oder was?«, fragte Rita.

Sommerfeldt lächelte verlegen, fühlte sich aber gebauchpinselt. »Meinetwegen. Aber bitte nicht veröffentlichen, bevor ich weit genug weg bin.«

Peter Grendel lachte: »Und ich dachte, ich hätte Nerven wie Drahtseile. Aber von den Franken kann man echte ostfriesische Gelassenheit lernen.«

Sommerfeldt fühlte sich, umringt von Ann Kathrin Klaasens Freunden, merkwürdig sicher. Bettina Göschl lief über den Platz und suchte ihre Nachbarn. Peter winkte ihr: »Bettina!« Sie gesellte sich zu ihnen, als sei es eine ganz normale Situation.

Tatsächlich machten sie mit ihren Handys Fotos miteinander. »Werden Sie bald wieder Ihre Praxis eröffnen?«, fragte Bettina und griff sich an die Galle. »Ich hab manchmal hier so einen Druck.« Damit löste sie Gelächter aus.

Rita und Monika wollten auch gleich einen Termin. Jörg grinste: »An zu wenigen Patientinnen wird es jedenfalls nicht scheitern.«

Dr. Bernhard Sommerfeldt hatte nicht viel gesagt, sondern die Wurst gegessen und zu allem gelächelt. Jetzt wischte er sich Senf von den Lippen. Jörg wollte ihm eine Serviette reichen. Sommerfeldt benutzte sie nicht.

»Verstehe«, sagte Jörg. »Keine Fingerabdrücke hinterlassen.«

»Aber Selfies machen«, lästerte Rita.

Sommerfeldt zückte sein Handy. Die anderen stellten sich in Positur, weil sie glaubten, er wolle auch ein Erinnerungsfoto, aber er sah auf seinem Handy etwas, das die Situation sofort veränderte. Er drehte sich von ihnen weg. Sie sollten nicht mitkriegen, was ihn gerade so schockierte: die gefesselte Ann Kathrin mit einer Stahlschlinge um den Hals.

»Ich würde mich«, sagte Sommerfeldt, »gern mit einer

Runde revanchieren, aber ich habe leider etwas Dringendes zu erledigen. Wir sehen uns in diesem Leben wieder!«

Schon entfernte er sich. Sie winkten ihm, wie einem alten Freund.

»Einen netteren Serienkiller habe ich nie kennengelernt«, sagte Jörg Tapper ostfriesisch trocken.

Peter Grendel gab ihm recht: »Jo.«

Sommerfeldt sah sich nicht um. Er hoffte, jetzt keinen Bekannten mehr zu begegnen. Er wusste genau, wo der Möchtegernmeister Ann Kathrin Klaasen gefangen hielt. Er tadelte sich selbst, warum er nicht durch einfaches Nachdenken darauf gekommen war. Natürlich versteckte er sich in seiner ehemaligen Praxis an der Norddeicher Straße.

Er tritt echt in meine Fußstapfen, der kleine Wichser, dachte Sommerfeldt. Jetzt hat er sich Ann Kathrin Klaasen geholt, um zu demonstrieren, dass er besser ist als ich. Er braucht die Konkurrenz. Den Wettstreit.

Sommerfeldts rechte Hand suchte unwillkürlich den Griff des Hirschfängers. Er sehnte sich danach, sein altes Einhandmesser zu benutzen oder das japanische Tsukasa-Messer.

Hatte er Ann Kathrin absichtlich vor das Fenster gesetzt? Wollte er erreichen, dass Sommerfeldt wusste, wo er sie gefangen hielt? War es eine Falle oder ein Versehen? Eine Nachlässigkeit?

Durch dieses Fenster hatte er oft geschaut. Das Haus dahinter war deutlich zu erkennen. Darin lebte die Nachbarin – wie war noch mal ihr Name –, die ihm so gerne heimlich beim Holzhacken mit nacktem Oberkörper zugesehen hatte.

Nein, dieses Bild hatte sein Gegner nicht unbedacht geschossen. Ann Kathrin war klar in Szene gesetzt. Das Foto sollte sie als geschlagene, gedemütigte Verliererin zeigen. Als gefangene

Frau, die auf ihr Urteil, ihren Tod, wartete. Dahinter das Fenster mit dem Blick in die Ferne bis zum nächsten Haus.

Er weiß, dass ich jetzt komme, und er ist sich sicher, dass ich nicht einfach die Polizei informiere. Ich könnte für mich ein paar Pluspunkte herausholen, wenn ich der ostfriesischen Polizei einen Hinweis geben würde, wo sie ihre Kollegin befreien könnten. Aber für jemanden wie mich, der sechs Morde gestanden hat, zählen solche Pluspunkte kaum noch. Das weiß der Sauhund natürlich.

Du erwartest mich also, schreibst aber nicht dazu, wo du bist. Clever. Wäre ich inzwischen geschnappt worden und mein Handy in den Händen der Polizei, wüssten sie jetzt immer noch nicht mehr. Es wäre ja auch möglich, dass sie meine Daten auslesen. Deswegen das Foto. Sie können daraus nicht entnehmen, wo die Kommissarin ist. Aber ich weiß genau, wo du sie versteckt hältst. Dumm bist du nicht. Du spielst mit ihnen, und du machst Druck. Gleich werden wir uns sehen. Ich gebe es zu, ich bin gespannt auf dich.

Sommerfeldt zog sich eine der Phantasieuniformen an. Die Jacke passte. Er sah jetzt selbst aus wie ein Feuerwehrmann.

Manchmal reichte ein kurzer Moment der Verwirrung, ja, ein Augenblick der Irritation, um in einem Kampf einen entscheidenden Vorteil zu bekommen. Diese Uniformjacke konnte so etwas sein. Damit rechnete sein Gegner nicht.

Er fuhr mit dem Wagen der falschen Feuerwehrleute zu seiner alten Praxis. Er stellte den Wagen auf seinem ehemaligen Patientenparkplatz ab. Niemand sonst parkte dort.

Er stieg aus, machte ein paar leichtfüßige Schritte, warf den Schlüssel hoch und fing ihn auf. Er vermutete, dass er beobachtet wurde. Er wollte selbstbewusst rüberkommen und gut gelaunt. Eine triumphale Heimkehr sollte es werden.

Die Tür zu seiner Praxis war nur angelehnt. Er wurde also erwartet.

Früher hatte es hier besser gerochen. Die gute Cordula, die so gerne Pralinen aß, hatte ein Händchen für atmende Pflanzen gehabt und ständig dafür gesorgt, dass es hier nicht nach Krankheit, Schweiß und Desinfektionsmitteln roch, sondern frisch wie auf einer Blumenwiese und, je nach Jahreszeit, auch schon mal nach Lebkuchen, Zimt, Nelken, Koriander oder gebrannten Mandeln.

Erinnerungen fluteten ihn. Hier hatte er die glücklichste Zeit seines Lebens verbracht, bis Ann Kathrin ihm draufgekommen war, dass er nicht nur tagsüber ein falscher Arzt war, sondern nachts auch noch als Mörder auf die Jagd ging.

Er hatte im Gegensatz zu dem anderen nur schlechte Menschen aus dem Spiel genommen. Er hatte zielgerichtet gemordet, um die Welt zu verbessern.

Er fragte sich, ob er das jetzt gleich diskutieren sollte, ja, vielleicht gar musste.

Im Eingangsbereich wusste er gleich, dass er nach oben musste. Das Böse, Neid und Missgunst, hatten eine eigene Ausstrahlung. Es war nicht wirklich ein Geruch, aber es kam einem Geruch am nächsten. Es drang sogar durch die Decke. Wissenschaftlich ließ sich so etwas nicht beweisen, das war klar. Aber es entsprach seinen Erfahrungen. Jetzt war es ganz heftig zu spüren.

Er schloss die Tür hinter sich wie jemand, der in sein Haus zurückkommt, und ging langsam, ja fast genießerisch, die Treppen hoch. Dieser Ort war das Gegenteil von einer Zelle in der JVA Lingen. Alles hatte er nach seinen und später auch Beates Vorstellungen gestaltet. Geld hatten sie damals genug zur Verfügung. Hier hatte er wirklich gelebt, Menschen geheilt und mit gefälschter Identität zu sich selbst gefunden. Hier in Norddeich war er zum ersten Mal im Leben wirklich rundum glücklich gewesen. Nicht nur für einen kurzen Moment, sondern auf eine grundsätzliche Art. Glück, das lange währte, bezeichnete man gern als Zufriedenheit. Für ihn war es aber immer Glück geblieben. Je länger es her war, umso toller wurde die Zeit in seiner Erinnerung, vielleicht auch, weil er immer wusste, wie zerbrechlich alles gewesen war.

Es war für ihn, als würden wieder Patienten im Wartezimmer sitzen. Er kam sich jünger vor, wenn er an die Zeit dachte. Sportlich. Durchtrieben. Heißblütig. So als würde die Welt ihm gehören und er könnte mit einem Handstreich die Regierung stürzen. Etwas Allmächtiges war in ihm.

Er lief die Treppe hoch. Oben war die Tür offen. Er sah den gefesselten Aike Ruhr auf dem Stuhl. Hinter ihm stand der harmlos aussehende Mörder. Er drückte eine Klinge gegen Aikes Hals. Unausgesprochen lag darin die Drohung: *Eine falsche Bewegung, und ich töte ihn.*

Ann Kathrin Klaasen geriet erst in Sommerfeldts Blickfeld, als er den Raum betrat. Sie saß immer noch mit dem Rücken zum Fenster. Ironischerweise war hier früher das selten genutzte Gästezimmer gewesen.

Der Mörder begrüßte ihn freundlich: »Herzlich willkommen, Dr. Sommerfeldt. Es ist alles vorbereitet. Ein Festmahl sozusagen. Die Frau, die Sie in Gelsenkirchen auf so peinliche Weise gefangen genommen hat, wartet dort auf ihre Strafe.« Er zeigte mit einer großzügigen Geste auf Ann Kathrin, wie ein König auf Ländereien, die er an seinen tapferen Ritter verschenken möchte. Er legte eine Hand auf Aikes Kopf. Mit den Fingern trommelte er einen Takt darauf und fuhr fort: »Das hier ist Aike Ruhr, ein recht talentierter Schreiberling. Er wird zum Chronisten Ihrer Rache werden, Herr Sommerfeldt, nicht wahr, Aike?« Er beugte sich vor und flüsterte in Aikes Ohr, so dass es jeder hören konnte: »Pass gut auf. Das ist ein großer Moment. Dr. Bernhard Sommerfeldt trifft auf die Frau, die ihn so tief hat stürzen lassen. Was wird er mit ihr tun? Sie hat ihn gedemütigt.«

Sommerfeldt machte einen Schritt in Ann Kathrins Richtung und erwiderte: »Nein, sie hat mich nicht gedemütigt. Sie hat ihren Job ganz hervorragend gemacht. Besser als alle anderen.«

Der Langeoog-Killer fuhr fort, als hätte Sommerfeldt nichts gesagt. Er wollte sich von ihm nicht aus dem Konzept bringen lassen. »Schneidet der Doktor sie vor unseren Augen in Stücke? Was meinst du, Aike? Geht er dabei planlos vor? Wutgetrieben? Oder gar lustbetont? Voller Zorn und Leidenschaft? Oder genießt er seine Rache kalt? Wird er sie lange zappeln lassen, oder führt er seinen berühmten Herzstich aus? Seine Spezialität … Also, ich persönlich finde ja, dieser Herzstich wird maßlos überschätzt. Es ist zweifellos eine Art, schnell und lautlos zu töten, aber das macht eine solche Sauerei, mit all dem Blut, und ich finde, dabei geht auch jeder Genuss flöten. Das ist nur so eine schnelle Nummer für die ganz Eiligen. Die Stahlschlinge dagegen, die der Kommissarin da so malerisch um den Hals baumelt, die lässt einen viel länger zappeln …«

Er machte es vor. Er ahmte Erstickungsgeräusche nach und zitterte am ganzen Körper. Er japste nach Luft und ließ die Zunge aus dem Mund hängen, während er die Augen verdrehte.

»Wollen Sie mich mit diesem Affentheater beeindrucken?«, fragte Dr. Bernhard Sommerfeldt scharf. Er bedauerte, sein Wurfmesser nicht zur Hand zu haben. Die Entfernung war perfekt. Er hätte den verrückten Gegner damit sofort ausschalten können. Doch Wellers Hirschfänger war für einen Wurf ungeeignet. Der Griff war zu schwer. Das Messer würde sein Ziel nicht mit der Spitze treffen, sondern mit dem Knauf.

Ann Kathrin fiel auf, dass die zwei sich höflich siezten. Sie spürte, welch immense Wertschätzung und gleichzeitig Verachtung sie füreinander hatten. Sie las in Sommerfeldts Verhalten, dass er die Polizei nicht informiert hatte. Er war also wortbrüchig geworden. Er zog hier sein eigenes Ding durch. Das konnte sie das Leben kosten.

Sie kam sich blöd vor. Er hatte doch immer nur sein eigenes Ding gemacht, sich nie um Regeln oder Gesetze gekümmert. Wie hatte sie nur so dumm sein können, jemals zu glauben, diesmal sei es anders. Trotzdem hatte er irgendwie auch Wort gehalten, indem er hier erschienen war. Sie staunte darüber, wie sehr sie bereit war, alles, was er tat, noch zu seinen Gunsten auszulegen. Aber in der Tat hätte er einfach fliehen können, ohne sich jemals wieder zu melden. Was kümmerte es ihn, ob sie einen Serienkiller zu fassen bekam oder nicht? Oder war er tatsächlich gekommen, um sich an ihr zu rächen?

Woher, fragte sie sich, nehme ich die Hoffnung, ich könnte hier lebend herauskommen?

Sie sah ihren toten Vater vor sich, der ihr mal in einer schier ausweglosen Situation gesagt hatte: *Sei schlau, mein Kind. Glaub einfach an ein Wunder.*

Ja, danke, Papa, dachte sie. Manchmal bleibt einem nichts mehr übrig, als aufzugeben oder an ein Wunder zu glauben.

»Affentheater?«, fragte der Langeoog-Killer aggressiv zurück.

»Ja, Affentheater!«, nickte der Doktor.

Ann Kathrin glaubte zu kapieren. Versuchte Sommerfeldt,

die Wut und damit auch die gesamte Aufmerksamkeit auf sich zu ziehen? Hatte er einen Plan? Konnte jemand, der in diese Situation geriet, überhaupt einen Plan haben?

»Was wollen Sie von mir?«, fragte Sommerfeldt und feuerte Blicke auf den Mörder ab, wie Vorboten des Todes. Aber der schien die Frage gar nicht zu kapieren. Er hatte sich das hier ein bisschen anders vorgestellt. Er wusste auch nicht genau, wie, jedenfalls anders, als es jetzt lief.

»Sie schicken mir Fotos Ihrer Morde«, sagte Sommerfeldt vorwurfsvoll. »Sie buhlen um meine Anerkennung. Sie hausen in meiner ehemaligen Praxis. Sie machen aus meinem Gästezimmer ein Gefängnis …«

Sommerfeldt war mit seiner Aufzählung noch lange nicht fertig, doch der tief getroffene Mörder unterbrach ihn: »Ich habe sie gefangen! Ich!« Er zeigte auf Ann Kathrin. »Die Frage ist doch«, brüllte er, »wer ist hier der Meister? Sie oder ich?«

Sommerfeldt beugte sich zu Ann Kathrin. Er zog ihr das Tuch aus dem Mund und ließ es achtlos fallen. »Das interessiert mich einen Scheiß«, behauptete Sommerfeldt.

Ann Kathrin atmete heftig. Ihre Schleimhäute in Mund und Hals waren wie ausgetrocknet, und sie hatte einen Geschmack im Mund, als hätte sie in der Sonne verfaulten Matjes gegessen.

Plötzlich duzte der Langeoog-Killer Sommerfeldt wieder. Es klang wie eine Herabwürdigung: »Du willst mich bei Aike lächerlich machen! Du willst vergessen machen, dass ich Kommissarin Klaasen geschafft habe und nicht du! Du bist ein schlechter Verlierer, Sommerfeldt! So, jetzt nimm deine Chance wahr und töte sie. Bring die Sache endlich zu Ende …«

Sommerfeldt schüttelte den Kopf. »Nein, das werde ich nicht tun.«

Sein Gegenüber lachte höhnisch. »Siehst du, Aike, er kann es nicht. Er schafft es nicht, Frauen zu töten. Er ist nämlich ein gehemmtes kleines Muttersöhnchen.«

Aike reckte den Hals, denn die Klinge ritzte jetzt seine Haut ein. Er spürte das warme Blut in sein Hemd laufen.

»Los, Sommerfeldt, zeig uns, was du drauf hast! Nimm Rache! Töte sie! Mach sie mit der Stahlschlinge fertig. Guck sie dir an, wie sie zappelt. Wenn sie keine Luft mehr kriegen, sind sie alle gleich. Na los, nun trau dich schon! Oder ich schneide seine Halsschlagader durch. Glaub mir, das wird nicht schön, das spritzt bis in deine akademische Fresse.«

Sommerfeldt breitete die Arme aus, als wolle er seinen Herausforderer umarmen. Der drückte die Klinge nur fester gegen Aikes Hals und schrie: »Ich leg ihn um! Ich leg ihn um, wenn du nicht sofort …«

»Ist ja gut, ist ja gut«, sagte Sommerfeldt, »ich tue es.«

Er stellte sich hinter Ann Kathrin und nahm die Enden der Stahlschlinge in die Hände. Er zog die Schlinge langsam zu, aber noch bekam Ann Kathrin Luft. Sie sagte: »Das ist doch Irrsinn!«

»Nein«, behauptete Sommerfeldt, »das ist der Beweis.«

»Welcher Beweis?«, wollte der Langeoog-Killer wissen.

»Dass ich der moralisch Überlegene bin.« Sommerfeldt sprach mit Ann Kathrin weiter und erhöhte den Druck auf ihren Hals nicht. »Er glaubt offensichtlich, Frau Klaasen, dass ich alles tun würde, um Aike zu retten. Davon kann er nur ausgehen, wenn er mich für moralischer hält als sich selbst. Er droht, jemanden umzubringen, der nichts damit zu tun hat, und ich soll es verhindern …«

»Er will Sie in einen Konflikt stürzen«, sagte Ann Kathrin. Sie wusste nicht, worauf Sommerfeldt hinauswollte. Sie hatte Angst, etwas falsch zu machen.

Aike Ruhr trampelte heftig auf dem Boden herum. Er befürchtete, seine Halsschlagader könne gleich zerfetzt werden.

Sommerfeldt verstand den Hinweis. »Okay. Bitte lassen Sie ihn leben. Wir wollen doch nicht den Mann töten, der über all das hier später berichten soll.«

Sommerfeldt zog die Schlinge zu. Ann Kathrin reckte sich im Stuhl hoch. Das Stahlseil schnitt in ihren Hals. Sie drückte den Kopf nach hinten gegen Sommerfeldts Bauch. Sie sah sein Gesicht von unten. Er biss die Zähne zusammen. Ja, er litt, aber er tat es.

»Schau hin, Aike«, rief der Langeoog-Killer. »Siehst du, ich verhelfe ihm zu Wachstum und Rache! Ich!«

Ann Kathrin wusste, dass sie nicht mehr viel Zeit hatte. Gleich würde sie ohnmächtig werden. Ihr Körper bäumte sich noch einmal auf.

Sommerfeldt ließ die Stahlschlinge los. Die Griffe flogen über Anns Schultern. Sie bekam wieder Luft.

»Ich kann es nicht«, behauptete Sommerfeldt. »Ja, verdammt, ich schaffe es nicht. Du hast gewonnen. Du bist der Meister. Du. Bitte tu du es für mich.«

Sommerfeldt trat neben Ann Kathrin. Sie japste nach Luft. Ihr Hals war so blutig wie der von Aike.

Sommerfeldt ging auf den Langeoog-Killer zu, als sei alles zwischen ihnen bereits eine ausgemachte Sache. Er deutete auf Ann Kathrin: »Bitte, Meister. Tu du es.« Er verbeugte sich sogar.

Vielleicht gab die Anrede *Meister* den Ausschlag, vielleicht das vertraute *Du* oder die Verbeugung. Jedenfalls ließ der Mörder mit triumphalem Lächeln von Aike ab, steckte das

Messer in seinen Hosenbund und ging auf Ann Kathrin zu, um stolz das begonnene Werk zu vollenden.

»Ja, ich werde jetzt vollstrecken«, sagte er.

Weller rutschte unruhig auf seinem Stuhl hin und her. Er wirkte ein bisschen wie ein Schuljunge, der sich nicht länger auf den langweiligen Unterricht konzentrieren konnte, weil er heftigen Druck auf der Blase hatte. Er wurde zunehmend nervöser, weil Ann Kathrin sich nicht meldete. Klar gab es die sehr wahrscheinliche Möglichkeit, dass sie sich endlich mal ausschlief und ihr Handy auf Lautlos gestellt hatte. Aber in seiner Phantasie war sie jetzt in Not, brauchte ihn, und er war nicht da. Er spürte es als Druck auf der Brust. Als ein Ziehen im Magen und ein Pochen in den Ohren.

Er wollte das Rupert auf keinen Fall so sagen. Er erwartete von ihm in so einer Situation nicht viel Verständnis. Von Holger Bloem schon eher.

Er überspielte seine Sorgen und körperlichen Symptome mit dem coolen Satz: »Also hier läuft heute nichts mehr, Leute. Wenn ihr mich fragt, Fehlalarm. Ich zische ab. Ich höre mein Kopfkissen schon rufen ...«

Er wollte betont lässig zum Ausgang. Holger Bloem hatte sich gerade noch ein alkoholfreies Bier bestellt und staunte. Weller war ihm schon die ganze Zeit über so komisch vorgekommen.

Rupert hielt Weller fest: »Ist was, Kumpel? Ich meine, das kann doch hier die Nacht der Nächte werden. Da wollen wir doch dabei sein und nicht den Höhepunkt der Party verpassen, oder?«

Weller griff sich an den Magen. »Mir ist nicht gut«, sagte er. Bloem verstand. »Ein ungutes Gefühl?«

Weller guckte nur, und Holger Bloem wusste, dass sein alter Freund zu Ann Kathrin wollte.

Nur Rupert kapierte das nicht. »Das muss dieser Scheiß-Virus sein. Der grassiert hier gerade. Dagegen hilft Whisky, am besten Scotch. Mindestens zwölf Jahre alt und im Fass gereift.«

»Es heißt das Virus«, korrigierte Weller, »und mir hilft bestimmt 'ne Mütze Schlaf.«

Weller verabschiedete sich mit einem kurzen Nicken, und Bloem versprach: »Geh nur, ich erledige das hier.«

Als Rupert die Chance sah, die Rechnung im *Middle East* dem Journalisten zu überlassen, nutzte er seine Möglichkeit. »Für mich bitte auch. Ich kann meinen alten Kumpel schließlich jetzt nicht alleine lassen, wenn er doch solchen Durchfall hat. Einer muss ja fahren.«

Holger Bloem sah grinsend hinter den beiden her.

Ann Kathrin starrte den Langeoog-Killer an. Er kam milde lächelnd auf sie zu.

Ist das, fragte sie sich, das Ende? Sterbe ich so? Über einer alten Arztpraxis in Norden, in einem Zimmer mit zwei Serienkillern und einem Journalisten? Ist mein ganzes Leben auf diese Situation hinausgelaufen? Was habe ich falsch gemacht? Warum bin ich nicht Lehrerin geworden oder Bäckereifachverkäuferin? Hausfrau oder …

Der Strom ihrer Gedanken wurde unterbrochen. Der Langeoog-Killer befand sich praktisch mit Sommerfeldt auf einer Höhe. Der Doktor wirbelte plötzlich herum, machte einen

Sprung und führte einen Fußstoß gegen den Kopf seines Gegners aus. Der fiel getroffen um.

Auf dem Rücken liegend griff er sich ans Kinn, als müsse er fühlen, ob sein Kiefer gebrochen sei. »Oh«, lachte er anerkennend. »Ein Roundhouse-Kick! Ich wusste gar nicht, dass man im Knast Kickboxen lernt.«

Er stand auf und richtete die Messerspitze auf Sommerfeldt. »Das Messer«, höhnte er, »ist doch deine Disziplin, nicht wahr? Es ist mir eine Ehre, dich in deiner eigenen Kunst zu schlagen. Komm schon. Messerkampf! Du hast die Waffen gewählt.«

Er stach wütend in Sommerfeldts Richtung, versuchte, seine Brust oder seinen Hals zu treffen. Sommerfeldt wich nach hinten aus.

»Schau zu, Aike«, rief der Langeoog-Killer, »schau zu! Das ist der Kampf zweier Giganten!«

Ann Kathrin fürchtete um Sommerfeldt, denn der Langeoog-Killer war hoch aggressiv und sehr schnell mit der Klinge. Sein Messer war länger als Sommerfeldts.

»Greift ihn euch, Jungs!«, rief sie und guckte demonstrativ zur Tür. Für den Bruchteil einer Sekunde verunsicherte sie damit den Langeoog-Killer. Er schielte einmal kurz zur Tür. Noch bevor er feststellen konnte, ob von dort wirklich Verstärkung kam, trieb Sommerfeldt ihm den silbernen Stahl ins Herz. Es war ein sauberer Stich, obwohl er aus einer ungünstigen Position ausgeführt werden musste.

Mit weit aufgerissenen Augen taumelte der Getroffene auf Ann Kathrin zu. Der Schaft des Hirschfängers ragte aus seiner Brust. Er ließ sein Messer los. Es polterte auf den Boden.

Er brach vor Ann Kathrin zusammen. Sein Kopf fiel in ihren Schoß.

Sommerfeldt befand sich näher bei Aike Ruhr, aber als

Gentleman befreite er zunächst Ann Kathrin. Er stieß den sterbenden Mann einfach mit dem Fuß um wie ein lästiges Möbelstück.

Sommerfeldt wollte Ann Kathrins Fesseln lösen, stellte sich dabei aber ungeschickt an.

Die Beine des Langeoog-Killers zitterten. Es war, als wolle er im Liegen weglaufen.

»Der ist tot«, stellte Sommerfeldt fest, »er weiß es nur noch nicht.«

Sommerfeldt hob das Messer seines Gegners auf, betrachtete es abschätzig, als könne nur ein Vollidiot so ein Messer benutzen, und schnitt Ann Kathrin damit los.

»Es wäre eine Schande gewesen«, sagte er, »wenn er mich mit so einem Industriemüll erstochen hätte.«

»Ja«, gab Ann Kathrin zu, »das wäre wirklich das Letzte gewesen.«

Gemeinsam befreiten sie Aike Ruhr. Sein Hals sah schlimmer aus als Ann Kathrins. Sommerfeldt schaute sich die Wunde fachmännisch an und riet ihm, ein Handtuch dagegenzudrücken, um die Blutung zu stillen. »Du wirst überleben, Aike. Es sieht schlimmer aus, als es ist. Die Halsschlagader ist unberührt.«

Sommerfeldt und Ann Kathrin sahen sich an. Für Sekunden hielten sie Blickkontakt, als würden sie so alle nötigen Informationen austauschen.

»Danke«, sagte Ann Kathrin aus tiefem Herzen. »Danke.«

»Von mir auch«, krächzte Aike.

»Bitte gebt mir fünf Minuten Vorsprung«, bat Sommerfeldt.

»Sie wollen also nicht Wort halten?«, fragte Ann Kathrin vorsichtig. »Das hier«, fügte sie hinzu, »wird für Sie sprechen.«

»Ja«, lachte er, als könne das nur ein Scherz gewesen sein,

»es ist aber ein bisschen viel verlangt, dass ich mich jetzt stelle. Ich habe noch einiges zu erledigen.«

Er ging zur Treppe, und niemand hielt ihn auf.

»Machen Sie es gut, Doktor Sommerfeldt!«, rief Aike hinter ihm her. Er presste das Spültuch gegen seine Schnittwunde am Hals, das vorhin noch als Knebel in Ann Kathrins Mund gesteckt hatte.

»Kommt erst mal runter«, riet Sommerfeldt, ohne sich umzudrehen. »Ich rufe gleich Weller an oder Rupert.«

Frank Weller und Rupert waren schon auf der Autobahn, als Wellers Handy *Piraten Ahoi!* spielte. Weller ging ran. Rupert saß hinterm Lenkrad und fragte neugierig: »Ann?«

Weller schaltete auf Laut, als er den Namen hörte. »Moin, Jungs, hier Doktor Sommerfeldt. Ann Kathrin und dieser Aike Ruhr sind in meiner ehemaligen Praxis in Norddeich. Dieser gottverfluchte Killer auch.«

»Wie geht es Ann?«, fragte Weller mit mulmigem Gefühl.

»Gut«, antwortete Sommerfeldt, »und dem Journalisten geht es auch gut.«

»Und der Langeoog-Killer?«, wollte Rupert wissen.

»Den habe ich ein für alle Mal aus dem Verkehr gezogen. Tut mir leid, Frank, er hat Ihren Hirschfänger in der Brust.«

Weller stöhnte.

Sommerfeldt erklärte sich: »Dieses Messer ist eigentlich sowieso nur dafür da, verletztem Damwild den Gnadenstoß zu geben, damit es nicht länger leiden muss.«

»Haben Sie«, schrie Rupert, um auch gehört zu werden, »diese beiden falschen Feuerwehrleute auch getötet?«

»Nein«, sagte Sommerfeldt. Weller atmete auf. Sommerfeldt schwieg einen Moment, dann ergänzte er: »Ich habe sie lediglich gebeten, sich gegenseitig die Haut vom Körper zu ziehen.«

»Sie haben was?«, brüllte Weller.

Rupert hatte den Wagen kaum noch im Griff. Er fuhr in Schlangenlinie. Hinter ihnen hupte ein Lkw-Fahrer und zeigte ihnen doof.

Sommerfeldt feixte: »Nein, das war nur ein Scherz. Ich mache doch so was nicht. Ich habe ihnen bloß ein bisschen Angst gemacht und sie gefesselt unters Bett gelegt.«

»Wo?«, fragte Weller erleichtert.

»Ich will es euch auch nicht zu leicht machen. Etwas Arbeit habe ich euch doch noch übrig gelassen. Und es schadet den beiden nicht, wenn ihr sie nicht sofort findet. Lasst sie ruhig noch ein bisschen schmoren. Schöne Grüße übrigens an euren Chef. Also, bis dann. Ich muss jetzt … Ich habe noch etwas vor …«

»Machen Sie keinen Scheiß!«, forderte Weller.

»Ihr auch nicht, Jungs«, lachte Sommerfeldt und drückte das Gespräch weg.

Weller öffnete das Seitenfenster.

»Ist was«, fragte Rupert, »hast du einen fahren lassen?«

»Nein«, sagte Weller, »ich brauche nur frische Luft.«

»Warum guckst du denn so miesepetrig?«, fragte Rupert. »Ich hab doch gleich gesagt, was soll denn da schiefgehen? Wir haben das Ding doch mal wieder gedeichselt.«

»Ja«, stöhnte Weller, »das haben wir super hingekriegt.«

ENDE

Klaus-Peter Wolf
OSTFRIESENSTURM

Der neue Fall für
Ann Kathrin Klaasen

Es war ein triumphales Gefühl, als ihre schlimmsten Alb-
träume Wirklichkeit wurden. Jetzt war sie nicht mehr die
Gestörte. Die lebensuntüchtige Angstpatientin. Nun waren
ihre Therapeuten die Dummen, denn sie hatte recht behalten.

Stolz betrachtete Anke Reiter ihre rissigen Finger. Nie wieder würde sie sich dafür schämen müssen. Vorbei das klamm-
heimliche Verstecken der Hände. Von wegen Zwangsstörung!
Darüber konnte sie nur noch lachen.

Ihr Ehemann, ihre Eltern, ihre Schwester Sabine und drei
Therapeuten hatten versucht, ihr einzureden, sie lebe in einer
Welt, die es gar nicht gäbe.

Sie hatten sich so viel Mühe gegeben und ihr Brücken gebaut, in die sorglose Spaßgesellschaft überzuwechseln, in der
sie alle zu leben glaubten.

Ihr Mann verkaufte Versicherungen gegen jede Gefahr des
Lebens. Als könne man sich mit Geld freikaufen! Für sie war
das alles Lug und Trug.

Jetzt befanden sie sich endlich alle in ihrer Welt.

Herzlich willkommen!

Jetzt war sie nicht mehr verrückt, sondern, im Nachhinein
betrachtet, nur klug und vorausschauend. Jede Tagesschau

gab ihr recht. Plötzlich war nicht mehr sie krank, sondern die Gesellschaft.

Ihre schlimmsten Befürchtungen waren inzwischen wissenschaftlich bewiesen worden. Es war wie eine Erlösung für sie, als hätte sie die Angst für alle anderen spüren müssen, so wie der einzig Sehende in einer Gruppe Blinder auf die Gefahren des Weges aufmerksam machen muss.

Die Panikattacken, die Angst vor der Angst, das alles war wie verflogen. Jetzt waren die anderen dran, Schiss zu haben. Ihr ging es zunehmend besser.

Sie fühlte sich innerlich stark genug, das Haus zu verlassen, Auto zu fahren, ja, eine Fähre zu betreten, ohne vorher Tabletten einzuwerfen.

Neuerdings war sie, Anke Reiter, die Starke! Die Visionärin! Nie wieder würde ihr Mann sie blöd anmachen, weil sie Vorräte angelegt, Seife, Klopapier, Nudeln und Konserven gebunkert hatte.

Sie hatte den Keller ganz allein umgebaut. Sven fand die Regale überproportioniert. »Das alles ist viel zu groß«, sagte er immer wieder kopfschüttelnd. »Das ist kein Vorratsraum, das ist ein Katastrophenschutzprogramm.«

Die Tage, an denen sie einfach so, ohne große Probleme, einkaufen gehen konnte, waren mit den Jahren immer seltener geworden. Das machte die Bevorratung schwierig. Vieles hatte sie online bestellt und Svens milden Spott ertragen. Jetzt wäre er froh gewesen, wenn sie jederzeit Zugang zu dem Keller gehabt hätten, den er mit zynischem Gesichtsausdruck »deinen eigenen Supermarkt« genannt hatte. Doch nun saßen sie hier in Norddeich fest, als Gefangene in ihrer eigenen Ferienwohnung. Nun da sie das Gefühl hatte, endlich frei zu sein und überall hingehen zu können, fürchtete er rauszugehen. »Um

Himmels willen«, hatte er gerufen und, statt aus dem Fenster zu sehen, nur auf sein Handy gestarrt. Es war neuerdings zu einer Art Gebetbuch geworden. Zu einem Orakel, das in unsicherer Zeit die Zukunft weissagen sollte, wobei niemand sagen konnte, wie es wirklich weitergehen sollte.

Wissenschaftler, die nichts wussten, hatten die Regierung übernommen. Blasse, übermüdete Menschen, die ihre Ahnungslosigkeit zum Prinzip erhoben, äußerten Mutmaßungen wie mathematische Gleichungen.

Ironischerweise war der Himmel wolkenlos und lud zu Spaziergängen am Deich ein. Die Nordsee hatte alles Wilde, Ungestüme verloren, ja war fast zu einem Teich geworden. Dabei hatte das Jahr stürmisch begonnen. Ein Orkantief namens Sabine hatte den Kindern schulfrei beschert und den gesamten Bahnverkehr lahmgelegt. Es hieß ausgerechnet Sabine!

Auf Wangerooge war der Strand komplett weggespült worden. Svens Lieblingsinsel so schwer geschlagen. Er hatte sogar hundert Euro gespendet, weil die kleine Inselgemeinde nicht in der Lage war, die gewaltigen Kosten allein zu stemmen.

Sie erkannte im Sturmtief Sabine das erste Zeichen. Ihre Ängste wurden Wirklichkeit. Sie hatte sich geweigert, Zug zu fahren. Immer schon! Sie misstraute Menschenmassen und wollte sich nicht in die Abhängigkeit eines anonymen Fahrplans begeben. Im Zug, im Flugzeug oder auf einem Schiff hatte sie nichts mehr in der Hand, war abhängig von dem, was andere taten. Sie ertrug es nicht, so ausgeliefert zu sein. Da war ihr das Auto schon lieber.

Sie stellte sich ihren Wagen vor wie ein Teil ihrer Wohnung, wie ein Zimmer mit Fenstern und Türen. Dort roch es auch nach ihr. Es kamen nicht plötzlich fremde Menschen herein wie in ein Zugabteil. Nur so war es ihr überhaupt möglich gewesen, mit Sven zusammen die Ferienwohnung zu kaufen.

Ein Hotel ging für sie gar nicht. Urlaub auf Balkonien war für sie jahrelang die einzige Möglichkeit. Aber dann hatte sie es geschafft, eine Ferienwohnung in Norddeich als Teil ihres Zuhauses anzuerkennen. Dort musste die gleiche Bettwäsche sein wie in Gelsenkirchen. Selbst das Geschirr war von zu Hause. Die Gardinen ebenfalls. Von ein paar vertrauten Möbelstücken hatte Sven Doubletten organisiert. Das war nicht schwer. Das meiste hatten sie ja bei IKEA gekauft. Das Wohnzimmer in Norddeich unterschied sich kaum von dem in Gelsenkirchen, nur dass sie hier eben näher am Meer waren und manchmal Möwen auf der Fensterbank saßen.

Die Autobahnfahrt war trotzdem jedes Mal ein großes Problem für sie. Sven tankte den Wagen zu Hause voll und fuhr dann, ohne anzuhalten, bis vor die Tür der Ferienwohnung. Einmal – vor gut einem Jahr – hatte er auf einem Autobahnrastplatz gestoppt, um zum WC zu gehen. Sie hatte fast einen Schreikrampf bekommen. Es war ganz fürchterlich für sie gewesen. Das sollte nicht noch einmal vorkommen!

Sie tranken während der Fahrt nichts. Niemals. Obwohl sie natürlich zu ihrer eigenen Sicherheit immer mindestens drei Liter Wasser dabei hatte. Doch der Vorrat wurde nicht angetastet.

Sie redeten kaum. Das Radio lief, und sie brachten es einfach so schnell wie möglich hinter sich. Während der Fahrt bekam sie mehrmals Hitzewallungen und schwitzte zwei-, dreimal alles durch.

Sie wusste, dass Sven es nicht leicht hatte mit ihr, aber er ertrug alles. Er versorgte sie, wenn sie es nicht schaffte einzukaufen, und freute sich wie ein Schneekönig, wenn sie an einem guten Tag mit ihm über den Dörper Weg bummelte und sie ein Eis bei *Riva* mit ihm aßen. Sie konnten dort im Strandkorb sitzen. Das gab ihr Sicherheit. Strandkörbe halfen ihr, innere Ruhe zu finden.

Sie wusste, was sie an Sven hatte. Ohne ihn hätte sie gar nicht so leben können. Sie belohnte ihn dafür mit sexuellen Dienstleistungen, die bei ihm keine Wünsche offen ließen. Er glaubte, er habe eine leidenschaftliche Frau, aber manchmal kam es ihr so vor, als spiele sie alles nur. Was sie wirklich empfand, hielt sie geschickt zurück. Manchmal war es Widerwillen. Nicht selten sogar Ekel. Dann wieder kam ihr alles echt vor, toll und genau richtig. Plötzlich, aus heiterem Himmel, kamen dann die Attacken zurück. Nackte Panik sperrte sie ins Haus ein. Unmöglich, die Wohnung zu verlassen. Allein beim Gedanken daran wurde ihr schwindlig.

Mit ihren Kochkünsten hätte sie mühelos alle Kandidaten beim *Perfekten Dinner* überflügeln können. Sie sah die Sendung oft und wusste, dass sie besser war, aber sie hätte es nicht ausgehalten, ein Kamerateam in ihre Küche zu lassen und dazu noch Gäste ins Wohnzimmer. Und noch schlimmer – sie wäre niemals in eine fremde Wohnung gegangen, um dort mit fremden Leuten zu essen. Nein. Das konnte niemand von ihr verlangen.

Sven hatte immer wieder lange Radtouren nach Lütetsburg, Greetsiel oder Neßmersiel gemacht, während sie in der Wohnung saß und dicke Romane las, Socken strickte oder Kochrezepte ausprobierte.

Das mit den Radtouren war nun vorbei. Ihr Aufenthalt in ihrer Ferienwohnung war inzwischen illegal geworden. Sie hatten die letzte Aufforderung, alle Zweitwohnungsbesitzer und Feriengäste hätten die ostfriesischen Inseln und das Festland zu verlassen und nach Hause zu fahren, ignoriert. Nein, sie wollte nicht zurück nach Gelsenkirchen. In ihrem Haus in der Bochumer Straße gab es acht Mietparteien. Zwei standen unter Quarantäne. Sie wollte nicht in das Haus zurück. Wollte die Türklinken nicht anfassen, die Luft nicht einatmen. Nein, sie würde hierbleiben, ganz klar. Hier fühlte sie sich sicher.

Lange Zeit, viele Jahre, war die Wohnung im dritten Stock in der Bochumer Straße ihre feste Burg gewesen. Ihr letzter Schutzort. Jetzt hatte dieses Scheiß-Virus ihr auch das kaputt gemacht.

Von der Idee der Niedersächsischen Landesregierung, die Touristen aus Ostfriesland zu verbannen, fühlte sie sich zunächst gar nicht betroffen. Aber plötzlich ging es nicht nur um Touristen, Hotel- und Pensionsgäste, sondern auch um Zweitwohnungsbesitzer.

Sie hatte ein hartes Nein dazu. Sie wollte sich von hier nicht vertreiben lassen. Irgendeinen sicheren Ort brauchte doch jeder Mensch, und sie ganz besonders.

Mit Clemens und Christa Wewe, den Hausbesitzern, von denen sie die Ferienwohnung vor zwei Jahren gekauft hatten, waren sie praktisch befreundet. Die zwei waren sofort hilfsbereit gewesen und hatten die Garage geräumt, damit Sven ihren Wagen darin parken konnte. Sonst stand der immer auf einem der zwei Parkplätze direkt vor dem Haus. Doch ein Auto mit Gelsenkirchener Kennzeichen kam in diesen Zeiten in Ostfriesland nicht gut an. Es wäre nur eine Frage der Zeit gewesen, bis die Polizei geklingelt hätte.

Der Ostfriesische Kurier mit der Überschrift *Inseln greifen durch* lag auf dem Tisch.

»Touristen und Vermieter machen sich ab Montag strafbar, wenn sie weiter in ihrem Urlaubsgebiet bleiben oder Urlauber beherbergen«, hatte sie ihrem staunenden Sven vorgelesen.

Es gab noch mehr Informationen in der Zeitung, die sie vor kurzem für völlig undenkbar gehalten hätte. Die Sparkasse hatte ihre Filialen geschlossen. Restaurants und Cafés mussten dichtmachen. Dabei stand in derselben Zeitung, in der die verschärften Maßnahmen angekündigt wurden, dass es keine Neuerkrankungen gäbe. 27 Personen im Landkreis Aurich waren positiv getestet worden. 187 weitere standen unter häuslicher Quarantäne.

Der Sohn der Wewes, Niklas, hatte sich sogar angeboten, für sie einkaufen zu gehen, weil Fremde in diesen Zeiten rasch auffielen. Einerseits dachte Anke, ja, so nett sind die Ostfriesen, bieten gleich ihre Hilfe an. Andererseits gefiel ihr das Wort *Fremde* nicht. Sie wollte keine *Fremde* sein. Nicht hier, wo sie gerade begann, sich heimisch zu fühlen. Sie hatte so sehr darum gerungen, sich diesen Ort zu eigen zu machen.

Sie hatte Kaffee aufgebrüht und aus gefrorenen Beeren mit ihrem Pürierstab ein Eis gemacht. Sven mochte Eis. Ihr selbst gemachtes besonders gern. Er schlürfte seinen Kaffee und sagte: »In Gelsenkirchen haben wir den Keller voll, und hier muss einer für uns heimlich einkaufen gehen …«

Sie hatte ihn lächelnd beruhigt: »Nur frische Sachen. Alles andere habe ich …«

Er winkte ab: »Ich weiß.«

Natürlich gab es hier nicht halb so viele Lebensmittel wie im Keller in Gelsenkirchen-Ückendorf, aber trotzdem immer noch genug. Zwölf Stück Seife hatte er allein gestern gezählt. Nirgendwo gab es noch Desinfektionsmittel zu kaufen. Die Regale waren leer geräubert. Aber seine Frau hatte noch zwei

Dutzend 500-ml-Flaschen in der Bochumer Straße und sechs hier.

Er hatte ihr etwas zu sagen, das spürte sie wie einen heraufziehenden Ehekrach. Er bewegte dann immer den Kopf so komisch, als hätte er sich den Hals verrenkt. »Ich muss«, sagte er mit Bedauern in der Stimme, »nach Gelsenkirchen zurück. Ins Büro.«

»Aber«, wendete sie ein, »du kannst doch Home-Office machen, wie alle ...«

Er schüttelte den Kopf. Er hatte weiße Haare, die ihn nicht alt aussehen ließen, sondern reif und attraktiv.

»Es gibt ein paar Dinge, die ich nur im Büro regeln kann. Als Selbständiger ...«

Sie vollendete den oft gehörten Satz für ihn: »... arbeitet man selbst und ständig.«

Er lachte, als hätte er den Spruch gerade zum ersten Mal gehört. Das hatte aus ihm einen erfolgreichen Versicherungsmakler gemacht. Er konnte zuhören, über Witze lachen, die er schon rückwärts furzen konnte, und wenn er eine dumme Frage zum tausendsten Mal beantwortete, dann tat er es so, als sei ihm selten eine intelligentere Frage gestellt worden und er müsse über die Antwort tatsächlich noch nachdenken.

Er breitete die Arme großzügig aus und machte ihr ein Angebot, von dem er wusste, dass sie es ablehnen würde: »Du kannst natürlich mitkommen ...«

»Nein«, wehrte sie ab, »nein, ganz sicher nicht.«

Ihr war mulmig zumute bei dem Gedanken, alleine hier in der Ferienwohnung zu bleiben, als unerwünschte Person in Ostfriesland. Aber wenn jemand sich darauf verstand, sich einzuigeln und wie tot zu stellen, dann sie.

»Clemens und Christa sind ja da«, sagte er.

»Mach dir um mich keine Sorgen. Ich komme schon klar. Ich mache niemandem auf und rede mit niemandem. Ich treffe keine Leute und gehe nicht raus ... Ich tue im Grunde alles, was unsere Regierung gerade von uns verlangt ...«

Er gab ihr nicht ganz recht: »Ja«, sagte er vorsichtig, »außer, dass du hierbleibst, was du nicht darfst, machst du wirklich alles richtig.«

Sie widersprach: »Die Wohnung gehört uns. Wir haben sie gekauft, und wir zahlen hier Zweitwohnungssteuer. In diesem Staat ist die Freizügigkeit ein hohes Gut. Jeder darf gehen, wohin er will, und sich gewaltfrei überall versammeln.«

Er lachte: »Das musst du gerade sagen!«

»Ach, ist doch wahr«, schimpfte sie. »Das ist der Weg zurück in die Kleinstaaterei. Wo kommen wir denn hin, wenn jeder Landrat das Grundgesetz außer Kraft setzen darf?«

Sie hörte sich selbst gern so reden. Sie klang dann angstfrei. Mehr noch: mutig.

»Es gibt Tote«, sagte er trocken. »Der Kampf gegen dieses Virus ist wie Krieg führen.«

Sie schüttelte sich. »Ich will nichts davon hören.«

Er trank den Kaffee aus und bat sie noch um ein weiteres Eis. Er tat es mehr, um ihr einen Gefallen zu tun. Er wusste, wie gut es ihr tat, wenn er mochte, was sie zubereitet hatte.

»Ich werde in zwei, höchstens drei Tagen zurück sein, Schatz.«

»Ich komme schon klar«, erwiderte sie, und es hörte sich für ihn ein bisschen so an, als würde sie genau das Gegenteil davon glauben. Trotzdem war er erleichtert. Er hatte befürchtet, sie könnte ein großes Drama daraus machen. Das war zum Glück nicht geschehen.

Er hatte nicht vor, ins Büro zu fahren, aber das würde sie

nicht herausfinden, denn, da war er ganz sicher, sie würde diese Ferienwohnung nicht verlassen.

Dieser Märzmorgen war erfrischend kalt und wolkenlos. Ann Kathrin Klaasen und ihr Mann Frank Weller gingen auf der Deichkrone spazieren. Ann Kathrin genoss den Blick rüber zu den Inseln nach Juist und Norderney. Die Luft war so klar, dass die Inseln scheinbar näher ans Festland rückten. Es sah aus, als könne man ganz einfach dorthin schwimmen oder bei Ebbe hin laufen. Die tödlichen Gefahren verbarg die stille Nordsee.

Weil es so menschenleer war, beschlich Weller das kindliche Gefühl, alles würde ihm gehören. So, dachte er, müssen Könige empfinden oder Gutsbesitzer, wenn sie auf ihre Ländereien blicken.

Die Windstille machte die Vogelstimmen umso hörbarer. Die Vögel hatten sich viel zu erzählen, und es lag auch Streit in der Luft, das hörte er deutlich heraus. Weller fragte seine Frau: »Was fressen unsere an Pommes und Eiswaffeln gewöhnten Möwen eigentlich, wenn keine Touristen da sind und alle Fisch- und Bratwurstbuden geschlossen haben?« Er deutete nach Norddeich in die Stadt.

Aber Ann Kathrin sah aufs Meer und antwortete ihm nicht. Sie war in sich versunken und genoss diese merkwürdige touristenfreie Zeit. Gleichzeitig schämte sie sich aber auch deswegen. Wie konnte sie etwas genießen, das für so viele Menschen eine Katastrophe war? Für die Feriengäste, die die Inseln verlassen mussten, für die Cafébesitzer, für die Restaurantmitarbeiter – halt für alle, die vom Tourismus lebten. Viele standen plötzlich vor dem Nichts. Sie ahnte, dass nun eine Zeit begann, in der Existenzängste die Menschen fluten würden. Die Aggressivität würde steigen, aber gleichzeitig – so hoffte sie – würden auch Edelmut und Barmherzigkeit zunehmen. Diese fundamentale Krise, da war sie sicher, würde das Beste und das Schlechteste in den Menschen zutage fördern.

Weller hätte zu gern ein Gespräch begonnen. Er mochte Anns Stimme. Sie erreichte ihn auf eine wohltuende Weise, wie Musik, die der Seele guttat. Er zeigte auf die Windräder: »Guck mal, Ann. Wieso drehen die sich, wenn hier kein Lüftchen weht?«

Ann Kathrin betrachtete versonnen die Ausläufer sanfter Wellen, die vorsichtig an den Deichbefestigungen leckten, als wollte das Meer prüfen, ob der Boden auch fest genug war.

Die Nordsee war für Ann Kathrin eine erschreckend lebendige Kraft, und wie beim Menschen konnte die Stimmung des Meeres rasch umschlagen. Was gerade noch nach Badespaß und Erholung aussah, konnte schnell zu einer tödlichen Bedrohung werden.

Wellers Handy spielte *Piraten Ahoi!* Er sah aufs Display und stöhnte: »Rupert.«

Ann Kathrin ging weiter zu den Schafen. Es waren Hunderte, die jetzt den Deich bevölkerten. Ihr Rupfen lag wie ein Grundgeräusch unter allem. Ein Schäfer war nicht zu sehen, nicht mal sein Hund.

Sie stellte fest, dass es erstaunlich viele schwarze Schafe gab. Sie waren jung und standen in einer Gruppe zusammen. So etwas hatte sie noch nie gesehen. Um die Tiere nicht zu erschrecken, bewegte sie sich vorsichtig. Sie ging ganz langsam auf sie zu. Obwohl sie jede schnelle Bewegung vermied, wichen die Schafe ihr aus. Sie hielten immer den gleichen Abstand zu ihr. Die jungen Tiere einen größeren als die ausgewachsenen.

Ruperts Nachricht brachte Weller sofort auf Trab. Er lief mit dem laut geschalteten Handy auf Ann Kathrin zu. Die Schafe stoben in alle Richtungen auseinander.

Ann Kathrin verzog den Mund und drehte sich zu Weller um. Die Sonne gab ihren Haaren dabei einen wundersamen Glanz, als hätten ihre Haarspitzen zu glühen begonnen.

»Auf Wangerooge kontrollieren die Kollegen gerade die Ferienwohnungen«, rief Weller.

Ann Kathrin hob abwehrend die Hände. Ob alle Touristen vorschriftsmäßig abgereist waren, interessierte sie nicht. »Wir sind«, sagte sie leicht verärgert über die Störung, »die Mordkommission, nicht das Ordnungsamt und auch nicht der Tourismusservice.«

Weller blieb stehen. Er atmete schwer. War er kurzatmig geworden? Ein schlechtes Zeichen in dieser Zeit. Er japste: »Ja, aber in einer nicht geräumten Ferienwohnung haben sie einen Toten gefunden.«

Ann Kathrin wurde hellhörig und guckte, als müsse sie sich für ihr Verhalten entschuldigen. Weller sah das nicht so. Sie hatte völlig recht. Sie waren nicht für jeden Mist zuständig.

Ann Kathrin war immer noch nicht vollständig von der Zuständigkeit überzeugt. »Ist er am Virus gestorben?«

»Keine Ahnung, ob er infiziert war, aber Rupert sagt, ihm wurde der Schwanz abgeschnitten.«

Ann Kathrin hielt Weller die ausgestreckte Hand hin. Er gab ihr das Handy, froh, es loszuwerden. Er guckte in seine Handflächen, als müsse er sich jetzt dringend die Hände waschen.

Wie für Ann Kathrin typisch, hielt sie sich nicht mit langen

Vorreden auf. Sie wies Rupert sofort zurecht: »Ich bevorzuge den Ausdruck *entmannt*.«

»Ja, sag ich doch. Sie hat ihm sein Ding abgeschnitten.«

»Sie? Du gehst von einer Frau aus?«

»Klar, Prinzessin. Kein Mann würde so etwas machen. Also, wenn du mich fragst, sie haben Stress bekommen. Sie ist durchgedreht, hat ihm sein bestes Stück abgesäbelt und ist dann mit den letzten Touristen von der Insel … Die hatten die Wohnung noch bis nach Ostern gemietet. Das wäre also normalerweise noch gar nicht aufgefallen, wenn nicht …«

Ann unterbrach ihn: »Bitte nenn mich nicht Prinzessin.«

»Ja, ist ja gut, Prinzessin.«

»Was machst du überhaupt auf Wangerooge, Rupert?«

Vor Weller wichen die Schafe nicht aus. Jetzt, da er ruhig stand, näherten sie sich ihm. Zwei kuschelten sich geradezu an ihn. Ihm gefiel das. Er bückte sich. Weller kniete zwischen einem weißen und einem schwarzen Schaf. Sie rieben ihre Köpfe an seinem. Welch ein Bild, dachte Ann Kathrin und zwinkerte ihm zu. Weller kraulte die Schafe.

»Ich hatte hier sowieso zu tun«, rechtfertigte Rupert sich, »und dann habe ich die Kollegen bei der Überwachung der Abreisen unterstützt. Einige Touristen sind ganz schön sauer gewesen …«

So wie Rupert: *Ich hatte hier sowieso zu tun* sagte, ahnte Ann Kathrin, dass es um eine Affäre ging. Er hatte immer irgendwo eine Liebschaft laufen.

»Wo«, fragte Ann Kathrin, »befindet sich der abgeschnittene Penis jetzt?«

»Ja, das weiß ich doch nicht. Jedenfalls nicht mehr da, wo er hingehört.«

»Guck in seinem Mund nach«, forderte Ann Kathrin.

Rupert empörte sich: »Ich soll was? Ich bin doch kein Gerichtsmediziner!«

»Hat er Blut im Gesicht?«, fragte Ann Kathrin.

»Ja. Alles voll. Besonders Kinn und Lippen. Ich dachte, sie hat ihm vielleicht eine reingehauen ...«

»Guck nach«, wiederholte Ann Kathrin knapp.

Weller streichelte die Schafe und sprach mit ihnen: »Das Schaf, weil's brav, gilt drum als dumm ...«, reimte er.

Ann Kathrin hörte Rupert herumwuseln und laut atmen. Dann fluchte er: »Scheiße! So eine Scheiße!«

Er hätte es jetzt gar nicht mehr melden müssen, sie wusste auch so, was er gefunden hatte. Es dauerte eine Weile, bis er sich beruhigt hatte. Es war nicht leicht für ihn zuzugeben, dass sie recht gehabt hatte. Sie ersparte ihm auch das.

»Es muss nicht die eifersüchtige Ehefrau gewesen sein«, folgerte sie.

Weller, der alles mitgehört hatte, erhob sich und kam zu ihr. Ann sagte: »Es ist eine alte Methode des organisierten Verbrechens, jemanden zu bestrafen, der ...«

»Die Frau vom Boss gevögelt hat?«, riet Rupert.

»Nein. Den zu richten, der zu viel redet«, ergänzte Ann Kathrin.

»Du meinst«, fragte Rupert, »es könnte ein Informant von uns sein?«

»Zum Beispiel«, bestätigte Ann. Sie zupfte mit rechts Schafwolle von Wellers Pullover und hielt mit links sein Handy nah vor sein Gesicht, weil sie sah, dass Weller etwas sagen wollte.

»Wo ist die Frau?«, fragte Weller.

Ann Kathrin reichte ihrem Mann das Handy. Schafwolle hing in seinen Haaren. Sie zupfte die Flusen heraus.

Rupert hatte Weller verstanden. »Sie kann nicht weit sein.

In ihrer Wohnung, nehme ich mal an. Corona macht uns doch jetzt jede Personenfahndung leicht. Einfacher war es nie. Wo sollen die Leute denn hin, wenn alles geschlossen ist? Sie wird zu Hause sein. Wo sonst? Sie wohnt in Oldenburg in der Maastrichter Straße. Das ist nicht weit vom alten Stadion Donnerschwee, wo jetzt die EWE-Arena ist.«

Weller sah Ann Kathrin an. Eigentlich hatten sie nach dem Deichspaziergang in Norden im Café ten Cate gemeinsam mit Monika und Jörg Tapper frühstücken wollen, aber alle Cafés waren geschlossen worden und durften nur Außer-Haus-Verkauf anbieten. Weller wollte wenigstens Brötchen und ein paar Stückchen Kuchen holen, aber in Ann Kathrins Blick sah Weller, dass auch daraus nichts werden würde.

Dieses Buch erscheint am 23.02.2022

Leseprobe

Klaus-Peter Wolf
RUPERT UNDERCOVER
Ostfriesische Jagd
Der neue Auftrag

George hieß eigentlich Wilhelm Klempmann. Er wurde Willi gerufen. Aber vor einem Willi Klempmann hatten die Leute vielleicht Respekt. Angst hatten sie vor einem, der so hieß, nicht.

Als Gangsterboss lebte er aber davon, dass man ihn fürchtete. George klang irgendwie geheimnisvoll, fand er. Manche sprachen den Namen deutsch aus, mit »e« am Ende, wie bei *Götz George*. Früher hatte er sie dann selbst korrigiert, jetzt taten das seine persönliche Assistentin oder sein Bodyguard.

Die meisten Menschen wurden schon bevor sie auf ihn trafen von Mitarbeitern darauf hingewiesen, dass sein Name englisch ausgesprochen werde, wie bei *George Clooney*. Er selbst sah nicht gerade aus wie der erwähnte Filmstar, sondern eher wie der ehemalige Fußballfunktionär *Reiner Calmund*.

Früher war George als Boxer recht erfolgreich gewesen. Jetzt hätte er als Sumo-Ringer eine gute Figur gemacht, aber Sport war nicht mehr sein Ding. Zumindest nicht aktiv. Er träumte immer davon, einen Boxstall zu leiten und einen Champion zu trainieren.

Jetzt weinte er. Ja, er weinte tatsächlich. Richtige, echte Tränen flossen über sein aufgedunsenes Gesicht bis hin zu seinen Lippen.

Carl und Heiner waren tot. Er hatte sie geliebt, wie andere

Menschen ihre eigenen Kinder lieben. Hatte ihnen eine Chance gegeben. Eine Zukunft.

Frederico Müller-Gonzáles, auch *Der Kronprinz* genannt, hatte sie auf dem Gewissen. Im Norddeicher Yachthafen, vor dem *Skipperhuus*, waren beide erschossen worden.

Am liebsten hätte er in seiner Trauer das ganze Gebäude in die Luft gesprengt, dabei mochte er es eigentlich. Mehrfach hatte er dort gegessen und den Blick auf die Nordsee und den Hafen genossen. Das Haus war wie ein Schiff gebaut, mit großen Glasfenstern, die, besonders wenn es heftig stürmte oder ein Gewitter tobte, einen unwiderstehlichen Ausblick auf die Naturgewalten ermöglichten.

Er erinnerte sich an den letzten Besuch dort. Heiner und Carl hatten mit ihm Schollen gegessen und dazu viel Bier getrunken. Und jeder drei oder vier eiskalte Aquavit.

Sie waren seine Jungs gewesen. Seine! Treu ergeben. Dankbar. Sie hätten ihn einst beerben sollen. Noch hatten sie nicht das Zeug dazu gehabt. Nicht sein Format. Aber er war geduldig mit ihnen. Ihre Loyalität war ihm wichtiger als alles andere. Bildung konnte sich jeder Papagei aneignen, der in der Lage war, etwas auswendig zu lernen. Charakter hatte man oder eben nicht.

Jetzt waren die beiden tot, und hier im *Skipperhuus* hatte er, als der Regen gegen die Scheiben prasselte, gesagt: »Draußen wütet eine Sturmflut, und wir sitzen hier schön warm und gucken zu.«

Heiner hatte ihm recht gegeben: »Ja, hier sind wir sicher.«

Welch ein Irrtum! Sein lebloser Körper war zwischen Glasscherben auf der Terrasse gefunden worden.

George schwor Rache. Vendetta. Das Wort kreiste in seinem Gehirn. Er musste es alle paar Minuten aussprechen: »Vendetta!« Es hörte sich italienisch furchterregender an als das deutsche Wort *Blutrache*, glaubte er. Er, der keine Fremdsprache wirklich beherrschte, fand Deutsch oft zu spießig oder zu provinziell. Deshalb schmückte er seine Reden gern mit ausländischen Vokabeln. *Vendetta* wurde jetzt zu seinem Lieblingswort.

Frederico Müller-Gonzáles sollte sterben. Und mit ihm sein ganzer Clan. Auge um Auge. Zahn um Zahn. So sah es der Ehrenkodex vor.

Zunächst wollten Weller und Rupert sich im *Mittelhaus* an der Theke treffen, um die Probleme einzudeichen. Es gab eine Menge zu besprechen und zu klären. Noch wusste keiner von beiden, ob sie sich am Ende weinend als Freunde in den Armen liegen würden oder ob ihnen eine Schlägerei bevorstand.

Mehr als einmal hatten sie sich Rücken an Rücken irgendwo freigekämpft. Jeder den jeweils anderen deckend und füreinander einstehend, waren sie meist ganz gut klargekommen. Doch diesmal war es möglich, dass sie gegeneinander statt miteinander gegen andere kämpfen würden.

Sie hatten sich dann vorsichtshalber lieber zu einem Spaziergang am Deich verabredet. Der Wind konnte die überkochenden Gefühle vielleicht ein bisschen abkühlen. Die Weite eröffnete manchmal auch in Gesprächen einen neuen Horizont. Einen Blick über Denkbarrieren hinweg. Das Meer bot eine Erweiterung der Perspektive. Die beiden fühlten sich hier geistig weniger eingemauert. Oder wie der ehemalige Kripochef Ubbo Heide es ihnen beigebracht hatte: *Ein Blick aufs Meer relativiert alles.*

Sie hatten sich so viel zu sagen, doch jetzt gingen sie schweigend auf der Deichkrone nebeneinanderher in Richtung Westen. Sie wurden immer schneller. Je fester sie die Lippen geschlossen hielten, umso mehr legten sie die unausgesprochene Wut in ihre Beinmuskulatur. Ihr Spaziergang ähnelte eher einem militärischen Gewaltmarsch. Rupert wurde schon kurzatmig und griff sich in die Seite.

Vor ihnen wich eine Schafherde aus. Fünfzig, sechzig Tiere flohen deichabwärts in Richtung Watt, die anderen Schafe liefen landeinwärts. Zum Glück hinderte ein Zaun sie daran, auf die Straße zu kommen. Normalerweise waren Schafe friedlich und eher faul. Sie machten zwar Spaziergängern bereitwillig Platz, gingen aber einfach nur kurz zur Seite und gaben den Weg frei.

Vor unbekannten Hunden hatten sie Angst. Weller hatte mal ein Schaf gesehen, das einen Herzinfarkt bekam und den Deich runterrollte, weil ein Hund bellend auf die Herde zugelaufen war. Schafe spürten aufkeimende Gefahren oder Aggressionen sofort. Insofern, dachte Weller, müsste Rupert auf die Tiere wie ein hungriger Wolf wirken.

Er schloss aus, dass es an ihm selbst liegen könnte. Obwohl er mit Rupert Schritt hielt, kam Weller sich ausgeglichen, ja friedlich vor. Rupert hingegen kochte spürbar.

Endlich platzte Rupert damit raus: »Was läuft zwischen dir und Beate?«

Weller blieb stehen. Rupert tat es ihm gleich. Der Wind blies jetzt Weller ins Gesicht und Rupert in den Rücken. Seine Jacke flatterte in Richtung Weller, und sein Hemd blähte sich auf.

Weller lachte, ein bisschen aus Verlegenheit und ein bisschen, weil es ihm so blöd vorkam: »Du bist ja eifersüchtig!«

»Ja, verdammt, bin ich! Sie ist *meine* Frau!«

»Gut, dass du dich daran erinnerst. Wenn mich nicht alles täuscht, hast du ja noch eine Miet-Ehefrau. Wie geht's der denn?«

»Nicht ich«, wehrte Rupert ab, »ich habe keine Miet-Ehefrau, sondern Frederico!«

»Oh ja, verzeih, alter Kumpel. Wie konnte ich euch beide nur verwechseln … Ach, by the way, mit wem rede ich eigentlich gerade? Mit meinem Kollegen Rupert oder mit dem Gangsterboss Frederico Müller-Gonzáles?«

Rupert machte eine schneidende Bewegung durch die Luft, als müsse er etwas durchtrennen. »Fang jetzt bloß nicht diese Haarspalterei an!«

»Haarspalterei?«, hakte Weller nach.

»Hast du Ehekrüppel jetzt etwas mit meiner Beate oder nicht?«

Weller lachte für Ruperts Gefühl ein bisschen zu herausgestellt. Solch demonstratives Lachen kannte Rupert aus Verhören von Ganoven, wenn sie mit der Wahrheit konfrontiert wurden. Sie versuchten, mit einem Lachen ganze Indizienketten zu widerlegen, aber es ging meist schief, weil er clever genug war, ihr falsches Lachen richtig zu deuten.

»Ich habe«, erklärte Weller und wählte seine Worte mit Bedacht, »sie in Sicherheit gebracht, weil wir befürchtet haben, dass sich die Schweine Beate greifen, wenn du auffliegst.«

Rupert schluckte schwer daran, es klang aber ehrlich für ihn. »Und dann«, folgerte Rupert provokativ, »hast du mit ihr auf Norderney ein Doppelzimmer genommen?«

Weller wehrte ab: »Nein, nein, das stimmt nicht, Rupert.«

»Lüg mich nicht an!«, brüllte Rupert.

Weller blieb dabei: »Nicht auf Norderney. Auf Juist haben wir uns ein Doppelzimmer genommen.«

Rupert schlug sich mit der rechten Faust in die offene linke Handfläche. Er trampelte wild auf dem Boden herum.

Die ersten mutigen Schafe, die sich gerade den ruhig stehenden Männern vorsichtig näherten, verzogen sich sofort wieder.

»Deine Beate ist eine ganz wunderbare Frau, Rupert«, schwärmte Weller.

Rupert biss in den Rücken seiner rechten Hand. Nur so konnte er verhindern, Weller die Faust ins Gesicht zu hauen. Er hätte ihm zu gern die Zähne eingeschlagen. Gleichzeitig wusste er, dass er Weller brauchte. Der fuhr fort: »Ich mag ihre Leidenschaft …«

Rupert tänzelte herum wie ein Boxer, der eine Lücke in der Deckung seines Gegners suchte.

Weller musste niesen. Irgendwelche Gräserpollen flogen hier herum, gegen die er allergisch war.

»Ihre Leidenschaft?«, fragte Rupert ungläubig nach. »Da muss mir was entgangen sein.«

»Ja. Ihre Leidenschaft für gute Bücher. Sie ist so gar kein oberflächlicher Mensch – also, sie ist echt ganz anders als du, Rupert.«

»Ja klar«, bestätigte Rupert, »sie ist eine Frau, und ich bin ein Mann.«

»Das ist zu einfach gedacht, Rupert. Sie ist feinsinnig, spirituell, eine Seele von Mensch.«

Weller putzte sich die Nase. Sobald er das Taschentuch einsteckt, semmel ich ihm eine rein, dachte Rupert. Ein Mann, der eine Hand in der Tasche hat, macht seine Deckung sträflich weit offen.

Noch mit dem Taschentuch in der Hand fuhr Weller kopfschüttelnd fort: »Völlig unverständlich, wieso sie ausgerechnet einen wie dich liebt.«

»Heißt das«, fragte Rupert, »du hast sie nicht flachgelegt?«

Weller schüttelte tadelnd den Kopf: »Denkst du das wirklich, Alter? Nee, deine Beate ist nicht so eine. Die hat sich nur Sorgen um dich gemacht.«

»Wie? Echt jetzt?«

»Ja, Rupert, echt.«

»Wollte sie nicht oder du?«, hakte Rupert nach.

»Das kommt dir vielleicht komisch vor, aber wir hatten keinen Sex und haben uns trotzdem nicht gelangweilt.«

Rupert staunte. Er wollte Weller nur zu gern glauben.

»Und jetzt erzähl mir mal, wie es mit dir und deiner Miet-Ehefrau so läuft. Ist sie so eine scharfe Schnitte, wie man sich erzählt?«

Rupert erschrak. »Wer erzählt das? Wer weiß davon? Verdammt! Das ist ein Dienstgeheimnis!«

»Dienstgeheimnis«, grinste Weller. »Schon klar. Also von mir aus muss Beate nichts erfahren.«

Rupert war erleichtert. Weller legte einen Arm um ihn und zog ihn nah zu sich. »Machst du jetzt den Job weiter, weil du dann zwei Frauen haben kannst? Eine als Rupert und eine als Frederico?«

Rupert überlegte einen Moment. »Nein«, sagte er, »ich mache es, weil ein Mann einfach manchmal tun muss, was er eben tun muss.«

»Ja«, grinste Weller, »schon klar. Und normalerweise sagt ihm seine Frau dann, was das ist.«

Rupert ging ein paar Schritte. Unter seinen Füßen zerkrachten Austernschalen, die Möwen hier abgeworfen hatten.

»Ja«, sagte er, »bei dir ist das bestimmt so und bei den meisten Kollegen auch. Wahrscheinlich trifft es sogar auf mich zu. Aber als Frederico kann ich über so was nur lachen, verstehst du, Weller? Wenn ich Frederico bin, tanzen alle nach meiner Pfeife.«

Weller gab ihm mit einer kleinen Einschränkung recht: »Ja, wenn sie dich nicht vorher umlegen.«

Kriminaldirektorin Liane Brennecke hätte eigentlich Angst um ihr Leben haben müssen, aber dem war nicht so. Sie betrachtete sich im Spiegel. Sie war sich selbst fremd geworden. In diesem Folterkeller, wo sie an den Zahnarztstuhl gefesselt den Gynäkologenstuhl als Drohung vor Augen hatte, war etwas mit ihr geschehen. Ihr fehlten noch die Worte dafür. Etwas hatte sich von ihr abgespalten, war aus ihrem Körper ausgetreten. Ein Teil von ihr war wie weg.

Sie trauerte dem fehlenden Anteil nicht nach. Im Gegenteil, es war wie ein Triumph. Etwas war aus dem Körpergefängnis geflohen und hatte sich in Sicherheit gebracht. Ein Seelenanteil von ihr war entkommen.

Sie wollte so nicht von sich denken. Sie sorgte sich um ihre geistige Gesundheit. War sie kurz davor, verrückt zu werden, oder hatte sie diese Schwelle bereits in dem Rattenloch überschritten, in dem er sie gefangen gehalten hatte?

Um wieder ganz zu werden, musste sie ihn erledigen. Dazu brauchte sie einen Köder und ein Werkzeug. Nichts und niemand erschien ihr geeigneter als dieser Rupert alias Frederico Müller-Gonzáles.

Dieses Buch erscheint am 01.06.2021

Klaus-Peter Wolf und Bettina Göschl im Interview mit dem Chefredakteur des Ostfriesland Magazins Holger Bloem

Traditionell treffen sich einmal im Jahr Holger Bloem, Bettina Göschl und Klaus-Peter Wolf im Café ten Cate zu einem Gespräch, das dann in der »Ostfrieslandkrimizeitung« und in anderen Blättern veröffentlicht wird. Diesmal fand das Treffen unter Corona-Bedingungen statt. Tee und Kuchen schmeckten trotzdem.

Holger Bloem: Das sind besondere Zeiten. Wir wirkt sich das alles auf euch und eure Arbeit aus?

Bettina Göschl: Das kann man wohl sagen. Wir wurden mitten in der Tournee, kurz vor der Leipziger Buchmesse, davon kalt erwischt. Klaus-Peters neuer Roman »Ostfriesenhölle« war gerade auf Platz 1 der Spiegel-Bestsellerliste für Taschenbücher eingestiegen. Ausverkaufte Häuser erwarteten uns im ganzen Land. Wir waren voller Vorfreude auf die Begegnungen mit den Fans. Wir lieben diese literarisch-musikalischen Krimiabende.

Holger Bloem: Und dann der Lockdown.

Klaus-Peter Wolf: Zunächst noch nicht. Das allgemeine Hin und Her begann. Wir haben täglich mit verschiedenen Veranstaltern telefoniert. Mit Gesundheitsämtern und lokalen Verantwortlichen. Die Verwirrung und Unsicherheit war bei allen sehr groß. Was geht? Was darf stattfinden und wie? Was ist eine Großver-

anstaltung? Zu uns kommen normalerweise zwischen 200 und 500 Personen. Darf man das noch?
Dann wurde die Leipziger Buchmesse abgesagt. So etwas habe ich noch nie erlebt.

Holger Bloem: Das ist ja auch eine interessante Erfahrung. Man hat einen Roman auf Platz 1 praktisch aller Bestsellerlisten und dann wird die internationale Buchmesse abgesagt, auf der der Roman höchste Aufmerksamkeit bekommen hätte.

Klaus-Peter Wolf: Und dann mussten alle Buchhandlungen schließen. Aber ich will nicht klagen. Kollegen von uns hat es härter getroffen.

Bettina Göschl: Wirtschaftlich geht es uns durch die vielen treuen Fans und die hohen Buchverkäufe gut. Aber zahlreiche Künstler sind sofort in Not geraten. Sie waren ja gut gebucht, aber durften plötzlich nicht mehr auftreten.

Klaus-Peter Wolf: Auch wir standen erst unter Schock und mussten die neue Situation lernen. Wir haben uns völlig in Norden eingeigelt.

Bettina Göschl: Und dann so langsam realisiert, dass wir ja praktisch im Weltnaturerbe wohnen. Wir sind täglich mit dem Rad zum Deich gefahren.

Klaus-Peter Wolf: Und so haben wir die Landschaft noch nie zuvor erlebt.

Bettina Göschl: Ironischerweise war das Wetter ja großartig. So, wie es sich die meisten Touristen wohl gewünscht hätten.

Klaus-Peter Wolf: Aber wir waren alleine am Deich. Kein Mensch weit und breit. Wo sonst Touristen Eis schlecken, gab es nur Möwen und Schafe. Davon aber unfassbar viele.

Bettina Göschl: Es hatte auch etwas Gespenstisches.

Holger Bloem: Für einen Krimiautor bestimmt inspirierend ...

Klaus-Peter Wolf: Stimmt. Ich habe täglich geschrieben.

Bettina Göschl: Oft stundenlang ohne jede Unterbrechung.

Klaus-Peter Wolf: Ich brauchte es, in Geschichten abzutauchen. Das Schreiben tut meiner Seele gut. Es befreit mich geradezu. Das geht Bettina nicht anders.

Bettina Göschl: Ja, in eine Figur zu gehen und die Welt mit ihren Augen zu sehen, ist auch für mich ein heilsamer Prozess.

Klaus-Peter Wolf: Wer bin ich denn auch, den Leserinnen und Lesern zu erzählen, wie die Welt ist ... So vermessen bin ich nicht! Das wissen die doch selber. Sie leben ja in ihr. Aber ich kann ihnen die Welt – die sie kennen – mit ganz anderen Augen zeigen. Aus einer anderen Perspektive.

Bettina Göschl: Das ist das Wunderbare an Literatur.

Klaus-Peter Wolf: Manchmal erzähle ich die Welt aus der Sicht eines Serienkillers.

Bettina Göschl (lacht): Für viele ist das neu. Ein eher ungewöhnlicher Blick auf die Welt.

Holger Bloem: Im neuen Roman, »Rupert Undercover«, sehen wir die Welt oft aus der sehr speziellen Perspektive von Kommissar Rupert.

Klaus-Peter Wolf: Ja, er hat einen sehr besonderen Blick auf die Welt …

Bettina Göschl: Und er spricht immer ganz undiplomatisch aus, was er gerade denkt.

Holger Bloem: Rupert ist eine Figur, die oft aneckt und bei manchen seiner Aktionen zuckt man zusammen und fasst sich an den Kopf. Warum mögen so viele Leser und Leserinnen diesen schrägen Typen?

Klaus-Peter Wolf: Ja, Rupert hat eigene Fans.

Bettina Göschl: Manchmal denke ich, sogar mehr als Ann Kathrin Klaasen und Frank Weller.

Klaus-Peter Wolf: Rupert hat zwar zig Affären, wirkt aber irgendwie verloren auf dieser Welt. Er ist, wie viele Männer, auf der Suche nach Vorbildern. Er fragt sich, wie kann man als Mann heute überhaupt sein?

Bettina Göschl: Er versucht, zu sein wie seine Filmhelden. Aber als Humphrey Bogart oder Bruce Willis sieht man vielleicht auf der Leinwand gut aus, kommt aber im Leben nicht wirklich klar.

Klaus-Peter Wolf: Das ist es auf den Punkt gebracht. Rupert scheitert ständig, wird aber aus seinen Fehlern nie wirklich klug.

Holger Bloem: Aber er ist auch mit all dem Mist, den er baut, geradezu Kult geworden.

Klaus-Peter Wolf: Er hat etwas, wonach wir uns alle sehnen.

Holger Bloem: Na, jetzt bin ich aber mal gespannt.

Klaus-Peter Wolf: Rupert ist ein treuer Freund.

Bettina Göschl: Absolut loyal zu seinen Kollegen. Wenn es hart auf hart kommt, ist er da. Dann kann man sich auf ihn verlassen.

Klaus-Peter Wolf: Wenn du einen Freund oder Arbeitskollegen hast, von dem du ahnst, der würde mich für einen kleinen Karrieresprung verraten und bei den ersten Schwierigkeiten sofort fallenlassen, dann muss der sich im Leben immer sehr korrekt verhalten, damit du ihn weiterhin als Freund oder Arbeitskollegen in deiner Nähe akzeptierst.

Holger Bloem: Stimmt.

Klaus-Peter Wolf: Wenn du aber neben dir einen hast, von dem du genau weißt: der würde mich nie verraten! Der wird zu mir stehen, wenn mal alles schiefläuft, dann kann der sich im Alltag auch mal blöd verhalten oder völlig verpeilt sein. Das verzeihst du dem. Und genau so einer ist Rupert.

Bettina Göschl: Gleichzeitig kann man bei ihm manchmal so schön schadenfroh sein. Eigentlich ein tabuisiertes Gefühl. Er macht etwas und man möchte schreien: »Rupi, lass das!« Aber dann tut er es doch und blamiert sich.

Klaus-Peter Wolf: Immer, wenn er denkt, er hat es und etwas würde ihm besonders toll gelingen, geht es schief.

Bettina Göschl: Viele Menschen kennen das.

Holger Bloem: Bei den literarisch-musikalischen Krimiabenden singst du, liebe Bettina, auch einen Song über ihn und viele Fans singen mit.

Bettina Göschl: »Supi! Dupi! Rupi!« hat Ulrich Maske geschrieben. In einem von Klaus-Peters Ostfriesenkrimis studiert der Polizistinnenchor einen als Spottlied auf Rupert gedachten Song ein. Er hört ihn, versteht ihn aber falsch und fühlt sich gebauchpinselt.

Holger Bloem: Inzwischen wird das Lied gern Rupert zu Ehren angestimmt.

Klaus-Peter Wolf: Das hat er auch verdient. Ein Spottlied wandelt sich zur Lobeshymne. Auch das nur eine Frage der Perspektive.

Holger Bloem: Mir gefällt besonders die Zeile »Rupert ist ostfriesischer Rock 'n' Roll«.

Klaus-Peter Wolf (grinst): Gäbe es Rupert nicht, müsste man ihn erfinden. Die Premiere zu »Rupert undercover« fand dann in Dinslaken im Autokino statt. Das war ja »sicher«. Eine Lesung vor 175 Autos ... zum Glück saßen Menschen drin. Corona macht verrückte Dinge mit uns.

Bettina Göschl: Einige Städte und Gemeinden haben sich echt etwas einfallen lassen, damit das kulturelle Leben nicht völlig zum Erliegen kam. In Dinslaken hat Susanne Kaminski das vorbildlich organisiert ...

Klaus-Peter Wolf: Jever war auch ganz vorne mit einem Open Air und Bad Zwischenahn. Da sind wir im Park der Gärten aufgetreten. Das hat so gut getan.

Holger Bloem: Haben euch die Auftritte gefehlt?

Klaus-Peter Wolf: Und wie!!! Das war ganz schrecklich. Wir brauchen den Kontakt zu den Fans so sehr. Ich weiß jetzt, wie sehr ich das brauche. Ich bin eine Rampensau.

Bettina Göschl: Wir haben die Auftritte beide schmerzlich vermisst und waren sehr dankbar, dass einiges durch großen Einsatz von Veranstaltern ermöglicht wurde.

Klaus-Peter Wolf: Ja, da haben wir auf der Bühne Glücksgefühle erlebt und ich habe mir auch ein zwei Tränchen weggewischt, als das Publikum uns so herzlich empfangen hat. Aber wir haben nur Sachen mit überzeugendem Sicherheitskonzept gemacht. In Räumen praktisch nichts und lange Anreisen haben wir auch vermieden. Hoffentlich geht es bald wieder richtig los ... Ich bin echt heiß drauf ...

Holger Bloem: Gerade hat die Verfilmung des fünften Ostfriesenkrimis begonnen. Die Filme werden vom ZDF samstags zur besten Sendezeit ausgestrahlt und werden regelmäßig zu Einschaltquotenhits. Bettina Göschl summt die Titelmelodie. Das schafft gleich ein Gänsehautfeeling, noch bevor es überhaupt losgeht.

Bettina Göschl: Ich summe »Ostfriesenblues«, den Song, den ich oft abends singe, wenn ich mit Klaus-Peter gemeinsam auftrete.

Holger Bloem: Ihr zwei spielt auch immer mit.

Bettina Göschl: Ja, wir haben immer so einen Cameo-Auftritt.

Klaus-Peter Wolf: Das verdanken wir dem alten Hitchcock, der hat das auch immer gemacht.

Holger Bloem: Wie ist die Zusammenarbeit mit der Filmproduktion und mit den Schauspielern? Du redest ja ein gehöriges Wörtchen mit, Klaus-Peter.

Klaus-Peter Wolf: Naja, ich habe viel Filmerfahrung. In den ersten Jahren konnte ich als Schriftsteller natürlich nicht von meinen Büchern leben. Ich habe Drehbücher geschrieben für große internationale Co-Produktionen. Kinderserien, aber auch für »Tatort« und »Polizeiruf 110«. Die Filmleute sind ein diskussionsfreudiges Volk, die drehen jetzt von meinen Romanen inspirierte Filme und natürlich lassen sie sich auch gern von mir beraten.

Bettina Göschl: Wir kommen gut mit ihnen klar. Das ist ein sehr freundliches Miteinander.

Holger Bloem: Norden ist durch die Verfilmungen ja so ein bisschen »Klein-Hollywood« geworden. Zweimal im Jahr trifft man Schauspieler im Supermarkt und hier im Café ten Cate. Das ist ja ein Stückchen Zuhause für alle geworden.

Klaus-Peter Wolf: So soll es auch sein. Ich finde meine Figuren durchaus in den Filmen wieder. Natürlich kann man Romane nicht einfach Blatt für Blatt abfilmen.

Bettina Göschl: Dann bräuchte man auch gar keinen Film, denn das ist ja der Film, den jeder Mensch beim Lesen im eigenen Kopf dreht.

Klaus-Peter Wolf: Die Schauspieler finden immer mehr in ihre Rollen hinein. Sie lernen nicht einfach das Drehbuch, sondern lesen die Romane, finden ihre Figur. Julia Jentsch als Ann Kathrin Klaasen wühlt sich ja geradezu in die Rolle hinein. Wenn ich mit Christian Erdmann rede, muss ich aufpassen, dass ich nicht »Weller« zu ihm sage, weil er es inzwischen für mich so sehr geworden ist. Ich mag es, wie er die Figur anlegt und Wellers verschiedene Seiten ausspielt. Den ruhigen, besonnenen Mann und den dünnhäutigen, der manchmal ausflippen könnte ...

Bettina und ich finden Barnaby Metschurat als Rupert großartig. Er spielt ihn mit einer gewissen ironischen Distanz, die
genau zur Rolle passt. Rupert spielt ja viel mehr Rupert, als
dass er es einfach ist ... Er probiert sich ja immer aus ... Barnaby kann im Gespräch von einer Sekunde auf die andere in die
Rolle wechseln und plötzlich als Rupert antworten und nicht
mehr als Barnaby.

Bettina Göschl: Das kenne ich nur zu gut auch von Klaus-Peter,
der geht immer zwischen den einzelnen Figuren hin und her.
Mal ist er Ann Kathrin Klaasen, mal Rupert.

Holger Bloem: Oder der Serienkiller Dr. Bernhard Sommerfeldt ...

Bettina Göschl: Ja, auch als Dr. Sommerfeldt hat er durchaus
liebenswerte Züge.

Holger Bloem: Lasst mich noch eine Frage zu dem Roman
»Todesbrut« stellen. Du hast ihn vor zehn Jahren geschrieben,
Klaus-Peter. Jetzt ist er plötzlich hochaktuell und ist wieder in
aller Munde. Man hat beim Lesen des Romans, der auf einer
Fähre zwischen Emden und Borkum spielt, das Gefühl, er sei
gerade erst geschrieben worden. Während der Corona-Krise.

Klaus-Peter Wolf: 2009 waren Bettina und ich auf einer langen
Tournee durch die Schweiz. Es war die berühmte Schweine-
grippe-Zeit. Alle Zeitungen waren voll davon. In den Nachrichten wurde ständig berichtet, was man tun solle, wenn man sich
ansteckt, nämlich nicht zum Krankenhaus gehen, sondern einen
Termin beim Hausarzt erbitten und sich zu Hause isolieren.

Mich hat die Schweinegrippe in Luzern erwischt. Ich wusste sofort, dass ich so eine Krankheit noch nie hatte. Es ging mir echt dreckig und ich hatte gleich Gewissensbisse.

Holger Bloem: Gewissensbisse?

Bettina Göschl: Na klar. Wir wussten nicht, was wir tun sollten. Wären wir in ein Hotel gegangen, hätte man das unter Quarantäne gestellt. Das wollten wir den Mitarbeitern und Gästen nicht antun. In ein Krankenhaus sollten wir nicht gehen, der Hausarzt war vierzehn Stunden von uns entfernt ...

Klaus-Peter Wolf: Wie man es macht, macht man es dann falsch.

Holger Bloem: Was habt ihr getan?

Bettina Göschl: Klaus-Peter und ich sind in Luzern in einen Zug gestiegen, haben ein leeres Abteil gesucht und uns auf einer nächtlichen Reise nach Norden durchgeschlagen.

Klaus-Peter Wolf: Sie hat mich mit Wasser versorgt und so. Wir haben uns nicht getraut, im Zug jemandem zu sagen, was ich habe. Wir hatten Angst, dass die uns rausschmeißen.

Holger Bloem: Ein Albtraum.

Klaus-Peter Wolf: Und gleichzeitig wusste ich, dass ich darüber einen Roman schreiben muss. Nicht über das Virus, sondern darüber, dass plötzlich die üblichen Regeln durch eine Pandemie außer Kraft gesetzt werden und die Menschen noch keine neuen Verhaltensweisen haben.

Holger Bloem: Vieles, was man in dem Roman lesen kann, ist ja hinterher genau so passiert. Das las sich geradezu visionär.

Klaus-Peter Wolf: Ich bin aber kein Hellseher, wie du weißt, sondern ich denke Dinge erzählerisch zu Ende. Das ist die Aufgabe von Schriftstellern.

Bettina Göschl: Manchmal sind Autoren halt wie Seismographen für eine ganze Gesellschaft.

Holger Bloem: Ich danke für das Gespräch und vielen Dank an Monika und Jörg Tapper für ihre Gastfreundschaft und die Köstlichkeiten, die sie hier auf den Tisch gestellt haben.
Euch beiden, liebe Bettina und lieber Klaus-Peter, wünsche ich immer eine Handbreit Wasser unterm Kiel.

Café ten Cate
Schokoladenmanufaktur

»Wenn es wieder richtig
spannend war –
Marzipan beruhigt
den Magen!«

Ubbo Heide

Signierte Bücher von
Klaus-Peter Wolf und Bettina Göschl
sowie Fan-Artikel und die beliebten
Ubbo Heide Seehunde oder Deichgrafkugeln
gibt es auch bei uns im online Shop
www.shop.cafe-ten-cate.de/shop

Osterstraße 153 · 26506 Norden · Tel. (0 49 31) 24 20

Alle Ostfriesenkrimis von Klaus-Peter Wolf sind als Hörbuch erhältlich!

© Wolfgang Weßling

Wolf ist ein wahrlich ausgezeichneter Rezitator seines eigenen Werks. Er kann mit der Stimme spielen, kann Sätze zerdehnen und hüpfen lassen und Szenen leidenschaftlich formen, dass es ein Genuss ist.
Elisabeth Höving, WAZ

Ein Krimi mit Anspruch also, wie immer bei Klaus-Peter Wolf. Dazu viel Action und ab und an ein bisschen Komik zur Entspannung.
Erla Bartmann, Bayern 5

Das Zusammenspiel der Protagonisten, insbesondere der Disput zwischen Ann-Kathrin und ihrem Macho-Kollegen Rupert ist unterhaltsam.
Aurelia Wendt, NDR Kultur über das Hörbuch »Ostfriesenangst«

Mehr noch als in früheren Klaasen-Krimis macht Wolf die Frage nach der Moral zum Triebmittel seines Romans. Und das reicht deutlich tiefer als die schlichte Frage – wer war der Täter?
Oliver Schwambach, Pfälzischer Merkur

4 CDs ISBN 978-3-8337-4227-9